Rudolf Pörtner (Hrsg.)

DAS SCHATZHAUS DER DEUTSCHEN GESCHICHTE

Rudolf Pörtner
(Herausgeber)

DAS SCHATZHAUS DER DEUTSCHEN GESCHICHTE

Das Germanische Nationalmuseum
Unser Kulturerbe in Bildern und Beispielen
Mit einem Vorwort von Walter Scheel

Die Abbildungen wurden von der Bildstelle des Germanischen Nationalmuseums in Nürnberg zur Verfügung gestellt. Bei einzelnen Illustrationen, die aus anderen Archiven stammen, wurde ein entsprechender Hinweis der Bildlegende angefügt.

Die nicht gekennzeichneten »Notizen für den Leser« sind von den Autoren der Beiträge, die mit W. D. markierten von Wolfgang Drescher verfaßt.

Lizenzausgabe 1989 für
Manfred Pawlak Verlagsgesellschaft mbH,
Herrsching

Printed in Jugoslavia
ISBN 3-88199-523-4

INHALT:

VORWORT

Wenn wir ein Museum in Deutschland, ja im gesamten deutschen Sprachgebiet als deutsches Geschichtsmuseum bezeichnen können, so ist es das »Germanische Nationalmuseum« in Nürnberg, von Eingeweihten kurz GNM genannt. »Germanisches Nationalmuseum«, das ist ein heute schwerverständlicher Name. Denn als es die Germanen gab, gab es noch keine Nationen; und als es die Nationen gab, gab es keine Germanen mehr.

Da das Museum die größte Sammlung zur Geschichte deutscher Kunst und Kultur von der Vorzeit bis ins 20. Jahrhundert beherbergt, mag die Bezeichnung »Nationalmuseum« einleuchten. Aber das Beiwort »germanisch« ist verwirrend. Es ist nur aus der Entstehungsgeschichte des Museums selbst verständlich. So hatten sich deutsche Geschichts- und Sprachforscher auf einem Kongreß 1846 in Frankfurt am Main den Namen »Germanisten« gegeben, da sie in der Lautverschiebung der indogermanischen Sprache – mit der das Eigenleben der germanischen Sprache begann – den Ausgangspunkt ihres Forschungsfeldes sahen. Und das Wissenschaftsgebiet der Germanistik war es, das der Gründer des Museums, Freiherr von Aufseß, seinem Vorhaben zugrunde legte: den gesamten deutschen Sprachraum in Denkmälern seiner Kunst, Kultur und Geschichte museal darzustellen. So gab die 1852 in Dresden tagende Versammlung der deutschen Geschichtsvereine dem Museum diesen Namen. Er hat seit fünf Generationen Bestand, obwohl nach dem letzten Krieg über eine Namensänderung diskutiert wurde. Der Name hatte in den unheilvollen zwölf Jahren des Nationalsozialismus eine Bedeutung gewonnen, von der sich sein Gründer nichts hatte träumen lassen.

Der Grundgedanke des Museums war im 19. Jahrhundert ein politischer Gedanke. In einer Zeit politischer Zerrissenheit wollte dieses Museum »Zeuge und Bürge für das Fortbestehen einer wahrhaft ächt deutschen Gemeinsamkeit« sein. Man hat darin eine Flucht aus der Politik sehen wollen, und in der Tat hat man es nach der Gründung des Museums peinlich vermieden, zu den politischen Fragen, die die Nation damals bedrängten, Stellung zu nehmen. Aber das war eine Notwendigkeit, eine List, sollte der nationale Gedanke auf den Gebieten von Kunst, Wissenschaft und Geschichte belebt werden.

Und darauf kam es dem Gründer an. Er erklärte: »Mit Politik hat sich das Museum nie abgegeben, obwohl es als Centralanstalt für deutsche Geschichte die geistige Einheit Deutschlands vertritt.« Das ist ein Satz, in dem sich unter der Maske des Unpolitischen eine ganze Menge Politik verbirgt. Die »geistige Einheit Deutschlands« ließ sich damals offenbar nur vertreten, wenn man an das Problem der politischen Einheit Deutschlands nicht rührte. Eine Situation übrigens, die manchen an bestimmte Erscheinungen in der Diskussion über Europa heutzutage erinnert. Aber warum vertrat man die »geistige Einheit Deutschlands«, wenn nicht darum, die Grundlage für die politische Einheit zu schaffen? Der Freiherr von Aufseß mag aus der Politik in sein Museum »geflohen« sein – aber er war zu seiner Zeit viel politischer als all die vielen Regierungen in Deutschland zusammengenommen.

Das Museum hat auch heute eine politische Aufgabe: Es soll die Kenntnis der deutschen Geschichte verbreiten und vertiefen. Nur wenn wir unsere Geschichte kennen, werden wir wissen, wer wir sind, werden wir mit den Aufgaben fertig werden, die uns die Geschichte stellt. Die Aufgaben heißen: die Bewahrung der »Deutschen Nation«, die Einheit Deutschlands, die Sicherung des Friedens, die Einigung Europas.

Was aber heißt das, die Einheit der Nation? Ich meine: das Bewußtsein des deutschen Volkes, einer Nation anzugehören, und der Wille, für eine gemeinsame Zukunft zu wirken. Das Bewußtsein, einer Nation anzugehören, ist ein historisches Bewußtsein. Die Geschichte hat die Menschen unseres Landes zur Nation geformt; und unser Volk hat seitdem Geschichte als nationale Geschichte erlebt und erlitten.

Wenn wir die Geschichte unserer Nation vergessen, werden wir auch den Begriff der Nation verlieren, und mit diesem Begriff wäre auch die Hoffnung, ja der Sinn der Wiedervereinigung der beiden deutschen Staaten in einem Staat dahin. Das aber heißt, wer die Wiedervereinigung will, zu der uns das Grundgesetz aufruft, muß auch wollen, daß in unserer Jugend die Geschichte unserer Nation lebendig bleibt. Und diese beginnt nicht 1949, nicht 1871, sie ist ein Jahrtausend und älter.

Die Nationen leben aus ihrer Geschichte. Das gilt auch für die Bundesrepublik Deutschland. Wir haben nach dem Zweiten Weltkrieg die eigene Geschichte mehr und mehr aus den Augen verloren. Aber ein Volk, das seine Geschichte vergißt, vergißt, was es zusammenhält. Ihm geht das Bewußtsein gemeinsamen Schicksals verloren. Und nur in diesem Bewußtsein werden wir mit den schweren Aufgaben fertig, die uns gestellt sind.

Geschichte ist nicht nur der Bericht von Geschehenem, es ist die fortgesetzte Kette von Reaktionen, von Urteil und Fehlurteil über Vergangenes. Nicht nur der Historiker, sondern jeder einzelne Bürger steht als mitverantwortliches Glied in dieser Kette, indem er Geschichte an jüngere Menschen weitergibt.

Ich halte dieses Buch deshalb für einen guten Gedanken. Es erhebt nicht den Anspruch, alles Geschichtliche vorzustellen, was das Germanische Nationalmuseum für den Besucher bereithält. Dafür ist das Museum an Kunst- und Kulturschätzen zu reich. Den Besuch kann das Buch nicht ersetzen, eher anregen – und das sollte es! Aber anhand von ausgewählten Exponaten des Museums – es sind zugegebenermaßen mit die schönsten, wichtigsten und geeignetsten – stellen die einzelnen Beiträge Kulturgeschichte dar. Das Buch leuchtet hinter den Gegenstand. Es geht ihm selbst auf den Grund. Es vermittelt den Alltag seiner Zeit, die Umwelt, den politischen, den kulturellen, den wirtschaftlichen und sozialen Zusammenhang. Es ist spannende Schilderung und Anregung zugleich, wie der Besucher selbst die Zeugnisse der Geschichte und Kultur, Kunst und Literatur betrachten soll: Nicht allein der Schönheit des einzelnen Gegenstandes sollte er sich hingeben, nicht weitereilen nach kurzer Inaugenscheinnahme. Verweilen, sinnieren, nachhaken, der geweckten Begierde des Wissens freien Lauf lassen, erst das macht den leblosen Gegenstand zur lebendigen Geschichte und füllt ihn schließlich selbst mit Leben an. Und aus diesem Leben der Geschichte in das Leben von heute hineinführen, um das historische Bewußtsein für die Aufgaben von morgen zu haben, ist eine Aufgabe des Germanischen Nationalmuseums in Nürnberg. Das Buch selbst leistet hierzu einen wertvollen Beitrag.

Walter Scheel
Bundespräsident a. D.

Köln, April 1982

Rudolf Pörtner

EINFÜHRUNG: SALUT FÜR EINEN SCHATZBEWAHRER

Der Reichsfreiherr von und zu Aufseß und die Gründung des Nationalmuseums

Der Adler im Wohnturm

Ludwig Richter hat die Burg Unteraufseß um 1839 gezeichnet, auf seine Art: besinnlich-betulich, mit schlichtem Wirklichkeitssinn und jener Liebe zum volkstümlichen Genrebild, die ihm so viel Beifall eingebracht hat; eine altfränkische Idylle ist dabei herausgekommen, gemütvoll und warmherzig, ein Stück heile Welt, die den Konfliktstoff, den sie birgt, freundlich kaschiert.

Im Vordergrund links zwei Kinder mit dem unvermeidlichen springenden Hund, der bei Ludwig Richter gleichsam zum Inventar gehört, rechts ein weidendes Pferd mit einem hüpfenden Fohlen. In der Mitte ein Elternpaar mit zwei weiteren Kindern. Der Vater steht bis zu den Waden in einem Bach und fischt. Der Bach treibt ein Mühlrad. Dahinter erhebt sich eine eng zusammenstehende Häusergruppe mit Fachwerk und hohen Giebeln. In der Bildmitte ein Steintor mit spitzbogigem Durchlaß. Darüber, auf einer baumbestandenen Höhe, das Schloß: ein einfach gegliederter Baukörper, erdfest und bäuerlich, an den Ecken vier behelmte Rundtürme. Daneben, ein wenig abgesetzt, ein rechteckiger Bergfried mit Anbau, zu dem eine überdachte Holztreppe hinaufführt.

In diesem Turm, hoch über der ländlichen Mühlbachszenerie, pflegte der Gründer des Nationalmuseums in Nürnberg seine Tage zu verbringen, wenn er sich »zu Hause«, auf der Burg seiner Väter, aufhielt. Das Studierzimmer im Bergfried hatte er sich selbst eingerichtet. Dort saß er dann, in einem hellen Winkel vor einem doppelflüge-

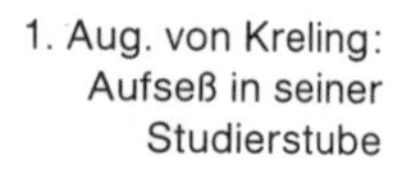

1. Aug. von Kreling: Aufseß in seiner Studierstube

ligen Fenster mit bleiverglasten Scheiben, unter einer schweren Balkendecke, zwischen holzgetäfelten Wänden und mittelalterlichem Mobiliar, vor sich, auf einem runden Tisch, ein altväterliches Lesepult (Abb. 1). Altväterlich auch der Türmer selbst: in einen wallenden, bis zum Boden herabfallenden Mantel – wie eine Mönchskutte – gehüllt. Hager, mittelgroß, ein buschiger Schnurrbart, gescheiteltes, weit über die Ohren reichendes langes Haar, mißtrauische, prüfende Augen, die viele als stechend empfanden. Ein bärbeißiger, abseitiger, stolzer, aber temperamentgeladener Einzelgänger. Ein Streithahn, der keinem Kampf aus dem Wege ging. Ein Energiebündel, unablässig tätig. Die Zeit und ihre Menschen meinten es nicht immer gut mit ihm. Aber er wußte, was er wollte. Hartschädelig verfolgte er seine Ziele. Am Ende mit Erfolg.

Der Mann, der viele Jahre seines Lebens wie ein Adler mit gestutzten Schwingen hochmütig-grimmig in einem Wohnturm lebte, entstammte einem altbayerischen Rittergeschlecht, das sich dem deutschen Uradel zurechnete. Die Sippe war in der Fränkischen Schweiz beheimatet, im Tal eines Flüßchens, das bereits im 14. Jahrhundert »die Aufseß« hieß, und nistete auf Burgen, die so klingende Namen wie Freienfels, Plankenstein, Wüstenstein, Königsfeld oder eben Aufseß trugen. Die Aufseß waren Lehensritter der Fürstbischöfe von Bamberg und der Burggrafen von Nürnberg und galten als tüchtige Krieger und Draufschläger. Im Jahre 1322 zum Beispiel trugen sie entscheidend dazu bei, daß Kaiser Ludwig IV. die Schlacht bei Mühldorf gewann, die das Schicksal seines Gegenkönigs, des schönen Friedrich von Österreich, besiegelte. Den Schmuck der Familie bildeten aber nicht nur wackere Streiter und tapfere Degen, sondern auch fromme Diener der Kirche. Einer von ihnen, Friedrich VIII. von Aufseß, wurde 1421 Bischof von Bamberg. Die Chronik der Geschlechter verzeichnet auch einige Köpfe, die sich durch hohe Gelehrsamkeit hervortaten. Alle diese Eigenschaften, die Lust an ritterlich-militärischem Wesen, an geistlich-politischem Engagement und an ernster wissenschaftlicher Arbeit, vereinigten sich in dem Reichsfreiherrn von und zu Aufseß, der am 7. September 1801 als Sohn des preußischen Regierungsrates Friedrich Wilhelm von und zu Aufseß geboren wurde – in einem Turmzimmer notabene, auf der Familienstammburg Oberaufseß.

Der junge Herr trat in eine Welt ein, die ihm schon in seiner Kindheit nichts schuldig blieb. Dramatische Ereignisse und revolutionäre Veränderungen wechselten einander ab auf der Bühne, die Geschichte hieß.

Reichsreform und Napoleonische Kriege

1801 – das alte Reich, dessen Wurzeln über ein Jahrtausend hinweg bis in die Erde des karolingischen Imperiums reichten, bestand zwar noch, und Kaiser Franz II., der Habsburger in Wien, fühlte sich als Herr über eine Ansammlung kleiner und großer deutscher Länder, die Agonie hatte aber bereits begonnen. Ein Jahr zuvor hatten die von ihrem »Ersten Konsul«, dem General Napoleon Bonaparte, geführten Franzosen die Österreicher bei Marengo in der Poebene schwer geschlagen. Nun, ein Jahr später in Lunéville, diktierte der Sieger den Geschlagenen einen Frieden, der keinen Zweifel daran ließ, daß er entschlossen war, sich selbst als Erbe der großen Karolingersippe zu etablieren. Er herrschte jetzt bis zum Rhein, auch die Niederlande und Oberitalien gehorchten seinem Willen. Und Lunéville tat seine Wirkung. Der dem deutschen Kaiser aufgezwungene Vertrag wurde, so Golo Mann, »der Anlaß zu einer großen Flurbereinigung«, die etwas verschämt Reichsreform genannt wurde. Diese Reform, die das als Traum und Anspruch noch immer bestehende Heilige Römische Reich Deutscher Nation nun endgültig dem Orkus überantwortete, ließ alle geistlichen Staaten und Territorien, die meisten Reichsstädte und eine ganze »Milchstraße von Reichsfürstentümern, Grafschaften, Ritterschaften« verschwinden. Das Reich, jenes merkwürdige Konglomerat von kirchlichen und weltlichen Herrschaften höchst unterschiedlicher Größe und Konsistenz, wurde säkularisiert und mediatisiert – von heute aus gesehen: ein nützlicher, ja notwendiger Vorgang, damals ein tiefer, schmerzlicher Eingriff in Überlieferungen, Traditionen und Gewohnheiten, der das Leben, wenn auch gegen unzählige Widerstände, von Grund auf veränderte und erneuerte.

Die kriegerischen Ereignisse taten ein übriges. Sie tränkten Europa mit Blut und schufen Mangel und Wirrnis, Unsicherheit und eine Vielzahl von Plagen. Mörderische Schlachten wurden geschlagen, zahllose Dörfer und Städte eingeäschert, durchziehende Soldateska brandschatzte und plünderte, Hunger und Krankheiten gingen um, und um den neuen Cäsar in Paris niederzuringen, mußten Zehntausende von Menschen geopfert werden. Das Leben geriet aus den Fugen. Ausnahmegesetze bestimmten den Alltag – auch auf einer fränkischen Burg zwischen Bamberg und Nürnberg war dies zu spüren.

Kindheit in wirrer Besatzungszeit

Schon der junge Hans von und zu Aufseß mußte erfahren, was es heißt, ins Räderwerk der Geschichte zu geraten und mit zeitgenössischer Politik aus erster Hand versorgt zu werden. Der brutale Anschauungsunterricht, der ihm zuteil wurde, hat seine ganze Kindheit geprägt. Den Vater nahm der Verlust der Reichsunmittelbarkeit und der damit verbundenen Rechte und Privilegien derart mit, daß seine

Galle häufig rebellierte und sein Gemütszustand sich verdüsterte. Schwer belastete ihn auch, daß er kaum noch Herr im eigenen Hause war. Auf Schloß Oberaufseß quartierten sich häufig durchziehende französische Einheiten ein. General Mazinelli von der Brigade Vincenti gab, wie es in dem Bericht des heutigen Schloßherrn von Aufseß heißt, dem Colonel Dodé und seinem Stab den Türdrücker in die Hand – und so ging es weiter. Eine »Belegung« nach der anderen, heute französische Offiziere, »die sich causierend und charmierend den Damen des Schlosses angenehm machten«, morgen schmucke Dragoner, übermorgen »schnauzbärtige Kanonierbullen«, aber auch »Kolonnenschleicher, Nachzügler und Marodeure«. Die aufseßischen Güter litten schwer unter diesen ungebetenen, meist auch recht ungehobelten Gästen, noch mehr vielleicht unter den zahlreichen Requisitionen und steuerlichen Erhebungen, die die kriegführenden Parteien ihren Ländern auferlegten. Das Ergebnis war betrüblich. Der Wohlstand derer von Aufseß schmolz zusehends dahin, die Schulden schossen ins Kraut, »wertvoller Nebenbesitz« mußte veräußert, ja verschleudert werden.

Der Knabe Hans war noch zu jung, als daß ihn diese Drangsale bekümmert hätten. Um so stärker scheint den schmalen, aufgeweckten, erlebnishungrigen Jungen die erregende Buntheit und Vielfalt dieser hochbrisanten Jahre beeindruckt zu haben.

> »Hingerissen von den Aufmärschen, Biwaks und morgendlichen Appellen bei Trommelschlag und Trompetenstoß, rüstet der kleine Draufgänger seine dörflichen Spielkameraden mit Holzgewehren und Papphelmen aus, um die großen Schlachten Napoleons ... noch einmal auszufechten. Als er in seinen Feldzügen es einmal Napoleon zu ähnlich treibt und ihm vom Vater Arrest droht, reißt der Zehnjährige wohlproviantiert mit Kochgeschirr und Kartoffeln aus und wird erst kilometerweit entfernt von einem Bediensteten trotz seines heftigen Zurückschlagens mit dem Holzdegen wieder dingfest gemacht.«
> »Als schließlich nach dem Rückzug der Fahnenflüchtigen, Verwundeten, Verzweifelten und Strolche im Gefolge der geschlagenen *grande armée* die Russen unter Oberst Harritonoff in Aufseß ruinöser als alle Vorgänger Quartier machten, schenkt Hans im Glück sein Herz den kinderlieben, bärtigen Nikolausen und läßt sich von ihnen verschleppen. Er kehrt erst nach Tagen wieder zu den besorgten Eltern zurück.«

Des Widerspenstigen Zähmung

Die schulische Erziehung mußte unter solchen Bedingungen Bruchwerk bleiben. Sie fand standesgemäß »im Schloß« statt, nur waren in dieser bösen und schlimmen Zeit auch geeignete Privatlehrer Mangelware. Der erste, der sich des wißbegierigen, aber nicht gerade braven Jungherrn annahm, war der »bucklige, überspannte Schulgehilfe Julius Streit«, der schon dem Fünfjährigen das Abc und die Grundbegriffe des Schreibens beibrachte. Als nächster versuchte ein uralter Jude namens Spandau, den adligen Wildling an regelmäßiges Lernen zu gewöhnen. Ihn löste ein trinkfreudiger Studiosus ab, der sich wie weiland Dr. Faustus der Theologie ergeben hatte, seine Gottesgelehrtheit aber vor allem in nächtlichen Wirtshaussitzungen zu vertiefen trachtete, ein Umstand, der notwendigerweise seinen »Hinausschmiß« zur Folge hatte, obwohl er wegen seines »einschmeichelnden Klarinettenspiels« bei der musikliebenden Aufseß-Familie einen Stein im Brett hatte.

Gerade noch zur rechten Zeit erschien der Aufseßer Pfarrer Ulmann auf der Szene. Er muß nicht nur ein vielseitiger, sondern auch ein recht einfühlsamer, pädagogisch talentierter Seelenschäfer gewesen sein. Jedenfalls gelang es ihm, in dem den Kinderschuhen allmählich entwachsenden Reichsfreiherrn die Lust an methodischer Arbeit und ein lebhaftes Interesse für die Welt der Bücher und des Wissens zu wecken. Unter seiner Leitung entdeckte und entwickelte der junge Aufseß auch jene intensive Sammelleidenschaft, die für sein Leben so bedeutsam wurde. Mittelalterliche Kodizes, frühe Münzprägungen oder alte Karten standen allerdings noch nicht auf dem Programm. Käfer, Schmetterlinge und ausgestopfte Säugetiere beschäftigten einstweilen seinen Forschungseifer und füllten seine Freizeit ausreichend aus. Pfarrer Ulmann schenkte ihm auch eine »vielbändige Weltgeschichte«, die ihm – nach dem Zeugnis seines kundigen Nachfahren – zum erstenmal ermöglichte, »die größeren Zusammenhänge zwischen den von ihm im Familienbesitz in Aufseß mit Eifer studierten persönlichen Schreiben der Kaiser und Päpste, der Burgfriedensverträge und Fehdeansagen herzustellen«.

Damit war das Samenkorn gelegt. Ein starkes, dauerhaftes Interesse für die Vergangenheit begann im Haus von Aufseß zu brennen. Die Geschichte wurde nicht nur sein Steckenpferd, sondern die große Passion seines Lebens, der er mit Herz und Hirn verfiel, ja überhaupt: das zentrale Ereignis, die motorische Kraft seines Daseins. Seinen Büchern und Folianten hingegeben, mit Familienurkunden und den Aufzeichnungen seiner Altvorderen beschäftigt, zog sich schon der Zwölfjährige in irgendwelche Winkel der weiträumigen Burg zurück, um zu lesen, zu sichten, zu sammeln – und nicht nur

Ordnung in seine Sammlungen, sondern auch in seine Gedanken zu bringen.

Schließlich hielt das Schicksal noch eine besondere Gunst für den heranwachsenden Reichsfreiherrn bereit. Eines Tages quartierte sich »der später so hoch angesehene Staatsrechtslehrer und Oberappellationsgerichtsrat Dr. Strunk« auf Schloß Oberaufseß ein und nahm sich des jungen Wildfangs an, stutzte seinen historischen Eifer und seine Wißbegier zurecht und legte in ihm die Fundamente für die noch fehlende Allgemeinbildung. Mit beträchtlichem Erfolg – als Hans von Aufseß, gerade sechzehn Jahre alt, sich 1817 in Erlangen dem obligaten Abiturexamen stellte, bestand er die mehrtägige Prüfung mit der höchsten zu vergebenden Auszeichnung.

Sein Nachfahre Hans Max von Aufseß, der ihm in dem Büchlein *Des Reiches erster Konservator* ein liebevoll modelliertes literarisches Denkmal gesetzt hat, beurkundet auch, daß die etwas rauhen Manieren »dieses jungen APO der Unmanierlichkeit« in dieser Zeit zurechtgeschliffen wurden. Die Aufgabe, den intelligenten, aber noch recht unbehauenen Stürmer und Dränger in die Grammatik der Höflichkeit und die Syntax gesellschaftlicher Umgangsformen einzuweisen, übernahm eine wohl absichtlich zu Besuch entsandte »entzükkende Base, die am Hofe in Stuttgart in zierlichem Betragen und französischem Parlieren erzogen war«. Der junge Hans von Aufseß verliebte sich schnurstracks in das feingebildete, kultivierte Fräulein und war dann offenbar ehrlich bemüht, sein ungehobeltes Auftreten den Gesetzen der Wohlerzogenheit anzupassen.

So ganz ist ihm das allerdings nicht gelungen. Sein leicht durchgehendes Temperament zu zügeln, ist ihm zeit seines Lebens schwergefallen. Bärbeißige Rauhbeinigkeit und schroffe Direktheit sind immer seine besonderen Kennzeichen geblieben. Nicht immer zu seinem Nutzen. Denn da er selbst die schweren Säbel bevorzugte, wurde er häufig auch mit schweren Säbeln bearbeitet.

So muß man sich den jungen Studiosus, der 1817 in Erlangen immatrikuliert wurde, wohl als einen recht eigensinnigen, temperamentvollen, keinem Streit aus dem Wege gehenden Musensohn vorstellen. Doch paßte er damit in den Vorstellungskodex der studentischen Jugend, die nach den Befreiungskriegen den Ton an den Universitäten angab. Begeisterungsfähigkeit und rauhe Schale waren sozusagen ein Teil des vorschriftsmäßigen Gewandes.

APO anno 1817

Die Welt hatte sich abermals beträchtlich verändert. Der Schlachtendonner der Freiheitskriege war verhallt. Napoleon war bezwungen und lebte nun auf St. Helena sein Herrscherdasein protokollgerecht, aber kümmerlich zu Ende. Die Monarchen von Rußland, Österreich und Preußen hatten ihre *Heilige Allianz* geschlossen, ein Bündnis zur Bewahrung der Macht durch die Erneuerung christlich-restaurativer Grundsätze. Und meisterlich war es dem Genie Metternichs gelungen, ein ruhestiftendes Gleichgewicht auf dem Kontinent zu schaffen. Es hielt über fünfzig Jahre, wie man weiß, und war eine reife staatsmännische Leistung, der niemand den Respekt versagen wird, wenn er die Erhaltung des Friedens für das Hauptziel der Politik hält.

Der Friede war allerdings teuer erkauft. Vor allem die Deutschen sahen sich genarrt und getäuscht und ihrer schönsten Hoffnungen beraubt. Die Kleinstaaterei, die zu überwinden Arndt und Fichte und andere erlauchte Geister aufgerufen hatten, war aus der hochdiplomatischen, aber wenig bewegenden Mühsal des Wiener Marathonkongresses unbeschädigt hervorgegangen – noch immer gab es vierunddreißig verschiedene Territorien und vier Freie Städte.

Aber nicht nur die ersehnte und versprochene Einheit war nicht verwirklicht worden, auch die liberalen Reformen, die viele erhofft hatten, waren auf der Strecke geblieben. Niemand sprach mehr von der Gleichheit vor dem Gesetz, die in Schinkels Eisernem Kreuz ein so eindrückliches Symbol gefunden hatte. Statt dessen hatte der Alltag von ehedem sein Regime wieder angetreten. Ruhe und Ordnung galten wie zuvor als die ersten Bürgerpflichten, das »Altgewohnte und Gewöhnliche« diktierte wieder. Der große Schwung der Freiheitskriege war dahin, die hehren Gefühle des patriotischen Aufbruchs erstickten in bleierner Müdigkeit, die Begeisterung der Kriegsjahre wich dem stumpfen Phlegma der Restauration.

So sahen es jedenfalls die deutschen Studenten, die mit Recht geltend machen konnten, daß sie zu Tausenden freiwillig zu den Fahnen geeilt waren und daß ihr Opfermut und ihre Todesbereitschaft anstekkend gewirkt hatten. Nun forderten sie den angekündigten Lohn ein: die deutsche Einheit und die Bereitschaft der Fürsten, die Bürger an der Verwaltung ihrer Territorien zu beteiligen. Der Protest war begründet, und er nahm schon bald sichtbare Form an. Die Studenten rebellierten, sie organisierten sich, sie bildeten Zellen, sie fanden Führer, die den Konflikt mit der Obrigkeit nicht scheuten.

Einer von ihnen war der frühere Theologie- und Philosophiestudent Adolf August Ludwig Follen, ein politischer Schwärmer, der sein romantisierendes Deutschtum wie einen Wappenschild vor sich hertrug. Er schrieb vaterländische Gedichte, heroische Ritterromane und minneselige Versepen, deren Themen und Gestalten er der mittelhochdeutschen Literatur entlehnte, bearbeitete das Nibelungenlied für den Volksgebrauch und wurde später – als politischer Emigrant in der Schweiz lebend – der »Mentor und Gönner« von Georg Herwegh und Gottfried Keller.

Nun, im Frühjahr 1815, gründete er in Gießen zusammen mit seinem Bruder Karl eine Vereinigung, die wir heute konspirativ nennen würden. Die Follen-Gruppe bekannte sich freimütig zu dem Ziel, revolutionäre Gesinnung durch antistaatlichen Terror zu schaffen. Ihre Mitglieder fühlten sich republikanisch-jakobinischen Idealen verpflichtet, redeten sich in trunkenen nächtlichen Sitzungen in Rausch und Rage und nannten sich die »Unbedingten«. Gleichzeitig gefielen sie sich, merkwürdig genug, in einer entrückten, andachtsvollen Mittelalterverehrung. Ihre Symbole waren Eiche, Schwert und christliches Kreuz. Follen selbst ließ sich als Ritter in Helm und Harnisch malen. Bei ihren lautstarken Gelagen trugen sie schwarze »altdeutsche« Tracht, die sie der Uniform der Lützowschen Jäger nachempfunden hatten – daher auch der publicityträchtige Spottname »Gießener Schwarze«.

Es war ein extrem malerischer und äußerst auffallender Wichs, der als gemeinsames Merkmal der aufsässigen Jugend in die Zeitgeschichte einging. Ernst Moritz Arndt widmete ihm seinen schwungvollen Essay »Über Sitte, Mode und Kleidertracht«, Caspar David Friedrich und die Nazarener, die deutschen Maler in Rom, verewigten ihn auf vielen ihrer Bilder. Seine Hauptbestandteile waren ein federgeschmücktes Barett, der offene Hemdkragen, der den Willen zur Freiheit symbolisierte, und ein geschlossene, langer, schwarzer Rock. Haupthaar und Bart, des Mannes Kopf- und Kinnzier, ließ man ungebändigt und unbehelligt von der Frisierschere lang herabwallen. Auch sie sollten revolutionäre Gesinnung verraten.

Diesen Wichs samt der dazugehörigen rebellischen Haar- und Barttracht übernahm auch die Deutsche Burschenschaft, die am 16. Juni 1815, eine Woche nach der Unterzeichnung des Schlußkommuniqués des Wiener Kongresses, in Jena gegründet wurde und in der Folgezeit der »Idee des geeinten Vaterlandes militanten Ausdruck« verlieh. Der Zusammenschluß rekrutierte sich vor allem aus ehemaligen Angehörigen der Freiwilligenverbände, vor allem der Lützowschen Jäger, und Anhängern der Turnbewegung Friedrich Ludwig Jahns, dessen schlohweißer Teutonenbart noch lange Zeit das auf vielen Fahnen, Festabzeichen und Plakaten verewigte Markenzeichen der deutschen »Frisch-fromm-fröhlich-frei«-Vereine war. Sie erstrebten das gemeinsame, große Vaterland aller Menschen deutscher Zunge, fühlten sich christlicher Sittsamkeit verpflichtet, haßten die Juden und die Franzosen, die absolute Monarchie und den *Code Napoléon* und bereicherten die politische Szene mit vielen bierselig-hochgemuten vaterländischen Aufmärschen und die politische Sprache mit einer Fülle edler und wohlgemeinter, törichter und kraftmeiernder Vokabeln.

Eine ungeheure publizistische Wirkung übte schon zwei Jahre später das vielbeschriebene, am vierten Jahrestag der Völkerschlacht von Leipzig stattfindende Wartburgfest aus, dessen flackernden Höhepunkt ein großes Feuer bildete, in dem die rebellisch gestimmten Burschenschafter einen hessischen Zopf, einen preußischen Gardeschnürleib und einen österreichischen Korporalstock, die verhaßten Symbole der Metternich-Zeit, in Flammen aufgehen ließen; auch eine Reihe »unteutscher« Bücher, darunter des verhaßten Staatsrates Kotzebue *Geschichte des deutschen Volkes* – womit sie leider zu erkennen gaben, daß sie die Auseinandersetzung mit dem Gegner nicht nur auf dem Felde des Geistes suchten.

Ihr stürmisches Aufbegehren übte dennoch – oder gerade deswegen – eine beträchtliche Wirkung aus. Die von ihnen vorgelebte Freiheit, Unabhängigkeit und Ungebundenheit ging in den Zeitgeist ein; ihr revolutionäres (heute würden wir sagen: alternatives) Erscheinungsbild leistete dabei wertvolle Schrittmacherdienste. Burschenschafter zu sein, war für einen »teutschen Jüngling«, der 1817 Student wurde, fast schon eine Selbstverständlichkeit, eine patriotische Pflicht. Der gängige Verhaltenskodex war zwar widersprüchlich, aber erhaben. Man schwärmte von der alten Kaiserherrlichkeit, man verehrte das christliche Mittelalter, man las und zitierte Arndt und Görres, Jahn und Fröbel, Novalis und Eichendorff, Uhland und Immermann, man schmähte Fürstenwillkür und Hofschranzentum, Standesprivilegien und Nepotismus, man träumte von einer demokratischen, alle Menschen deutscher Zunge vereinigenden Republik, man erprobte Ausdauer, Kraft und Stehvermögen in bier- oder weinseligen Gelagen, redete sich die haar- und bartumwallten Köpfe heiß und führte überhaupt ein recht aufwendiges Gefühlsleben.

Student in Erlangen

Auch der Studiosus Hans von Aufseß, 1817 in Erlangen immatrikuliert, wurde Burschenschafter. Kopf und Herz fühlten sich in gleicher Weise der Bewegung des Adolf August Ludwig Follen verbunden (der im selben Jahr den Entwurf einer republikanischen Konstitution »für eine künftige deutsche Reichsverfassung« ausarbeitete). Seine Herkunft aus einem alten reichsunmittelbaren Adelsgeschlecht diktierte ihm diesen Schritt ebenso wie sein jugendlicher Protestbedarf und seine hochentwickelte Bereitschaft, Stellung zu beziehen und sich zustimmend oder ablehnend zu engagieren. Nach den biographischen Notizen seines Nachfahren kennzeichnete den Erlanger Studenten Hans von Aufseß »eine außerordentliche Eimpfindsamkeit, ja Reizbarkeit«. Er verschrieb sich den zeitgenössischen Idealen mit Haut und Haaren, war aber »starken seelischen Schwankungen« unterworfen. »In seinem überquellenden Temperament weinte er viel, liebte glühend, begeisterte sich enthusiastisch und erzürnte sich bis zum Überkochen. Sein gewissenhaft geführtes Tagebuch jener Zeit ist angefüllt mit schwärmerischen Berichten über Musizieren, Tanzereien, Theaterspielen, Visiten, galanten Abenteuern und streitlustigen Auseinandersetzungen mit Gesprächspartnern aus allen Kreisen. Während seine Leidenschaft ihn in alle Höhen und Tiefen führte, erschloß ihm seine Herkunft alle Türen und seine jugendliche Begeisterungsfähigkeit alle Herzen.«

Der Ururenkel berichtet zum Beispiel von einer Privataudienz bei König Maximilian I. Joseph von Bayern und einem Gespräch mit dem in Ansbach amtierenden Rechtslehrer Anselm Ritter von Feuerbach, dem Kantianer unter den großen Juristen dieser Zeit, der die deutsche Strafgesetzgebung des 19. Jahrhunderts entscheidend beeinflußte. Der Diskurs beschäftigte sich mit der »Erziehung und dem Schicksal der Menschen« und löste in dem begeistert mitgehenden, immer zu spontanen Entschlüssen bereiten Jurastudenten den Entschluß aus, die Geschichte derer von Aufseß zu schreiben. »Das Leben auf der Erlanger Universität war also recht dazu angetan, den jungen Feuergeist überschäumen und gründlich nachholen zu lassen, was ihm die Kriegszeiten in dem abgelegenen Aufseß an geistigem Leben vorenthalten hatten.«

Die Neigung zu vaterländischen Schwadronaden, der die Burschenschafter allzu genüßlich nachgaben, behagte ihm auf die Dauer allerdings nicht. Ihr konspirativer Ehrgeiz ging ihm vollends wider die Natur. Hans von Aufseß begrüßte zwar den 1818 erfolgten Zusammenschluß der lokalen und regionalen Verbindungen zur »Allgemeinen deutschen Burschenschaft«, wahrscheinlich trug er auch die der Uniform der Lützowschen Jäger entlehnten Farben »Schwarzrotgold«. Als die Follen-Gruppe dann aber versuchte, ihren Widerstand gegen die herrschende Reaktion mit den Mitteln individuellen Terrors zu demonstrieren, als Follens Freund Karl Ludwig Sand 1819 den Lustspieldichter August von Kotzebue als angeblichen russischen Agenten erdolchte, distanzierte er sich nicht nur von diesem Mord, sondern auch von der vielgefeierten Märtyrerbereitschaft des Täters. So bedurfte es nicht erst der Karlsbader Beschlüsse, die den Dachverband der Burschenschafter verboten und nur noch lokale Vereinigungen zuließen, seinen Eifer jetzt stärker auf das Studium zu lenken.

Das war auch notwendig. Denn 1821 starb (nach der bereits fünf

Jahre vorher verschiedenen Mutter) der Vater, der seine Kräfte nicht zuletzt im Kampf um die überlieferten Rechte und Privilegien verausgabt hatte, und hinterließ ihm außer beträchtlichem Landbesitz und riesigen Schulden einen fünfzehnjährigen Sohn, für den der Älteste nun aufkommen mußte. Dieser – vom König für majorenn erklärt – mußte also die Verwaltung der vom Pleitegeier bedrohten Familiengüter übernehmen und konnte sich dem Studium der Jurisprudenz nur noch in seinen Mußestunden widmen. Trotzdem bestand er 1822 das juristische Staatsexamen mit höchster Auszeichnung. Der »erfolgreiche Besuch von Collegien der theoretischen und praktischen Philosophie« wurde ihm ausdrücklich bestätigt.

2. Burg Aufseß. Lithographie von Th. Rothbart nach C. Kappel

Schloßherr auf Niederaufseß

Nach der juristischen Staatsprüfung praktizierte er, soweit abkömmlich, an den Landgerichten Bayreuth und Gräfenberg. Dann aber zog er sich auf seine Güter und in sein reichsfreiherrliches Dasein zurück. Dem jüngeren Bruder überließ er die elterliche Burg, er selbst quartierte sich auf Schloß Niederaufseß ein (Abb. 2). Dort widmete er sich vor allem den anstehenden Tagesaufgaben. Als Gutsherr verwaltete er eine fast noch mittelalterlich geführte Naturalwirtschaft, die von moderner Ökonomie noch unbeleckt war. Er griff kräftig zu, spielte selbst den Ackervogt, kümmerte sich um Forst- und Weidewirtschaft, ging auf die Jagd und versah seine Aufgaben als Kirchen-, Schul- und Gemeindevorsteher. Auch als Gerichtsherr waltete er seines Amtes: fleißig, zäh, intelligent, sehr souverän, allerdings auch rechthaberisch und unbequem, bisweilen kurz angebunden.

Daß er trotz der Vielzahl seiner Funktionen noch Zeit fand, hoch zu Roß wie ein mittelalterlicher Potentat das Land zu durchstreifen, vor allem »das Schwäbische« und die Bodenseelandschaft, beweist schon zu dieser Zeit sein großes Organisationsvermögen.

Von einer dieser Reisen brachte er auch die Frau mit, die seinem Haushalt fortan vorstand. Im Jahr 1824 heiratete er die Tochter seines Onkels, des Generalmajors und Kammerherrn von Seckendorf: eben jene württembergische Base, der zuliebe er sein stürmisches, leicht von der Straße geratendes Temperament schon als Siebzehnjähriger an die Kette gelegt hatte.

Seine Tagebücher verraten erneut ein hohes Maß an Ungestüm, Ungeduld und Leidenschaft, versetzt mit einer kräftigen Portion jener romantischen Empfindsamkeit, die ein verliebter Bräutigam damals offen zur Schau tragen mußte. Am Tage seiner Hochzeit vertraute er seinen privaten Aufzeichnungen zum Beispiel an, daß er, auf einem Steine sitzend und sich selbst und seinen Gedanken überlassen, »das reine Mädchen« plötzlich vor sich sah, »im süßen Schlummer zum letztenmal in ihrem Mädchenbette«, die Nähe des Geliebten nicht ahnend. »Ich war in innige Rührung versunken. Gott möge mir die Kraft geben, eines solchen Engels würdig zu werden.«

Produkt dieser Hochstimmung waren nicht nur ausgedehnte Maientage der Liebe, sondern auch zwölf Kinder, die den »überforderten Troubadour«, so sein respektloser Nachfahre, zwangen, »auf dem Rückzug vor dem durchdringenden Babygreinen und den alles okkupierenden Wäscheleinen in Vorväterweise seine letzte Zuflucht auf dem uneinnehmbaren Bergfried« zu suchen. »Diese frühmittelalterliche Innenburg, die noch heute ungebrochen über den Wohntrakten auf einem Felsen aufsitzt, hat der Familie einst den Namen ›Ufsatze‹ gegeben. Da der Einstieg in diese Fluchtburg mit einer zwölf Meter langen Strickleiter für täglichen Gebrauch nicht zumutbar war, eröffnete der bedrängte Hausvater den Zugang nun mit einer hölzernen Treppe von außen und richtete sich dort eine Studierstube und ein Schlafzimmer ein.«

Seine Biographen verschweigen es gern – dieser Bergfried (auch das gehört zum Steckbrief dieses merkwürdigen, vor Vitalität offenbar berstenden altdeutschen Ritters) wurde allerdings noch auf andere Weise zweckentfremdet. Der Adlerhorst wurde zum Hort außerehelicher Liebesstunden, in denen der »unkeusche Eremit« in luftiger

Höhe der niederen Minne frönte. Wer auch immer die Kebse seines Herzens war, der Reichsfreiherr von und zu Aufseß scheint diese Beziehung voll ausgekostet zu haben. Zu seiner Ehre muß allerdings gesagt werden, »daß er die Spaltung seines Herzens und seiner Moral wahrhaftig nicht leichtgenommen hat«. Produkte seines rabenschwarzen Gewissens waren zunächst ein tiefschürfendes Traktat mit dem umständlichen Titel *Über den einzigen denkbaren Ehescheidungsgrund in der christlichen Kirche und in den christlichen Staaten von einem Juristen*, sodann die hier bereits anvisierte Ehescheidung selbst und schließlich drei Jahre später, »nach dem Tod der Gegenspielerin«, die erneute Eheschließung und reumütige Rückkehr zur Mutter der zwölf Kinder.

Gesänge von Lenz und Liebe

Einsam aber war er nie, fast immer war Besuch auf der Burg. Nachbarn kamen zum Feierabendplausch, Kommilitonen aus der Erlanger Zeit zum Austausch burschenschaftlicher Erinnerungen und viele gestandene Männer dieser Zeit, literarische und künstlerische Prominenz, die von dem kauzigen, aber hochgebildeten Schloßherrn, mit dem sich so trefflich parlieren und disputieren ließ, von weit her angezogen wurden. Das Gästebuch des Hans von Aufseß verewigt ihre Namen. Ludwig Uhland und Victor von Scheffel gehörten zu seinem erlauchten Freundeskreis, die Maler und Zeichner Wilhelm von Kaulbach und Ludwig Richter, auch der Bildhauer und Baumeister Karl Alexander von Heideloff, der verdiente Restaurator zahlreicher Nürnberger Kirchen.

Ihre Eintragungen loben den gastfreundlichen Burgherrn und seine historischen und musischen Interessen, loben auch die Fränkische Schweiz, die wohl so ein richtiges Stück Deutschland nach dem Herzen der Besucher war: Felder und Wälder, Berge und Täler in anmutigem Wechsel, abseitig, versponnen und schlösserreich; geprägt von Duodezgrößen und extremer Kleinstaaterei. Die Bekenntnisse verraten geübten Umgang mit der Feder, aber auch eine zeitgemäße Neigung zu naturseliger, erhabener, empfindsamer Romantik. Sie bevorzugen hehre und hochtrabende Vokabeln, getragene, schwermütige und volksliedhaft-sentimentale Wendungen, sie beschwören im Volksliedton Wanderlust und Glockenklang, Edelmut und Tapferkeit, sie singen (frei nach Ludwig Uhland) »von Lenz und Liebe, von sel'ger, goldener Zeit, von Freiheit, Männerwürde, von Treu und Einigkeit« – und all die anderen schönen Themen, die damals gängig waren.

Diese geschwollene, reichlich mit Seelenschmalz versehene und patriarchalisch-umständlich vorgetragene Sprache war auch dem

Schloßherrn selbst zu eigen. Sie kennzeichnet sogar die Verordnungen, die er kraft seiner Eigenschaft als Patrimonialgerichtsherr herausgab. Sein Nachfahre erwähnt eine profane Holzleseverordnung, die er in einer feierlichen, »sakralpolitischen Tonart« mit »landesväterlichem Tenor« folgendermaßen intonierte: »Da ich es mir zur Pflicht mache, meinen Grundholden soviel als möglich Erleichterung zu verschaffen und ihren Wohlstand zugleich durch Erhaltung guter Ordnung zu versichern, so finde ich vorzüglich in Beziehung zum Sammeln des dürren Holzes in meinen Waldungen es notwendig . . .«

»Einem andern Erlaß über das Aufseßer Schieds- und Friedensgericht, über die Sparkasse und über eine Anstalt für verwahrloste Kinder vom Jahre 1833 setzt er ein selbstgereimtes bußfertiges Gedicht über die christliche Nächstenliebe voran und endet mit einer abschreckenden Erzählung über das Leben zweier unmoralischer Schwestern. Er fügt belehrende Ratschläge des Gutsherrn hinzu und verschmilzt Poesie, christliche Moral und Juristerei in einem ehernen Guß zusammen, vergleichbar den symbolreichen Denkmälern der damaligen sich oft schulmeisterlich gebenden Zeit.«

Obwohl als Gutsverwalter und Schloßherr ebenso beansprucht wie als Gastgeber, Liebhaber und Vater einer alttestamentlich-reichen Kinderschar, fand er erstaunlicherweise noch Muße, sich wissenschaftlichen Studien zu widmen, meist Untersuchungen, in denen sein juristischer Sachverstand eine treudeutsch-solide Ehe mit seinen historischen Passionen einging. Er schrieb zum Beispiel über das Lehnswesen im Mittelalter, über die Hussiten in Franken, über das »Rechtsverhältnis des Privatgottesdienstes und des öffentlichen Gottesdienstes, nachgewiesen an der Geschichte der Schloßkapelle des Kapuziner- und Dominikaner-Hospizes in Freyenfels« (eine Arbeit, die die juristische Fakultät der Universität Erlangen 1845 mit dem »Doktor beider Rechte« honorierte), und setzte natürlich auch seine familiären Forschungen mit Fleiß fort. Außerdem wurde er Mitglied in sechzehn historischen Vereinen.

Vor allem aber gab er sich seiner vehementen Sammelleidenschaft hin, die er nun allerdings, anders als in seinen jungen Jahren, auf historische Erinnerungsstücke konzentrierte. In diesem Bereich jedoch sammelte er, salopp ausgedrückt, alles, was ihm vor die Flinte kam: Handschriften und Bilder, Inkunabeln und Waffen, Plastiken und Skulpturen, Münzen und Siegel, und zwar ohne Rücksicht auf seine Einnahmen. Mit heutigen Preisen verglichen, waren derlei Gegenstände damals zwar lächerlich billig; die Menge seiner Erwerbungen zehrte dennoch an seinem Besitz, so daß er bald hier, bald da ein Stück Land, ein Wäldchen oder eine Wiese verkaufen mußte – was ihm anscheinend aber keine Pein bereitet hat. Gleichzeitig war er bemüht, sein Sammelsurium historischer Dokumente und Relikte zu ordnen und durch diese Ordnung und notwendige Registrierung einen historischen Zusammenhang herzustellen.

Auch diese Sammel- und Ordnungsleidenschaft weist ihn als ein echtes Zeitkind aus, als ein typisches Produkt des frühen 19. Jahrhunderts, das heißt: jener merkwürdigen, ungemein anregenden, geistesgeschichtlich bei aller Widersprüchlichkeit immens fruchtbaren Kulturepoche, die sich selbst den Namen »Romantik« gegeben hat.

Die Suche nach der versunkenen Krone

Die Romantik war nicht die brave, leichtverdauliche Hausmannskost, als die sie später – Synonym für Gefühlsüberschwang und musische Idyllik – in den Sprachgebrauch eingegangen ist. Sie gründete wesentlich tiefer. Vor allem die *Jenaer Romantik*, von Friedrich Schlegel begründet und unter seiner Federführung gleichsam programmiert, übte sich in einer Absolutheit des Denkens, die vor keinem Abgrund haltmachte (und, nebenbei gesagt, für gewisse spätere Fehlentwicklungen die geistige Disposition schuf). Sie beschäftigte sich mit den Rätseln der menschlichen Existenz, fühlte sich von den Mysterien der Nacht und des Tages magisch angezogen, sinnierte über Krankheit und Genie, suchte jenes geheimnisvolle Reich der Dichtung, das Friedrich Schlegel mit einem sibyllinischen Wort als »progressive Universalpoesie« bezeichnet hat, und bemühte sich unerschrocken, die Tiefen und Untiefen des Irrationalen auszuloten. Kunst war für sie ein Filialunternehmen der Religion: edel, feierlich und voller Tiefsinn, ein Produkt der Metaphysik. So eiferte Wackenroder bereits 1796 gegen die Art von Kunst, die nur mehr »ein leichtsinniges Spielwerk der Sinne« sei, »obwohl sie doch wahrlich etwas sehr Ernsthaftes und Erhabenes ist«.

Die von Görres und Eichendorff, Brentano und Arnim angeführte *Heidelberger Romantik* war von schlichterer und volkstümlicher Art. Einfache, innige, aber allumfassende Liebe galt ihr mehr als die von Novalis, dem »cherubinischen Schwärmer« und geistigen Weggenossen Schlegels, geforderten und gefeierten Abenteuer geistiger Ekstase. Die Heidelberger Romantiker waren es, die – schwermütig und bisweilen mit getragener Melancholie – von Mondscheinnächten und rauschenden Bächen, von Fernweh und Wanderlust, von Treue und Freundschaft sangen.

Ihren Äckern entwuchs auch jene Verehrung des Mittelalters, die wir bis heute mit dem Beiwort »romantisch« schmücken, überhaupt die Verklärung der Vergangenheit. Idealismus aus innerer Überfülle verschwisterte sich hier einem schweifenden religiösen Gefühl und schuf ein naives Tafelbild der mittelalterlichen Kirche und des »altdeutsch-frühkatholischen Kaisertums«, getreu der These Schlegels, daß Religion nicht nur die Grundlage, sondern auch die Spitze von Kunst, Wissenschaft und staatlichem Leben sei.

Das Ziel zeichnet sich deutlich ab – die Aktualisierung der mittelalterlichen Geschichte sollte nicht nur die Reformation ungeschehen machen, sondern auch die deutsche Kleinstaaterei überwinden helfen und damit das neue, auch im Glauben wiedervereinigte Reich aller Deutschen vorbereiten. Dahinter verbarg sich die Hoffnung, daß dieses über seine Grenzen hinauswirken werde. *Die Christenheit oder Europa* hieß der beziehungsreiche Titel des berauschten Essays, den der junge Novalis 1799 schrieb.

Die *Spätromantik*, die in Jakob und Wilhelm Grimm, in Ludwig Uhland und Justinus Kerner, in Ernst Theodor Amadeus Hoffmann und Friedrich de la Motte-Fouqué ihre Wortführer fand, hat diese Tendenz noch verstärkt, gleichzeitig aber vom Schwärmerischen ins Praktische gewendet. Sie ebnete den Weg von der »Herzensergießung« (etwa des »kunstliebenden Klosterbruders« Wackenroder) zur »Wissenschaft«, vor allem natürlich der historischen Wissenschaft, deren Hochblüte im mittleren und späten 19. Jahrhundert ohne die entschlossene Hinwendung der »Heidelberger« und der schwäbischen Poeten zur Geschichte nicht denkbar ist. Sehnsucht war auch hier zunächst das Leitmotiv, wie Ludwig Uhlands kleines Gedicht »Die versunkene Krone« mit seinen volksliedhaft einfachen Versen bezeugt:

Da droben auf dem Hügel,
Da steht ein kleines Haus;
Man sieht von seiner Schwelle
Ins schöne Land hinaus.
Dort sitzt ein freier Bauer
Er dengelt seine Sense
Und singt dem Himmel Dank,
Da drunten in dem Grunde,
Da dämmert längst der Teich.
Es liegt in ihm versunken,
Eine Krone, stolz und reich;
Sie läßt zur Nacht wohl spielen
Karfunkel und Saphir;
Sie liegt seit grauen Jahren,
Und niemand sucht nach ihr.

Nun also hob die Suche nach der versunkenen Krone an. Weniger poetisch ausgedrückt: Man begann, die Vergangenheit systematisch zu erschließen und für die Gegenwart nutzbar zu machen (wobei im Kanon romantischen Denkens durchaus Platz dafür war, auch fremden Kulturen die gebührende Reverenz zu erweisen).

Es hat dabei nicht an Um- und Irrwegen gefehlt. Von der zeitgenössischen Lust an der Kostümierung ist bereits die Rede gewesen. Diese Lust ergriff nicht nur von der Kleidung Besitz, sondern auch von der Kulisse, ja vom gesamten Ambiente. Die Romantiker und die von ihnen aufgeladenen Lobsinger und Trommler von gut deutscher Art liebten den historischen Mummenschanz, die geschichtlich aufgeputzten Umzüge und Schaustellungen, sie beschworen mit Emphase, um ein Wort von Karl Marx zu zitieren, »die Geister der Vergangenheit . . ., entlehnten ihnen Namen, Schlachtparolen, Kostüme, um in dieser altehrwürdigen Verkleidung und mit dieser erborgten Sprache die neue Weltgeschichtsszene aufzuführen«. So tauchte allen Ernstes der Gedanke auf, die Abgeordneten des Reichstages, von dem sie alle träumten, in einem großen christlichen Dom tagen zu lassen. Selbst Friedrich Schinkel und Caspar David Friedrich waren sich nicht zu schade dafür, für diese Traumkathedrale des künftigen deutschen Parlamentarismus Entwürfe zu liefern.

Realistischer waren die Versuche, der unbestimmten Sehnsucht nach Gestalt und Form der Vergangenheit organisatorische Zentren zu verschaffen. So schossen damals die historischen Vereine wie Pilze aus dem Boden. Wallfahrten zu den ehrwürdigen Stätten der Vergangenheit wurden verpflichtende Mode; der Geschichtstourismus suchte seine Schwingen.

Noch etwas brachte diese romantische Nostalgiewelle hervor: jene maßlose Sammelleidenschaft, die am Ende das gesamte 19. Jahrhundert beherrschte. Ihr erstes populäres Produkt war *Des Knaben Wunderhorn,* jene 1805/1808 erschienene »wohlfeile Volksliedersammlung«, mit der Clemens Brentano und Achim von Arnim, »von tausend neuen Klängen der Poesie berauscht«, das Produkt ihrer Bemühungen um die Rettung alten deutschen Liedgutes vorlegten (nach Heinrich Heine »die holdseligsten Blüten des deutschen Geistes«, darunter allerdings auch zahlreiche »Ipsefacten«, also selbstgemachte Verse). Auch hier war deutlich der Wille zu spüren, geschichtliche Überlieferung für die Gegenwart nutzbar zu machen, Traditionen zu schaffen und zu ehren und das beginnende Industriezeitalter und die damit auftretenden Veränderungen und Zerstörungen mit dem Bild »der heilen Welt« von ehedem zu konfrontieren. »Wir wollen allen alles wiedergeben, was im vieljährigen Fortrollen seine Demantfestigkeit bewährt hat«, hieß es volltönend im Vorwort des *Wunderhorns.*

Die ameisenhafte Sammeltätigkeit, der sich zahlreiche romantisch gestimmte Gelehrte und Mäzene mit orgiastischer Hingabe widmeten, wurde durch die Säkularisierung kräftig gefördert. Schlösser, Klöster und alte Kirchen wurden in den Jahren nach dem Reichsdeputationshauptschluß profaniert, verhökert oder auf Abbruch verkauft, ihre einstigen Inhaber verjagt, ihre Archive, ihr wertvolles Mobiliar, ihre unermeßlichen Kunstschätze regelrecht auf die Straße geworfen. »Was die ausgestoßenen Bewohner« nicht mitnahmen und »die Regierungsbevollmächtigten nicht mit Beschlag« belegten, so hat Sulpiz Boisserée, der die Säkularisierung in Köln sehenden Auges und wunden Herzens miterlebte, diesen extremen Vandalismus beschrieben, wurde

> »in schnödester Hast an Händler und Trödler verkauft... Es war ein seltsamer Zustand, alles, was wir von Kunstwerken sahen und hörten, erinnerte an den ungeheuren Schiffbruch, aus dem die einzelnen Schätze geborgen worden. Wieviel Köstliches konnte in dem Sturm untergegangen sein, wie vieles konnten die bewegten Wellen noch an den Strand spülen. In der Stimmung, welche dieser Zustand erregte, mußte der Wunsch, zu retten, was noch zu retten war, gleich auftauchen und zur Tat werden, sobald nur die Gelegenheit sich darbot... Wir forschten nach, und da wir anfangs jede Forderung befriedigten, so gelang es uns, manches aus den Händen roher oder unwissender Menschen zu entreißen. Jeder von uns... hatte seine eigenen Sorgen, es fehlte nämlich, obwohl der Aufwand noch gering war, doch einigemal das Nötigste und mußte allerlei List angewandt werden, um durch Veräußerung von Kleinodien und Sparstücken die Mittel zur Befriedigung eines so lebhaft angeregten Erhaltungstriebes zu gewinnen... So standen die Sachen, als Schlegel über die altkölnischen Malereien schrieb, es war in der ersten Hälfte des Septembers 1804.«

Was in Köln geschah, geschah auch anderswo. Geschah überall, wo säkularisiert, das heißt: enteignet, zerstört, verramscht und vermakelt wurde. Auf der Reichenau dienten kostbare Handschriften und Bücher aus der berühmten Bibliothek des Inselklosters als Straßenbaumaterial. In Nürnberg verfielen der Reihe nach die Prediger-, die Barfüßer- und die Augustinerkirche der Spitzhacke. Burg Giech bei Bamberg verwandelte sich in einen wohlfeilen Steinbruch zu jedermanns Bedienung, zahlreiche Schlösser fungierten fortan als Festungen der staatlichen Bürokratie, auch als Kasernen, Gefängnisse oder Heilanstalten.

Wie in Köln die drei Brüder Boisserée (und mit ihnen der Botanikprofessor Wallraf und der Bürgermeister Richartz), so fanden sich auch anderswo einsichtige Männer, die – meist unter großen persönlichen Opfern – versuchten, dem erschreckenden Amoklauf gegen den kulturellen Besitz von einst Einhalt zu gebieten. Friedrich Schlegel rief schon 1805 in der Zeitschrift *Europa* die deutschen Fürsten auf, »alle noch vorhandenen, zum Teil aber schon sehr zerstreuten Denkmäler des deutschen Kunstgeistes soviel als möglich in eine Sammlung altdeutscher Gemälde zu vereinigen«. Und noch während in Köln eine romanische Pfarrkirche nach der anderen abgerissen oder der Einfachheit halber niedergebrannt wurde, brachte Karl Friedrich Schinkel jene berühmte Denkschrift zu Papier, die letztlich zur Institution der staatlichen Denkmalpflege führte.

So löste der der Säkularisation folgende Vandalismus eine höchst wirksame Gegenbewegung aus: den Versuch nämlich, die noch vorhandenen, aber von Zerstörung bedrohten Bestände zu sammeln und zu registrieren und als museale Ausstellungsstücke einer neuen Bestimmung zuzuführen.

Kunst vom Trödelmarkt

Vor diesem Hintergrund ist auch die leidenschaftliche, geradezu inbrünstig betriebene Sammlertätigkeit zu sehen, der sich der Freiherr von und zu Aufseß – ein begüterter, aber keinesweg im Reichtum schwimmender Gutsbesitzer – mit Haut und Haaren verschrieb.

Er sammelte, fast möchte man sagen: zu jeder Stunde und Tageszeit, sicherlich aber bei jeder sich bietenden Gelegenheit; seine großen Ausritte durch Süddeutschland nutzte er immer auch, nach Antiquitäten zu forschen und zu pirschen, und fast immer fand er »günstige Occasionen«, seine Bestände zu ergänzen und zu vergrößern.

In seinen Tagebüchern finden sich zahlreiche diesbezügliche Vermerke. Am 10. April 1820 wohnte er in der Kirche von Niederaufseß der Öffnung von Gräbern bei. Dabei entnahm er dem Sarg einer Dame »deren Kleid ... nebst ihrer Perüque«, um sie seinen Kollektionen einzuverleiben. Einige Seiten weiter berichtet er über den Erwerb von alten Büchern auf dem Nürnberger Trödelmarkt. Als er 1822 an einem Studententreffen in Altdorf teilnahm, verzeichnet er in seinem Diarium nicht nur die hübschen Wirtstöchter, denen er unterwegs begegnete, erinnerte er sich nicht nur der Kirchen, Burgen und Ruinen, die er, »mit einem magischen Schleier umzogen«, auftauchen und wieder verschwinden sah, da beschrieb er auch seinen Abstecher zu einem Papiermüller, von dessen Altmaterialhalden er wertvolle mittelalterliche Urkunden zum Rohpapierpreis erstand. Ein andermal fand er wunderschöne Wiegendrucke, mit denen soeben die Löcher einer Straße ausgefüllt werden sollten.

Es lohnte in der Tat, auf Antiquitätenjagd zu gehen. »Altes Tafelsilber... wurde zum Wert des Silbergewichtes verkauft, gotischer Goldschmuck nach Feingehalt abgegeben... Es gab noch keine Liebhaberpreise.« Kunst lag buchstäblich auf der Straße und wurde als Pfennigware an den Mann gebracht. Trotzdem erstaunt, was der Freiherr von Aufseß in wenigen Jahren an Schätzen zusammentrug. Bald hauste er inmitten ganzer Berge von Altertümern, die unterzubringen selbst ein so ausladendes und geräumiges Bauwerk wie das Schloß Niederaufseß kaum noch ausreichte. Als er nach dreißigjähriger Pirsch auf Altertümer seine privaten Sammlungen an das Nationalmuseum verkaufte, enthielten diese (nach einer Aufstellung von Hans Max von Aufseß) unter anderem:

1500 Originalurkunden, beginnend mit dem Jahr 905;
60 Kopialbücher aus dem 14. Jahrhundert;
400 Kriegs- und Friedensakte aus dem 14. bis 16. Jahrhundert;
690 Pergamentkodizes vom 9. Jahrhundert an;
8000 Druckwerke über Kunst und Dichtung;
12000 Bände über Geschichte;
2364 historische Porträts;
504 Instrumente der Tonkunst;
1179 Plastiken und Skulpturen;
1592 Kupferstiche und Holzschnitte;
565 Glasmalereien und Gemälde;
864 alte Karten;
1855 Haus-, Jagd- und Luxusgeräte;
4745 Münzen sowie
8939 Siegel und Siegelstöcke.

Ein fast unbegreifliches Ergebnis. Wie war es möglich, daß ein einzelner eine derartige Beute zusammenbrachte? Was an Spürsinn, Leidenschaft und Hartnäckigkeit muß hier am Werk gewesen sein? Aber nicht nur das – der kleine fränkische Landadlige »hat seine Schätze durch Anlegung von Realkatalogen höchst geistvoll zu verbinden gesucht. Die gefährdeten Zeugnisse großer Vergangenheit sollten nicht nur vor dem Untergang gerettet und konserviert, sondern in ihrem größeren Zusammenhang so vergegenwärtigt werden, daß sie als politischer Auftrag das nationale Streben wecken konnten.«

Die Sammlung des unbeirrbaren Sonderlings auf Burg Niederaufseß wurde bald, nicht zuletzt dank der zahlreichen Besucher, über die Region hinaus bekannt. Ihr Ruf drang bis nach München, auch König Ludwig I., der Musenmonarch, vernahm von den Schätzen, die der fränkische Reichsfreiherr, gleichsam im Alleingang, zusammengetragen hatte, und würdigte sie einer Kabinettsorder, die, vom Herrscher höchstpersönlich signiert, das Datum vom 15. September 1830 trägt.

Der Musenmonarch

Auch in diesem König hatte der christlich-romantische Zeitgeist denkwürdige Gestalt angenommen. Als unbedingter Traditionalist vertrat er einen lupenreinen patriarchalischen Absolutismus. Er sah sich als den obersten Beamten seines Landes, dessen Wohlfahrt, Glanz und Würde zu mehren er für seinen göttlichen Auftrag hielt. Gleichzeitig fühlte er sich als glühender deutscher Patriot. Seine differenzierten und recht widerspruchsvollen Gefühle goß er in Verse von starker Empfindsamkeit und schwelgerischer Sentimentalität, die er mit römisch-altdeutschem Pathos versetzte.

In all seiner Zwiespältigkeit aber war er konsequent – und mit Erfolg – darauf bedacht, seine bis dahin recht bescheidene Landeshauptstadt in ein Mekka der Kunst zu verwandeln. Er war es, der nach den Befreiungskriegen das neue München schuf, jenes Isar-Athen, das damals mit Wien zu wetteifern begann und bis in die Gegenwart als heimliche deutsche Hauptstadt fungiert. Zu diesem Zweck holte er die heute wieder vielzitierten Nordlichter nach München, besonders Architekten, Maler, Literaten wie den Niedersachsen Leo Klenze, der ihm die Alte und die Neue Pinakothek, die Glyptothek und den Königsplatz, die Ruhmeshalle über der Theresienwiese und die Walhalla bei Regensburg entwarf; oder den Rheinfranken Friedrich Gärtner, der die Staatsbibliothek und die Ludwigskirche, den Platz vor der Universität, die Feldherrnhalle und das Siegestor baute; den Düsseldorfer Peter von Cornelius, der mit seinen Fresken die Alte Pinakothek, die Glyptothek und die Ludwigskirche schmückte; oder den in Arolsen im Waldeckischen geborenen Wilhelm von Kaulbach, dessen blutleere Historienbilder (im Gegensatz zu seinen satirischen, flott-frechen Reineke-Fuchs-Illustrationen) zu Recht vergessen sind, der mit seinem gastfreien Haus aber das künstlerische Zentrum der Residenz schuf. Selbst Joseph Görres, neben Arndt der feurigste und wirksamste Publizist der Freiheitskriege, folgte einem Ruf König Ludwigs nach München und trug, nicht zuletzt mit seinem vierbändigen Alterswerk *Die christliche Mystik*, zu jener spezifisch münchnerischen Romantik bei, der es mühelos gelang, Stilelemente der Antike, des Mittelalters und der Renaissance zu verarbeiten und in jene ludovizianischen Formen umzugießen, die noch immer Aura und Optik der bayerischen Landeshauptstadt bestimmen. Auch dieser König war ein besessener Sammler. Allein aus seinem Privatvermögen investierte er achtzehn Millionen Gulden in den Erwerb von Bildern und Skulpturen. Er schnappte den Engländern

3. Kabinettsordre Ludwigs I. an Aufseß vom 15. 9. 1830

pr. 19/9.30. Nr. 1940. 1

Herrn Freyherrn von Aufsees! Ihre Erklärung, die beyden Patrimonialgerichte erster Klasse Aufsees und Mengersdorf abtreten zu wollen, war Mir ein sehr angenehmer Beweiß Ihrer patriotischen Gesinnungen und Ihrer Ergebenheit. – Ich habe schon früher den Wunsch gehabt, daß auch in Bayern, wie dieses in Prag bereits besteht, Besitzer von merkwürdigen Gegenständen solche mit Vorbehalt ihres Eigenthums in einem öffentlichen Local zur gemeinsamen Beschauung und Belehrung aufstellen, mancher verborgene und ungenützte Schatz würde hierdurch nützlich werden. Ihre Sammlungen, Herrn Freyherr setzen Sie in den Stand, ein solches nützliches Unternehmen zu begründen. Bamberg scheint hiefür ein ganz geeigneter Platz, wenn nicht die Eigenthümer, welche zu einer solchen Sammlung beytragen einen anderen Ort vorziehen, und Sie würden Sich ein bleibendes Verdienst erwerben, wenn es Ihnen gelänge, eine so gemeinnützige Anstalt ins Leben zu rufen, Ich kann nicht zweifeln, daß die Ägineten vom Aphaia-Tempel vor der Nase weg, kaufte aus eigener Tasche zahlreiche »Italiener«, erstand 1827 für 240000 Gulden die mehr als zweihundert altdeutsche und niederländische Gemälde umfassende Kollektion der Brüder Boisserée und erhandelte 1828 die altfränkische Sammlung des Fürsten Oettingen-Wallerstein für seine geliebte Pinakothek.

Die Inkubationsurkunde des Nationalmuseums

Nun also die Kabinettsorder vom 15. September 1830 (Abb. 3), deren Anlaß der Verzicht des Reichsfreiherrn von und zu Aufseß auf das überlieferte Patrimonialrecht war – eine Tatsache, die der König als Beweis »patriotischer Gesinnung« würdigte. Dann aber wandte er sich einem anderen Thema zu. »Ich habe schon früher den Wunsch gehabt«, schrieb er, »daß auch in Bayern, wie dieses in Prag bereits besteht, Besitzer von merkwürdigen Gegenständen solche mit Vorbehalt ihres Eigenthums in einem öffentlichen Lokal zur gemeinsamen Beschauung und Belehrung aufstellten. Ihre Sammlungen, Herr Freiherr, setzen Sie in den Stand, ein solches nützliches Unternehmen zu begründen. Bamberg erscheint mir hierfür ein geeigneter Platz, wenn nicht der Eigenthümer einen anderen Platz vorziehe. Sie würden sich ein bleibendes Verdienst erwerben, wenn es Ihnen gelänge, eine so gemeinnützige Anstalt in das Leben zu rufen.«

Das Schreiben – mit dem, von heute aus gesehen, die Inkubationszeit des Nationalmuseums begann – scheint den Empfänger in einen Katarakt von Gefühlen und Überlegungen gestürzt zu haben. Der fern der großen Welt lebende Adressat, von vielen als ein etwas spinniger, kauziger Schloßherr von gestern betrachtet, fühlte sich gleichsam ein zweites Mal geadelt und begann auf der Stelle zu planen, seiner überschäumenden Art entsprechend gleich in die vollen gehend. In seinen Vorstellungen – oder soll man sagen: in seinen Träumen? – nahm das Projekt eines reichsunmittelbaren Museums Gestalt an, das alle nur denkbaren Dokumente und Zeugnisse der Vergangenheit sammeln, ordnen und dem interessierten Besucher in seinem historischen Sinnzusammenhang präsentieren sollte. Gleichzeitig begann er mit den Vorbereitungen zu einem *Anzeiger für Kunde des Mittelalters.* Schon im Januar 1832 erschien das erste Heft des ersten Jahrgangs, dessen Vorwort, »ein patriotisches Glaubensbekenntnis«, die wegweisenden Sätze enthielt:

> »Wer er sei, Fürst oder Untertan, Bürger oder Bauer, arm oder reich, der muß auch eine Liebe zur Geschichte des Vaterlandes hegen, der muß gern mit dazu beitragen, die Ehre und den bleibenden Ruhm des eigenen Hauses durch alles Schöne und Große, was uns Kunst und Geschichte bieten, zu verherrlichen.«

Und noch im selben Jahr siedelte er kurz entschlossen, zufassend impulsiv, von seinen Planungen selbst fasziniert, mit seinen Sammlungen nach Nürnberg um. Und nicht, wie König Ludwig es ihm nahegelegt hatte, nach Bamberg.

Fluchtburg der deutschen Seele

Was zog ihn nach Nürnberg? Er kannte die Stadt von seiner Erlanger Zeit her, er hatte sie oft besucht, ihre Gassen und Winkel durchstöbert, ihre musealen Reize voll ausgekostet, und sicherlich erinnerte er sich manch fröhlichen Umtrunks in ungebundener studentischer Gemeinschaft. Aber Bamberg lag näher, einer seiner Ahnen war dort Bischof gewesen – hätte Bamberg nicht eigentlich Vorrang haben müssen?

Auch die Entscheidung für Nürnberg verrät, daß der Reichsfreiherr von und zu Aufseß durchaus ein Kind seiner Zeit war. Das heißt in diesem Fall: ein Erzromantiker, mit Herz und Hirn der Vergangenheit verschworen, in deren Erscheinungsbild er alle die Qualitäten vereinigt sah, die die Propheten des »Altdeutschen« so beredt und melodisch verkündeten – Treue, Ehrlichkeit, Geradheit, männliche Würde, christliche Frömmigkeit. Und Nürnberg galt damals als *die* »altdeutsche« Stadt schlechthin, als Schatzkammer der deutschen Geschichte, als Fluchtburg der deutschen Seele – jedenfalls als eine Stadt mit unschätzbaren Erinnerungswerken.

In seiner wirtschaftlichen Entwicklung war Nürnberg, das in seiner großen Zeit so etwas wie das Byzanz des Abendlandes gewesen war, reich und kunstsinnig, stolz und prächtig, vom 17. Jahrhundert an zurückgefallen. Der um 1452 geschaffene Mauerring reichte immer noch aus, die Bevölkerungszahl war nicht größer als in der Dürer-Zeit. Aber gerade deshalb hatte sich Vergangenheit kaum irgendwo in Deutschland so sichtbar konserviert wie hier. Die Stadt war ihren Überlieferungen treu geblieben. Noch um 1800 wurde in Nürnberg »gotisch« gebaut.

Ihr neuer Ruhm war literarisch begründet worden, und zwar durch den »kunstliebenden Klosterbruder« Wilhelm Wackenroder, der die alte Freie Reichsstadt 1793 zusammen mit seinem Freund Ludwig Tieck durchwandert und hernach einen schwärmerischen Hymnus geschrieben hatte, eine »Herzensergießung«, die als Musterbeispiel überschwenglicher romantischer Prosa in die Literatur eingegangen ist.

> »Nürnberg! Du vormals weltberühmte Stadt! Mit welcher kindlichen Liebe betrachtete ich deine altväterlichen Häuser und Kirchen, denen die feste Spur von unsrer alten vaterländischen Kunst eingedrückt ist! Wie innig lieb' ich die Bildungen jener Zeit, die eine so derbe, kräftige und wahre Sprache führen! Wie

ziehen sie mich zurück in jenes graue Jahrhundert, da du, Nürnberg, die lebendig-wimmelnde Schule der vaterländischen Kunst warst und ein recht fruchtbarer, überfließender Kunstgeist in deinen Mauern lebte und webte – da Meister Hans Sachs und Adam Kraft, der Bildhauer, und vor allem Albrecht Dürer mit seinem Freunde Willibaldus Pirkheimer und so viele andere hochgelobte Ehrenmänner noch lebten!«

»Wie oft hab' ich mich in jene Zeit zurückgewünscht! Wie oft ist sie in meinen Gedanken wieder von neuem vor mir hervorgegangen, wenn ich in deinen ehrwürdigen Büchersälen, Nürnberg, in einem engen Winkel, beim Dämmerlicht der kleinen rundscheibigen Fenster saß und über den Folianten des wackeren Hans Sachs oder über anderem alten, gelben, wurmgefressenen Papier brütete; oder wenn ich unter den kühnen Gewölben deiner düsteren Kirchen wandelte, wo der Tag durch buntbemalte Fenster all das Bildwerk und die Malereien der alten Zeit wunderbar beleuchtet. . .«

»Aber jetzt wandelt mein trauernder Geist auf der geweihten Stätte vor deinen Mauern, Nürnberg; auf dem Gottesacker, wo die Gebeine Albrecht Dürers ruhen, der einst die Zierde von Deutschland, ja von Europa war. Sie ruhen, von wenigen besucht, unter zahllosen Grabsteinen, deren jeder mit einem ehernen Bildwerk, als dem Gepräge der alten Kunst, bezeichnet ist und zwischen denen sich hohe Sonnenblumen in Menge erheben, welche den Gottesacker zu einem lieblichen Garten machen. So ruhen die vergessenen Gebeine unseres alten Albrecht Dürers, um dessentwillen es mir lieb ist, daß ich ein Deutscher bin.«

Ludwig Tieck variierte die gefühlvolle, hochgestimmte Melodie, die Wackenroder intoniert hatte. Sein 1798 erschienener Roman *Franz Sternbalds Wanderungen* – eine »altdeutsche« Geschichte, wie er ihn selbst genannt hat – beginnt in Nürnberg, sozusagen in der Werkstatt Dürers, als dessen Schüler der vom Autor erfundene Sternbald fungiert. Und auch Tieck beschwört mit bewegten Worten den Mythos der alten Kaiser- und Patrizierstadt und feiert sie als einen Hort deutscher Kunst und Kultur, als die fruchtbarste Pflanzstätte altväterlicher Gesittung und Gesinnung. Franz Sternbald sollte, das war der Plan des Dichters, der den Episodenroman nicht zu Ende geschrieben hat, am Schluß seiner erlebnisträchtigen Wanderungen durch Europa nach Nürnberg zurückkehren und dort am Grabe Dürers, geläutert und gewandelt, den tiefen sittlichen Ernst nordischer Kunst begreifen.

Auf den Spuren des *Sternbald* erwies auch Joseph von Eichendorff 1807 der heiligen Stadt der deutschen Romantik pflichtschuldigst seine Reverenz. »Mit Ehrfurcht« schritt er über ihren »klassischen« Boden und sah in seiner Phantasie überall »Ritter mit wehendem Helmbusch durch die Straßen« sprengen. Auch Max von Schenkendorf, der Sänger des Liedes »Freiheit, die ich meine ...«, widmete Nürnberg ein inbrünstiges Poem. Und als am 9. August 1816 der Maler Franz Theobald Horny die mittelalterliche Kunst- und Handelsmetropole durchpilgert hatte, schrieb er sich noch am selben Tag die dabei gewonnenen Eindrücke von der Seele:

> »Die Stuben sind noch so, wie man sie auf allen Gemälden und Kupferstichen von Albrecht Dürer findet. Decken und Wände getäfelt mit Säulenwerk; geschnitzte Bänke und kleine zierliche Wandschränke, der übrige Hausrat von geöltem Nußbaumholz. Das Licht bricht sparsam durch die runden Fensterscheiben, während eine altfränkische Wanduhr die angenehme Stille etwas unterbricht. Wie anziehend ... dies alles war ..., so gemütlich, so häuslich, daß man sich in das Mittelalter versetzt glaubte. Es ist herrlich, wenn man so sieht, wie alles seit Jahrhunderten von Vater auf Sohn, von Generation auf Generation fortgeerbt ist, ohne daß den Besitzer die fatale Neuerungssucht ergriffen hat.«

Auch die bildlichen Darstellungen Nürnbergs aus dieser Zeit zeigen eine wohlerhaltene mittelalterliche Stadt, die ihren einstigen Baubestand nahezu unverändert ins 19. Jahrhundert hinübergerettet hatte: das Idealbild einer mauerumwehrten Bürgerkommune, die von der staufischen Kaiserburg majestätisch überragt wird (eine Ansicht übrigens, die später als Traditionsprospekt in das Festwiesenbild der »Meistersinger von Nürnberg« einging). Daneben die Türme von St. Sebald und St. Lorenz, der Frauenkirche und der Katharinenkirche und der in die Mauer eingefügten Torburgen. Auch die Veduten und städtischen Interieurs, die zahlreiche Kleinmeister mit Pinsel oder Feder festgehalten haben, zelebrieren romantisierte Vergangenheit. Das Dürer-Haus, das Zeughaus, die Mauthalle, das Heilig-Geist-Spital, der Schöne Brunnen und der Wasserturm, sie alle zeigen die traute Abseitigkeit eines Gemeinwesens von vorgestern an, das sich dem Fortschritt hartnäckig verschloß und ein bedächtiges, rückwärtsgewandtes Leben führte voller Nestglück, Laubenseligkeit und Gassenidyllik.

Die Stadt wußte aber auch schon damals mit ihrem Pfund zu wuchern. Die vielen Lobpreisungen, die ihr von den Poeten und historisch orientierten Seelsorgern der deutschen Romantik zuteil wurden, waren nicht zuletzt auch ein Produkt gezielter Selbstdarstellung.

Nürnberg verstand, die Kunst der Vergangenheitsbeschwörung mit der der Reputationspflege zu verbinden. Im Klartext: Es »verkaufte« seine Geschichte mit Bravour und Erfolg. Nürnberg war schon in den dreißiger Jahren des vorigen Jahrhunderts ein bevorzugtes Ziel des Geschichtstourismus.

Der Entschluß des altfränkischen Landadligen, seine Sammlungen fortan in Nürnberg zur Schau zu stellen, dürfte also das Produkt reiflicher Überlegung gewesen sein; der Boden, den er hier vorfand, war bestens vorbereitet.

Wo einst Kaiser Max geherbergt hatte

Seine Saat ging schnell auf. Die Stadtväter waren ihm wohlgewogen. Die Nürnberger Intelligenz zog mit. Pfarrer und Archivare, Buch- und Kunsthändler, Maler und Galeristen, Ärzte und Bibliothekare scharten sich um den Reichsfreiherrn aus dem Fränkischen Wald, der so beredt für seine Ziele zu werben wußte. Schon am 31. Januar 1833 nahmen seine Pläne organisatorische Gestalt an.

Eine Versammlung von Altertumsfreunden gründete im Hotel »Bayerischer Hof« in Nürnberg die *»Gesellschaft für Erhaltung der Denkmäler älterer deutscher Geschichte, Literatur und Kunst«*, die schon nach wenigen Tagen 159 Mitglieder zählte. Der Verein, dessen Statuten im Juni 1833 die »allerhöchste Genehmigung« erhielten, setzte sich zur Aufgabe, eine möglichst vollständige Sammlung von Dokumenten und Zeugnissen der vaterländischen Vergangenheit einzurichten und der Öffentlichkeit zugänglich zu machen. Zum Inspektor und Inspizienten der Sammlung wählten die Gründer den Reichsfreiherrn von und zu Aufseß, der seine eigenen Schätze, »um einen Anfang zu setzen«, leihweise und unentgeltlich zur Verfügung stellte. Die wertvollsten Exponate wurden »im altehrwürdigen Scheuerlschen Hause in der Burgstraße« untergebracht, in zunächst sechs Räumen, darunter »jenem reizvollen, mit gotischem Schnitzwerk geschmückten Zimmer, das einst Kaiser Maximilian I. beherbergt hatte«. Am 5. Juli 1833 nahm König Ludwig I. das neue Museum wohlwollend, ja beglückt und begeistert in »höchstderoselben persönlichen Augenschein« und stiftete für den weiteren Ausbau fünfhundert Gulden.

Die königliche Gunst war zwar Gold wert, doch reichte sie leider nicht aus, auch die zünftige Wissenschaft von Nutz und Notwendigkeit der Nürnberger Einrichtung zu überzeugen. Neid und Konkurrenzgefühl waren dabei im Spiel. Wie konnte ein Dilettant aus dem Fränkischen Wald, mochte er auch adliger Herkunft sein und ein verbrieftes juristisches Studium hinter sich haben, die Vermessenheit aufbringen, sich derart selbstherrlich in Szene zu setzen? Wie kam eine Handvoll sicherlich gutwilliger, aber nach Einschätzung der zuständigen Fachgelehrten fraglos unbedarfter Halbwisser und Ignoranten dazu, eine Vereinigung mit einem derart anspruchsvollen Namen und Programm ins Leben zu rufen?

Gar so unrecht hatten die Kritiker allerdings nicht. Die Initiatoren des Vereins, allen voran ihr geistiger Schrittmacher, waren offenbar entschlossen, die Sterne vom Himmel zu holen. Sie träumten von einem allumfassenden Museum für deutsche Altertümer, einer Anstalt von höchstmöglicher Universalität, deren Sammlungstätigkeit sich auf alle nur denkbaren geschichtlichen und kulturgeschichtlichen Bereiche erstrecken sollte, und sie übersahen dabei, daß der Aufbau eines solchen *»allgemeinen deutsch historischen Museums«* mit den damaligen Mitteln weder finanziell noch technisch zu bewältigen war.

Gegen den »babylonischen Turmbau« von Nürnberg

Als Wortführer der beamteten Professoren, für die der ungestüme, den studentischen Lehr- und Wanderjahren kaum entwachsene Freiherr ein junger Grünschnabel war, den in seine Grenzen zurückzuweisen sozusagen wissenschaftliche Pflichtübung war, traten zwei Gelehrte von Rang und Reputation hervor: der Ansbacher Regierungsdirektor *Karl Heinrich Ritter von Lang* und – es läßt sich nicht verschweigen – der große *Wilhelm Grimm*, einer der beiden berühmten Brüder, die durch ihre Sammlung deutscher Märchen und ihre zahlreichen sprachgeschichtlichen Studien die Kirchenväter der germanistischen Wissenschaft wurden.

Grimm, eigentlich ein Geistesverwandter des Reichsfreiherrn von Aufseß, sprach in den Wiener Jahrbüchern von der »albernen Idee eines sonderlichen Sonderlings«. Weit schwereres Geschütz fuhr der scharfzüngige Ritter von Lang auf. Am 24. Juli 1833, nur drei Wochen nach dem ebenso ehrenden wie einträglichen Besuch von König Ludwig, nahm er in den (in Leipzig erscheinenden) *Blättern für literarische Unterhaltung* den »historischen Riesenverein« mit Getöse aufs Korn. Er bezeichnete ihn als »babylonischen Thurmbau«, geplant und entworfen von einem Manne, dem er vorwarf, ein »neues historisches Papsttum« begründen zu wollen. Vor allem attackierte er den Plan, mit dem im Aufbau begriffenen Museum eine Art von Zentralinstitut der deutschen Geschichte zu schaffen. »Die alten Denkmäler«, schrieb er voller Zorn, »erhalten ihre vorzüglichste Deutung oder Erklärung aus dem Standpunkt der Orte . . ., wo sie gefunden werden, die Urkunden aus jener Gegend, worauf sie verlauten.«

Aber gerade in dieser Hinsicht ließ sich der von Aufseß nichts abhandeln. Das historische *Generalrepertorium* – ein universeller wissenschaftlicher Nachschlagespeicher für alle Fragen der Geschichte –

war und blieb sein großes Fernziel, und er verteidigte sein Stekkenpferd mit beschwörenden Worten:

> »Wie erleichternd müßte es für den Sprachforscher, Rechtshistoriker, Kunstforscher oder einen Geschichtsforscher sein, wenn er, durch ein solches Generalrepertorium, ohne Mühe mit einem Blick sämtliche allenthalben zerstreuten Quellen und Denkmäler seines speziellen Zweiges ... übersehen könnte.«

Und da er von hinhaltender Verteidigung nichts hielt und gewohnt war, Angriffe mit Gegenangriffen zu beantworten, schlug er zornerfüllt zurück, gleichsam mit schweren Säbeln, ohne Rücksicht auf den Schaden, den er damit sich selber und seinem Verein zufügte. Es kam zu einem polemisch-literarischen Buhurt, der auf beiden Seiten mit zahlreichen Verbalinjurien und grobkalibrigen Wendungen geführt wurde und am Ende die staatliche Justiz beschäftigte. Die mit der Sache befaßten Juristen setzten zwar einen Vergleich durch, vermochten die Empörung des Reichsfreiherrn über die Verständnislosigkeit der gelehrten Welt aber nicht zu besänftigen. Als ihm dann noch »von höchster Stelle in München« die erbetene Anstellung als Archivar oder Burghauptmann in Nürnberg verweigert wurde, fühlte er sich von aller Welt im Stich gelassen. Er verlor die Lust an seinen Plänen und fuhr – ein Mann kurzer und spontaner Entschlüsse – seinen »Nibelungenhort« 1834 wieder nach Hause.

Niemand nennt die Zahl der Wagen, die er benötigte, seine Schätze wieder in Marsch zu setzen, aber es muß schon ein imposanter Zug gewesen sein, der da von Nürnberg über Landstraßen und Landwege zurück nach Niederaufseß rollte: ein Lindwurm, der langsam dahinkroch, von peitschenknallenden Fuhrleuten begleitet – bepackt mit allen Handschriften, Büchern, Bildern, Skulpturen, Waffen, Rüstungen, mit historischen Reminiszenzen jeglicher Art und Herkunft.

Wieder in Niederaufseß

Fünfzehn Jahre zog sich »der Aufseßer« wieder in seinen dicken, klotzigen, unangreifbaren Steinturm zurück, erbost und ergrimmt, aber auch schwer verwundet – und lebte wie zuvor. Er widmete sich wieder seinen Gütern, die er bei allen romantischen Sehnsüchten, die ihn erfüllten, klug und vernünftig leitete, vergrößerte seine Sammlungen, soweit seine keineswegs üppigen Mittel das erlaubten, trieb historische Studien, nahm die Fäden seiner Familiengeschichte wieder auf, kommentierte eine *Quellensammlung für oberfränkische Landes- und Adelsgeschichte, mit besonderer Rücksicht auf die Aufseßsche Geschichte*, schrieb über *Burgen des Fränkischen Gebirgs*, machte sich Gedanken über die *Zukunft des deutschen Adels*, gab eine *Partitura zu alten Liedern* betitelte Volksliedersammlung heraus, befaßte sich mit kirchlichen Fragen, sattelte, wenn ihm danach zumute war, sein deutsches Dichterroß und brachte romantische Gedichte und Erzählungen zu Papier, empfing und bewirtete zahlreiche Besucher, unterhielt eine lebhafte Korrespondenz mit Gleichgesinnten und wurde Mitglied, korrespondierendes Mitglied oder gar Ehrenmitglied in historischen und kulturhistorischen Vereinigungen, etwa dem Albrecht-Dürer-Verein in Nürnberg oder dem ebendort ansässigen Industrie- und Kulturverein.

Kurzum, er führte sein merkwürdiges, aber überaus pralles Dasein als Schloßherr von Niederaufseß weiter, in einer seltsamen Symbiose von Agronom und Sammler, Historiker und Jurist, Kunstfreund und Dichter, nicht gerade ein »Stiller im Land« oder gar ein lebensfeindlicher Eremit, aber doch ein Abseitiger, ein Einzelgänger, ein »sonderlicher Sonderling«, um noch einmal Wilhelm Grimms boshaftes Wort zu zitieren.

Erst 1846 erschien er wieder auf der Tribüne der Zeit, unverändert fordernd und anmaßend. Als Leopold von Ranke in diesem Jahr eine »gesamtdeutsche Germanistentagung« nach Frankfurt einberief, richtete der ritterliche Eigenbrötler auf Burg Niederaufseß ein »Sendschreiben an die erste Versammlung deutscher Rechtsgelehrter, Geschichts- und Sprachforscher zu Frankfurt am Main«. Er sprach darin mit eindringlichen Worten »über die Wichtigkeit vergleichender Forschung« und das Ineinandergreifen »der einzelnen historischen Disziplinen«, holte den Plan eines Generalrepertoriums der deutschen Geschichte wieder aus der Schublade, regte ein (damals sicher unmögliches) Gesamtverzeichnis der Kulturdokumente aller deutschen Länder an und entwarf ein Riesenprojekt, das

- die Bildung eines Ausschusses von Bevollmächtigten der einzelnen historischen Vereine Deutschlands vorschlug;
- für die Errichtung eines großen historisch-antiquarischen National-Museums plädierte, das jedoch »nicht aus Originalen, sondern aus Kopien, Auszügen und Umrissen der in den verschiedenen öffentlichen und Vereinssammlungen befindlichen Gegenstände bestehen« sollte; und
- auf die notwendige »Verbesserung oder Wiederherstellung eines Monats- oder Wochenblattes für die historischen Vereine« aufmerksam machte.

Natürlich wurde dem völlig unzuständigen Außenseiter, der wie ein beleidigter Adler in seinem Schloßturm hauste, erneut schroffe Ablehnung zuteil. Die Herren in Frankfurt, auf dem Kothurn ihrer Fachgelehrtheit wandelnd, liebten derartige Zwischenrufe und Organisationsvorschläge ganz und gar nicht. Immerhin beschlossen sie, so etwas wie eine Dachorganisation aller Geschichtsforscher und lokalen Geschichtsvereine zu schaffen oder wenigstens anzustreben.

Das war nicht viel, ermutigte den Reichsfreiherrn von und zu Aufseß aber, weiter über seine Pläne nachzudenken, sie zu beschreiben, in Wort und Text für sie einzutreten und zu werben – und das ferne Ziel keinen Augenblick aus dem Auge zu verlieren.

Die Jahre des »Vormärz«

Dann kam das Jahr 1848. Das große Revolutionsjahr mit seinen Versammlungen, Kundgebungen und Demonstrationen; mit seinen Aufständen und Barrikadenkämpfen, seinen rebellierenden Bauern, Bürgern und Arbeitern; mit seinem hochintellektuellen Frankfurter Professorenparlament, seinen verfassunggebenden Körperschaften, seinen neuen liberalen Regierungen; mit seinen Erfolgen, Mißerfolgen – und der maßlosen Enttäuschung, die es hinterließ. Eines der wenigen Revolutionsjahre in Deutschland.

Die 48er Revolution begann wie alle bewegenden Umstürze und Umsturzversuche lange Zeit vorher. Wer ihre Ereignisse nachzeichnen will, muß spätestens 1830 mit den Julistürmen in Paris beginnen. Sie wirkten wie ein Signal, ein Weckruf, ein Fanfarenstoß: alarmieren, erregend, anspornend. Sie ließen Hoffnungen sprießen, Erwartungen reifen. Zum erstenmal nach 1792 hatten zornige Bürger einen reaktionären Herrscher zum Rücktritt gezwungen. Dem lautstarken Ereignis folgte ein vielstimmiges Echo. Es erzeugte Unruhen in Italien, in Belgien, in Polen – auch in Deutschland. Die liberalen Bewegungen erstarkten. Braunschweiger und Sachsen, Hannoveraner und Kurhessen erzwangen freiheitliche Grundgesetze. Politische Publizisten rührten die Trommeln. Revolutionäre Lyriker riefen zum bewaffneten Aufruhr auf.

Damit begannen die Jahre des Vormärz: spannunggeladene, sehr widerspruchsvolle Jahre. Auf der einen Seite das »offizielle Deutschland«, wie es Golo Mann genannt hat; das Deutschland der Könige und Fürsten, der Kunstmonarchen, der gekrönten Theaterenthusiasten, der autoritären Städtebauer, die wie Ludwig I. von Bayern ihr hohes Amt zugleich deutschtümelnd und gräzisierend versahen. In ihrem Gefolge ein herrschaftsergebener Adel und ein staatsbejahendes Großbürgertum, darunter bedeutende Juristen und Geschichtsschreiber, zum großen Teil rückwärtsgewandte Verfechter des Gottesgnadentums, aber auch zahlreiche liberalkonservative Geister, optimistisch und wissenschaftsgläubig, die wie Ranke »stets bereit waren« zu glauben, daß »die Geschichte es recht machte und Sieg und Macht den Guten zufiel«. Auf der anderen Seite die Masse der Unzufriedenen: hungernde Kleinbauern, von der Industrie um Beruf und Brot gebrachte Handwerker und die neuen Schichten der sozial benachteiligten Arbeiter, angeführt von philosophierenden Literaten und wortmächtigen radikaldemokratischen Journalisten, die unablässig ihre Federn wetzten, teils geduldet, teils verfolgt, in jedem Fall aber ein Ärgernis der Behörden. Und zwischen ihnen die weltfremde, schweigende Mehrheit der romantisch oder biedermeierlich gestimmten Gleichgültigen, die Politik für eine Sache der Obrigkeit und Ruhe für die erste Bürgerpflicht hielten.

Aber wo sie auch standen, sie alle waren sensibilisiert. Sogar die konservativen Denker sprachen von notwendigen Reformen und plädierten für mehr Selbstverantwortung und Mitbestimmung. »Wohin wir sehen«, so hat ein hochrangiger Autor, der Fürst Chlodwig zu Hohenlohe-Schillingsfürst, Ende 1847 in einem Aufsatz über den »politischen Zustand Deutschlands, seine Gefahren und die Mittel zur Abwehr« diese innere Erregtheit beschrieben, »regt sich die Teilnahme des Volks an den öffentlichen Angelegenheiten, wie noch zu keiner Zeit. Aber die Regierungen verkennen diese Bewegung. Sie sehen oder wollen in dieser Bewegung nur das Treiben einer propagandistisch radikalen Clique finden und erfüllen sich mit Mißtrauen.«

Alle zusammen aber verband der Wille zur Einheit, zu einem gemeinsamen Vaterland oder, anders ausgedrückt: die Trauer über die mangelnde innere Kondition und die Bedeutungslosigkeit des deutschen Staatensammelsuriums. *»Ein* Grund der Unzufriedenheit«, so heißt es in dem zitierten Aufsatz weiter, »ist allgemein verbreitet, jeder denkende deutsche Mann empfindet ihn tief und schmerzlich. Es ist die Nullität Deutschlands gegenüber den anderen Staaten.«

Ganz ähnlich, wenn auch rumorender und provokativer, Friedrich Engels, der Kampfgefährte von Karl Marx, mit dem zusammen er 1848 das *Kommunistische Manifest* verfaßte: »Solange die Zersplitterung unseres Vaterlandes besteht, solange sind wir politisch Null... Wir wollen aufhören, die Narren der Fremden zu sein, und zusammenhalten zu einem einzigen, unteilbaren, starken, freien deutschen Volk.«

Chronik einer Revolution

Das war der Boden, der ausreichend gedüngt und aufbereitet war, den Gedanken an eine gewaltsame Veränderung der Verhältnisse nicht nur keimen, sondern auch sprießen zu lassen. Wieder sprang der zündende Funke von Frankreich nach Deutschland über. Nur drei Wochen nach der Februarrevolution in Paris (die, wenn auch nur kurzfristig, die Zweite Republik installierte und das allgemeine und gleiche Wahlrecht durchsetzte), am 15. März 1848, erzwangen Aufständische in Wien die symbolträchtige Abdankung des verhaßten

Metternich. Und dann ging es auch »in deutschen Landen« Schlag auf Schlag:

○ am 20. März setzten aufrührerische Studenten in München zunächst die Ausweisung der königlichen Geliebten, der Tänzerin Lola Montez, sodann den Rücktritt des Königs durch;

○ am 21. März sah sich der preußische König Friedrich Wilhelm IV. unter dem Eindruck blutiger Unruhen veranlaßt, die Ordnung in Berlin einer Bürgerwehr zu überlassen, eine Nationalversammlung einzuberufen und in einer öffentlichen Proklamation zu versprechen, daß Preußen fortan in Deutschland aufgehen werde;

○ am 31. März trat das Frankfurter Vorparlament zusammen und beschloß, eine deutsche Nationalversammlung einzuberufen;

○ am 15. Mai rotteten sich die aufständischen Wiener erneut zusammen und setzten die Einberufung eines österreichischen Reichstages durch (der zwei Monate später zusammentrat und eine neue Verfassung ausarbeitete);

○ am 18. Mai konstituierte sich die deutsche Nationalversammlung in der Frankfurter Paulskirche, wählte einen Tag später den Freiherrn von Gagern zum Präsidenten, begann mit der Beratung einer nationaldeutschen Verfassung und beschloß schon am 27. Juni die Schaffung einer Zentralgewalt, als deren vorläufiger Repräsentant der Erzherzog Johann von Österreich zum Reichsverweser bestellt wurde;

○ am 6. Oktober löste ein dritter Aufstand in Wien die Flucht des Kaisers aus; mit diesem Aufstand begann jedoch der Wendepunkt des Dramas 1848; denn nach anfänglichen Erfolgen der Rebellen rückten

○ am 31. Oktober Truppen des Fürsten Windischgrätz und des kroatischen Vizekönigs Jellačić in Wien ein und schossen die Revolutionäre zusammen; nur wenige Tage später,

○ am 10. November, rückte der preußische General Friedrich von Wrangel mit königstreuen Streitkräften in Berlin ein und warf auch dort die Aufstandsbewegung nieder;

○ am 5. Dezember löste sich die nach Brandenburg verschickte preußische Nationalversammlung auf und beendete ihre Arbeit an der Verfassung für eine konstitutionelle Monarchie;

○ am 4. März 1849, nach der Abdankung von Kaiser Ferdinand und der Inthronisierung seines Neffen Franz Joseph, wurde auch der Wiener Reichstag nach Hause geschickt und eine Verfassung »von Gottes Gnaden« verkündet;

○ am 28. März nahm das Frankfurter Parlament, obwohl die Revolution längst niedergeworfen war, die neue Reichsverfassung an und entschied sich mit vier Stimmen Mehrheit für die kleindeutsche Lösung, das heißt: für ein von Preußen unter Ausschluß von Österreich geführtes Reich mit erblichem Kaisertum; der König von Preußen lehnte die ihm angebotene Krone jedoch mit verächtlichen Worten ab.

Die Frankfurter Nationalversammlung beendete daraufhin ihre Beratungen. Die Tätigkeit einiger Rumpfparlamente in den süddeutschen Staaten wurde mit militärischen Mitteln unterbunden.

Die Revolution war gescheitert. Die Reformer hatten das Spiel verloren. Ihre Ideale waren niedergeknüppelt worden. Der Traum von einem großen deutschen Nationalstaat war ausgeträumt. Die Inhaber der Macht und die ihnen ergebenen bewahrenden Kräfte, nicht zuletzt das Militär und die Bürokratie, hatten gesiegt.

Das Ende des »Weltalters der deutschen Gemütlichkeit«

Die Folgen zeichneten sich bald mit brutaler Deutlichkeit ab. Wien und Berlin verordneten neue autokratische Verfassungen. Liberale Minister wurden zugunsten konservativer Nachfolger abgesetzt, die beschlossenen Grundrechte zwar nicht ausdrücklich aufgehoben, aber wieder eingeschränkt. Die Reaktion triumphierte. Viele »Achtundvierziger« gingen außer Landes. Enttäuschung und Resignation bemächtigten sich aller Deutschen, denen die in der Frankfurter Paulskirche verkündeten Ideale mehr als ein Lippenbekenntnis gewesen waren.

Aber waren auch die Feuer der Revolution erloschen, die Versuche einer nationalen Einigung kläglich mißlungen, die Ereignisse des dramatischen Jahres 1848 wirkten weiter. Sie blieben ein Ingredienz der Geschichte. Sie waren gegenwärtig, selbst wenn die Erinnerung an die Märzsiege allmählich verblaßte. Die Deutschen hatten gelernt, daß das Zittern vor Fürstenthronen kein gottgewolltes Schicksal war. Und die endlos langen und umständlichen Dispute des Frankfurter Parlamentes, das Bismarck später mit einer »Phrasengießkanne« verglich, hatten trotz aller Abstraktionslust, die dieser Professorenversammlung eigen war, doch den Blick für politische Zusammenhänge geschärft.

Das »Weltalter der deutschen Gemütlichkeit« war abgelaufen, wie der Major von Roon, nachmals preußischer Kriegsminister, seiner Frau im Juli 1849 schrieb. Man hatte begriffen, nicht zuletzt dank der im Revolutionsjahr erfolgten Annexion Schleswigs durch Dänemark, daß praktische Politik der anwendbaren, jederzeit einsetzbaren Macht bedarf und ihre Regeln nicht aus einem imaginären Lehrbuch des Idealismus bezieht; und diese Einsicht markierte einen tiefen Einschnitt im deutschen Denken, sie stand »in scharfem Gegensatz zu dem überlieferten Vertrauen der Deutschen auf die Macht von Geist und Idee«, wie Hans Herzfeld bemerkt hat. Nicht nur die radikaldemokratischen republikanischen Revolutionäre, sondern auch die patriotischen Fahnenschwinger und Feuerköpfe entwickelten fortan wenigstens ein Gespür dafür, daß Politik nicht durch Proklamationen und wohlgefällige Reden, sondern durch die Schaffung neuer Tatsachen gemacht wird. 1853 prägte August Ludwig von Rochau den Begriff *»Realpolitik«*.

Vor allem aber: Die Sehnsucht nach nationaler Einheit war ungeschmälert aus dem Revolutionsjahr hervorgegangen. Der Wille, einen deutschen Nationalstaat zu schaffen und mit diesem gegen die schon bestehenden Nationalstaaten zu konkurrieren, lebte ungebrochen weiter und lud sich schnell wieder auf. »Das nationale Einheitsproblem« war »mit erstaunlicher Weite und Vollständigkeit erfaßt« worden.

Der Einheitsgedanke, die Hoffnung auf Wiederherstellung der alten deutschen Kaiserherrlichkeit und die romantische Lust an der Vergangenheit hatten das Revolutionsjahr überlebt. Vielleicht erfüllten sie die Deutschen sogar stärker als zuvor. Auch Enttäuschungen können stark machen.

Die Geburt des Nationalmuseums

Der Schloßherr von Niederaufseß wäre nicht »der Aufseß« gewesen, hätte er an den Vorgängen des Jahres 1848 nicht leidenschaftlich Anteil genommen. Wieder meldete er sich mit einer Reihe von Botschaften und Sendschreiben vernehmlich zu Wort. In Bayreuth erschien ein Aufsatz, in dem er zu »Dr. Eisenmanns Idee zu einer Teutschen Reichsverfassung, insbesondere die Ablösung der Feudallasten betreffend«, engagiert Stellung bezog. In einem in München veröffentlichten Beitrag richtete er »Patriotische Fragen an Deutschlands Reichs- und Bundestag zu Frankfurt«. Er schlug darin unter anderem vor, daß der (noch zu wählende) Kaiser auf der Nürnberger Burg residieren, das Parlament im Alten Rathaus tagen und die Stadt an der Pegnitz wieder Hüterin der Reichskleinodien werden sollte.

Obwohl auch für ihn das Sturm-und-Drang-Jahr der neueren deutschen Geschichte enttäuschend endete, verstärkte sich doch das Gefühl in ihm, daß nun die Zeit zum Handeln gekommen sei. Ende 1850 entschloß er sich, mit seinen Sammlungen erneut nach Nürnberg umzuziehen. Auf eigene Initiative – notabene: auch auf eigene Kosten – mietete er das Pilatus-Haus gegenüber dem Dürer-Haus am Tiergärtnertor und stellte seine Schätze dort aus. Das Echo war gering. Der

4. H. Frhr. v. Aufseß. Stahlstich von Christian Riedt, um 1855

Reichsfreiherr von Aufseß mußte schwer kämpfen und seine finanziellen Ressourcen erneut rücksichtslos beanspruchen. Am 15. Mai 1852 schrieb er in einem Brief an den mecklenburgischen Archivar Lisch in Schwerin von den sehr schweren Jahren, die wiederum hinter ihm lägen, aber nichts habe ihn von seinen Plänen abbringen, seine Arbeit unterbrechen oder stören können. »Im Gegenteil, je mehr die anderen wühlten, desto mehr sammelte und ordnete ich.«

Aber schon wenige Monate später schlug die große Stunde seines Lebens, fiel die Entscheidung, auf die er jahrzehntelang hingearbeitet hatte. Vom 16. bis 18. August fand in Dresden eine Versammlung der »deutschen Geschichts- und Altertumsforscher« statt, deren wohlwollender Protektor der »hochgebildete und begabte Prinz Johann von Sachsen« war. Die Einladung zu dieser Tagung hatte neben namhaften Germanisten und Konservatoren auch der Reichsfreiherr von und zu Aufseß unterschrieben (Abb. 4).

»Der Aufseß« hielt auch die Einführungsrede, ein Beweis dafür, daß seine ungezählten Botschaften, Appelle und temperamentvollen Wortmeldungen aus seinem literarisch-historischen Verlies doch nicht ohne Wirkung geblieben waren. Erneut sprach er in eindringlichen Worten von der Notwendigkeit eines historischen Zentralmuseums. Er erklärte sich bereit, das Seine dazu zu tun, die erforderlichen Ausgaben vorzustrecken und das zunächst zu erwartende Defizit aus eigener Tasche zu decken. Dem Zauberer gleich, der ein Kaninchen aus dem Zylinder holt, legte er dann nicht nur einige besonders schöne Stücke seiner Sammlung auf den Tisch, sondern auch einen gedruckten Satzungsentwurf und ließ ihn im Saale kursieren.

Das Konklave der Geschichtsfreunde war beeindruckt. Der Querkopf aus dem Fränkischen Wald, der mit so viel Emphase und Hingabe für seine Idee kämpfte, gewann ihnen Respekt ab. Sie diskutierten sein Projekt, sie fanden es bedenkenswert und nützlich; schließlich realisierbar.

»Dem Plan des Herrn von Aufseß entsprechend«, so konnten die Nürnberger am 21. August 1852 in ihrer Zeitung lesen, »entschied sich die Versammlung dahin, die weitere Begründung und Ausführung des germanischen Museums dem Generalverein zu empfehlen; und dasselbe, so weit diese Gründung durch die Kraft eines Privatmannes möglich, von jetzt an als begründet zu erachten. . .«

Das Germanische Nationalmuseum in Nürnberg war damit ins Leben getreten, nach langen und schweren Auseinandersetzungen und vielen bitteren Niederlagen, die das Stehvermögen seines Initiators aufs äußerste beansprucht hatten. Der Freiherr von Aufseß konnte stolz darauf sein, die Vielzahl der Prüfungen bestanden zu haben. Die Dresdner Tagung bildete den Höhepunkt seines Lebens, seine Sonne stand plötzlich im Zenit.

Aktien auf ein Museum

Sehr kräftig war das Kind, das in Dresden das Licht der Welt erblickt hatte, allerdings nicht – eher schmächtig, schwach und sehr hilfsbedürftig. Nach der feierlichen Geburtsstunde begann der Alltag, die Kleinarbeit, vor allem: der Kampf ums Geld.

Hans von Aufseß entwickelte auch in dieser Hinsicht nicht nur Zähigkeit, sondern Begabung. Er gründete eine Aktiengesellschaft zu Nutz und Frommen »seines« Nationalmuseums, eine gutdurchdachte Einrichtung – die Interessenten kauften auf hundert Thaler, rheinische oder Kaisergulden oder zweihundert Franken lautende »Papiere« und überließen deren Zinserträge der Nürnberger Anstalt. »Nach Ablauf von zehn Jahren«, so lautete Paragraph 2 der Satzung, »wird das eingezahlte Aktienkapital zurück bezahlt, so daß das im Jahre 1852 eingelegte Kapital am 2. Januar 1862, das im Jahre 1853 eingelegte am 2. Januar 1863 zurückerstattet, resp. bei der Königl. Bank zu Nürnberg zur Disposition gestellt wird. Die deßfallsige Anzeige geschieht durch die allgemeine Zeitung.«

Gleichzeitig schuf er die damals vieldiskutierten Pflegschaften, die

»in Gestalt von Agenturen« zwischen dem Museum und seinen Freunden und Förderern, besonders seinen privaten Geldgebern, zu vermitteln, Spenden entgegenzunehmen und Ankäufe in die Wege zu leiten hatten: eine ebenfalls recht erfolgreiche Institution, deren Erträge die der Aktiengesellschaft nach kurzer Zeit noch übertrafen. Schon 1854 bestanden dreiundzwanzig derartige Hilfsstellen, die meisten in Bayern, aber auch in Düsseldorf und Göttingen, in Marburg und Königswinter, in Prag, in Wien und in Salzburg.

Natürlich baute er auch die »öffentlichen Hände« in sein Finanzierungssystem ein. Er wandte sich zu diesem Zweck vor allem an die deutschen Monarchen und (später von Bismarck »Zaunkönige« getauften) Fürsten und sonstigen Serenissimi. Nach seinem eigenen Geständnis zog er ein Jahrzehnt lang als »Bettler durch das Land«, um die notwendigen Thaler und Gulden für den Erhalt und Ausbau seines Schatzhauses zusammenzufechten. »Ich kann nicht anders«, beschloß er am 30. Mai 1863 mit einem abgewandelten Luther-Wort einen inständigen Bittbrief an den bayerischen Monarchen, »Gott helfe mir und regiere das königliche Herz Euerer Majestät.« Das derart bedrängte königliche Herz ließ sich in der Tat erweichen. Bajuwariens Herrscher bewilligte ihm fünfzigtausend Gulden, unter der einschränkenden Bedingung allerdings, daß auch andere deutsche Fürsten ihr Scherflein zum Aufbau des Nationalmuseums beitrügen.

Doch das war zehn Jahre später, als des Freiherrn Arbeit bereits Früchte zu tragen begann. Am Anfang stand er mit nahezu leeren Händen und einer Überfülle an organisatorischen Aufgaben da. Zwar wurde ihm bereits am 18. Februar 1853 vom bayerischen König die sozusagen amtliche Lizenz dafür erteilt, daß ein »germanisches Museum für deutsche Geschichte, Literatur und Kunst gegründet werde [und] daß dieses Museum als Stiftung zum Zwecke des Unterrichts die Eigenschaften und Rechte einer juristischen Person erlange« (Abb. 5). Aber als er sechs Wochen später durch seinen Schwiegersohn Johann Caspar Beeg bei den »Herrn Bundestagsgesandten« in Frankfurt anfragen ließ, »ob der Hohe Bund wohl geneigt seyn dürfte . . ., das germanische Museum unter seinen besonderen Schutz zu nehmen, solches der kräftigen Unterstützung der einzelnen deutschen Bundesstaaten zu empfehlen und, wo möglich, aus Bundesmitteln selbst zu unterstützen«, mußte er enttäuscht zur Kenntnis nehmen, daß »sein« Nationalmuseum dort völlig unbekannt war.

Immerhin hatte die Demarche einen gewissen Erfolg. Am 28. Juli 1853 beschloß die deutsche Bundesversammlung, das neue Institut in Nürnberg »als ein für die vaterländische Geschichte wichtiges nationales Unternehmen der schützenden Theilnahme . . . der höchsten

5. Erlaß des Bayer. Staatsministeriums des Inneren v. 18. 2. 1853

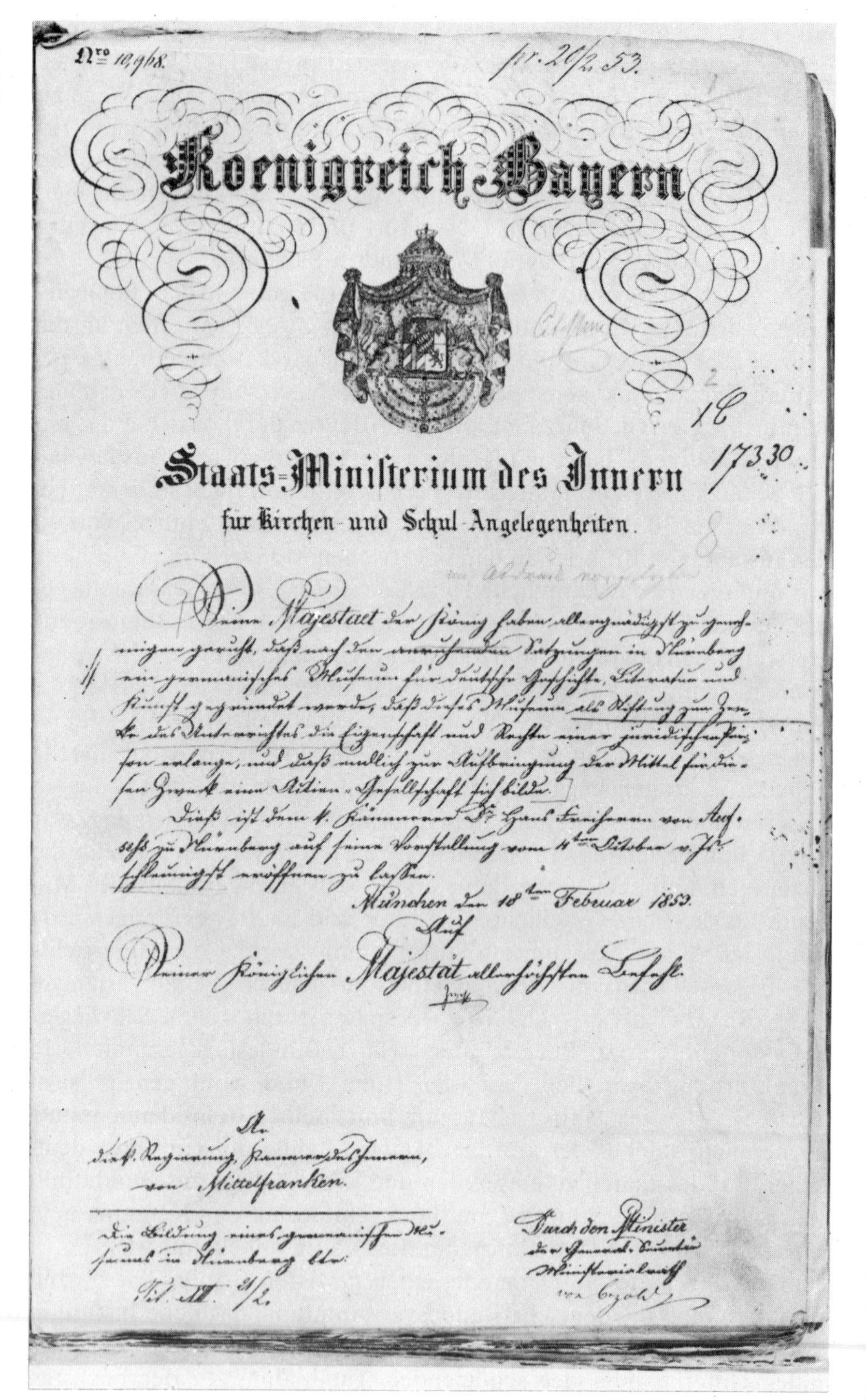

Nro 10,968. pr. 20/2 53.

Koenigreich Bayern

Staats-Ministerium des Innern

für Kirchen- und Schul-Angelegenheiten.

Seine Majestaet der König haben allergnädigst zu genehmigen geruht, daß nach den anliegenden Satzungen in Nürnberg ein germanisches Museum für deutsche Geschichte, Literatur und Kunst gegründet werde, daß dieses Museum als Stiftung zum Zwecke des Unternehmens die Eigenschaft und Rechte einer juridischen Person erlange, und daß endlich zur Aufbringung der Mittel für diesen Zweck eine Aktien-Gesellschaft sich bilde.

Dieß ist dem k. Kämmerer Dr. Hans Freiherrn von Aufseß zu Nürnberg auf seine Vorstellung vom 4ten Oktober v. Js. schleunigst eröffnen zu lassen.

München den 18ten Februar 1853.

Auf Seiner Königlichen Majestät allerhöchsten Befehl.

An die k. Regierung, Kammer des Innern, von Mittelfranken.

Die Bildung eines germanischen Museums in Nürnberg btr.

Durch den Minister der General-Secretär Ministerialrath

und hohen Regierungen zu empfehlen«. Zwei Jahre später trafen seine Abgeordneten noch eine weitere höchst bedeutsame und zugleich symbolträchtige Entscheidung – sie überließen dem Nationalmuseum die Bibliothek der 48er Nationalversammlung.

Rankes Verdikt

Auch über die Unterbringung der Aufseßschen Sammlungen war zu Beginn des Jahres 1853 noch nicht das letzte Wort gesprochen. Im April 1853 bot der Herzog Ernst II. von Sachsen-Coburg und Gotha dem fränkischen Reichsfreiherrn an, »die Veste Coburg für ewige Zeiten dem germanischen Nationalmuseum als Aufenthaltsort zur unentgeltlichen Benutzung zu überlassen«. Im Juli erhielt er ein nahezu gleichlautendes Schreiben vom Großherzog Karl Alexander von Sachsen-Weimar-Eisenach, das ihm die berühmte Wartburg und das zu ihren Füßen gelegene ehemalige Georgenkloster samt Kirche offerierte.

6. Die Kartause. Aquarell. Federzeichnung von Heinr. Stelzner, 1857

Hans von Aufseß entschloß sich jedoch, in Nürnberg zu bleiben, endgültig allerdings erst 1854, nachdem die bayerische Regierung versprochen hatte, ihm die leerstehenden Baulichkeiten des »dasigen« früheren *Kartäuserklosters* für die Zwecke seines Museums zu übereignen (Abb. 6). Bis zur aktenmäßigen Erledigung des Vorganges – die Mühlen der Verwaltung mahlten auch damals langsam, sehr langsam – verstrichen allerdings noch weitere drei Jahre. Erst im April

7. Der Bildersaal im Tiergärtnertorturm, Zeichnung von G. Ch. Wilder

8. Zweiter Teil der Bildergalerie im Tiergärtnertorturm, Zeichnung von G. Ch. Wilder

9. Das Toplerhaus am Paniersplatz, Deckfarbenmalerei von J. Huibers

1857 ging die »Kartause von Nürnberg«, teils Staatsbesitz, teils städtisches Eigentum, in den Besitz des Nationalmuseums über, zunächst »drei große Säle, sechs kleinere Säle und Hallen, 23 Zimmer und etliche Kammern, die restaurierte Kapelle und ein provisorisch hergestellter Teil der Kreuzgänge«.

Dem Umzug aus dem (1853 bezogenen) Tiergärtnertorturm (Abb. 7 und 8) und dem Toplerhaus (Abb. 9) in die neuen Unterkünfte folgte die Neuordnung der Sammlungen. Der Reichsfreiherr von Aufseß bewies auch dabei eine glückliche Hand – Geschmack, Bildung und musealen Verstand. Kirche, Kreuzgang und zugehörige Kapellen verwandelten sich in eine ebenso schöne wie ehrwürdige altdeutsche Kunstgalerie. Eine Halle zu ebener Erde nahm seine vielbewunderte Kollektion an Kriegs- und Jagdgeräten auf (Abb. 10). Das ehemalige Refektorium des Klosters wurde mit alten Hausgeräten und Möbeln bestückt. Die mittelalterliche Kleinkunst – das heißt: die schon damals fast unübersehbaren Bestände an Siegeln, Münzen und Medaillen, Miniaturen und Handzeichnungen, Kupferstichen und Holzschnitten – fand in einem Saal im oberen Stockwerk ein angemessenes Quartier. In den Nebengebäuden wurden Ateliers zum Kopieren und Restaurieren eingerichtet, ebenso Tischler- und Schlosserwerkstätten sowie eine Buchbinderei. Und bereits anno 1857 setzte der

10. Die Waffenhalle, um 1857

Reichsfreiherr von Aufseß für sein Museum eine eigene photographische Anstalt durch.

Das alles war notwendig, denn die Sammlungen des Hauses (das in diesem Jahr bereits 156 Pflegschaften zählte, die bis Siebenbürgen, Rußland und Italien, ja bis Nordamerika reichten) wuchsen in atemberaubendem Tempo. Bereits 1858 befanden sich 116000 Exponate – Abschriften und Leihgaben, Replikate und Kopien nicht gerechnet – in der schützenden Obhut des Nationalmuseums. Auch das Repertorium vergrößerte sich ständig, obwohl gerade diese Einrichtung – das »aufseßische Steckenpferd« – von den Koryphäen der deutschen Gelehrtenrepublik nach wie vor entschieden negativ beurteilt wurde. Ihr Sprecher war einer der großen Historiker des 19. Jahrhunderts, *Leopold von Ranke*, der schon 1853 in einem Gutachten für den preußischen Kabinettsrat Illaire die Stichworte der abfälligen Kritik formuliert und gewissermaßen zur weiteren Verwendung freigegeben hatte.

»Wie kann man sich einbilden«, so hieß es in seiner ironischen Expertise über das Generalrepertorium,

> »die Fragen, die im Laufe der Zeit entstehen, und die von den jedesmal Lebenden an die Vergangenheit gerichtet werden, im Voraus zu wissen und Antworten darauf fertig zu halten? Die Schematisierung des Stoffes, wie sie Herr von Aufseß aufstellt, mag ihren Wert haben für allerlei Merkwürdigkeiten und Curiosa: für lebendiges Wissen ist sie tödtlich... Welch ein Fundament von Sand! Aber darauf denkt Herr von Aufseß ein Monument aufzurichten, das, wie er in einem Anschreiben sagt, den Cölner Dom überragen soll! Meinem unmaßgeblichen Dafürhalten nach könnte die Unterstützung eines Unternehmens, das keine Gewähr eines festen Bestandes in sich trägt, Sr. Majestät dem König so im Allgemeinen nicht empfohlen werden. Als Sammler mag Herr von Aufseß alle Anerkennung und Aufmunterung verdienen: zum Gründer eines großen internationalen Institutes scheint er nicht geschaffen zu sein.«

Ranke lieferte mit diesem Schriftstück – mehr Bösachten als Gutachten – den Nährboden für eine Kritik, die dem Nationalmuseum noch jahrzehntelang gefährlich zusetzte. Die Siegelbewahrer der deutschen Ordinarienhierarchie verschmähten keine Gelegenheit, dem neuen Institut am Zeuge zu flicken: »Es nähme wissenschaftliche Leistungen in Anspruch«, so warfen sie ihm in zahlreichen Variationen vor, »und werde von einem Mann geleitet, der jedem in das Gesicht sage, daß er kein Gelehrter sei. Er wolle in Nürnberg eine Art delphisches Orakel errichten, wohin sich jeder mit seinen geschichtlichen Anfragen um Antwort wenden solle.«

11. Entwurf zum Diplom für die Mitglieder des Gelehrtenausschusses, von Karl Alex. v. Heideloff, 1853

Abschied von der alten Reichsstadt

Den von Aufseß haben diese Angriffe weidlich geärgert. Seinem Naturell entsprechend, schlug er kräftig zurück, jederzeit bereit, sich seiner Peiniger und Widersacher hauend und stechend zu erwehren. Das erklärt die große Zahl der Aufrufe und Rundschreiben, Denkschriften und Eingaben, die er in den Jahren nach 1853 teils argumentierend, teils polemisierend vom Stapel ließ; erklärt auch die vielen Reisen, die er zum Wohle seines Museums unternahm. Er fuhr nach Wien und Berlin, München und Stuttgart, wurde von Königen und Fürsten, Großherzögen und anderen hochmögenden Herren empfangen, ging die Bürgermeister und Honoratioren vieler deutscher Städte um ein Scherflein an und putzte bei den Repräsentanten des neuen Industrieadels die Klinken. Dabei verschmähte er auch Sachspenden nicht, eine Fuhre Kohlen oder die Gratislieferung eines schmiedeeisernen Tores – damit alsbald, wie er 1858 in seiner altfränkisch-umständlich-gravitätischen Prosa einer »Bitte um Beträge zur Restauration der Kartäuserkirche« anvertraute, »ein sichtbarer Tempel deutscher Ehre und geistigen Einheit, das ein wahres Gesamteigenthum der ganzen Nation ist, derselben würdig, dastehe . . .«.

Der Erfolg seines unablässigen »Fechtens« und Werbens konnte sich sehen lassen. Neue Mitarbeiter wurden gewonnen (Abb. 11). Die Inventarien mehrten sich. Die Finanzbasis wurde stabiler. Die Besucherzahlen wuchsen. Die inneren Strukturen festigten sich. Und als ihm die Stadt Nürnberg auch die an das Kartäuserkloster angrenzenden Grundstücke, in Zahlen ausgedrückt: 62640 Quadratmeter, unentgeltlich überließ, war auch die zukünftige Ausbreitung des Museums gesichert (Abb. 12 bis 15).

So dürfte dieses erste Jahrzehnt des Nationalmuseums allen Mißhelligkeiten zum Trotz dennoch die glücklichste Zeit im Leben des Reichsfreiherrn Hans von und zu Aufseß gewesen sein, zumal ihm auch in dieser Zeit noch einmal die Gunst Gott Amors zuteil wurde.

12. Haupteingang des Museums an der Kartäusergasse, 1859

Grundrifs der Karthause zu Nürnberg

mit Bezeichnung der jetzigen Einrichtungen für das germanische Museum.

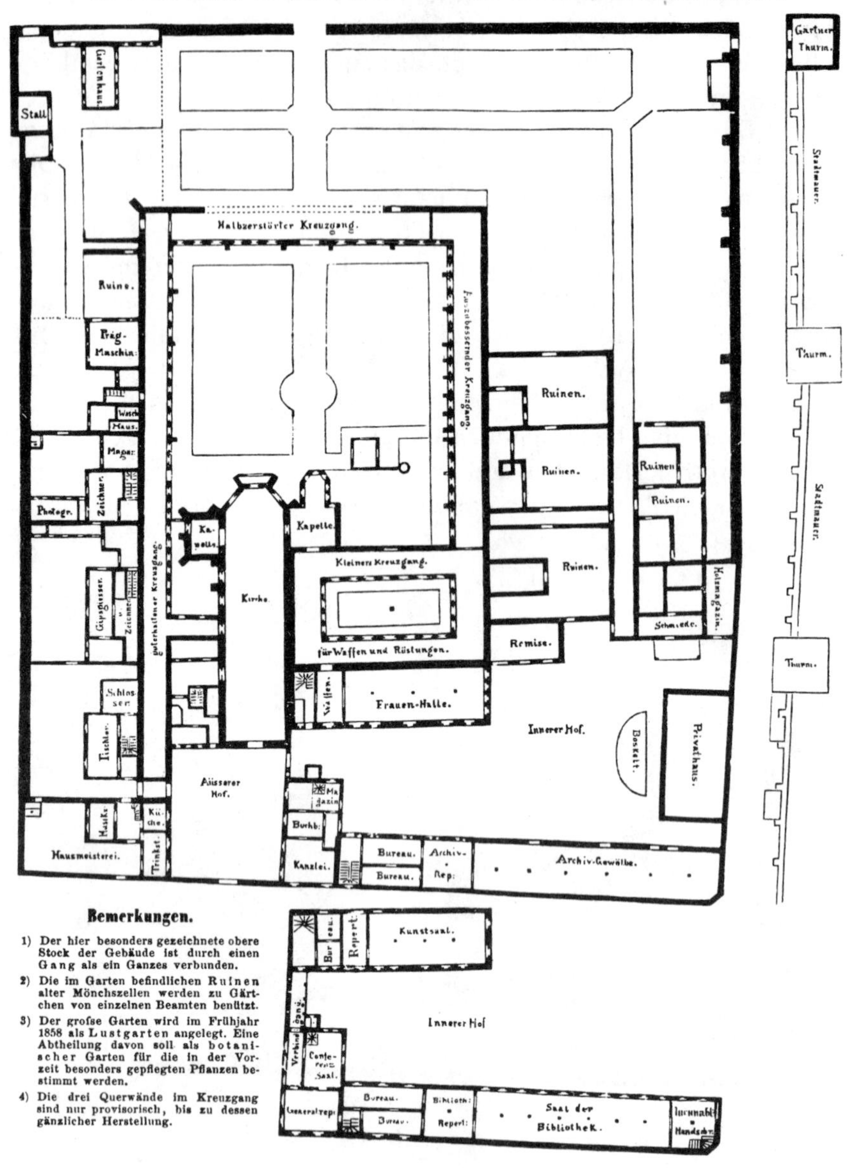

13. Grundriß der Kartause

14. Inneres der Kartäuserkirche um 1864

15. Wilh. v. Kaulbach: Öffnung der Gruft Karls d. Gr. vor der Südwand der Kartäuserkirche (Fresko)

Der gestandene Fünfziger, seinen Mitarbeitern gegenüber durchaus autoritäre Respektsperson, stand noch einmal in hellen Flammen. Er verliebte sich ins »hübsche Hausmeisterstöchterlein« gegen jede bürgerliche und hierarchische Ordnung – und offenbar nicht vergebens. Wenn man einer ungewissen mündlichen Überlieferung Glauben schenken darf, hat die Maid seinem drängenden Werben nicht widerstanden.

Im Jahre 1862, zehn Jahre nach Gründung des Geschichts- und Museumtempels, legte er die Leitung nieder. »Weder Erhaltung für unsere gute deutsche Sache noch Erschöpfung meiner Kräfte«, so schrieb er in seinem Rücktrittsgesuch,

> »sind Ursache meines Rücktritts, sondern die feste Überzeugung, daß das Vertrauen des Publikums auf den Fortbestand und das Wachsen unseres Nationalinstituts erst vollkommen befestigt wird, wenn man den tatsächlichen Beweis vor Augen hat, das Museum könne ohne seinen jetzigen Vorstand und Begründer so gut wie bisher bestehen und gedeihen und sei daher in keiner Weise gefährdet durch meinen Tod oder Austritt.«

Freilich spielten auch profane Gründe bei dieser Entscheidung mit. Der Reichsfreiherr von Aufseß war ein vortrefflicher Organisator, aber ein nur mäßig begabter Verwalter. So stand er, als er seinen Abschied einreichte, längst mit den meisten Beamten seines Museums auf dem Kriegsfuß. Und er sehnte sich nach der Zeit, wo er ohne Rücksicht auf Bürokraten und Behörden »wieder einmal ordentlich dreinschlagen« konnte, nachdem er – nach eigenem Geständnis – »in Geduld genug gelitten« hatte (Abb. 16).

Außerdem war der Gründer des Nationalmuseums, der für seine selbstlose Tätigkeit im Dienst des Schatzhauses der deutschen Geschichte keinerlei Entschädigung empfangen hatte, finanziell am Ende. Schulden und Hypotheken drückten ihn und belasteten selbst den ererbten Besitz. Um weiterleben zu können, mußte er seine Sammlungen verkaufen. Für 120000 Gulden, ein Spottgeld selbst für damalige Wertmaßstäbe, überließ er sie dem von ihm gegründeten und mit Inbrunst geliebten, mit Leidenschaft betreuten Museum.

Ruhestand – Unruhestand

Sang- und klanglos nahm er dann Abschied von der Stadt, die ihm zum Schicksal geworden und seinem Lebenswerk Quartier geschenkt hatte. Doch kehrte er nicht auf seine Stammburg zurück. »Gewohnt von Jugend auf der Herr von Aufseß zu sein«, bekannte er offen und ehrlich in einem Brief, war er nicht gewillt, sich »unter die Oberhoheit eines Bauernschultheißes« zu begeben und einer »erbärmlichen Ortspolizei« zu unterstellen, die nicht einmal in der Lage war, dem

16. Beamte und Angestellte unter dem Frhrn. v. Aufseß

IV. Beamte und Angestellte.

A. Allgemeines Geschäftsbureau.

Dirigent: Dr. Frhr. H. v. u. z. Aufsess.
Rechtsconsulentie: W. Krafft, Dr. jur. und königl. Advokat.
Fondsadministration: G. W. Frhr. v. Ebner, Stiftungsadministrator.
Sekretariat I. mit Regieverwaltung: Th. Neumann, Dr. phil.
Sekretariat II. mit Kanzlei- und Registratur-Wesen: W. Weber, Rechtsprakt., z. Z. Verw.
Kanzlisten: F. V. Hoffknecht, Ph. Michel.
Kopisten: A. Maurer, J. W. Schmidt, Ch. Braunstein.
Bureaudiener.

B. Generalrepertorium.

Für Archivsrepertorien: G. K. Frommann, Dr. phil.
Für Bibliotheksrepertorien: Th. Neumann, Dr. phil.
Für Repertorien der Kunst- und Alterthums-Denkmale: A. v. Eye, Dr. phil.
Für das Generalregister: J. G. Seizinger.

C. Sammlungen.

Archiv. Vorstand: Dr. G. K. Frommann.
Secretär: W. Weber, Verweser.
Bibliothek. Vorstand: Dr. G. K. Frommann.
Secretär und Custos: J. G. Seizinger.
Kunst- und Alterthums-Sammlung. Vorstand: Dr. A. v. Eye.
I. Custos: W. Maurer.
II. Untercustos: Ph. Michel.

D. Anfragebureau.

Für Staats- und Rechtswesen: Dr. Frhr. v. u. z. Aufsess.
Für Geschichtliches: Dr. Th. Neumann.
Für Literärgeschichtliches und Sprachliches: Dr. G. K. Frommann.
Für Artistisch-Antiquarisches: Dr. A. v. Eye.

E. Literarisch-artistische Anstalt.

Literarische Section. Vorstand: Dr. Th. Neumann.
Secretär und Betriebsbeamter: J. G. Seizinger.
Buchdruckerei: Sebald'sche Officin.
Steindruckerei: Amersdorffer'sche Anstalt.
Artistische Section: Vorstand: Dr. A. v. Eye.
Zeichner: W. Maurer.
Kupferstecher: im Atelier von H. Petersen.
Holzschneider: in der xylographischen Anstalt von A. Rühling.
Steingraveur: in den lithograph. Anstalten von J. Gebhard u. Amersdorffer.
Modelleur und Gypsgiesser: in d. Ateliers von L. Rotermundt u. Fleischmann.
Medailleur und Siegelstecher: im Atelier von L. Ch. Lauer.

Wildern der Bauern in seinen Wäldern Einhalt zu gebieten. Er kaufte sich am Bodensee an, in Kressbronn, und wohnte fortan in einem alten Bauernhaus, zu dem auch einige Hektar Obst- und Weingärten gehörten.

Er hätte nun Zeit für einen geruhsamen Lebensabend gehabt, und sicherlich hatte er ihn verdient. Talent zu besinnlicher, langsam Abstand gewinnender Muße war ihm jedoch nicht gegeben. Obwohl er in Kressbronn nicht in einem düsteren mittelalterlichen Turm lebte, sondern unter fast südlicher Sonne zwischen heiter stimmenden Rebenkulturen und freundlichen Gasthäusern, wirkte seine zufassende, immer etwas aggressive Aktivität dennoch ungebremst in ihm weiter. Das Museum im fernen Nürnberg, das von ihm erkämpfte und gegründete, fundamentierte und aufgebaute Nationalmuseum, blieb seinem Herzen nahe. Ihm zu dienen war ihm auch nach dem freiwilligen Ausscheiden aus dem Amt wichtigster Programmpunkt seines Lebens.

Er setzte seine Betteltouren fort, warb in Vorträgen und Denkschriften für das immer noch in Geldnöten steckende Institut und war glücklich, wenn er hier eine finanzielle Spende, dort eine materielle Zuwendung nach Hause bringen konnte. Wie zuvor nahm er vor allem die deutschen Fürsten und ihre Regierungen aufs Korn, um ihr Interesse am Nationalmuseum immer wieder anzuheizen. So schrieb er im Januar 1867 an den bayerischen Ministerpräsidenten (und späteren Reichskanzler) Chlodwig von Hohenlohe-Schillingsfürst einen gleichzeitig bitteren wie geharnischten Brief, in dem er darauf drängte, das Nürnberger Institut, »die größte Aufgabe meines Lebens«, endlich auch in Bayern (wo es zunehmend als Konkurrenz der Münchner Museen betrachtet und dementsprechend stiefmütterlich behandelt wurde) »zur Anerkennung zu bringen«. Freimütig beklagte er sich in seiner ungehaltenen Epistel auch darüber, daß Bayerns König Max II. »der einzige deutsche Monarch (außer Hessen-Cassel)« sei, der »nie einen Heller zu dieser deutschen Sache« gegeben habe.

Auch mit seinem Nachfolger August von Essenwein kreuzte er die Klingen. Anlaß war ein Gutachten von Professor Dr. Moritz Haupt, der zwar für die Erweiterung der kulturhistorischen Sammlungen votiert, gleichzeitig aber eine neue literarische Attacke gegen das Generalrepertorium geritten und von der Durchführung seiner Vorschläge einen jährlichen 6000-Thaler-Zuschuß Preußens abhängig gemacht hatte. Essenwein stimmte dem zu, nicht ohne in seiner Stellungnahme auch auf die »agitatorische Tätigkeit« des Herrn von Aufseß hinzuweisen, und rief damit den lodernden Zorn des Kressbronner Pensionärs hervor. Der legte sich sofort mit ihm an. Wieder ließ er eine Reihe von Denkschriften vom Stapel, an den »Norddeutschen Bundesrath«, an die Leitung des Nationalmuseums, an die Mitglieder des Verwaltungsausschusses, und wieder war er ganz der alte Aufseß, der Donnerer und Blitzeschleuderer, der eine der wichtigsten Aufgaben seines Museums gefährdet sah und sich daher nicht nur berechtigt, sondern sogar verpflichtet glaubte, auf der Stelle blankzuziehen.

Aber seine Feder glühte nicht immer nur rot. Wenn er seinen historischen Neigungen folgte, vermochte sie Wärme und Behaglichkeit zu verbreiten und jene wohltuenden nostalgischen Sehnsüchte zu wekken, die auch damals ihr Publikum hatten. Im Jahre 1866 befaßte er sich mit den »merkwürdigen Schicksalen des Felsenschlosses Freienfels an der Wiesent«, 1870 schrieb er eine scharfsinnige *Abhandlung zur Erklärung des durch Photographie vervielfältigten, höchst merkwürdigen und seltenen Kupferstichwerkes eines unbekannten Meisters aus dem Anfang des 16. Jahrhunderts zur Erinnerung an den sogenannten Schwabenkrieg vom Jahre 1499*; 1872 entwarf er das *Lebensbild eines treuen Vasallen des Hauses Brandenburg*, das heißt: seines Ahnen Heinrich IX. von Aufseß.

Ein Jahr zuvor zeigte sich das Schicksal noch einmal von der besten Seite. Berauscht und begeistert von der Neugründung des Reiches, richtete der Freiherr von Aufseß im Frühjahr 1871 an den preußischen König, der seit dem 18. Januar dieses Jahres als Wilhelm I. zugleich deutscher Kaiser war, die schriftliche Bitte, das Germanische Nationalmuseum in Nürnberg in den Rang einer Reichsanstalt zu erheben. Der Kaiser dankte ihm mit einem wohlwollenden Brief und lud ihn nach Berlin ein. Bei einem Essen im Schloß saß der Siebzigjährige dem vierundsiebzigjährigen Monarchen gegenüber und versuchte, ihn vom Nutzen und von der Dringlichkeit seines Vorschlags zu überzeugen. Die Majestät hörte aufmerksam zu – ein Erfolg war dem Bittsteller jedoch nicht beschieden.

Das Projekt geriet in die Hände der Experten, und diese – das »Geschlecht der Wurzler«, wie sie der Betroffene in seinen polemisch gepfefferten Denkschriften zu nennen pflegte – ließen es geräuschlos in ihren geräumigen Schubladen verschwinden.

Tod eines deutschen Patrioten

Ein Jahr später starb der Reichsfreiherr Hans von und zu Aufseß – einen merkwürdigen, abwegigen, geradezu widersinnigen Tod, über den die Biographen dieses Mannes allesamt nur mit gesträubter Feder berichten.

Der Kaiser bat ihn zu den Feierlichkeiten, die zur Gründung der deutschen Universität im wiedergewonnenen Straßburg veranstaltet wurden, und selbstverständlich zögerte »der große Fechtbruder für das Nationalmuseum« – so sein Urenkel Max – keinen Augenblick, die Anstrengungen der Reise auf sich zu nehmen, obwohl er zu dieser Zeit bereits schwer asthmakrank war. Zweifellos rechnete er damit, bei dieser Gelegenheit die »Großen des neuen wilhelminischen Reiches ... anzutreffen und dabei für seine aufwendigen Bestrebungen ein offenes Ohr und eine noch offenere Hand zu finden«.

In Straßburg verschlimmerten sich seine Beschwerden, so daß er, wenn auch widerwillig, den Festivitäten und nationalen Kundgebungen dieser Tage fernbleiben mußte. Mit um so größerer Spannung erwartete er den abendlichen Fackelzug der Deutschen Burschenschaften, denen er sich auch im Alter noch tief verbunden fühlte. Von einem Fensterplatz in der Straßburger Innenstadt erlebte er den Vorbeimarsch seiner jungen Kommilitonen, die bewegt und freudetrunken, vaterländische Lieder singend, in vollem Wichs gleichsam an ihm vorbeidefilierten. Die Erregung, die ihn selber packte, löste einen Asthmaanfall aus. »Gewohnheitsmäßig greift er zur Trillerpfeife, um seinen Bediensteten herbeizurufen. Zwei Festteilnehmer, darunter sein früherer Leibfuchs, halten das Pfeifen für eine Demonstration – für Frankreich gegen das Reich. In blindem Eifer stürmen sie das Haus und schlagen Hans von Aufseß im dunklen Zimmer zusammen.«

Ein absurder Vorgang in all dem Jubel und Festgepränge. Der Reichsfreiherr Hans von und zu Aufseß, der überzeugte, unbeirrbare Patriot, der sein ganzes Leben und sein halbes Vermögen geopfert hatte, um die Gründung eines deutschen Nationalmuseums zu ermöglichen, wurde von seinen eigenen Bundesbrüdern erbärmlich zusammengeprügelt und »auf das thätlichste mißhandelt«, im gespenstischen Fackelschein, ohne daß der schwer um Luft ringende Kranke die Möglichkeit hatte, sich zu erkennen zu geben und den schrecklichen Irrtum aufzuklären.

Tief betroffen, physisch und psychisch schwer verletzt, reiste er am nächsten Morgen ab. Doch der Tod holte ihn ein. Am 6. Mai 1872 ereilte er den Reichsfreiherrn von und zu Aufseß in Münsterlingen bei Konstanz am Bodensee, noch bevor dieser das geliebte Kressbronn erreicht hatte. Todesursache: Herzversagen – was alles man darunter verstehen mag.

Vier Tage später wurde er in der Familiengruft derer von Aufseß an der Südseite der Kirche im Schloßhof von Unteraufseß beigesetzt.

Gelassenheit war seine Sache nicht

Seine Biographen tun sich bis heute schwer, ihm gerecht zu werden; und fraglos war er eine recht widerspruchsvolle Erscheinung: ein

17. Foto des Freiherrn von Aufseß als Siebzigjähriger

Mann nicht nur mit Ecken und Kanten, sondern auch mit Untiefen und Abgründen und mit charakterlichen Unebenheiten, die dem Betrachter von heute Distanz auferlegen (Abb. 17).

Als Angehöriger eines alten »reichsunmittelbaren« Adelsgeschlechtes lebte er in Traditionen, die schon zu seiner Zeit anachronistisch wirkten; bisweilen verstaubt, gelegentlich provozierend, tendenziell vorgestrig. Die Hartnäckigkeit, mit der er seine Standesprivilegien verfocht, läßt selbst bei wohlmeinenden Betrachtern den Verdacht aufkommen, daß er ein selbstherrlicher Reaktionär war, der auch bei der Einrichtung seines Museums mehr an das Verherrlichen als an das Verstehen der deutschen Vergangenheit dachte. Doch war er kein Chauvinist, kein Prophet und Verkünder germanischer Treue und Wurzelkraft. Wie Eichendorff hat er wahrscheinlich die Gefahr empfunden, die entsteht, wenn »die in Deutschland unsterbliche Sentimentalität im beständigen Handgemenge mit dem Terrorismus einer groben Vaterländerei« den Deutschtumskorporalen unseligen Angedenkens das Kommando überläßt.

Sein Stolz verlieh ihm allerdings auch jenen Mut vor Königsthronen, den er bei der Propagierung und geradlinigen Verfolgung seiner Pläne dringend benötigte. Auch eine starke Familienbindung, die ihn trotz seiner zeitwiligen erotischen Eskapaden auszeichnete, war ein Teil dieses konservativen reichsfreiherrlichen Erbes. Seine historischen Untersuchungen weisen ihn als einen Mann aus, der dank diesem Erbe selbst in seinen innigsten historischen Schäferstunden das Gefühl für Maß und Würde nicht verlor.

Noch etwas erschwert die Annäherung an den bei aller Staats- und Königstreue stets etwas aufsässigen Herrn von Aufseß: sein starker, mit widerstrebenden Kräften überreich ausgestatteter Gefühlsfundus, den zu beherrschen er nie ganz gelernt hat. Er war äußerst impulsiv, gleichsam ständig auf dem Sprung und stets bereit zu explodieren, trotz der langen, ungewollten Ruhe- und Wartezeiten in seinem Leben. Er konnte sehr ungerecht, sehr dickköpfig, sehr launisch sein. Gelassenheit war seine Sache nicht. Eine Pflanze geduldig wachsen und reifen zu lassen, widersprach seinem barschen, befehlsgewohnten Temperament. Schon als Studiosus in Erlangen galt er als Stürmer und Dränger, dessen hitziges Naturell immer neuer Eindrücke und Erlebnisse bedurfte.

In seinem überschäumenden Temperament und seiner elementaren Begeisterungsfähigkeit verbarg sich jedoch eine mächtige Kraft. Er nahm jeden Gegner an, und so beherrschte er die Kunst, sich Feinde zu machen, exzellent wie kaum ein anderer. Und wenn er um sich schlug, was er häufiger für notwendig hielt, als es nötig war, dann flogen die Fetzen. Dann sprach und schrieb er ohne Scheu vor Vokabeln von ländlich-rustikaler Direktheit. Das verschafft seinen Denkschriften, Rundbriefen und Polemiken trotz ihrer altväterlichen Umständlichkeit noch heute einen hohen Reiz. Seine Sprache hatte Saft und Kraft, sie besaß Geschmeidigkeit und aggressive Härte, vor allem, wenn ihm sein Zorn – den er immer für gerecht hielt – die Feder führte. In lutherischer Geradheit pflegte er, nicht eben wie ein gelernter Jurist, die Dinge beim Namen zu nennen, und da er auch die Manuale der Rhetorik hervorragend zu bedienen verstand, vermochte er oft genug selbst seine Widersacher wenn nicht zu überzeugen, so doch zu beeindrucken.

Daß er viele Gangarten beherrschte, daß er außer historischen Abhandlungen auch Erzählungen und Gedichte schrieb, daß er überhaupt ein hochgebildeter, belesener, anregender und überaus beschlagener Mann war, haben schon seine Zeitgenossen immer wieder hervorgehoben. Ludwig Uhland, Gustav Freytag, Viktor von Scheffel und Wilhelm von Kaulbach schätzten sich glücklich, ihn zu ihren Freunden zu zählen. Mit Alexander von Humboldt, Jakob Burckhardt und Otto von Bismarck führte er einen lebhaften Briefwechsel.

Freilich schätzte er auch die Schau. Als Sohn des dekorationsfreudigen, maskeradenseligen und opernbesessenen 19. Jahrhunderts liebte er die theatralische Verkleidung und das romantische Ambiente. »Einmal ließ er sich«, wie sein Urenkel Max berichtet, »von seinem Diener in das alte Burgverlies sperren, um bei Kerzenschein hochnotpeinliche Gerichtsprozesse nachzuerleben. Ein andermal verkleidete er sich als Doktor Faustus, versehen mit mittelalterlichem Umhang und Barett. Er versäumte nicht, sich in dieser Aufmachung am Studiertisch grübelnd malen zu lassen.« Und noch als Dreiundsechzigjähriger, ein Jahr nach seinem Ausscheiden aus dem Nationalmuseum, ließ er sich vom Inspektor der artistischen Anstalt des Instituts in ritterlicher Rüstung ablichten, in eisernen Schnabelschuhen und einem Reiterharnisch des 15. Jahrhunderts, gestützt auf eine Armbrust, einen blanken Eisenhelm unter dem linken Arm – und seiner Aufmachung entsprechend bärbeißig und martialisch dreinblikkend. Boshaft sagte man ihm nach, »er habe sich gesehnt nach dem Leben eines Einsiedlers, in stiller Andacht, auf großer Bühne, vor vollem Zuschauerraum«.

Alle Kritik verstummt jedoch vor seiner Schaffensfreude, die auch im emsigen, bienenfleißigen, leistungsbewußten 19. Jahrhundert fast ohne Beispiel ist. Er war unablässig tätig, begann nach jeder Niederlage von vorn und bewährte sich trotz seines gleichsam kochenden Blutes nicht nur als ein Genie des Sammelns, Ordnens und Bewahrens, sondern auch als ein Genie der Beharrlichkeit: als ein Mann, der, unberührt von allen Flauten und Stürmen, auf das anvisierte Ziel zusteuerte, in all seiner vulkanischen Erregtheit mit jenem Schuß visionärer Erleuchtung, die noch heute staunen macht.

Er lebte in zwei Jahrhunderten

So hinterließ er ein Erbe, das bei aller Zeitbedingtheit den Atem verschlägt und sich noch immer als ein höchst originärer Beitrag zur Geschichte des 19. Jahrhunderts behauptet. Arno Schönberger, bis 1980 Generaldirektor des Nationalmuseums, hat bei der Kranzniederlegung zur hundersten Wiederkehr des Todestages seines Gründers Persönlichkeit und Werk des Reichsfreiherrn Hans von und zu Aufseß mit folgenden Worten gewürdigt:

»Wir haben uns hier versammelt, um an seinem hundertsten Todestag des Mannes zu gedenken, der das Germanische Nationalmuseum gegründet hat, des Freiherrn Hans von und zu Aufseß. Seine durch und durch originäre Persönlichkeit, seine ursprüngliche, schöpferische, impulsive Natur mit tief in ihr wurzelnden Kräften des Willens und des Gemütes und sein unerschütterlicher Glaube an die Gültigkeit des von ihm Angestrebten haben ihm Freunde wie Feinde gewonnen, ihn zu großen Erfolgen wie auch zu Niederlagen geführt.«

»König Ludwig I. von Bayern, der große Förderer seines Planes und in vieler Hinsicht Hans von Aufseß verwandt, hat von sich gesagt: ›Ich gehöre in zwei Jahrhunderte.‹ Er meinte in das 18. wie in das 19. Auch von Hans von Aufseß könnte man sagen, daß er in zwei Jahrhunderte gehört hat, er aber in das 19. und in das 20. Jahrhundert. Wenn man dies, was zunächst als paradox erscheinen mag, erkannt hat, so hat man, wie ich glaube, den Schlüssel zum Verständnis dafür, daß ›das schwache Reis, das er gepflanzt hat‹ – ich zitiere aus dem Nachruf auf ihn im Maiheft des Anzeigers von 1872 –, schon damals sich zu entfalten begann und daß er andererseits schon zehn Jahre nach seiner Museumsgründung aus der Leitung seiner Schöpfung gedrängt worden war.«

»Sein Konzept des zu gründenden Nationalmuseums erscheint zunächst so ganz und allein aus den geistigen Strömungen der Romantik und aus dem die Zeit beherrschenden Historismus verständlich. Deshalb konnte es auch von den Zeitgenossen akzeptiert und gefördert werden. Aber es war zum Teil nur eine scheinbare Übereinstimmung mit der Gestimmtheit seiner Zeit, die ihm diesen Erfolg brachte. Der Historismus des 19. Jahrhunderts war teils gelehrte, teils emotionale Rückwendung zur Vergangenheit, und je mehr man sich mit von Aufseß befaßt, desto weniger kann man glauben, daß er eine solche Einstellung zur Geschichte besaß. Sie kann für ihn nicht Objekt einer Betrachtung gewesen sein, sondern er muß Geschichte als Summe einer Erfahrung in sich getragen, sie besessen haben, die an Spätere weiterzugeben er als seine Aufgabe erkannt hatte.«

»Ich glaube, die meisten seiner Bewunderer haben den Sinn seines Unternehmens nur aus dem Denken und Fühlen ihrer Gegenwart verstanden, während er in Wirklichkeit weit in die Zukunft voraussah, und dies wiederum schuf ihm seine Gegner, die seine Pläne verspotteten, weil sie, befangen in ihrer Gegenwart, in diesen nur irreale Phantastereien erkennen konnten.«

»Dies betrifft vor allem seine Pläne eines ›Generalrepertoriums über das ganze Quellenmaterial über die deutsche Geschichte, Literatur und Kunst, vorläufig bis zum Jahre 1650‹. Fast einhundert Jahre, bevor UNESCO, ICOM, Bibliotheken usw. ihre umfassenden Dokumentationsprogramme zu entwickeln begannen, hatte von Aufseß mit seinem Generalrepertorium bereits ähnliches gefordert.«

»Oder: Zur Zeit der Gründung unseres Museums bestand zwar noch nicht das Deutsche Reich, doch hätte er bei der Beschreibung des Sammlungsbereiches in seiner räumlichen Ausdehnung durchaus von den damals bestehenden Staaten ausgehen können. Er aber hat seiner Gründung seinen Begriff von Vaterland und Nation zugrunde gelegt, den der Sprache, als dem größten, alles verbindenen Band, als hätte er vorausgeahnt, daß das Reich, das sich damals als politische Realität bereits abzuzeichnen begann, später wieder einmal verlorengehen könnte.«

»Im besonderen aber bestätigt seinen Sinn für die Zukunft der Rückblick aus unserer Gegenwart auf sein Wirken und die Geschichte seiner Schöpfung. Andere Museen mußten im Laufe ihres Bestehens ihr Gründungskonzept ändern, neuen Zeitströmungen anpassen, während die Satzung unseres Museums seit 1852 in ihren wesentlichen Punkten unverändert bleiben konnte.«

»Wenn heute, da ein Meinungsstreit um die Institution Museum entbrannt ist, die Fragebogen vom Wissenschaftsministerium, von der Kultusministerkonferenz der Länder, von der Forschungsgemeinschaft usw. nach den Aufgaben unseres Museums beantwortet werden müssen, so fällt uns dies leicht: Wir schreiben, was in unserer Satzung steht – die Erschließung der Sammlungen durch Forschung und Lehre, durch Dokumentation im weitesten Sinne und durch Öffentlichkeitsarbeit.«

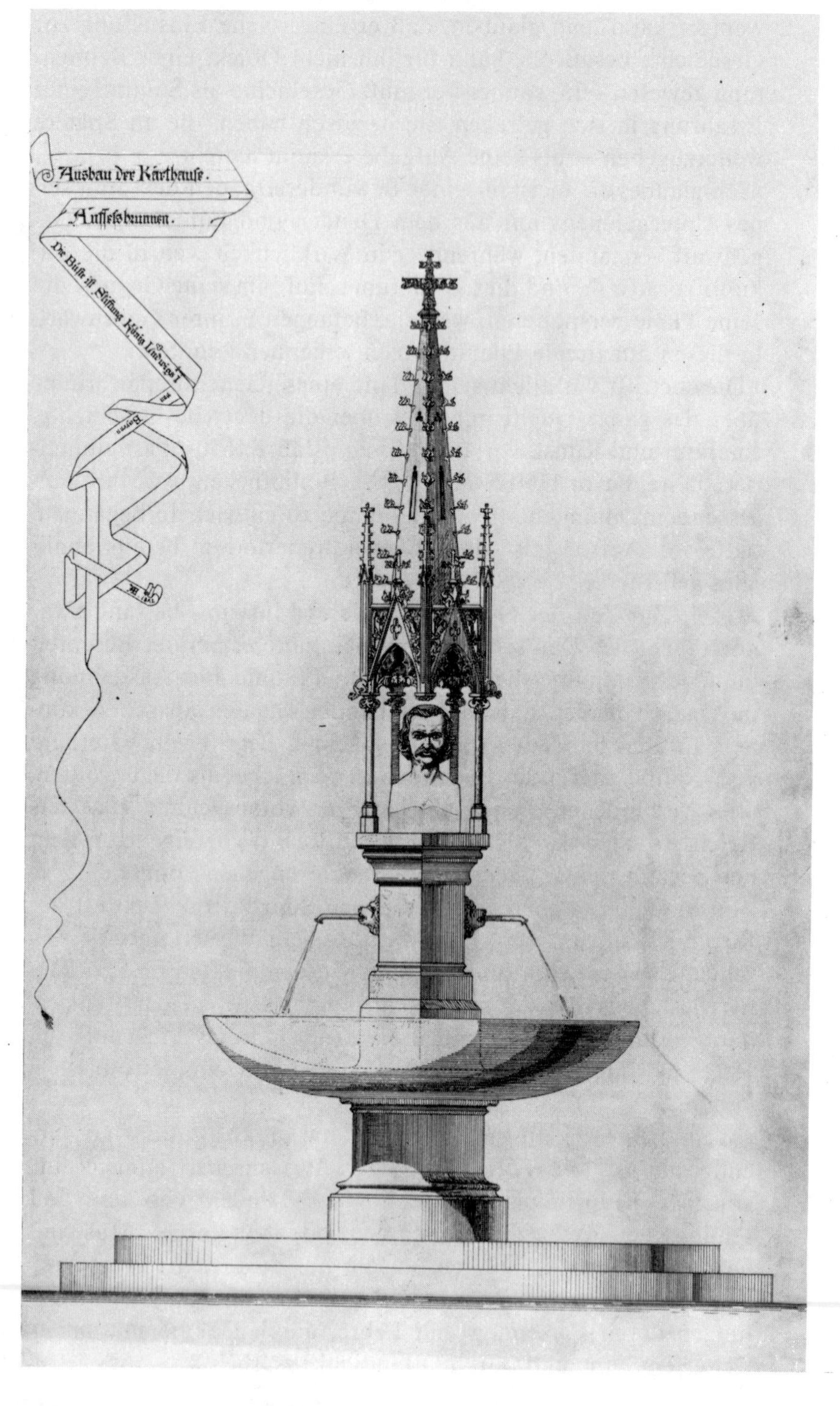

18. Aufseß-Brunnen, nicht ausgeführtes Projekt. Federzeichnung von A. von Essenwein, 1872

»Wenn wir daher zurückblicken auf das Leben und Wirken von Hans von Aufseß und heute seines Todestages gedenken, so können wir dies in dem Bewußtsein tun, daß seine Intention in seiner Schöpfung weitergelebt hat, ja sie eigentlich es war und ist, die sie in so erstaunlicher Weise, obwohl dem ›schwachen Reis‹ inzwischen so viele Jahresringe zugewachsen sind, jung und lebendig erhalten hat. Dies läßt uns mit Zuversicht in die Zukunft blicken.«

Er lebt also weiter. Das Erbe, das er hinterließ, hatte Bestand. Der Baum, den er pflanzte, schlug Wurzeln. Respekt ist ihm sicher. Die deutsche Museumslandschaft wäre ärmer ohne »den von Aufseß« und all seinen Vorzügen: seinen Fleiß, seiner Ausdauer, seiner enzyklopädischen Bildung, seinen Patriotismus, seinen Pflichtbewußtsein, seinen unbedingten Leistungswillen. Ein Mann von Charakter, und auch Charakter vermag fortzuwirken. Ein Salut für den Gründer des Nationalmuseums. Sein Werk atmet, arbeitet und besitzt jene Kraft der ständigen Erneuerung, die den Odem ihres Schöpfers verrät (Abb. 18).

Wilfried Menghin

DAS GOLD DER BRONZEZEIT

Zufallsfunde einer »geschichtslosen« Kultur

Notiz für den Leser

Die großen Staatenbildungen im Vorderen Orient waren längst abgeschlossen, Pyramiden und Gesetzestafeln zeugten von der Omnipotenz ihrer Herrscher, Denker begannen (wie beispielsweise im Gilgamesch-Epos), über die Rolle des Menschen in dieser Welt nachzudenken, da lag der größte Teil Europas noch im Dunkel der Geschichte. Die Völker, die den Norden, die Mitte und den Westen dieses Kontinents bewohnten, waren unbekannte Barbaren im Bewußtsein ihrer Nachbarn: kulturlos, da schriftlos.

Auch die Forschung begann mit dem Umweg über die Archäologie des Mittelmeerraumes. Erst langsam breitete sich die Erkenntnis aus, daß auch nördlich der Alpen eigenständige Kulturen Objekte hinterließen, die von ausgeprägten Wert- und Religionsvorstellungen zeugen.

Zufallsfunde, zunächst oft nicht in ihrer Bedeutung erkannt, waren es, die dieses Umdenken einleiteten: Kegel und Becher, Gefäße der verschiedensten Art und Scheiben. Gemeinsam war ihnen das Material Gold, das – oft nur Bruchteile von Millimetern dick – bearbeitet und reich mit Ornamenten verziert war. Die Funktion dieser Relikte, von denen eines der schönsten Exemplare das Germanische Nationalmuseum bewahrt, läßt sich nur erahnen. Auf keinen Fall wurden sie für profane Zwecke oder den täglichen Gebrauch gefertigt; ihre Bedeutung als Kultgegenstände darf als erwiesen gelten. Auch wenn die Art der Verzierung auf einen Sonnenkult hindeutet, bleiben uns die Einzelheiten dieser Kultur und die dahinterstehenden Denkweisen wohl für immer verschlossen.

W. D.

Der Norden lag im Dunkel der Geschichte

Die Faszination prähistorischer Funde liegt nur zum Teil in einer gelungenen musealen Präsentation. Spannender und erregender sind manchmal die Fundgeschichten. »Schätze«, aus dunkler Vorzeit wieder ans Licht unserer Tage gebracht, beleben in zunehmendem Maße die Phantasie einer breiten Öffentlichkeit. Archäologie – Altertumskunde im weitesten Sinn – bietet spannende Themen für Sachbücher und große Wanderausstellungen. Spektakuläres und Außergewöhnliches stehen dabei meist im Vordergrund. Man liest von längst versunkenen Kulturen und bestaunt deren handwerkliche und künstlerische Spitzenprodukte im Bild oder Original.

Als in Ägypten die Pyramiden längst gebaut waren und Tut-ench-amun bestattet war, Hammurabi in Babylon seine Gesetze erlassen hatte, David den Goliath erschlug und selbst als Sokrates seine Philosophie entwickelte, und sogar noch, als Cäsar sich anschickte, Gallien zu erobern, war Europa nördlich der Alpen ein schriftloser, »geschichtsloser« Raum. Die Namen dieser weitab von den antiken Zentren siedelnden Völkerschaften fanden erst Eingang in die griechische und römische Ethnographie, als sie die Interessensphären der antiken Hochkulturen berührten. Was vorher war, liegt im dunkeln. Stämme und Personen sind und bleiben anonym. »Geschichte« im Sinn von sich stetig wandelnden kulturellen und politischen Zuständen ist fragmentarisch nur aus der wissenschaftlichen Analyse des überlieferten Sachbesitzes der vorzeitlichen Gesellschaften zu erschließen.

1. Goldkegel im Fundzustand

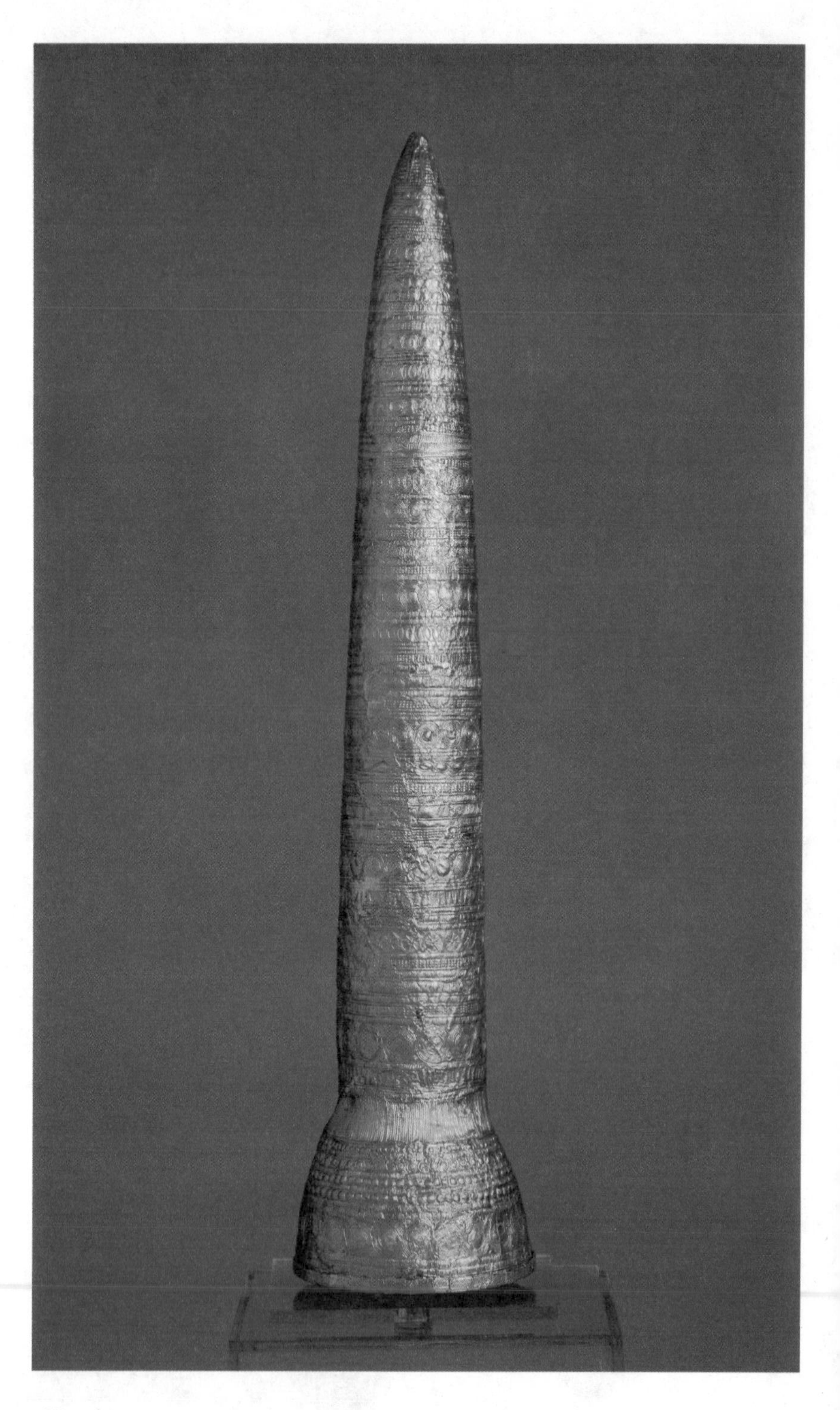

2. Goldkegel nach Restaurierung von 1976/77

3. Detail des Goldkegels: Zierzonen

Funde aus Siedlungen, Gräbern und Horten bilden in ihrer zeitlich differenzierten und regional gegliederten Zusammenschau die Grundlage für Aussagen zur materiellen und geistigen Kultur sowie zur Sozial- und Wirtschaftsstruktur, wobei Brauchtum und Erhaltungsbedingungen die Erkenntnismöglichkeiten beschränken. Die materielle Hinterlassenschaft dieser Kulturen ist reich, aber vergleichsweise wenig spektakulär. Dennoch bietet auch die heimische Archäologie Reizvolles und manchmal sogar Spannendes.

Der Goldkegel von Ezelsdorf

In Ezelsdorf, einem kleinen Ort in der Nähe von Nürnberg, ging im Frühjahr 1953 der Maurer Michael Dörner in den Wald am Südhang des Brentenberges, um Baumstümpfe zu roden. Beim ersten Stumpf, den er in Angriff nahm, stieß er in einem halben Meter Tiefe auf einen goldglänzenden, zuckerhutförmigen Blechkörper, der zusammengedrückt, von Wurzeln umgeben, im sandigen Boden lag. Da der Gegenstand beim Graben hinderlich war, zerstückelte ihn der Arbeiter mit einer schweren Hacke und warf die Blechteile achtlos auf den Grubenrand, weil er annahm, es handle sich um Konservenblech (Abb. 1). Stutzig wurde erst die Ehefrau des Finders, die ihm das Mittagessen an die Arbeitsstelle brachte und die Blechstücke auf dem Grubenrand in der Sonne gleißen sah. Sie sammelte die Bruchstücke in ihrer Schürze und legte tags darauf ein kleines Fragment ihrem Zahnarzt zur Probe vor. Dieser erkannte es als gediegenes Gold. Nur einer Reihe von glücklichen Umständen ist es zu verdanken, daß das außergewöhnliche vorgeschichtliche Fundstück nicht zu Zahngold verarbeitet worden ist. Auf Vermittlung eines archäologisch interessierten Nürnberger Kaufmanns wurden die Goldblechfragmente dem Germanischen Nationalmuseum zur Begutachtung vorgelegt, wo der Fund als ein Gegenstück zum berühmten »Goldenen Hut von Schifferstadt« erkannt und für das Museum angekauft wurde.

Der Fundplatz des »Goldkegels von Ezelsdorf« liegt am ziemlich steilen, bewaldeten Südhang des Brentenberges, einem Ausläufer des die Gegend beherrschenden 596 Meter hohen Dillberges. Der Fundplatz und seine weitere Umgebung bieten archäologisch nichts Auffälliges. Zweihundert Meter westlich der Stelle entspringt die Schwarzach, ein Nebenfluß der Altmühl, und ungefähr einen Kilometer südlich verläuft die alte Donau-Main-Straße, die von Regensburg nach Würzburg führt. Vorgeschichtliche Funde oder Geländedenkmäler waren bis dahin aus dem Dillberggebiet nicht bekannt, so daß der Goldfund eine besondere Überraschung bedeutete. Eine planmäßige Untersuchung der Fundstelle durch das Germanische Nationalmuseum erbrachte den Nachweis, daß der Goldkegel in alter Zeit einzeln und offensichtlich flüchtig vergraben worden war. Er lag dicht unter dem Waldhumus in reinem Sand. Wie das Goldblech gelagert war, konnte nicht mehr festgestellt werden, doch scheint er flachgedrückt mit der Spitze nach unten schräg im Boden gelegen zu haben.

Nach einer ersten Restaurierung des Goldkegels erwies sich, daß mit dem Fund von Ezelsdorf eine der prächtigsten Goldarbeiten der jüngeren Bronzezeit erworben worden war. Bei einer endgültigen Restaurierung und wissenschaftlich-technischen Untersuchung in den Werkstätten des Römisch-Germanischen Zentralmuseums in Mainz 1975/1976 konnte der Goldkegel bis auf wenige Fehlstellen in seiner ursprünglichen Form rekonstruiert und Fragen zur Herstellungstechnik geklärt werden (Abb. 2).

Der fast 90 Zentimeter lange und nur 310 Gramm schwere Hohlkörper ist in einem Stück getrieben. Über einem gewölbten Fuß von 15 Zentimetern Höhe mit eingebördeltem Bronzereifen von 19 Zentimetern Durchmesser erhebt sich der säulenartige Kegelschaft mit eingezogener Spitze. Die Ornamente sind flächendeckend mit mindestens fünfundzwanzig verschiedenen, sauber gearbeiteten Stempeln (Abb. 3) in einhundertacht Zierzonen von innen in das mit 0,01 Zentimetern papierdünne Goldblech gedrückt. Bis auf die Spitze, die aus zehn glatten Rippen gebildete Radialstrahlen auf perlpunzverziertem Untergrund zeigt, und einen senkrecht gerieften Abschnitt am Übergang zum Kegelfuß ist die Oberfläche ausschließlich in horizontale Zonen und Zierstreifen gegliedert. Die einzelnen Ornamentzonen sind durch einfache Rippen und gekerbte Treibwülste getrennt. In den Zierstreifen herrschen Kreismotive mit glattem Mittelfeld und ein- bis siebenfacher Einfassung sowie gewölbten Kreisbuckeln vor, wobei sich die Ring- und Scheibenmotive in den Zierzonen der oberen Schafthälfte fast durchweg randlich überlagern.

Im Ornamentkanon nur einmal vertreten sind ein Band aus naturalistisch gestalteten achtspeichigen Rädern und ein schmaler Streifen mit mandelförmigen Buckeln. Zwei Zierreihen zeigen quergeriefte Kegelchen, die wie Miniaturen des Schmuckträgers wirken (Abb. 3). Schon allein technisch gesehen stellt der Ezelsdorfer Goldkegel eine außergewöhnliche Treibarbeit dar.

Der schon in vorgeschichtlicher Zeit wertvolle Werkstoff Gold wurde seit der Bronzezeit sowohl als »Berggold«, das heißt in anstehendem Gestein vorkommendes Metall, als auch aus »Seifengold« in Flußsandablagerungen durch »Waschen« gewonnen. Ausgangsstück für die Herstellung des Kegels und vergleichbarer bronzezeitlicher Treibarbeiten war eine Goldscheibe (Ronde), die durch Hämmern in der konkaven Vertiefung eines Holzmodels zu einer Schale »aufgetieft« wurde. Das Ausschmieden, Treiben und Ziehen zur gewünschten Kegelform geschah über einem Holz- oder Bronzemodel, im Fall von Ezelsdorf auf eine Länge von 88,3 Zentimetern. Die umlaufenden Ziermuster sind mittels einzelner, auf einem Modelstock von der Form des Kegels aufgesteckter Bronzestempel von innen angebracht (Abb. 4). Das Muster wurde durch einen Gegendruck von außen auf einer Lederunterlage in das papierdünne Goldblech geprägt und anschließend der Stempel durch Drehen des Werkstückes wieder neu angesetzt. Die Ornamente, deren Stempel in jeder der einhundertacht Zonen neu in den Modelstock eingesetzt werden mußten, sind nur an wenigen Stellen von außen nachgearbeitet. Das hohe handwerkliche Können des bronzezeitlichen Goldschmiedes zeigt sich nicht nur im Vermögen, eine Goldplatte von 310 Gramm Gewicht zu einem Hohlkörper von beinahe 90 Zentimetern auszutreiben, sondern auch in der exakt berechneten Prägung der umlaufenden Muster, bei der ihm nur in einer einzigen der einhundertacht Zonen eine unregelmäßige Überschneidung der Zierelemente unterlaufen ist.

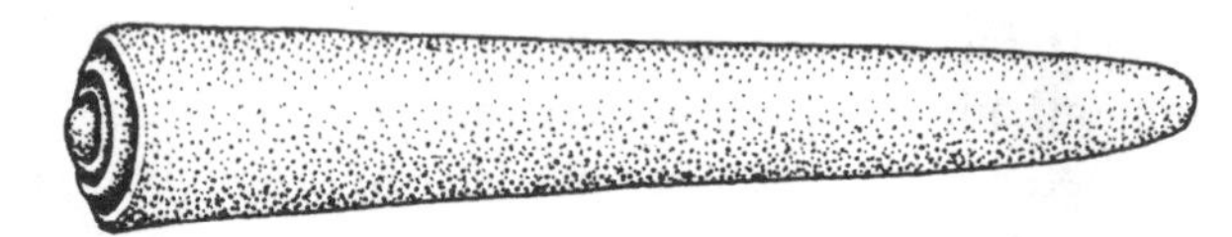

4. Punzstempel aus Bronze aus urnenfelderzeitlichem Hortfund von Stockheim (Bayern) Originalgröße 5,5 cm

Der Goldkegel aus Ezelsdorf ist der dritte seiner Art in Europa. Die beiden anderen, der sogenannte »Goldene Hut von Schifferstadt« und der »cône d'Avanton«, wurden bereits 1835 bzw. 1844 gefunden (Abb. 5). Während die Fundumstände des französischen Stükkes nicht überliefert sind, liegt für das rheinpfälzische ein Fundprotokoll vor. Demnach wurde der Goldblechkegel auf freiem Felde in eineinhalb Fuß Tiefe entdeckt. Der Kegel stand aufrecht auf einer Platte aus schwarzem, bröseligem Material. An den Schaft des Kegels angelehnt, wurden drei bronzene Absatzbeile gefunden (Abb. 6). Obwohl die drei Kegel in ihrer Form grundsätzlich übereinstimmen und

5. Die Goldkegel von Ezelsdorf, Schifferstadt und Avanton

6. Absatzbeile aus Bronze, zusammen gefunden mit dem Goldkegel von Schifferstadt. Maßstab 1:2

ursprünglich sicher in gleicher Funktion verwendet wurden, variieren sie in Abmessung und Ornamentik beträchtlich.

Das Schifferstadter Stück ist nur 29,6 Zentimeter hoch, sein Fußdurchmesser beträgt 18,1 Zentimeter. Es ist ebenfalls aus einem Stück getrieben und wiegt 350,5 Gramm. Die Wandstärke nimmt von 0,01 Zentimeter am Krempenrand auf 0,025 Zentimeter an der Spitze zu. Die stumpfe Spitze des gedrungen wirkenden Kegels ist unverziert. Schaft, Fuß und Krempenrand sind zwischen umlaufenden Querrippen mit einfach gefaßten Kreisbuckeln, mandelförmigen Buckeln (Augenmuster) und Bändern aus mehrfach gekoppelten Perlreihen verziert. Die Krempe am Kegelfuß ist antik beschädigt und weist an ihrem Umbruch einander gegenüberliegende Löcherpaare auf, die nachträglich angebracht wurden und wohl zur Halterung dienten.

Der »cône« oder auch »carquois d'Avanton« ist ebenfalls aus einem Stück in Gold getrieben. Der Kegelfuß ist verloren und die Spitze stark beschädigt. Der schlanke Schaft mißt 46,0 Zentimeter und ist in stereotypem Wechsel in Zierzonen mit Kreismotiven und Bändern aus mehrfach gekoppelten Perlreihen zwischen umlaufenden Querrippen gegliedert. Die Spitze war ursprünglich mit einem mehrstrahligen Stern aus glatten Radialrippen vor gepunktetem Hintergrund verziert.

Der Ornamentkanon der Kegel von Avanton und Schifferstadt nimmt sich gegenüber der Vielfalt von Ziermotiven und der Zahl der verwendeten Punzstempel, die den Goldkegel von Ezelsdorf schmükken, bescheiden aus. Ebenso verhält es sich mit den Abmessungen und dem Grad der Treibkunst. Obwohl das Exemplar von Ezelsdorf sein Pendant aus Avanton mindestens um ein Drittel und das aus Schifferstadt sogar um zwei Drittel seiner Länge überragt, ist sein Gewicht das weitaus geringste. Abmessungen, meisterhafte Treibtechnik und der reiche Ornamentschatz heben den Goldkegel von Ezelsdorf deutlich von seinen beiden Gegenstücken ab.

Ob diese Qualitätsdifferenz allein von der Kunstfertigkeit des jeweiligen Goldschmieds abhängt, eine unterschiedliche Herstellungszeit widerspiegelt oder in direktem Zusammenhang mit der ursprünglichen Bedeutung des Objekts steht, ist vorläufig nicht zu entscheiden.

Goldene Säulen für den Sonnenkult?

Die Funktion der Goldkegel war sicher nicht profaner Art. Gold hatte auch in der europäischen Vorzeit wegen seiner Seltenheit und Beständigkeit einen ideellen Wert und war prädestiniert zum Werkstoff für kultisches Gerät. Über die Zweckbestimmung der Kegel kann nur spekuliert werden. Ihrer Konstruktion nach dienten sie als Bekrönung eines Kultpfahles oder eines sonstigen säulenartigen Trägers. Das Material und die Ornamentik, in der Ring-, Kreis- und Scheibenmotive vorherrschen, die aufgrund zahlreicher Analogien als Sonnensymbole zu deuten sind, bringen die Goldkegel zwangsläufig in Zusammenhang mit einem Sonnenkult. Dies verdeutlicht besonders der Fund von Ezelsdorf, der in zwei Zierzonen zwischen Sonnensymbolen Goldkegel en miniature zeigt. Sicher nicht abwegig ist der Hinweis, daß auch die Spitzen der ägyptischen Obelisken ursprünglich mit Gold verkleidet waren, wobei für diesen weitgespannten Vergleich die Argumente fehlen.

Wo und in welchem Ambiente diese »Sonnenkultsäulen« aufgestellt waren, ist unbekannt. Nach spärlichen ikonographischen Belegen und allgemeinen religionsgeschichtlichen Anhalten ist sowohl an eine stationäre Unterbringung in einem Heiligtum als auch an eine Verwendung auf einem Kultwagen zu denken, der bei besonderen Anlässen der Kultgemeinde gezeigt wurde.

Welche Umstände zur Verbergung der drei Goldkegel geführt haben und warum sie nicht mehr geborgen wurden, ist offen. Einfach und plausibel wäre die Erklärung, daß die Kultgegenstände infolge kriegerischer Ereignisse aus den Heiligtümern genommen und vergraben wurden, aber aufgrund mißlicher Umstände von ihren Eigentümern nicht mehr gehoben werden konnten. Einer derartig profanen

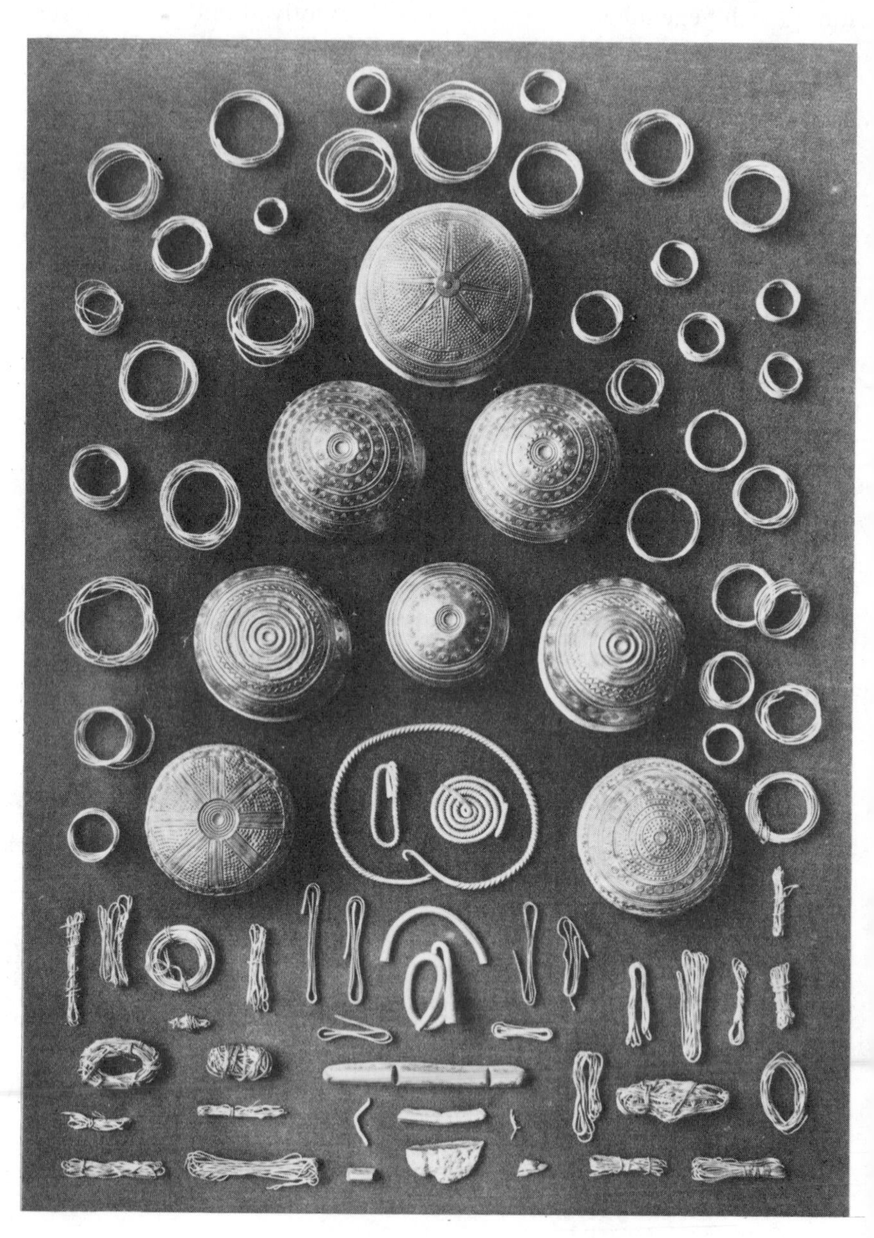

7. Goldschatz von Eberswalde

Deutung, die beispielsweise bei römischen und mittelalterlichen Münzschätzen nachweislich zutreffend ist, stehen jedoch die Fundumstände entgegen.

Zufallsfunde in Tongefäßen und Bronzekesseln

Vorgeschichtliches Gold wird in der Regel unter merkwürdigen Umständen gefunden. Bei Anlage einer Werkssiedlung auf dem Gelände des Messingwerkes bei Eberswalde (Bezirk Frankfurt a. d. Oder) stieß im Jahr 1913 am Nordufer des Finowkanals ein Arbeiter beim Ausschachten an einer äußerlich durch nichts gekennzeichneten Stelle in einem Meter Tiefe auf ein 22,5 Zentimeter hohes bauchiges Tongefäß mit Deckel. Es enthielt acht ineinandergesteckte Schalen aus Goldblech und über dreiundsiebzig weitere Goldgegenstände im Gesamtgewicht von 2,543 Kilogramm (Abb. 7). Noch bevor der Fund dem Berliner Museum für Vor- und Frühgeschichte geschenkt wurde, entbrannte zwischen den damals wohl bekanntesten Prähistorikern Carl Schuchhardt und Gustav Kossinna ein heftiger Gelehrtendisput über seine Deutung: Ist es der Hausschatz eines bronzezeitlichen Fürsten oder ein Tempelschatz, der in Notzeiten vergraben wurde?

Festzuhalten ist, daß die Schalen gleich den Goldkegeln aus einem Stück getrieben sind. Wie diese zeigen sie in horizontalen Zierbändern Ring- und Kreismuster, die kalottenförmigen Gefäßböden sind in zwei Fällen durch Treibmuster wie die Spitzen der Kegel von

8. Bodenornament einer Goldschale aus dem Eberswalder Fund

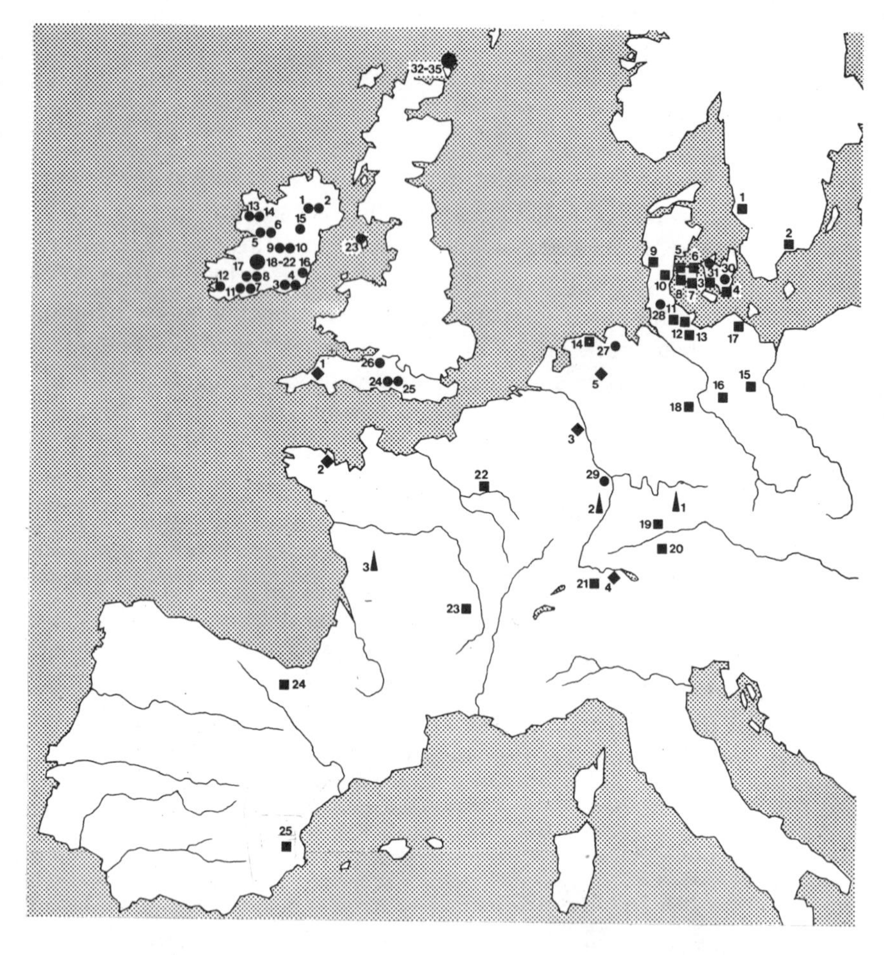

9. Verbreitungskarte der Goldkegel, Goldschalen und Goldscheiben (Legende: Siehe Chronologietabelle)

Avanton und Ezelsdorf sternförmig gegliedert (Abb. 8). Von den Goldschalen, deren Abmessungen zwischen 4,7 bis 7,5 Zentimeter Höhe und einem Durchmesser von 7,3 bis 12,0 Zentimeter variieren, wiegt die kleinste 52,3 Gramm und die größte 94,47 Gramm. Die Wandungen sind durchweg stärker als bei den Goldkegeln, wobei die Ornamente in gleicher Technik eingedrückt sind.

Der Schatz von Eberswalde ist der reichste und berühmteste seiner Art in Deutschland. Daneben sind von weiteren neunzehn Fundorten aus Mittel-, West- und Nordeuropa kleine getriebene Goldgefäße bekannt, die einzeln oder zu mehreren in gut klassifizierbaren Horten gefunden wurden und untereinander in einem engen typologischen Zusammenhang stehen (Abb. 9).

Die Fundumstände sind von frappierender Parallelität. Entweder in Tongefäßen, so in Albersdorf, Terheide und Eilbylund, oder wie bei Unterglauheim und Mariesminde Mose in großen, verzierten Bronzekesseln niedergelegt bzw. auf freiem Felde ungeschützt vergraben, handelt es sich in allen Fällen um reine Zufallsfunde ohne geographischen Bezug zu anderen archäologischen Fundstätten und Denkmälern.

Im Material, in den Abmessungen und im Zierstil zeigt sich trotz formaler Unterschiede eine typologisch-zeitliche Verbindung aller Goldgefäße. Neben einfachen steilwandigen und halbkugeligen Formen kommen solche mit Schulterumbruch und mehr oder minder hohen Kegel- und Trichterhälsen vor. Gemeinsam ist ihnen allen ein halbkugeliges bis spitzkonisches Unterteil ohne Standboden. Eine Besonderheit der skandinavischen Goldgefäße sind golddrahtumwikkelte, hochgeschwungene Bronzehenkel mit Pferdekopfenden, die auf die Goldschalen genietet sind (Abb. 14). Manchmal zeigen nur noch die Nietlöcher an, daß die Goldgefäße ehemals Henkel besaßen.

Markanteste Ziermotive der aus einem Stück getriebenen und gezogenen dünnwandigen Schalen sind wiederum mehrfach gerippte Kreisscheiben, konzentrische Kreisgruppen und Buckel, die von Horizontalrippen und gerieften Treibwülsten gerahmt sind. Das Bodenornament ist von der Wandung abgesetzt und zeigt in der Regel kranzförmig angeordnete Kreismotive um einen Zentralpunkt. Bisweilen treten als Bodenzier kreuz- bis sternförmige Radialmuster auf.

Sonnenscheiben und Sonnenwagen

Entsprechende Ornamente kennzeichnen auch eine dritte Kategorie bronzezeitlicher Kultgegenstände. Es sind die »Goldscheiben«, die hauptsächlich im Norden verbreitet sind, aber auch auf den Britischen Inseln – und dort vor allem in Irland – in verschiedenen Varianten zahlreich vorkommen (Abb. 9).

Die hier interessierenden nordischen Goldscheiben kamen in der Regel wiederum als Einzelfunde zutage, nur in zwei Fällen fanden sie sich in Grabhügeln, wobei nicht zu entscheiden ist, ob die Scheiben zur Totenausstattung gehörten oder ob sie dort nachträglich niedergelegt wurden. Die Scheiben sind aus Gold getrieben, ihre Durchmesser variieren von 12 bis 35 Zentimetern bei einem Exemplar von Jägersborg. Aus verschiedenen Befunden geht hervor, daß die Goldscheiben ursprünglich auf einer Unterlage aus Bronze oder organischem Material befestigt waren, wie die diametrisch angeordneten Laschen an dem Fund von Moordorf zeigen. Die kreisförmigen Verzierungen entsprechen in Technik und Ornamentschatz den Mustern der Goldkegel und Goldschalen, zum Teil wirken sie wie Abrollungen derselben.

Die Deutung der Scheiben als Sonnensymbole und der damit verbundene Ritualcharakter sind unbestritten und werden durch den Sonnenwagen von Trundholm bestätigt. Dieses außergewöhnliche archäologische Denkmal bronzezeitlichen Kults wurde 1902 bei der Urbarmachung des Moores von Trundholm nahe Nykjøbing auf Seeland in Dänemark entdeckt. Das 60 Zentimeter lange bronzene Kultgefährt besteht aus einem zweirädrigen Karren mit aufgesetzter Scheibe, der über eine Art Deichsel mit dem vollplastischen, auf einem vierrädrigen Gestell montierten Pferd verbunden ist. Am vorderen Rand der Scheibe und am Hals des Pferdes ist je eine Öse angebracht, die ursprünglich durch einen Zaum verbunden waren. Kopf und Hals des Pferdes sind fein ziseliert, ebenso die Rückseite der Bronzescheibe von 25,6 Zentimetern Durchmesser. Auf der Schauseite ist ein getriebenes, radial mit konzentrischen Kreisen zwischen Konturbändern verziertes Goldblech von 21 Zentimetern Durchmesser in den Bronzekorpus eingelassen, dessen Ornament dem der Rückseite weitgehend entspricht.

Merkwürdig sind wiederum die Fundumstände des Wagens, der wahrscheinlich ursprünglich eine tragende Rolle bei einem uns unbekannten Kultgeschehen spielte. Das Gefährt war dreihundert Meter vom Rand des Moores entfernt im Sumpf niedergelegt worden. Die Teile des absichtlich zerbrochenen Wagens lagen sechs Zoll unter des Grasnarbe und waren im Umkreis von vier Metern verstreut. Die Goldscheibe war in Streifen geschnitten.

Weshalb, von wem und unter welchen Umständen der Kultgegenstand zerbrochen und in den Sumpf geworfen wurde, wissen wir nicht. Möglicherweise geschah es im Rahmen einer Opferhandlung. Vielleicht erfüllte der Sonnenwagen seinen Zweck nicht mehr, oder er war durch irgendein Geschehen entweiht, so daß er für immer seiner magischen Verwendung entzogen werden mußte.

Die Schwierigkeiten der Datierung

Goldkegel, Goldgefäße und Goldscheiben sind durch Material, Herstellungstechnik und Ornamentschatz sowie vor allem durch die Fundumstände miteinander verbunden. Trotz der zeitlich und regional bedingten formalen Unterschiede sind diese seltenen Funde insgesamt zur Gruppe der religionsgeschichtlichen Denkmäler zu rechnen. Eine differenzierte Ausdeutung der Fundgruppe ist nur in beschränktem Maß möglich, da die Außergewöhnlichkeit der Objekte einer mengenstatistisch fundierten Betrachtungsweise und archäologischen Analyse entgegenwirken. Die Schwierigkeiten beginnen bereits bei der zeitlichen Einordnung der Goldgeräte.

Einen Anhaltspunkt für die Datierung der Goldkegel liefern drei mit dem »Goldenen Hut« von Schifferstadt gefundene Bronzebeile

10. Der frühurnenfelderzeitliche Hort von Unterglauheim (Bayern): 2 Goldbecher, 2 bronzene Hängebecher, 1 Bronzeeimer (Augsburg, Städtische Kunstsammlungen)

(Abb. 6), die nach ihrer Form der mittleren Bronzezeit angehören (Abb. 13). Die Kegel von Ezelsdorf und Avanton scheinen jünger zu sein. Die Feinheit der Treibkunst und ihre Ornamentik entsprechen den Goldgefäßen. Eine über das Allgemeine hinausgehende zeitliche Fixierung dieser Funde ist kaum möglich. Abgesehen von den häufig wiederkehrenden und weitverbreiteten, aber langlebigen Stilelementen in Form und Toreutik, welche die Goldschalen ganz allgemein der sogenannten »Urnenfelderzeit« oder in anderer Terminologie der »jüngeren Bronzezeit«, das heißt der Periode zwischen dem 13. und dem 8. vorchristlichen Jahrhundert zuweisen, ergeben sich chronologische Anhaltspunkte nur über die Analyse der wenigen erhaltenen Fundbehältnisse.

Das eiförmige Tongefäß, das den Goldfund von Eberswalde enthielt, ist mit Keramikformen der jüngsten Bronzezeit vergleichbar und damit um vieles jünger als die Goldschalen von Unterglauheim, die zusammen mit zwei Bronzebecken mit Ringattaschen in einem großen Bronzeblecheimer von 33,5 Zentimetern Höhe lagen, der aufgrund seiner Form und Verzierung in die ältere süddeutsche Urnenfelderzeit zu datieren ist (Abb. 10). Der aus zwei Wandungsteilen und einem gesondert getriebenen Bodenstück zusammengenietete Eimer hat zwei Henkel und zeigt zwischen zwei gepunzten Rahmenbändern ein Kreisornament, das von zwei antithetischen Wasservogelköpfen flankiert wird. Dieses sogenannte »Sonnenbarkenmotiv« ist auffälliges Symbolgut der Urnenfelderzeit, obwohl der Bedeutungsinhalt bis heute ungeklärt ist (Abb. 12 und 14).

In einem ähnlichen, wahrscheinlich aus dem Süden importierten

11. Der Fund von Mariesminde auf Fünen (Dänemark): Kopenhagen, Nationalmuseum

12. Sonnenscheibe von Jägersborg b. Kopenhagen: Kopenhagen, Nationalmuseum

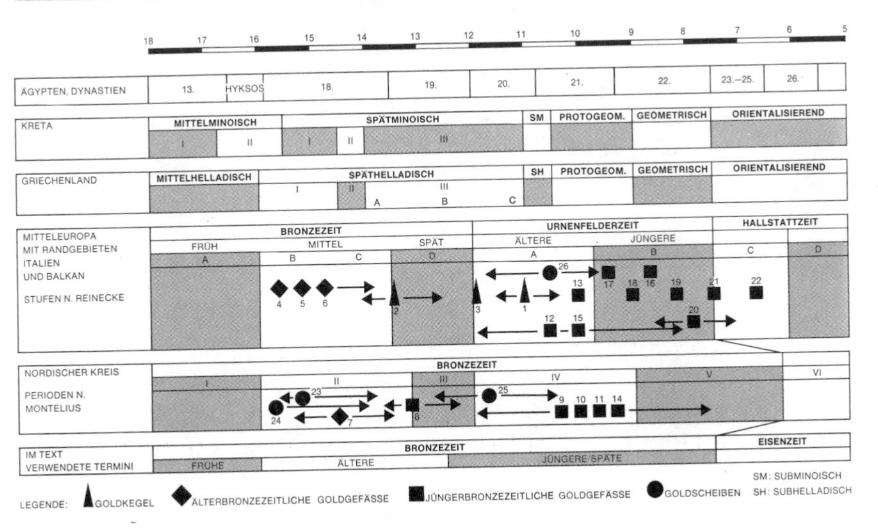

13. Vergleichende Tabelle zur chronologischen Stufengliederung und Terminologie der Bronzezeit

14. Sonnenbarkenmotive auf Bronzen von Unterglauheim, Gevelinghausen (Westfalen) und Vejo (Italien)

Gefäß, ebenfalls mit Sonnensymbol und Vogelbarkenmotiv verziert (Abb. 11), waren in Mariesminde Mose auf Fünen die elf Goldgefäße mit Pferdekopfgriff deponiert. In den jüngeren Horizont weisen auch der tordierte Halsring im Fund von Eberswalde (Abb. 7) und die Armreife mit spiralig aufgerollten Enden, die zusammen mit den flaschenförmigen Goldgefäßen vom Lienewitzer Forst und Villeneuve-Saint-Vistre gefunden wurden. Das Gefäß vom Lienewitzer Forst zeigt zudem in einer Zierzone eine Prozession stilisierter Vögel, die charakteristisch für das urnenfelderzeitliche Symbolgut sind.

Zusammenfassend ist festzuhalten, daß die Niederlegung der typologisch engverbundenen dünnwandigen Goldgefäße nicht auf einen Horizont der jüngeren Bronzezeit beschränkt ist, sondern während des gesamten Zeitraums geübt wurde, wobei der Zeitpunkt der Deponierung nichts über das wahre Alter der Goldgegenstände aussagt.

Die kultische Verbergung

Die offensichtlich kultisch motivierte Verbergung von Goldgefäßen ist nicht nur eine Erscheinung der Urnenfelderzeit oder der jüngeren Bronzezeit. Bereits aus der Mitte des 2. Jahrtausends v. Chr. sind Goldgefäße bekannt, die unter ähnlichen Umständen in den Boden gelangt sein müssen. Die zwischen 8,2 und 12,1 Zentimeter hohen, 8,2 bis 14,0 Zentimeter breiten Gefäße unterscheiden sich von den bisher besprochenen deutlich in Form und Verzierung. Die becherar-

15. Goldgefäße von Wachtberg-Fritzdorf b. Bonn, Rillaton (Cornwall) und Eschenz (Kt. Thurgau)

tigen Gefäße von Rillaton, Wachtberg-Fritzdorf, Eschenz und Gölenkamp (Abb. 15) sind ebenfalls in einem Stück getrieben, aber bei weitem nicht so dünn wie die jüngeren Exemplare. Ihr Gewicht beträgt zwischen 136 und 255 Gramm. In engerem typologischem Zusammenhang stehen die Becher von Rillaton, Fritzdorf und Eschenz aufgrund ihrer Form. Die beiden ersteren besitzen bandförmige Henkel, während die von Rillaton und Eschenz durch die Verzierung näher miteinander verbunden sind. Formal anders gestaltet ist der Becher von Gölenkamp. Die steile Wandung über einem kreisförmig gerippten Standboden ist mit umlaufenden Kreisbuckelreihen zwischen kräftigen Treibwülsten profiliert. Kräftige Horizontalprofilierung ist auch bei der Schale aus dem Grabhügel von Gönnebek festzustellen. Diese Treibarbeit, die nahe Entsprechungen in einem Fund aus Langendorf bei Stralsund hat, steht typologisch zwischen den mittel- und jüngerbronzezeitlichen Gefäßen. Betont wird diese Zwischenstellung durch das Bodenornament, das sich aus kranzförmig angeordneten Kreisgruppen zusammensetzt. Die Fundumstände der Gefäße sind unterschiedlich. Während die Goldbecher von Fritzdorf und Gölenkamp in einem Tongefäß niedergelegt waren und das Stück aus Eschenz ein Einzelfund ist, sind der Becher aus Rillaton und die Schale von Gönnebek als Grabbeigaben überliefert. Warum sie in diesen beiden Fällen in Gräbern niedergelegt wurden, bleibt offen. Den Bestatteten muß ein besonderer sozialer Rang eigen gewesen

16. Goldschüssel von Zürich-Altstetten (Phot. Schweizer Landesmuseum)

sein, den in Gönnebek ein Bronzegerät andeutet, das als Trepanationsmeißel zum Öffnen der Schädeldecke zu interpretieren ist.

Die mittelbronzezeitlichen Goldgefäße weisen darauf hin, daß der hauptsächlich in der jüngeren Bronzezeit faßbare Brauch der kultischen Verbergung von Goldgefäßen in älterer Tradition steht. Vereinzelte Funde belegen sein Ausklingen am Übergang zur frühen Eisenzeit. Eines der bekanntesten Beispiele ist die Goldschale von Zürich-Altstetten (Abb. 16). Sie wurde 1906 beim Bahnbau in 80 Zentimetern Tiefe gefunden. Die mit weißer Asche gefüllte Schale lag mit der Öffnung nach unten auf einer Steinplatte und war durch ein übergestülptes Tongefäß geschützt. In Form und Verzierung unterscheidet sich die 910 Gramm schwere, 12 Zentimeter hohe und 25 Zentimeter weite Schüssel von den kleinen jüngerbronzezeitlichen Gefäßen. Auch zum Ornament, einem Fries von Tierfiguren zwischen umlaufenden Mond- und Sonnensymbolen, die in der flächigen Punktierung ausgespart sind, findet sich im älteren Ornamentschatz nichts Vergleichbares. Eindeutige Parallelen hat die Zürcher Schale hingegen in einem jüngst entdeckten großartigen Goldfund aus der spanischen Provinz Alicante. Der Schatz von Villena enthielt neben anderem elf Goldschüsseln. Die Verzierung auf diesen, dem Zürcher Stück auch formal entsprechenden kalottenförmigen Treibarbeiten ist durch Buckelreihen gebildet, oder flächendeckende Treibbuckel sparen glatte Ziermuster aus.

Die Verbindung zu den übrigen Goldgefäßen stellt wiederum ein spanischer Fund her, der vor wenigen Jahren in Axtroki bei der Beseitigung eines Erdrutsches zutage kam. Die beiden großen kalottenförmigen Schüsseln sind genau im Stil der jüngerbronzezeitlichen mittel- und nordeuropäischen Goldgefäße verziert.

In horizontalen Ornamentzonen sind zwischen Querrippen und schräggekerbten Treibwülsten Buckel in mehrfach gerippter Kreisfassung und konzentrische Kreise eingestempelt. Auf beiden Gefäßen zeigt ein Ornamentband aneinandergereihte Vogelsymbole, wie sie in anderer Stilisierung auf der Flasche vom Lienewitzer Forst und den bronzenen Fundbehältnissen von Unterglauheim und Mariesminde Mose (Abb. 10 und 11) zu finden sind. Die Bodenzier des einen Gefäßes besteht aus kreuzförmigen Bändern mit Vogelsymbolen vor gepunktetem Grund, bei dem anderen gruppieren sich fünf Buckelkränze um ein mehrfach geripptes Kreisornament. Während die zeitliche Einordnung der letztgenannten Goldgefäße noch diskutiert wird, ist die Datierung der Goldblechschale von Wehringen in die frühe Eisenzeit eindeutig. Die überaus dünn getriebene, nur 38,8 Gramm schwere Schale wurde 1962 in einem Grabhügel der Hallstattkultur gefunden und war in einer der einundzwanzig beigegebenen Keramiken deponiert.

Zeiten des Umbruchs

Zusammenfassend darf festgehalten werden, daß Goldschalen unterschiedlicher Form und Verzierung von der mittleren Bronzezeit bis in die frühe Eisenzeit unter stets wiederkehrenden Umständen vergraben wurden (Abb. 13).

Einen engeren typologischen Zusammenhang zeigen die Goldgefäße der jüngeren Bronzezeit in Nord- und Mitteleuropa, deren Ornamentik teilweise untereinander austauschbar ist und die sich durch papierdünn ausgetriebene Wandungen auszeichnen. Diese Gefäße wurden häufig in regelrechten Sätzen deponiert. Allein ihre Machart schließt eine Verwendung im täglichen Gebrauch aus. Die Ziermuster und die homogene Zusammensetzung der geschlossenen Funde kennzeichnen sie als Ritualgeräte, wobei unklar bleiben muß, in welchem Kult sie Verwendung fanden und welche Funktion ihnen im einzelnen zukam.

Ansatzpunkte für eine Interpretation ergeben sich aus den Funden in Unterglauheim und Mariesminde Mose. Im ersten Fall waren die beiden kleinen Goldbecher mit zwei bronzenen Hängebecken in einem großen, mit Vogelbarken- und Sonnensymbol verzierten Bronzeeimer deponiert, die wahrscheinlich als Gesamtes ein Kultensemble darstellten und in Zusammenhang mit einem Trankopfer zu sehen sind. Entsprechend ist der Fund aus dem Moor bei Mariesminde auf Seeland zu deuten. Hier enthielt ein gleichartig verzierter Bronzeeimer elf Goldschalen, die aufgrund der aufgenieteten Pferdekopfhenkel als Schöpfgefäße anzusprechen sind. Zugleich zeigen die Funde von Unterglauheim und Mariesminde, daß in weiten Gebieten während bestimmter Perioden gleichartige Vorstellungen in Kult und Ritual wirksam waren.

Die mittelbronzezeitlichen Goldbecher sowie die jüngeren Schalen aus der Schweiz und Spanien unterscheiden sich von den zentral- und nordeuropäischen Gefäßen in Form, Abmessungen und Ornament, obgleich auch hier typologische Zusammenhänge nachzuweisen sind. Sie scheinen in einer andersartigen Kulturtradition zu stehen, doch wurden auch diese Goldgefäße offensichtlich rituell verborgen, so daß auch sie als Kultdenkmäler gewertet werden müssen. Wie bei den Goldkegeln und Goldgefäßen ist das Auftreten der Goldscheiben nicht auf eine vorgeschichtliche Periode beschränkt. Der Sonnenwagen von Trundholm ist allem Anschein nach eine Arbeit aus dem mittleren Abschnitt der nordischen Bronzezeit, während die Scheiben von Jägersborg und Glüsing der späten Bronzezeit angehören.

Zur Funktion der Goldkegel, Goldgefäße und Goldscheiben kann aufgrund von Form, Material und Beschaffenheit der Gegenstände festgestellt werden, daß eine profane Verwendung höchst unwahrscheinlich ist. Kegelaufsätze, Schalen und Scheiben sind Objekte magischer Bestimmung. Im Ornament herrschen Kreis- und Scheibenmotive vor. Sie werden allgemein als Sonnensymbole gedeutet, so daß die Verbindung mit einem wie auch immer gearteten Sonnenkult, der bei den Goldscheiben offensichtlich ist, auch für die Kegel und Gefäße plausibel scheint. Das verbindende Moment ist die Ornamentik, während die Form auf unterschiedliche Kultfunktionen hinweist.

Die Verbreitung der Funde in Nord- und Mitteleuropa deutet an, daß Kegel, Schalen und Sonnenscheiben nicht Bestandteil ein und desselben Kultes waren, so daß für die Zeit zwischen dem 13. und dem 8. vorchristlichen Jahrhundert mit einem Nebeneinander unterschiedlicher Kultriten in Nord- und Mitteleuropa zu rechnen ist, die jedoch in gemeinsamen Grundvorstellungen wurzelten.

Ein wesentlicher religionsgeschichtlicher Aspekt ergibt sich aus den Fundumständen. Das goldene Kultgerät wurde von der mittleren Bronzezeit bis in den Beginn der frühen Eisenzeit unter regelhaften Umständen vergraben. Die stets wiederkehrenden und teilweise austauschbaren Befunde können nicht anders gedeutet werden, als daß die Niederlegung durch Intuitionen bestimmt waren, die auf magisch-kultische Denk- und Verhaltensweisen zurückzuführen sind. Aller Wahrscheinlichkeit nach handelt es sich nicht um Versteckfunde, sondern um Weihe- oder Opfergaben, die aus uns unbekannten Gründen für immer ihrer ursprünglichen Bestimmung entzogen werden sollten. Über die Umstände und Ereignisse, die diesen Vorgang jeweils auslösten, und die religiöse Grundlage, die den Prozeß der kultischen Verbergung des goldenen Ritualgerätes ermöglichten, kann nur spekuliert werden.

Bedeutsam aber ist, daß die in den Goldfunden angedeutete Ideenwelt in weiten Teilen Europas über einen langen Zeitraum wirksam gewesen zu sein scheint, obwohl gerade am Übergang von der mittleren zur späten Bronzezeit überall im Europa des 13. vorchristlichen Jahrhunderts archäologisch ein Kulturwandel festzustellen ist, der sich am augenfälligsten im Aufkommen neuer Bestattungssitten, so der Leichenverbrennung, und im Auftreten spezifisch »urnenfelderzeitlicher« Sachformen dokumentiert, wobei Süddeutschland von dem Kulturstrom stärker erfaßt wird als der mehr konservative Nordische Kreis der Bronzezeit in Norddeutschland und Skandinavien (Abb. 9).

Möglicherweise ist der Umbruch im Zusammenhang mit den Unruhen zu sehen, von denen vor allem die ägyptischen Quellen berichten. Es ist der Zeitraum, als die Pharaonen der 19. und 20. Dynastie, Ramses II. (1290–1224 v. Chr.) und Ramses III. (etwa 1186 bis 1155 v. Chr.), den Ansturm der »Seevölker« abwehrten, in der Ägäis die mykenische Kultur und in Kleinasien das Hethiterreich untergingen. In Mitteleuropa war trotz allem der Kulturwandel nicht so radikal, daß bestimmte magisch-kultische Verhaltensweisen vollständig in Vergessenheit geraten wären. Dies zeigt sich einmal in der kontinuierlich überlieferten Verbergung von goldenem Sakralgerät und zum anderen auf breiterer Basis in der Tradierung von Opfersitten, die an naturheilige Plätze wie Gewässer, Moore, Höhlen und Berge gebunden waren und dort vom 15. bis ins 8. vorchristliche Jahrhundert archäologisch nachweisbar sind.

Fundliste der Goldkegel, Goldgefäße und Goldscheiben der Bronzezeit

Goldkegel

1. Ezelsdorf, Kreis Nürnberg-Land, Bayern
2. Schifferstadt, Rheinland-Pfalz
3. Avanton, Dépt. Vienne, Frankreich

Älterbronzezeitliche Goldbecher

1. Rillaton, Cornwall, England (Grabfund)
2. Ploumiliau, Betragene, Frankreich (verschollen)
3. Wachtberg-Fritzdorf, Nordrhein-Westfalen (mit Tongefäß)
4. Eschenz, Kanton Thurgau, Schweiz
5. Gölenkamp, Niedersachsen (mit Tongefäß)

Jüngerbronzezeitliche Goldgefäße

1. Smörkullen, Halland, Schweden
2. Mjövik, Blekinge, Schweden
3. Vimose Overdrev (bekannt unter Kohave), Seeland, Dänemark (zwei Gefäße in einem Tongefäß)
4. Borgbjerg bei Skelskør (bekannt unter Boeslunde), Seeland, Dänemark (sechs Gefäße)
5. Eilbylunde, Fünen, Dänemark (drei Gefäße in einem Tongefäß)
6. Midskov, Fünen, Dänemark (sieben Gefäße und Griffbruchstücke)
7. Mariesminde Mose (bekannt unter Lavindsgaard), Fünen, Dänemark (elf Gefäße in einem Bronzeeimer)
8. Insel Avernakø südlich Svendborg, Dänemark (sechs Gefäße)
9. Gjerndrup, Ribe, Jütland, Dänemark (drei Gefäße)

10.Ladegård, Jütland, Dänemark (zwei Gefäße)
11.Albersdorf, Schleswig-Holstein (zwei Gefäße in einem Tongefäß)
12.Depenau, Schleswig-Holstein (zwei Gefäße)
13.Gönnebek, Schleswig-Holstein (Grabfund)
14.Terheide, Niedersachsen (zwei Gefäße in einem Tongefäß)
15.Eberswalde, Brandenburg (acht Gefäße in einem Tongefäß)
16.Lienewitzer Forst bei Caputh (bekannt unter Werder), Brandenburg (mit Tongefäß)
17.Langendorf, Pommern (zwei Gefäße)
18.Krottorf, Sachsen (ein Gefäß)
19.Unterglauheim, Bayern (zwei Gefäße zusammen mit zwei Bronzekesseln in einem Bronzeeimer)
20.Wehringen, Bayern (Grabfund)
21.Zürich-Altstetten, Schweiz (mit Tongefäß)
22.Villeneuve-Saint-Vistre-et-Villevotte, Dépt. Marne, Frankreich (zwei Gefäße)
23.Rongères, Allier, Frankreich
24.Axtroki, Guipúzcoa, Spanien (zwei Gefäße)
25.Villena, Provinz Alicante, Spanien (elf Schalen in einem Tongefäß)

Goldscheiben (nach K.H. Jacob-Friesen, mit Ergänzungen)

1. Tedavnet, Irland (zwei)
2. Wexford, Irland (zwei)
3. Baline, Irland (zwei)
4. Cloyne, Irland (zwei)
5. Roscommon, Irland (zwei)
6. Ballyvourney, Irland
7. Ballydehob, Irland
8. Ballyshannon, Irland (zwei)
9. Lattoon, Irland
10. Kilmuckridge, Irland
11. Treasure, Irland
12. Fundorte unbekannt, Irland (fünf)
13. Kirk Andrews, Isle of Man
14. Mere Down, England (zwei)
15. Landsdown Links, England
16. Moordorf, Niedersachsen
17. Glüsing, Schleswig-Holstein (Grabfund)
18. Worms, Rheinland-Pfalz
19. Jägersborg, Seeland, Dänemark (Grabfund)
20. Trudholm, Seeland, Dänemark
21. Orkneyinseln, Schottland (vier)

Wilfried Menghin

ADLERFIBEL UND GOLDBLATTKREUZE

Germanische Funde des ersten nachchristlichen Jahrtausends

Notiz für den Leser

Bis zum Beginn der großen Staatenbildungen der germanischen Völker in der Nachvölkerwanderungszeit sind wir auf Bodenfunde angewiesen, um die Geschichte und Kultur der Welt nördlich des Imperiums Romanum zu rekonstruieren. Schriftliche Belege finden sich nur vereinzelt bei den Nachbarn im Süden, die vergeblich versuchten, Germanien in das Weltreich einzugliedern. Die verlorene Varusschlacht im Teutoburger Wald (im Jahre 9) stellte den entscheidenden Wendepunkt dieser Entwicklung dar.

Nur wenige Jahrhunderte später hatten die »Barbaren« das Erbe des zerfallenden Weltreichs angetreten und gründeten auf seinem Boden Staaten, die – teilweise – bis heute fortdauern. Parallel zu diesen politischen Erschütterungen vollzogen sich die langsame (nicht immer gewaltlose) Missionierung des Nordens und Westens Europas im Zeichen des Kreuzes. Nicht nur Weltreiche können zerbrechen, sondern auch Götterhimmel.

Der äußere Rahmen dieser Ereignisse sagt aber nur wenig über den Alltag, das Denken und Fühlen und über die Jenseitsvorstellungen der Menschen aus, die diese Zeitenwende erlebten. Wo die schriftlichen Quellen schweigen, reden die Grabfunde; sowohl ihre Lage, die Bestattungsform als auch die den Toten mitgegebenen Gegenstände helfen uns weiter. Adlerfibeln und Goldblattkreuze sind nur zwei Beispiele zahlreicher Funde. Aber auch an der Entwicklung der Gürtelmode läßt sich eine Chronologie der kulturellen Beziehungen nachweisen.

Denn, so unruhig und kriegerisch dieses Jahrtausend auch war, es ist verblüffend, zu sehen, wie Modetrends, Verarbeitungstechniken und der Gebrauchswert einzelner Gegenstände und Schmuckstücke von Kultur zu Kultur weitergegeben und – wenn auch oft eigenen Traditionen angepaßt – aufgenommen werden, wie andererseits regionale Sonderformen entstehen, die als Vorläufer einer eigenständigen Kultur gelten dürfen. Insgesamt aber überwiegt der Eindruck einer Beeinflussung und teilweisen Verschmelzung von Kulturen zu den Fundamenten jenes Zeitalters, das das Mittelalter genannt wird. W. D.

Das römische und das freie Germanien

Die politische Ordnung des abendländischen Mittelalters ist in ihren Grundzügen Ergebnis historischer Entwicklungen, die über das Frankenreich der Merowinger bis in die germanische Völkerwanderungszeit und noch weiter zurückreichen. Mit dem Vordringen der Römer an Rhein und Donau und dem Untergang der keltisch geprägten Welt Mitteleuropas wurden die Germanen gegen Ende des ersten vorchristlichen Jahrhunderts unmittelbare Nachbarn einer Hochkultur. Trotz der zivilisatorischen und militärischen Überlegenheit Roms gelang es nicht, Germanien bis zur Elbe besetzt zu halten, wie es im strategischen Konzept des Kaisers Augustus vorgesehen war. Im Jahr 9 n. Chr. vernichtete eine Föderation der Stämme zwischen Rhein und Elbe unter Führung des Arminius – Cheruskerfürst und zugleich römischer Bürger im Ritterstand – drei römische Legionen in der Schlacht im Teutoburger Wald, worauf nach mehreren mehr oder minder erfolgreichen militärischen Operationen unter Kaiser Tiberius endgültig der Plan aufgegeben wurde, Germanien zur römischen Provinz zu machen. Im Süden wurde das Alpenvorland 15. v. Chr. von Drusus und Tiberius erobert und im Lauf des ersten nachchristlichen Jahrhunderts das Dekumatland, im wesentlichen das heutige Südwestdeutschland, besetzt.

Frei blieb die *Germania libera,* im Westen und Südwesten begrenzt durch die Provinzen *Germania inferior* und *Germania superior* sowie im Süden durch die Provinzen *Raetia* und *Noricum,* wobei die Ausdehnung der *Germania magna* nach Osten nicht genau einzugrenzen ist. Der germanischen Expansion nach Westen und Süden, die seit dem zweiten vorchristlichen Jahrhundert historisch und archäologisch dokumentiert ist, waren für lange Zeiten unüberwindbare Grenzen gesetzt.

Die historische Entwicklung auf dem Boden des heutigen deutschen Sprachraumes verlief über Jahrhunderte unterschiedlich. In Nieder- und Obergermanien sowie in Rätien und Norikum entfaltete sich eine Provinzialzivilisation, die allmählich ethnische Sonderheiten überdeckte und schließlich in die römische Reichskultur einmündete. Verwaltung und Wirtschaft waren wohlorganisiert, und unter dem Schutz des Militärs entwickelten sich selbst in den grenznahen Provinzen urbane Zentren wie Köln, Mainz oder Augsburg, die den Vergleich mit den Städten Italiens oder Galliens nicht zu scheuen brauchten. Gewerbe, Handel und Landwirtschaft blühten, Kunst und Kultur waren mediterran geprägt; Latein war die Verkehrssprache.

Im Gegensatz dazu verharrten die Gebiete rechts des Rheins und nördlich der Donau in einer Art von prähistorischem Zustand. Archäologisch ist nirgendwo ein Bruch zwischen der späten vorrömi-

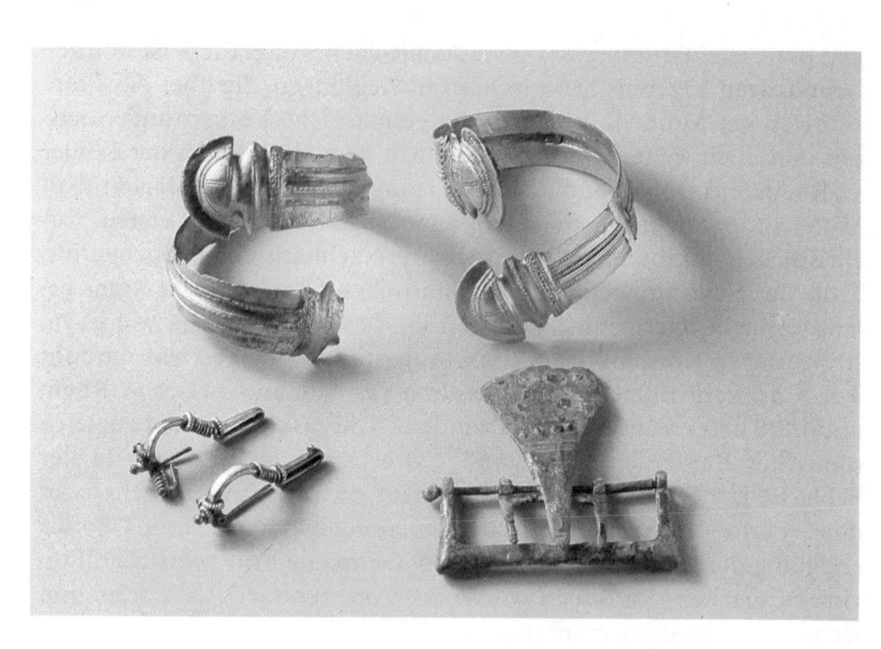

1. Fibelensemble römische Kaiserzeit

2. Inventar Hirschfeld Grab 1

3. Adlerfibel von Domagnano

schen Eisenzeit, in anderer Terminologie Spät-La-Tène-Zeit, und der frühen römischen Kaiserzeit festzustellen. Ländliche Siedlungsweise war die Regel, Sitten und Gebräuche waren, wie wir aus der *Germania* des Tacitus wissen, kaum römisch beeinflußt.

Obwohl oder gerade weil das Kulturgefälle von West nach Ost und von Süd nach Nord sehr groß war, müssen die Kontakte zwischen Römern und Germanen relativ intensiv gewesen sein. Einerseits waren die rechtsrheinischen Gebiete für das römische Gewerbe ein riesiger Absatzmarkt und zugleich ein Rohstoffreservoir, zum anderen tat eine große Zahl von Germanen Dienst bei den Hilfstruppen des römischen Heeres, und sie lernten auf vielfältige Weise römische Lebensart kennen. Die Oberschicht ahmte den gehobenen römischen Lebensstil nach. Bronze- und Silbergeschirr, qualitätvolle tönerne und gläserne Trinkgefäße, Schmuck, Trachtzubehör und Münzen waren begehrte Luxusartikel, die als Importe zahlreich in den Brand- und Körpergräbern bis weit in das Innere Germaniens zu finden sind. Wie und auf welchen Wegen diese Zivilisationsgüter in den Besitz der Toten gelangten, ob als Geschenke, Tribute, Handelsgut oder Beute, ist fallweise nicht zu entscheiden. Sicher ist jedoch, daß nur ein geringer Bruchteil des ehemals Vorhandenen überkommen ist und daß mit der Übernahme materieller Güter auch andere Akkulturationsprozesse in Gang gekommen sind.

Das Bild der Archäologie ist von der sächlichen Hinterlassenschaft geprägt und zeigt, daß das germanische Kunsthandwerk – soweit einfache Gürtler- und Schmiedearbeiten überhaupt als kunsthandwerkliche Erzeugnisse bezeichnet werden können – im wesentlichen von provinzialrömischen Formvorstellungen geprägt ist. Ob Fibeln zur Männer- und Frauentracht (Abb. 1), Gürtelbeschläge und Waffen – in der Frühzeit der römisch-germanischen Kontakte ist manchmal nicht zu unterscheiden, ob es sich um Importe oder heimische Produktion handelt.

Eine eigenständige germanische Kunstentwicklung zeichnet sich allmählich erst im Verlauf des dritten Jahrhunderts ab, wobei die Silberbecher aus einem reichen Körpergrab von Hoby auf Lolland stellvertretend für eine ganze Gruppe einheimischer Silber- und Goldschmiedearbeiten zu nennen sind. Aus derselben Zeit sind auch die ersten Runendenkmäler überliefert, und zudem zeichnet sich ein Wandel im Bestattungsbrauch ab. Die Körpergräber der jüngeren Kaiserzeit in Mittel- und Nordostdeutschland sowie im Oder-Weichsel-Gebiet enthalten neben römischem Import in verstärktem Maße qualitätvolle einheimische Gold- und Silberschmiede-, Böttcher- und Töpferarbeiten, die im Prinzip zwar auf römische Muster zurückzuführen, in ihrer Formgebung aber weitgehend eigenständig sind (Abb. 2).

Diese im Rückblick plötzlich einsetzende Entwicklung ist nur vor dem Hintergrund des allgemeinen historischen Geschehens verständlich. Seit den Germanenkriegen während der Regierungszeiten der Kaiser Augustus und Tiberius entwickelte sich an der Rheingrenze und an der Donau ein relativ friedliches Verhältnis zwischen Römern und Germanen. In Süddeutschland wurden von seiten Roms noch kleine Gebietserweiterungen hauptsächlich verkehrsstrategischer Bedeutung vorgenommen, wobei das Hinterland durch die Errichtung des obergermanisch-rätischen Limes mit seinen zahlreichen Militäranlagen geschützt wurde. Kleinere Zwischenfälle, so zum Beispiel ein Einfall der Chatten, wurden umgehend militärisch bereinigt und die Ruhe an der Grenze wieder hergestellt.

Die Vorboten des Bebens

Der Ausbruch der Markomannenkriege unter Kaiser Mark Aurel (161–180) kennzeichnet den beginnenden Wandel der römisch-germanischen Beziehungen, der schließlich Jahrhunderte später zum Untergang des Weströmischen Reiches führte. Im Jahr 166 überschritten Langobarden und Obier die Grenze an der mittleren Donau, nachdem sie vorher vergeblich um Landzuweisung im Reich nachgesucht hatten. Sie wurden zurückgeschlagen, aber vier Jahre später drangen die Markomannen und Quaden, eigentlich mit Rom verbündet, plündernd und brandschatzend bis nach Oberitalien vor und versetzten die römische Welt in Angst und Schrecken. Das unerhörte Ereignis, daß barbarische Kriegerscharen bis tief nach Italien eindringen konnten, brachte die Völkerschaften entlang der gesamten nördlichen Reichsgrenze in Bewegung, und es bedurfte großer und langwieriger Bemühungen, bis die Situation in den grenznahen Provinzen im Jahr 178 wieder bereinigt und der Frieden wiederhergestellt war.

Historisch bedeutsam ist, daß das Geschehen an der mittleren Donau nicht von den an der Grenze siedelnden Markomannen und Quaden ausgelöst wurde, die historisch und archäologisch belegte enge politische und wirtschaftliche Beziehungen mit den Provinzen Norikum und Pannonien hatten, sondern von Langobarden und Obiern, deren Wohnsitze zu dieser Zeit an der Unterelbe und in Nordostdeutschland zu suchen sind, diktiert wurde. Ihr Auftauchen an der mittleren Donau kann als erster Vorbote der kommenden großen germanischen Völkerwanderung gewertet werden.

Auslösendes Moment für die nur mittelbar nachgewiesenen Wanderbewegungen in der *Germania magna*, deren Völkerschaften den – bei römischen Autoren mehrfach erwähnten – Druck auf die mit dem

4. Adlerfibel und zugehöriger Schmuck

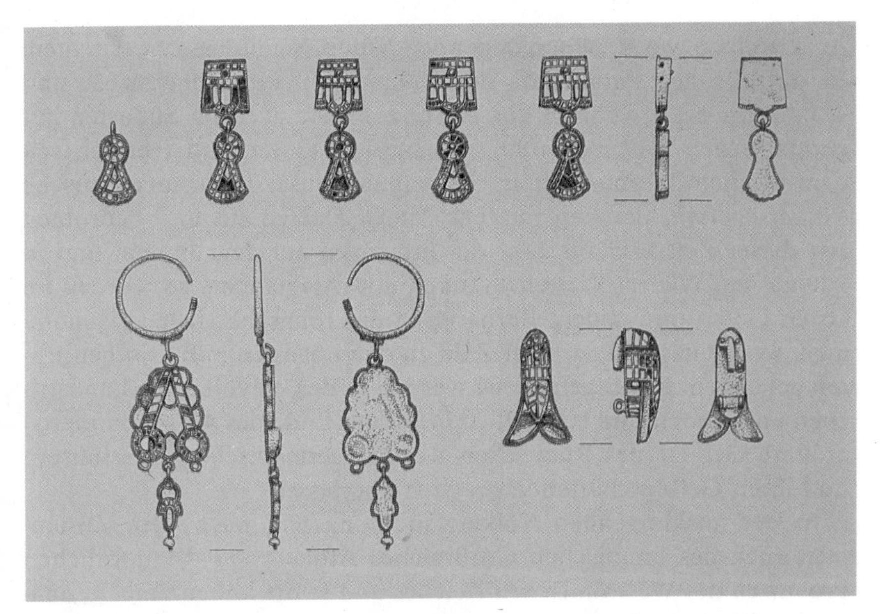

5. Schmuckensemble Domagnano, Zeichnung mit Seiten- und Rückenansicht

Imperium verbündeten Grenzstämme ausübten, mögen Klimaverschlechterungen und Landnot gewesen sein, wobei die Anziehungskraft der wirtschaftlich prosperierenden römischen Provinzen hoch zu werten ist. In erster Linie waren es sicher nicht Raubzüge, sondern die Suche nach einer gesicherten Existenz, wie die häufig überlieferten Bitten der Barbaren um Landzuweisung in den römischen Provinzen zeigen.

Während sich an der mittleren Donau das Verhältnis zwischen Germanen und Römern allmählich konsolidierte und die friedlichen Beziehungen einen intensiven archäologischen Niederschlag in Form von Importen in den germanischen Brandgräbern Norddanubiens fanden, kündigte sich mit dem Erscheinen der Alamannen, eines wohl nach den Markomannenkriegen entstandenen neuen Stammesverbundes elbgermanischer Herkunft, am obergermanisch-rätischen Limes die Katastrophe an. Zwar konnte Kaiser Caracalla (211–217) 213 einen Sieg erringen und den Limes nochmals stärker ausbauen lassen, aber vom Jahr 233 an folgte ein verheerender Einfall nach dem anderen, bis um 260 der Limes aufgegeben und die Grenze an Rhein, Iller und Donau zurückverlegt und das verwüstete und entvölkerte Land den Barbaren überlassen werden mußte.

Zur gleichen Zeit fielen die Franken, ein ebenfalls neugebildeter Großstamm, in Gallien ein und plünderten über Jahre das offene Land. Erst Kaiser Probus (276–278) und seinen Nachfolgern gelang es, die Franken und Alamannen aus den linksrheinischen Gebieten zu vertreiben, wo sie schon begonnen hatten, Siedlungen zu errichten. In auffallender Parallelität der Ereignisse hatte Rom im 3. und 4. Jahrhundert sowohl an der Westgrenze wie auch im Südosten mit germanischen Völkerschaften zu kämpfen. Goten und Heruler, seit dem zweiten Jahrhundert in Südrußland ansässige ostgermanische Völkerschaften, drangen im Jahr 258 in Dakien ein und bedrohten seit dieser Zeit Jahr für Jahr die Provinzen auf dem Balkan und in Kleinasien. Wie im Westen Franken und Alamannen, so wurden im Osten Goten und andere Barbaren in das römische Heer aufgenommen, wo sie in nicht geringer Zahl zu den höchsten militärischen Ehren gelangten. Kriegsgefangene wurden in den entvölkerten Landstrichen angesiedelt und schließlich (seit dem Ende des 4. Jahrhunderts) größere Gebiete des Römischen Reiches germanischen Heerführern und ihren Gefolgschaften vertraglich überlassen.

In der ausklingenden Völkerwanderungszeit, nach dem Zusammenbruch des hunnischen Großreiches Attilas, sind die nördlichen Provinzen des Weströmischen Reiches und selbst Italien unter germanischer Herrschaft.

Kein Grabschmuck für Christen

Kunst und Kultur der wandernden Stämme waren seit dem 3. Jahrhundert den verschiedensten Einflüssen ausgesetzt. Die Goten hatten in ihren Wohnsitzen in Südrußland enge Kontakte zu den griechischen Städten am Schwarzen Meer; darüber hinaus waren die Ostgoten in der Hunnenzeit – wie auch andere germanische Völkerschaften östlich des Rheins – Einflüssen asiatischer Reiternomaden ausgesetzt. Nach dem Zusammenbruch des Attila-Reiches und einem kurzem Aufenthalt in Pamonien (Ungarn) rückten die Ostgosten unter Theoderich dem Großen auf Betreiben des Oströmischen Kaisers Zeno 489 in Italien ein und bildeten eine dünne militärische Oberschicht auf einem kulturell überlegenen romano-byzantinischen Bevölkerungssubstrat. Ähnlich verhielt es sich bei den Westgoten und den Wandalen in Spanien, die durch ihr arianisches Glaubensbekenntnis von ihren »katholischen« Wirtsvölkern geschieden waren.

Die Franken, die unter Chlodwig das katholische Christentum annahmen, eroberten ganz Gallien, wo sie im nördlichen Teil bereits eine romanisch-germanische Mischkultur antrafen und das antike Erbe, zumindest in den Städten, weiterlebte. Für die Herausbildung der abendländischen Kultur ist dieser Umstand ebenso wichtig wie die Eroberung Italiens durch die Langobarden unter König Alboin in den Jahren nach 568, die gleich den kurz zuvor vernichteten Ostgoten mittelmeerische Kulturtraditionen an die benachbarten germanischen Stämme nördlich der Alpen weitervermittelten.

Die Uneinheitlichkeit germanischer Kultur in der Zeit um 500 wird vor diesem Hintergrund verständlich und findet ihre Bestätigung in der wissenschaftlichen Analyse der materiellen Hinterlassenschaft dieser Völker.

Grundlage der kulturgeschichtlichen Erkenntnisse sind vornehmlich Grabfunde, da die schriftlichen Quellen das Geschehen in den Jahrhunderten zwischen Antike und abendländischem Mittelalter nur in großen Zügen aufzeigen und nur wenig in Details gehen.

Seit dem späten 5. Jahrhundert bis zum Ende des 7. Jahrhunderts herrschte bei den meisten germanischen Völkern die Sitte, ihre Toten in west-ost-orientierten, reihenweise angelegten Gräbern innerhalb größerer Friedhöfe beizusetzen. Nach heidnischem Brauchtum wurden die Verstorbenen in ihrer Tracht und mit ihrem persönlichen Besitztum bestattet, um im Jenseits ein standesgemäßes Leben führen zu können. Bei den Männern waren dies vor allem die Waffen, bei den Frauen Schmuck und Hausgerät. Speise und Trank in Gefäßen aus Holz, Ton, Bronze und Glas dienten als Wegzehrung für die Reise ins Jenseits. Münzen, als Datierungsanhalte für die Chronologie von großem Wert, waren nach antikem Brauch als Wegegeld gedacht.

Aus der Verbreitung der Friedhöfe und ihrer archäologischen Analyse ergeben sich Hinweise auf Art, Umfang, Dichte und Dauer germanischer Besiedlung. Reichtum, Qualität und Kombination der Grabinventare sind Spiegelbild individuellen Besitzstandes sowie ge-

6. Schmuckkästchen etc. aus Kaltenengers

7. Fränkische und alamannische Gewandspangen aus Silber und Bronze. Vergoldet, z. T. mit Steineinlagen

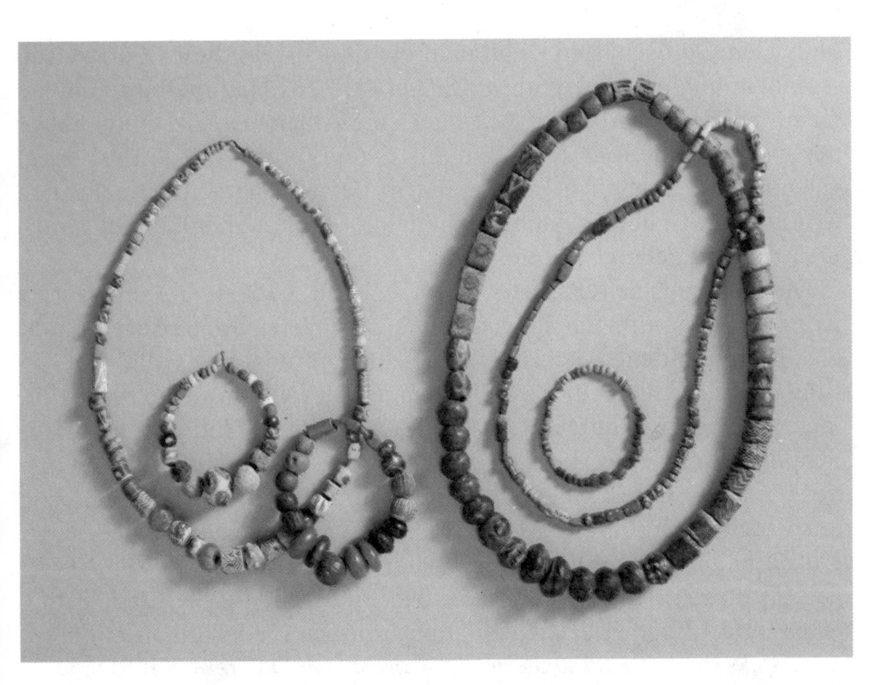

8. Fränkische Halsketten aus Glasperlen

sellschaflicher und struktureller Entwicklung. Schließlich dokumentieren einzelne Grabbeigaben das Eindringen christlicher Glaubensinhalte in die heidnisch-germanische Vorstellungswelt.

Die Reihengräbersitte mit ihrem eigentümlichen Brauchtum wurde nicht von allen germanischen Völkerschaften übernommen. Ost- und Westgoten kannten diese Sitte nicht oder nur in reduziertem Maße, was vielleicht mit dem frühen Christentum dieser Ostgermanen in Zusammenhang steht. Aus Italien, das immerhin mehr als fünfzig Jahre unter ostgotischer Herrschaft stand, sind deshalb nur unverhältnismäßig wenige Funde überliefert. Ethnisch kennzeichnend für die wenigen Gräber sind bei Frauen Schmuckensembles, bestehend aus zwei paarig auf der Brust getragenen Bügelfibeln und einer großen Gürtelschnalle, und bei Männern das völlige Fehlen der Waffenbeigabe. Das zahlenmäßig geringe Fundmaterial könnte den Eindruck vermitteln, als wären die Goten in Italien nicht wohlhabend gewesen. Ein vor neunzig Jahren in den Kunsthandel gelangter Fundkomplex zeigt jedoch exemplarisch den Reichtum der Goten auf.

Der wohl bedeutendste völkerwanderungszeitliche Bodenfund aus dem ostgotischen Italien ist ein Schmuckensemble, von dem achtzehn goldene zellverzierte Objekte und zwei Goldketten bekannt sind. Wie bei vielen Goldschätzen steht auch die Geschichte dieses Fundes unter einem unglücklichen Stern. 1898 erwarb das Nationalmuseum von einem bekannten Mainzer Antiquar eine Adlerfibel, ein Ohrgehänge und vier zweigliedrige Kollieranhänger (ein fünfter wurde 1902 dazugekauft), die angeblich bei Cesena in der Romagna 1893 gefunden worden und über einen Mailänder Antiquitätenhändler nach Deutschland gelangt waren.

Die goldene, zellverzierte Adlerfibel mit nach links gewandtem Kopf ist 12 Zentimeter lang und 5,9 Zentimeter breit (Abb. 3). Auf das massiv goldene Rückenblech ist kastenförmig eine Goldblechfassung mit 246 Zellen aus geradlinigem und gewelltem sowie rundelförmigem Stegwerk aufgelötet. Die Adlerbrust bildet ein konvexes Schild mit im Zellwerk einbeschriebenem Kreuz in aufgesetzter runder Fassung. In den Zellen befinden sich hellrote Almandinplättchen mit Facettenschliff auf gewaffelter, silbervergoldeter Folie über einer Kittfüllung. An den Flügelspitzen ist je eine Zelle mit Lapislazuli eingelegt, an den Schwanzspitzen außen und in den Zellen der Mittelachse sind Elfenbeinplättchen eingepaßt. Die Nadelkonstruktion auf der Rückseite bestand aus einem Bronzedorn. Das reine Goldgewicht der Fibel beträgt 128,44 Gramm.

Ähnlich kostbar und aufwendig sind das mehrteilige, 9 Zentimeter lange Ohrgehänge mit zusätzlichen grünen Glaseinlagen und echten Perlen aus 17,85 Gramm zweiundzwanzigkarätigem Gold (Abb. 4) und die ebenfalls zellenverzierten, zweigliedrigen Anhänger des Goldkolliers gestaltet, die eine Länge von 4,3 Zentimetern und ein durchschnittliches Goldgewicht von 8,5 Gramm haben. Zu diesem 1898 bzw. 1903 angekauften Komplex gehört, wie 1974 anläßlich einer naturwissenschaftlich-restauratorischen Untersuchung in den Werkstätten des Römisch-Germanischen Zentralmuseums in Mainz einwandfrei nachgewiesen werden konnte, eine kleine cloisonnierte Bienenfibel (Abb. 4), die allerdings bereits 1892 im Inventar des Museums erscheint, so daß das von den Händlern angegebene Fundjahr 1893 des Gesamtkomplexes nicht stimmen kann.

Diese Ungereimtheit ist symptomatisch für die Geschichte und das Schicksal des Schatzes. Angeblich bei Feldarbeiten in der Nähe von Domagnano, Republik San Marino, gefunden, wurde ein Teil des Komplexes bereits 1896 dem Ungarischen Nationalmuseum Budapest angeboten, das hiervon ein Ohrgehänge, drei Kollieranhänger, ein größeres und ein kleines cloisonniertes Beschläg, eine Nadel mit scheibenförmigem Kopf, eine Goldkette und einen goldenen Fingerring mit gefaßtem Stein ankaufte. Der Rest der Offerte, darunter das Pendant zur Adlerfibel im Germanischen Nationalmuseum, bei dem noch die Perle der Augeneinlage vorhanden war, verschwand wieder im Kunsthandel und tauchte erst viel später wieder auf. Außer dem Nürnberger Museum besitzen heute das Britische Museum in London, das 1933 den Bestand des Ungarischen Nationalmuseums erwarb, das Metropolitan Museum in New York und die Sammlung Baxter in Florenz Teile des Ensembles. Die zweite Adlerfibel mit nach rechts gewandtem Kopf wird heute in der Collection Ganay in Paris aufbewahrt (Abb. 5).

Bei allen Zweifeln über die Fundgeschichte sowie die Zusammengehörigkeit des Gesamtkomplexes ist sicher, daß die beiden Adlerfibeln, die zwei Ohrgehänge, die Kollieranhänger und die Bienenfibel nach Material, Form und Dekor ein werkstattgleiches Schmuckensemble bilden, das in bester gotischer, pontisch beeinflußter Goldschmiedetradition als Grabausstattung einer vornehmen ostgotischen Dame oder als Schatz in der Zeit um 500 dem Boden anvertraut wurde.

Daß solche reichen Beigaben wie in Domagnano – allein der Goldwert stellte, ganz abgesehen von den Edelsteinen, den echten Perlen und dem Elfenbein, ein Vermögen dar – bei den adligen Ostgoten keine Seltenheit waren, belegt ein Erlaß Theoderichs des Großen. Er verbietet die Beigabe von Gold- und Silberschmuck, da er den Toten im (christlichen) Jenseits nichts nütze und den Lebenden fehle. Im übrigen wies er seine Beamten an, nach derartigen Grabschätzen zu forschen, um sie dem Fiskus einverleiben zu können.

Diese von Theoderich schriftlich fixierte Überlegung muß auch bei Franken und Alamannen nördlich der Alpen griffig gewesen sein. Sonst wäre kaum zu erklären, daß ein hoher Prozentsatz der Gräber dieser Gebiete beraubt ist, so als ob die Erben der Bestatteten die wertvollsten Beigaben nach einiger Zeit wieder aus dem Grab geholt hätten. Im Gegensatz zum Erlaß Theoderichs wurde dieses Vorgehen in den zu Beginn des 7. Jahrhunderts niedergeschriebenen Volksrechten der Alamannen allerdings als Frevel gebrandmarkt.

Die Zahl der bisher bekannten fränkischen, alamannischen, langobardischen, thüringischen und bajuwarischen Gräber von der Kanalküste bis hin zu den Friedhöfen der Gepiden in Ungarn und Siebenbürgen geht in die Zehntausende. Die Verteilung der Gräberfelder, ihr Belegungsbeginn und ihre Dichte, die Beigabenausstattung und der Grabbau sowie die Unmengen von erhaltener Realien ermöglichen in der differenzierten Zusammenschau eine Reihe von kulturgeschichtlichen Aussagen.

An erster Stelle steht hierbei die Klärung der Frage, wie es in diesen weiten Gebieten zur Ausbildung des relativ einheitlichen Bestattungsbrauchtums kam und warum beispielsweise die germanische Bevölkerung Norddeutschlands diese Sitte nur in beschränktem Maße ausübte. Ursprünglich war bei den Germanen der vorrömischen Eisenzeit und der römischen Kaiserzeit üblich, die Toten zu verbrennen und den Leichenbrand in Urnen aus Ton oder anderen Materialien zu begraben. Nur vereinzelt, dann aber mit reichen Beigaben, treten Körpergräber mit aufwendigen Grabbauten auf. In Mitteldeutschland, dem späteren Gebiet des Thüringerreiches, setzt in der Zeit um 300 der Übergang von der Brand- zur Leichenbestattung ein, wie das in gleicher Weise im 4. Jahrhundert auch bei den Alamannen in Südwestdeutschland und in Nordgallien festzustellen ist. Dort wurden germanische Krieger in römischen Diensten samt ihren Familien – entgegen überkommener rechtsrheinischer Sitte – nach der von Provinzialrömern geübten Sitte der Leichenbestattung beerdigt.

Gerade diese im provinzialrömischen Milieu angelegten Gräber, die sich von denen der einheimisch gallo-romanischen Bevölkerung durch ihr spezifisches Beigabenbrauchtum unterscheiden, nehmen bis in Details die sogenannte Reihengräbersitte des späten 5. bis 7. Jahrhunderts vorweg. Ganz offensichtlich entstand das neue Brauchtum aus der Symbiose von romanisch-christlichen und heidnisch-germanischen Traditionen besonders in den von Germanen neu besetzten römischen Gebieten, während in den Herkunftslandschaften weiterhin die althergebrachte Leichenverbrennung bei Hessen, Sachsen und Friesen bis in die karolingische Zeit vorherrschend blieb.

Bienenschmuck von Childerich bis Napoleon

Bei den ältesten Bestattungen der Reihengräberzeit handelt es sich durchweg um reichausgestattete Gräber. Bezeichnend ist die Ausrüstung des 1653 aufgedeckten Grabes des im Jahre 482 verstorbenen Frankenkönigs Childerich I. in Tournai (Provinz Hainaut, Belgien), der durch einen Siegelring identifiziert wurde. Wegen eines Einbruchdiebstahls in der königlichen Bibliothek in Paris 1831, bei dem die Diebe auf der Flucht den größten Teil der cloisonnierten Goldgeschmeide in die Seine warfen, ist das Inventar nur aus einer 1655 herausgegebenen Publikation überliefert. Childerich I., der früheste mit Sicherheit historisch nachweisbare Frankenkönig aus dem Geschlecht der Merowinger, nach dem die ganze Geschichtsepoche auch benannt wird, war inmitten eines spätrömischen Friedhofs vor den Mauern des antiken Tornacum, seiner Residenzstadt, in einer 2,20 Meter in den Felsboden eingetieften, mit Holzeinbauten versehenen Grabkammer beigesetzt worden. Bestattet wurde er mit reichen Beigaben wie etwa seinem golddurchwirkten Ornat, der zudem mit kleinen cloisonnierten goldenen Bienen verziert gewesen ist. In Anlehnung an den Befund im Grab des Childerich ließ auch Napoleon I. seinen Krönungsmantel mit derartigen Bienen besetzen, um so an eine alte Tradition anzuknüpfen.

Zu seinen Lebzeiten war Childerich einer der fränkischen Kleinkönige, die vom Römischen Reich als Verbündete in Gallien angesiedelt wurden, um das Land gegen innere Unruhen und die rechtsrheinischen Germanen zu schützen. Für diese militärischen Hilfeleistungen erhielt er hohe Soldzahlungen, denn er war zugleich fränkischer König und römischer Offizier, wie die goldene Zwiebelknopffibel zeigt, ein Rangabzeichen höchster römischer Beamter. Childerich hat vielleicht schon auf den Katalaunischen Feldern gegen die Hunnen Attilas gekämpft, sicher aber gegen die Sachsen und Westgoten. Mehrere Jahre lang mußte er zu den Thüringern ins Exil gehen, woher er seine Frau, die ehemalige Gattin des Thüringerkönigs, möglicherweise aber auch die Goldschmiede mitbrachte, welche am Hof von Tournai das cloisonnierte Geschmeide und die Gefäße der Waffen anfertigten und in der Folgezeit einen großen Einfluß auf die fränkische Hofkunst ausübten. Denn die flächig mit Steineinlagen ornamentierten Goldschmiedearbeiten sind nicht im spätrömisch-westlichen Kunsthandwerk verwurzelt, sondern stehen in östlich-donauländischen, in ihren Ursprüngen pontischen Traditionen, die wie bei den Ostgoten auch bei den ebenfalls lange zum Hunnenreich gehörigen Thüringern zum Tragen kamen.

Von weltgeschichtlicher Bedeutung war das Wirken seines Sohnes Chlodwig (482–511). Er war der Begründer des fränkischen Königreiches, der zunächst seinen Machtbereich von Tournai aus über den anderer in römischen Diensten stehender Kleinkönige ausdehnte, die Herrschaft des letzten römischen Generals Syagrius in der Isle de France liquidierte, sich nach römischem Ritus taufen ließ, noch vor 500 die Alamannen unterwarf und das Westgotische Reich von Tolosa (Toulouse) in Aquitanien zerschlug. Die Söhne und Enkel Chlodwigs wiederum unterwarfen die Thüringer und Burgunder, mischten sich im gotisch-byzantinischen Krieg in Italien ein und begründeten in der Mitte des 6. Jahrhunderts das bayerische Stammesherzogtum, so daß der Frankenkönig Theudebert im Jahr 540 an den byzantinischen Kaiser Justinian I. schreiben konnte: »Von den Gestaden des Ozeans entlang der Donau bis zur Grenze Pannoniens (Ungarns) ist mit Gottes Schutz unsere Herrschaft errichtet.« Das Frankenreich wurde zum Kern des Karolingerreiches und damit des christlichen Abendlandes.

An der Grablegung des Childerich und gleichrangiger Zeitgenossen scheinen sich seine Nachfolger, vor allem aber auch die Nobilitas der Franken, Alamannen, Thüringer und anderer Germanen wie die Langobarden und Gepiden, orientiert zu haben. Die beiden Gräber unter dem Kölner Dom, das Grab der Königin Arnegunde in St. Denis bei Paris oder die Gräber fränkischer Herren des 6. Jahrhunderts in Morken-Harff und Krefeld-Gellep legen Zeugnis davon ab.

Im Lauf der Zeit scheinen auch breitere Bevölkerungsschichten dieses Brauchtum übernommen zu haben, wodurch der archäologische Fundstoff aus dem 6. und 7. Jahrhundert so umfangreich ist, daß altertumskundliche Aussagen auf breiter materieller Basis möglich sind.

Auffällig ist, daß im 6. Jahrhundert in den Gräbern noch viele »echte« Beigaben vorkommen, das heißt, daß Speise und Trank in Gefäßen aus Bronze, Glas und Ton sowie Gerätschaften des täglichen Gebrauchs mitgegeben wurden (Abb. 6), während später die erhaltenen Beigaben auf das Trachtzubehör beschränkt sind und um 700 die Beigabensitte, wahrscheinlich unter kirchlichem Einfluß, überhaupt erlosch.

In den Frauengräbern erhält sich meistens der Körper- und Kleiderschmuck. Sowohl bei Franken, Alamannen, Thüringern und Langobarden gehörten zur Tracht bis ins späte 6. Jahrhundert Gewandspangen. In der Regel war es ein Paar silbervergoldete Bügelfibeln mit Kerbschnittdekor und Tierkopffuß, die – anders als bei der gotischen Frauentracht – untereinander im Beckenbereich auf der Kleidung angebracht waren. Eine oder zwei kleine almandinverzierte Scheibenfibeln – häufig auch kleine S-förmige oder vogelförmige Fibelchen – verschlossen im Halsbereich das Unterkleid (Abb. 7). Den Hals schmückten Ketten aus bunten Glasperlen, die manchmal auch auf die Kleider gestickt waren (Abb. 8). Nadeln, oft prachtvoll ausgestaltet, hielten einen Schleier fest. Von den schlichten Gürteln hingen am langen Bande Amulette, Zierscheiben, Messerchen und Schlüssel herab. Die Strümpfe waren durch Bänder mit metallenen Endbeschlägen gehalten, die ähnlich auch am Schuhzeug festgemacht waren.

Im 7. Jahrhundert ist eine veränderte Mode festzustellen. Große Bügelfibeln kommen nicht mehr vor, bevorzugter Trachtenschmuck sind schwere Broschen mit Granulation und einzeln gefaßten Steinen, die am Hals getragen wurden (Abb. 9).

Im Inventar der Männergräber bilden Waffen die auffälligsten Beigaben. Zweischneidige Langschwerter, einschneidige Hiebschwerter, Lanzen, Äxte und Pfeile der verschiedensten Form und eisenbewehrte Schilde treten in unterschiedlichster Kombination auf und sind Zeichen eines ins Jenseits transformierten Kriegertums, was durch die Beigabe von Reitzubehör noch verstärkt wird.

Die Gürtelmode als Stütze der Chronologie

Von der Tracht haben sich im wesentlichen nur die Beschläge der Leibriemen erhalten. Die Gürtel waren bestimmten modischen Trends unterworfen und bilden so wichtige chronologische und kulturgeschichtliche Indikatoren. Sie wurden sichtbar über der kittelartigen Oberbekleidung getragen, während die Hosen nach Ausweis von Moorleichenfunden mit einem einfachen Stoffgürtel zugebunden wurden.

Auf die breiten, bronzebeschlagenen Militärgürtel römischer Provenienz der späten Kaiserzeit folgte im germanischen Bereich eine Mode, in der die Gürtel durch eiserne, silbertauschierte Schnallen mit rechteckigem Beschlag zusammengehalten wurden. Die Gürtel, wahrscheinlich aufwendige Sattlerarbeiten mit Durchbruchmustern oder Stempeldekor sowie andersfarbig eingeflochtenen Riemen, wurden unter ostgermanisch-pontischem Einfluß in der frühen Merowingerzeit durch cloisonnierte Schnallen mit nierenförmigem Beschlag oder mit aus dem ostgotischen Italien eingeführten Bergkristallbügeln verziert (Abb. 10). An der Rückseite wurden lederne Gürteltaschen angebracht, in denen das Kleingerät des täglichen Bedarfs wie Messer, Bartpinzette, Flickzeug und vor allem der Feuerstahl verwahrt worden ist.

Im Lauf des 6. Jahrhunderts machten sich infolge der fränkischen Machtausdehnung auch in der Gürtelmode wieder verstärkt westlich-mediterrane Einflüsse bemerkbar. Es sind einfache Schnallen mit Schilddorn aus Bronze- oder Weißmetall, an denen der Gürtel mit zwei oder drei Haften befestigt war. In der mittleren Merowingerzeit entwickeln sich daraus Schnallen mit dreieckigem beweglichem Bronzebeschlag und alsbald Garnitursätze aus Schnallen mit Beschlag, gleichgeformtem Gegenbeschlag und rechteckigem Rückenbeschlag, die den breiten Ledergürteln aufgenietet waren. Schlaufenbeschläge zur Befestigung des Kurzschwertes und der Gürteltasche vervollständigten das Bild.

Die Variationsbreite in Material, Form und Dekor dieser dreiteiligen Garnituren ist groß und läßt regionale Typenschwerpunkte erkennen (Abb. 11). Die martialische Gürteltracht wurde in Süddeutschland und den fränkischen Rheinlanden zu Beginn des 7. Jahrhunderts durch die exotisch wirkenden Gürtel mit Nebenriemen abgelöst. Sie bestanden aus einem Hauptriemen mit Schnalle und langer Riemenzunge, von dem mehrere mit Beschlägen verzierte Nebenriemen herabhingen, die wiederum in Metallzungen endeten (Abb. 10).

9. Spätmerowingische Scheibenfibeln

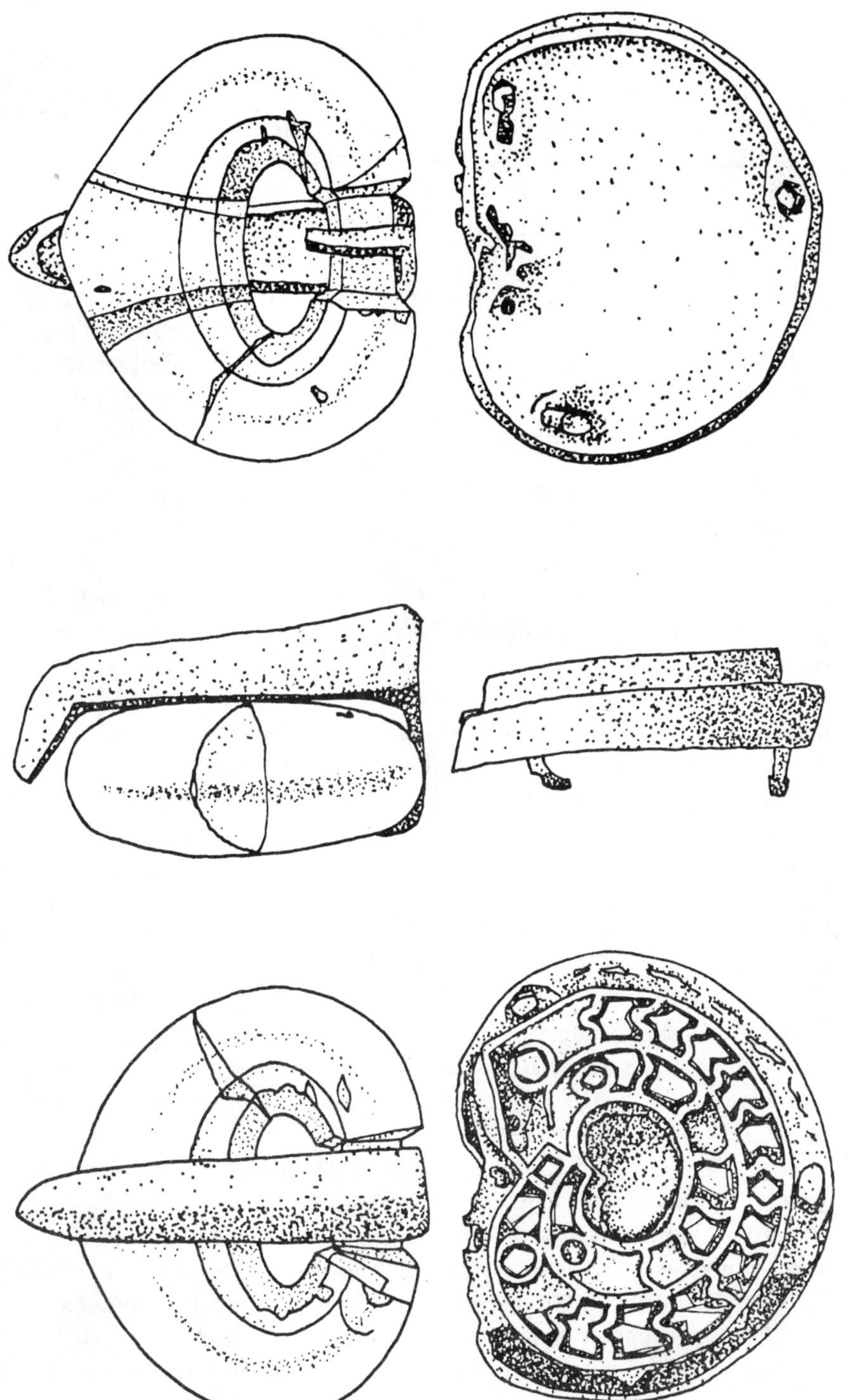

10. Gürtelschnalle Andernach-Kirchberg: Zeichnung. Bügel aus Bergkristall, Dorn und Beschläge aus vergoldeter Bronze, Steineinlagen. Maßstab 2:1

Der Gürteltyp ist wahrscheinlich byzantinischen Ursprungs und wurde von den östlichen Steppenvölkern, den Awaren im Donauraum und den Langobarden in Italien übernommen, von wo diese Mode in die Gebiete nördlich der Alpen ausstrahlte. Gürtel in dieser Tradition waren bei den Kosaken Südrußlands noch im 19. Jahrhundert in Gebrauch. Auch die Beschläge der vielteiligen Garnituren gibt es in zahlreichen Ausführungen: in Gold- oder Silberblech, Bronze oder silbertauschiertem Eisen.

Der relativ kurzlebige Modetrend erreichte die westlichen Gebiete des Frankenreiches nicht. Dort wurden die dreiteiligen Garnituren weiterentwickelt, bis im Gesamtgebiet gegen Ende der Reihengräberzeit eine Reduzierung der Metallbeschläge auf die Schnalle und eine Riemenzunge festzustellen ist.

Insgesamt stellt sich die Entwicklung der Mode im fränkisch-alamannischen Raum ziemlich einheitlich dar. Regionale Besonderheiten sind archäologisch vorläufig nur im Detail zu beschreiben.

Exogamie beim germanischen Hochadel

Aus dem alamannischen Ortsfriedhof von Herbrechtingen im Brenztal (Kreis Heidenheim, Baden-Württemberg) stammt die Grabausstattung einer vornehmen Frau, die wohl in der Zeit um 600 gestorben ist. Vom Schmuck der Toten haben sich ein Paar silbervergoldete Zonenknopffibeln (Gewandspangen) mit Tierkopfenden, eine silbervergoldete S-Fibel mit Almandineinlagen, eine engzellig mit Almandinen cloisonnierte Brosche auf bronzener Grundplatte sowie eine bronzene Haarnadel erhalten (Abb. 12). Als Halsschmuck war eine Kette aus Bernstein-, Glas- und Millefioriperlen sowie ein Amethystkollier mit sechs Goldbrakteaten mit Münzbildern nach einem Ravennater Triens Justinian I. (527–565) beigegeben. Zum Gürtelgehänge gehörten eine bronzene Schilddornschnalle, drei Bronzeringe, ein astragaliertes Bronzeröhrchen, eine durchbrochene Zierscheibe (heute im Wappen der Stadt Herbrechtingen), eine Eisenschere und eine sauber geschliffene Bergkristallkugel. Als Behältnisse für Speise und Trank fanden sich ein Tonkrug und zwei stempelverzierte irdene Töpfe.

Abgesehen von den Runenzeichen auf der Rückseite der einen Bügelfibel ist das Grab deshalb von Bedeutung, weil sein Inventar im alamannischen Milieu fremdartig erscheint. Bügelfibeln, S-Fibel, Almandinbrosche und Amethystkollier bilden nach Form, Dekor und Kombination ein Schmuckensemble, wie es typisch für langobardische Frauengräber in Italien ist. Man kann sich durchaus vorstellen, daß irgendwann im späten 6. Jahrhundert eine Langobardin von Italien aus nach Alamannien verheiratet wurde, die dann nach ihrem

Ableben mit dem Restbestand ihrer heimischen Tracht in Herbrechtingen beerdigt wurde.

Die Verbindung zwischen Süddeutschland, das de jure unter fränkischer Oberhoheit stand, und dem langobardischen Italien scheint im 7. Jahrhundert überhaupt sehr eng gewesen zu sein. Exemplarisch kann dieses Verhältnis am Beispiel der Goldblattkreuze aufgezeigt werden.

Es handelt sich um kleine, bis zu handtellergroße Kreuze, die aus papierdünn ausgetriebenen Goldblechen ausgeschnitten und mit Tier- und Flechtbandornamenten bzw. Münzbildern verziert sind (Abb. 13). Die Kreuze waren auf Tücher genäht, die offensichtlich den Kopf des Toten verhüllten, wobei das Kreuz den Mund verschloß. Bisher sind über zweihundert derartige Kreuze aus langobardischen Frauen- und Männergräbern Italiens überliefert. Goldblattkreuze kommen außerhalb Italiens nur in Süddeutschland bei Alamannen und Bayern vor, wohingegen sie bei Franken und Thüringern unbekannt sind. Möglicherweise zeichnet sich in der eigenartig begrenzten nordalpinen Verbreitung der Goldblattkreuze eine irgendwie geartete, vom langobardischen Italien ausgehende Mission ab, die vor der der Iro-Schotten lag und keinen literarischen Niederschlag gefunden hat.

Kirschkerne aus dem 7. Jahrhundert

Wie eingeschränkt die Möglichkeiten der Archäologie sind, zeigt das Beispiel eines wohlerhaltenen eichenen Baumsarges aus dem bekannten alamannischen Gräberfeld von Oberflacht am Fuß des Lupfen, in dem sich ausnahmsweise auch organische Materialien vorzüglich erhalten haben. Dieser Sarg aus einem ausgehöhlten und längsgeteilten Baumstamm, auf dessen Deckel eine doppelköpfige Schlange herausgeschnitzt ist, gelangte bereits vor 1860 in den Besitz des Nationalmuseums. Der Verbleib des Inventars ist unbekannt. Generationen von Museumsbesuchern haben den Sarg aus dem frühen 7. Jahrhundert bewundert und ab und zu wohl auch einmal kleine Abfälle in der Höhlung deponiert, so daß sich der zuständige Konservator 1965 entschloß, die trogartige Höhlung vom Unrat und Staub der Jahrzehnte zu befreien. Erfahren und vorsichtig, ließ er aber die geborgenen Obstkerne und ein steinhartes Erdklümpchen, aus dem eine Textilie herausragte, in den Restaurierungswerkstätten des Römisch-Germanischen Zentralmuseums untersuchen. Zum Erstaunen aller Beteiligten stellte sich heraus, daß es sich bei den Kirsch- und Zwetschgenkernen um sehr altertümliche Obstsorten handelte und daß in dem Erdklumpen mit Textilrest ein aus zwei Streifen zusammengenähtes Seidenkreuz verborgen war, das einzige bisher bekannte seiner Art in

11. Silbertauschierte Gürtelgarnituren

12. Schmuck des Frauengrabes von Herbrechtingen

13. Goldblattkreuze aus Italien

14. Seidenkreuz aus Oberflacht

Mitteleuropa überhaupt (Abb. 14). Reste des organischen Inhalts des Sarges hatten sich über hundert Jahre lang unerkannt im Museum erhalten.

Das aufgrund überaus günstiger Konservierungsbedingungen erhaltene Seidenkreuz aber beweist, wie hoch die Dunkelziffer christlicher und anderer kulturgeschichtlicher Denkmäler ist. In der Regel überdauern nur anorganische Materialien.

Bezeichnend ist auch, daß das Seidenkreuz in einem mit heidnischer doppelköpfiger Schlange verzierten Sarg gefunden wurde, ein Zeichen des Synkretismus, der überall im frühgeschichtlich-germanischen Bereich festzustellen ist, als ob man sich glaubensmäßig nach beiden Seiten absichern wollte. Selbst auf den Goldblattkreuzen sind germanische Tierornamente mit uns unverständlichen Bildprogrammen eingepreßt, die wohl in Mythen gründen und eine der prägnantesten Äußerungen germanischen Kunstempfindens sind. Ein Nachwirken dieses Tierstils ist in insularer Prägung noch in der frühen Karolingerzeit am Beispiel des Pettstadter Silberbechers festzustellen, einem liturgischen Gerät, das in vergoldeten Bändern Prozessionen ineinander verschlungener Tiere zeigt (Abb. 15).

Im groben Überblick wird deutlich, daß eine vielstrangige Entwicklung zur allmählichen Herausbildung der abendländischen Kultur des frühen Mittelalters führte. Aus der kulturellen und ethnischen Symbiose von antik-christlichen und heidnisch-germanischen Traditionen ergibt sich das Bild, das die in der Karolingerzeit reichlich fließenden historischen Quellen dann beschreiben.

15. Silberbecher von Pettstadt

Rainer Kahsnitz

DAS ARDENNENKREUZ

Eine crux gemmata aus karolingischer Zeit

Notiz für den Leser

Nach Jahrhunderten des politischen Umbruchs (das Römerreich zerbrach und mußte neuentstehenden Staatsgebilden weichen), der geistigen Erneuerung (neue Weltreligionen – Christentum und Islam – verdrängten ältere Götterdynastien), der sozialen Veränderungen und Völkerwanderungen quer durch Europa und die angrenzenden Mittelmeerregionen kann die Epoche zu Beginn des 9. Jahrhunderts als Phase der Konsolidierung begriffen werden. Ein neues, starkes Königtum unter fränkischer Führung – vom Papst zum Kaisertum und damit Erben Roms aufgewertet – formte den geographischen Raum, der mit den sechs Gründungsstaaten der heutigen EG (Italien, Frankreich, Beneluxstaaten und Bundesrepublik) fast identisch ist. In seinem Schutz siegte die christliche Mission über die letzten Widerstände heidnischen Erbes. Staat und Kirche waren Einheit, Reichsinsignien und Kreuz ihr Symbol.

Das Kreuz, in dessen Zeichen die zukünftige Ordnung Europas errichtet wurde, war kein ursprüngliches Sinnbild christlicher Symbolik. Die erste datierte Darstellung findet sich auf einer Inschrift aus Palmyra von 134. In den Katakomben taucht das Kreuzeszeichen selten auf; erst nach der Kreuzesvision des Kaisers Konstantin vor der Schlacht an der Milvischen Brücke im Jahre 312, die dem bis dahin verfolgten Christentum die Anerkennung als Staatsreligion brachte, begann der Siegeszug des Kreuzes als christliches Symbol.

Vor diesem Hintergrund muß eine der prächtigsten Arbeiten karolingischer Goldschmiedekunst gesehen werden: das Ardennenkreuz, wegen seiner angeblichen Herkunft aus einem Kloster in den luxemburgischen Ardennen so benannt. Die Künstler und Auftraggeber dieses überaus reich mit Edelsteinen verzierten »Tropaion« des Sieges Christi sind unbekannt. Aber als einem der wenigen erhalten gebliebenen Stücke aus diesem in der Geschichte der Kunst großen Jahrhundert, das nicht der Plünderung durch nachfolgende Generationen anheimfiel, kommt ihm ein besonderer Rang zu als Symbol einer neuen Ära: des christlichen Zeitalters im nicht islamisch eroberten Europa. W. D.

Karolingische Kunst und die Antike

Als am Weihnachtstage des Jahres 800 Karl der Große in Rom durch Papst Hadrian zum römischen Kaiser gekrönt wurde, fand eine Entwicklung sinnfällig Ausdruck, durch die das im Norden der damaligen christlichen Welt entstandene und von dem noch weitgehend germanisch bestimmten Stamm der Franken getragene Weltreich in die Geschichte und die Traditionen der Antike eintrat.

Wie der fränkische König damit auch äußerlich und staatsrechtlich das im Westen vor mehr als drei Jahrhunderten durch die germanische Eroberung Roms im Jahre 476 praktisch untergegangene Römische Reich fortzusetzen suchte, so waren die vom Hofe Karls des Großen ausgehenden und oft bewußt gesteuerten Bestrebungen auf nahezu allen Gebieten des geistigen Lebens schon seit Jahren darauf gerichtet, die Bildungsgüter und Kunstformen der so hoch verehrten römischen Antike wieder zu beleben. Es war dies ein Vorgang, der für die Kultur nicht nur der aus dem karolingischen Reich hervorgehenden späteren Länder Deutschland und Frankreich, sondern ganz Europas von prägender Bedeutung werden sollte.

Es galt dies von den Bemühungen um die Reinheit der lateinischen Sprache, um die Einführung der bis heute gültigen Schrift, der karolingischen Minuskel, auf der Grundlage spätantiker Vorbilder. Die Werke antiker Dichter und Schriftsteller wurden abgeschrieben und sind uns vielfach nur durch karolingische Handschriften überliefert. In Nachahmung und Auseinandersetzung mit den Werken der Antike entstanden neue Dichtungen, philosophisch-theologische Erwägungen und wissenschaftliche Arbeiten der verschiedensten Art.

Am deutlichsten aber ist die Besinnung auf die Werte der antiken Kultur auf dem Gebiet der Kunst zu spüren, die dem Repräsentationsbedürfnis und der Frömmigkeit der karolingischen Herrscher und einiger meist aufs engste mit dem Hofe verbundener Bischöfe diente. Nach Jahrhunderten der bildlosen, rein ornamental-abstrakten Schmuckkunst entstanden jetzt Miniaturenhandschriften und Elfenbeinreliefs mit figürlichen Darstellungen Christi und der Evangelisten, wie sie zuletzt die Kunst der Spätantike gekannt hatte. In offenbar bewußtem Rückgriff auf antike Traditionen schufen die Hofskriptorien im Auftrag Karls des Großen – offensichtlich in Aachen – und später in verstärktem Maße am Hofe Karls des Kahlen Prachthandschriften von ungeahntem Luxus und nie gesehener Schönheit, deren mit Gold und Edelsteinen verzierte Deckel sie mit Elfenbeinreliefs schmückten, die entweder der Antike selbst entstammten oder die die karolingischen Künstler – nicht selten unter Verwendung antiker Stücke – neu erstellten.

Karolingische Kunst war in dezidierter Weise Renaissancekunst und blieb, das sei hinzugefügt, als solche weitgehend auf den Bereich des Hofes und einiger Bischofssitze und großer Klöster beschränkt. Daß die Künstler ihre Vorbilder naturgemäß nicht in der fernen Welt des klassischen Alterums suchen konnten, sondern sich überwiegend an den Arbeiten der Spätantike orientierten, deren Reste damals in Italien wohl noch allenthalben zugänglich waren, liegt auf der Hand.

Auch das Goldschmiedewerk, das nach seiner angeblichen Herkunft aus einem Kloster in den luxemburgischen Ardennen als *Ardennenkreuz* benannt wird, kann, wenngleich schon zur Regierungszeit von Karls Nachfolger Ludwig dem Frommen (814–840) entstanden, nur auf dem Hintergrund dieser karolingisch-spätantiken Geistigkeit verstanden werden. Das Kreuz ist mit Goldblech, seine Vorderseite mit Edelsteinen völlig bedeckt. Die Rückseite zeigt eine Ranke. Zwar ist der Besatz der scheibenförmigen Mitte der Rückseite verloren; für eine Rekonstruktion des dortigen Schmuckes fehlen eindeutige Parallelen. Falls an eine figürliche Darstellung gedacht werden kann, käme am ehesten ein Medaillon mit dem *Agnus Dei* in Betracht. Doch wäre auch dann die mit Edelsteinen übersäte und durch das goldene Material gegenüber dem rückwärtigen vergoldeten Kupfer ausgezeichnete Seite der in jedem Falle einfacheren Rückseite gegenüber die Hauptansicht. Der gekreuzigte Christus, dessen Bild wir erwarten, war jedenfalls nicht dargestellt.

Im *Ardennenkreuz* ist das Kreuz Christi nicht als Instrument des Todes und Leidens des Herrn aufgefaßt. Antikem Verständnis folgend ist die *crux gemmata*, das mit Edelsteinen besetzte Kreuz, »Tropaion des Sieges Christi« über Sünde und Tod und »Unterpfand seiner Wiederkehr« am Ende der Tage. Es ist zugleich das Zeichen des Menschensohnes, das nach dem Evangelium am Himmel erscheinen und die Wiederkunft des Herrn zum Endgericht ankündigen wird. Es scheint notwendig, auf Wurzeln und Geschichte dieses Verständnisses des Kreuzes Christi einzugehen, bevor wir uns dem Ardennenkreuz als Goldschmiedewerk näher zuwenden.

Das Kreuz als Tropaion des Sieges Christi

War schon in den Briefen des Apostels Paulus das Kreuz – »den Juden ein Skandalon und den Heiden eine Torheit«, wie der Apostel sagt – für den Christen zum Inbegriff des Heilsgeschehens geworden, das Tod und Auferstehung Christi in sich umfaßte und damit als christliches Heilszeichen schlechthin verstanden werden konnte, so wurde in breiterem Umfang eine Verehrung des Kreuzes und ein Niederschlag solcher Verehrung in den Formen der Kunst erst möglich, als Kaiser Theodosius I. (379–395) die Strafe der Kreuzigung abschaffte und das Kreuz damit seinen Makel als Zeichen der Schande verlor. Von entscheidender Bedeutung für den Kreuzeskult war die Kreuzesvision Kaiser Konstantins: Vor der Schlacht gegen seinen Gegner Maxentius an der Milvischen Brücke im Jahre 312 soll dem Kaiser im Traum am Himmel über der Sonne ein leuchtendes Kreuz mit der Aufschrift »In diesem Zeichen wirst du siegen« erschienen sein. In der Form des Christusmonogramms wurde es in die Feldzeichen eingefügt und spielte fortan in der kaiserlichen Siegesallegorik eine beherrschende Rolle.

Ein *Tropaion* war ursprünglich ein aus den erbeuteten, an einem Pfahl aufgehängten Feindeswaffen auf dem Schlachtfeld errichtetes Siegesmal. In der späteren römischen Kaiserzeit war es zu einem konventionellen Bild des Sieges geworden, seine Darstellung ein allgegenwärtiges Bild kaiserlicher Siegesmacht. Schon die Kirchenväter des zweiten und dritten Jahrhunderts übertrugen den Begriff auf das Kreuz Christi, wobei sie an die äußere Ähnlichkeit des mit Waffen behängten Pfahles mit dem Kreuz und vor allem an seinen Charakter als Siegeszeichen anknüpften. Das Kreuz Christi wurde nach seinem Sieg über den Tod als Trophäe über den Sternen befestigt oder auf dem himmlischen Thron aufgestellt, sagt Paulinus von Nola um 400. Zahlreich sind Äußerungen wie die von dem Tropaion des Kreuzes, durch das der Imperator Christus aus dem Feldzug seiner Passion triumphierend hervorgegangen sei. Es sind dies Belege aus der Sphäre wechselseitiger Durchdringung von Christus- und Kaiserkult, die nach der sogenannten konstantinischen Wende, der Bekehrung der weltlichen Macht der Kaiser zum Christentum, und der darauf folgenden Entwicklung der christlichen Kirche zum Staatskirchentum einsetzte. Auf Christus, den schon die Evangelien als König bezeichnet hatten, wurden Formen der Darstellung und der Verehrung des Kaisers übertragen; kaiserliche Hoheitssymbole wurden ihm zugeordnet, er trug kaiserliche Gewandung, die ihn begleitenden Heiligen wurden als seine Heerscharen bezeichnet, Engel als seine Garde (vgl. Abb. 3).

Umgekehrt bediente sich das Kaiserhaus christlicher Formen zu Propagandazwecken, bis das Kreuz zum Zeichen des immerwährenden kaiserlichen Sieges wurde. So trägt auf Münzen des Kaisers Theodosius II. (408–450) die Victoria, die von einer alten römischen Siegesgöttin zu einer konventionellen Allegorie geworden war, statt des bis dahin üblichen heidnischen *Tropaions* ein Kreuz als das Siegeszeichen des christlichen Staates in der Hand. Der Globus und das Zepter des Kaisers werden auf seinen Münzen von einem Kreuz bekrönt. Auf späteren Münzen hält der über einer besiegten Schlange stehende Kaiser auch selbst ein Kreuz wie ein Zepter in der Hand.

Das Kreuz in der Grabeskirche zu Jerusalem

Bereits unter Konstantin (306–337) war in Jerusalem das Kreuz Christi aufgefunden und nach Konstantinopel gebracht worden, was in einem Brief des Bischofs Cyrill von Jerusalem aus dem Jahre 351 zunächst mit Konstantin selbst in Verbindung gebracht wurde. Seit dem heiligen Ambrosius wird diese Tat der Mutter Konstantins, der heiligen Helena, zugeschrieben, wie es dann auch in die Überlieferung des Mittelalters eingegangen ist. Die gewaltige Grabeskirche wurde an der Stelle des Todes und Grabes Christi noch in konstantinischer Zeit in Jerusalem errichtet.

Wohl schon damals wurde im Bereich des Golgathahügels ein großes Votivkreuz aufgestellt, für das es aus dem Ende des vierten Jahrhunderts die ersten sicheren Belege gibt. Möglicherweise war bereits dieses Kreuz mit Juwelen geschmückt. Im Jahre 440 ließ Kaiser Theodosius II. ein solches großes juwelenbesetztes Kreuz im Bereich der Grabeskirche aufstellen, möglicherweise auch nur erneuern. Auch in Konstantinopel, dem Zentrum des Reiches, war unter Konstantin aus kostbarem Material ein Kreuz als Sieges- und Schutzzeichen des Reiches errichtet worden.

Der Schmuck des Kreuzes mit Edelsteinen ordnet sich in die Sphäre der Übertragung von Formen kaiserlicher Repräsentation auf den christlichen Kult ein, wie denn auch der Thron Christi auf Darstellungen der Zeit wie der des Kaisers mit Edelsteinen geschmückt wird. In der besonderen Wertschätzung, die Spätantike und frühes Mittelalter dem kostbaren Material entgegenbrachten, und bei der damals üblich werdenden Häufung von Gold und Edelsteinen wird man solche Übertragungen durchaus als Akte der der Zeit eigenen Frömmigkeit zu sehen haben. Der Glanz, der vom Kreuze Christi ausging, das in den wiederholten Kreuzesvisionen stets als leuchtend bezeichnet wurde, sollte realiter im Glanz der Edelsteine sichtbar gemacht werden.

Seit dem Ende des vierten Jahrhunderts mehren sich die Darstellungen des mit Edelsteinen besetzten Kreuzes oder im Sprachgebrauch der Zeit der *crux gemmata*, wobei im Altertum wie im Mittelalter der Begriff *Gemmen* allgemein Edelsteine bedeutete und nicht wie in unserem Sprachgebrauch auf Steine mit eingeschnittenen Figuren eingeengt war. Mit Edelsteinen besetzt war jetzt der Kreuzstab, den Christus auf Sarkophagen als Zeichen seines Sieges über den Tod trägt. Das Gemmenkreuz, oft umgeben mit anderen Motiven aus der kaiserlichen Triumphal- und Siegessymbolik, wurde zum Mittelbild vieler christlicher Sarkophage, wobei ihm an den Seiten Passions- oder auch Auferstehungsszenen zugeordnet werden konnten. Das Kreuz konnte auch Zentrum der Huldigung der Apostel sein. Im

5. Jahrhundert wurde an seiner Stelle im Mittelfeld zuweilen der auf dem erhöhten Paradiesberg stehende Christus mit einem hohen Gemmenkreuz in der rechten Hand dargestellt; es war dem üblich gewordenen kaiserlichen Stabzepter nachgebildet.

Schon im 4. Jahrhundert zeigte das Gemmenkreuz oft geschweifte Enden, später auch mit tropfenförmigem Schmuck der Enden. Der Ursprung dieser Form, mit der sich insbesondere der Siegescharakter und Triumphalaspekt des Kreuzes verbunden hat, wird in Konstantinopel vermutet. Besonders beliebt war der Bildtyp der Kreuzeshuldigung und der Kreuzwache, bei dem das mittlere Kreuz von zwei Aposteln oder zwei Engeln verehrt wird (vgl. Abb. 3). Auch dieser Typus, bei dem die Engel mit langen Stabzeptern als Garde Christi erscheinen, wurzelt im Kaiserkult; das Kreuz als Hoheitszeichen konnte als solches wie der leere Thron des Kaisers Gegenstand der Ehrungen sein, die dem kaiserlichen Zeremoniell entnommen wurden.

1. Apsis-Mosaik in Santa Pudenziana (Rom): mit Gemmenkreuz über thronendem Christus, um 400

Das Zeichen des Menschensohnes

Die eindrucksvollste Gestaltung hat das Motiv des Gemmenkreuzes in den großen Apsismosaiken der Kirchen in Rom und Ravenna gefunden. Die älteste offizielle kirchliche Apsisdekoration hat sich aus der Zeit um oder bald nach 400 in der römischen Kirche Santa Pudenziana erhalten (Abb. 1), wenn die Komposition durch den nachträglich eingefügten Architekturbogen und den Baldachin des Hochaltares in Abbildungen auch teilweise verdeckt scheint.

Auf gemmengeschmücktem Thron sitzt in goldenen, mit Purpurstreifen geschmückten Gewändern Christus, umgeben von den zwölf Aposteln; hinter ihnen stehen zwei kränzehaltende Frauen als Personifikationen der aus den Juden und den Heiden hervorgegangenen Kirche. Darüber wird das himmlische Jerusalem sichtbar, das in auffallender Ähnlichkeit zu den zeitgenössischen Bauten, vor allem den Anlagen im Bereich der Grabeskirche, auf dem Golgathahügel in Jerusalem dargestellt ist. Über Christus erhebt sich auf einem Berg vor dunklem Wolkenhimmel das riesige gemmengeschmückte Kreuz mit den charakteristisch konkav ausgebogenen Enden des Querbalkens. Die vier lebenden Wesen der Apokalypse sind ihm zugeordnet. Neben dem Charakter des Kreuzes als *Tropaion* tritt der endzeitliche Gehalt der Komposition deutlich hervor, worauf schon die vier Lebewesen hinweisen. Christus thront im Kreise der Apostel, denen er einst verheißen hatte: »Wenn der Menschensohn auf dem Thron seiner Herrlichkeit sitzen wird, werdet auch ihr auf zwölf Thronen sitzen, um die zwölf Stämme Israels zu richten« (Matthäus 19, 28).

Das am Himmel erscheinende Kreuz ist in besonderer Weise Zeichen seiner Wiederkehr und des Endgerichts. In der großen Ankündigung dieser Ereignisse, wie sie der Evangelist Matthäus überliefert, hatte Christus von den letzten Dingen gesprochen: »Denn wie der Blitz vom Aufgange (= Osten) ausgehet und bis zum Niedergang (= Westen) leuchtet, so wird es auch mit der Ankunft des Menschensohnes sein ... Und alsdann wird das Zeichen des Menschensohnes am Himmel erscheinen« (Mt. 24, 27 u. 30). Die christliche Schrifterklärung hat unter dem Zeichen des Menschensohnes stets das Kreuz verstanden. Als Zeichen des Wiedererscheinens des Herrn kommt dem Kreuz Leuchtkraft zu, wegen der Herrlichkeit Gottes verbindet sich mit ihm der triumphale Charakter des Edelsteinschmuckes, wie auch der Thron Christi mit Edelsteinen geschmückt ist.

Das im Osten vor dem Grund des Himmels aufsteigende Kreuz, gelegentlich von Sternen umgeben, ist zum Hauptbild der Dekorationen auch anderer Kirchen geworden. Die bedeutsamste Ausprägung hat dieser Bildgedanke in der Apsis der 549 geweihten Kirche San Apollinare in Classe bei Ravenna gefunden (Abb. 2). Über einer ausgebreiteten Paradiesdarstellung mit Bäumen, blühenden Pflanzen und Vögeln und den zwölf Aposteln in Gestalt von zwölf Lämmern, in die der stehende Patron der Kirche, der heilige Apollinaris, eingefügt ist, schwebt ein riesiges goldenes Kreuz. Eine mit Perlen und blauen Edelsteinen geschmückte rote kreisförmige Glorie rahmt den tiefblauen Grund, auf dem, von 99 Sternen umgeben, das Kreuz erscheint. Das Kreuz, das die Inschrift *Salus mundi* als Heil der Welt

2. Apsismosaik in San Apollinare in Classe bei Ravenna: Gemmenkreuz über einer Paradiesesdarstellung, um 550

bezeichnet, ist mit Edelsteinen besetzt und in der charakteristischen Form des Triumphalzeichens mit Tropfen an den Enden versehen. In der Mitte wird die Büste Christi sichtbar; es ist dies die älteste Darstellung des Herrn auf einem solchen Kreuz. Die Komposition hat Züge des Bildes der Verklärung Christi auf dem Berge Tabor in sich aufgenommen: die am Himmel über der Kreuzgloriole erscheinende Hand Gottes, die Propheten Moses und Elias und die in drei Lämmern angedeuteten Apostel Petrus, Jakobus und Johannes, die Zeugen dieses Ereignisses waren. Hauptthema ist jedoch das Erscheinen des Kreuzes im endzeitlichen Zusammenhang, auf den nicht zuletzt das Paradies verweist.

Die kosmischen Dimensionen solcher Kreuzesdarstellungen werden noch nachdrücklicher thematisiert, wenn das Gemmenkreuz auf dem Paradiesberg steht, aus dem die vier Paradiesesströme hervorgehen, die aus der Mitte der Welt und vom dort befindlichen Golgathahügel, der in literarischen und theologischen Quellen oft an der Stelle des ursprünglichen Paradieses vermutet wurde, ausgehen und in den vier Himmelsrichtungen die Welt durchlaufen und bewässern – sinnfälliges Zeichen des vom Kreuz Christi ausgehenden, die Welt durchdringenden Heils. Eine in Konstantinopel am Ende des 6. Jahrhunderts entstandene Silberschale (Abb. 3) mag diese kosmischen Bezüge des Gemmenkreuzes belegen. Das Kreuz, wieder in der bekannten

3. Silberteller mit Gemmenkreuz zwischen zwei Engeln, Konstantinopel, Ende 6. Jahrhundert, Leningrad, Eremitage

Form mit den geschweiften Enden und Tropfen, steckt in einer Kugel, die mit Sternen besetzt ist, also das Weltall oder das Himmelsgewölbe meint. Wie vier Zungen gehen unter den Füßen der Engel die vier Paradiesflüsse hervor. Die Engel huldigen dem Kreuz wie die kaiserliche Garde dem Thron des Kaisers. Sonne und Mond sind – offenbar noch nachträglich – in den Grund der Darstellung eingeritzt.

Die ausgebreiteten Darstellungen der Mosaiken und auch des hier gezeigten Silbertellers vermögen durch die Wiedergabe verschiedener Einzelmotive die unterschiedlichen Aspekte der Verehrung des Kreuzes im einzelnen aufzufächern. All diese Elemente sind jedoch begrifflich im Bild der *crux gemmata* zusammengefaßt. Wie das von Theodosius errichtete Gemmenkreuz auf Golgatha hat es seit dem 5. Jahrhundert auch in Form realer Goldschmiedewerke Gemmenkreuze gegeben. Erhalten hat sich freilich aus der Spätantike nur ein einziges solches Kreuz, das von Kaiser Justinus II. (565–578) gestiftete, in der Sakristei von St. Peter in Rom bewahrte Kreuz. Doch hat das Mittelalter diese Tradition wie viele andere fortgesetzt. Das *Ardennenkreuz* ist eines der ganz wenigen erhaltenen Beispiele, die heute noch diese Thematik belegen. Die Gedanken, die die Spätantike bei dieser Bildschöpfung bewegt hatten, waren im frühen Mittelalter noch uneingeschränkt lebendig, wie gelegentliche Berichte über Kreuzesvisionen dokumentieren, in denen am Himmel erscheinende, mit Edelsteinen geschmückte Kreuze beschrieben werden.

Weintrauben als Symbol der Eucharistie

Im *Ardennenkreuz* ist in der Ranke auf der Rückseite zusätzlich der lebenspendende Charakter des Kreuzes Christi angedeutet. Auch das Kreuz als Lebensbaum gehört in jenen Bereich paradiesischer Motive, die das frühe Mittelalter aus der theologischen Spekulation und der Bilderwelt der Spätantike übernommen hat. Das Kreuz Christi ist als der wahre Baum des Lebens gedeutet worden, auf den der zu Beginn der Welt in der Mitte des Paradieses gepflanzte Baum nur vorbildhaft hinwies; denn erst vom Kreuz Christi ist das wirkliche Heil ausgegangen. Die christliche Kunst hat zur Verbildlichung dieser Vorstellung deshalb oft Ranken, blühende Zweige und Früchte als vom Kreuz ausgehend dargestellt. Wenn diese Ranken wie beim Ardennenkreuz noch Weintrauben tragen, wird damit unübersehbar zugleich auf den eucharistischen Aspekt angespielt. Das von der Erlösung Christi durch seinen Tod am Kreuz ausgehende Heil manifestiert sich für den Christen in besonderer Weise in der Eucharistie, in der Verwandlung von Brot und Wein zu Christi Leib und Blut. Die christliche Kirche hat die Eucharistie immer als Erneuerung des Kreuzesopfers des Herrn begriffen.

So schließt sich der gedankliche Gehalt, wie er im *Ardennenkreuz* Ausdruck gefunden hat: Das Gemmenkreuz ist Siegeszeichen, das als solches nicht nur den Erlösungstod Christi, sondern auch die Auferstehung verbildlicht, vor allem aber das verehrungswürdige Bild, das die Wiederkehr des Herrn und das Endgericht ankündigt. Hierzu gehören auch die kosmologischen Aspekte, da das Gericht als ein kosmisches Ereignis im Evangelium beschrieben ist. Der mit Rauten gegliederte kugelförmige Knauf, der das *Ardennenkreuz* trägt, mag unter diesem Gesichtspunkt ähnlich wie auf dem konstantinopolitaner Silberteller (Abb. 3) den Globus oder das Weltall symbolisieren, auch wenn er erst später dem Kreuz hinzugefügt wurde. Der der Triumphalsphäre entstammende Edelsteinschmuck dient unmittelbar der Verbildlichung der Herrlichkeit Christi. Die Ranke stellt das vom Kreuz ausgehende lebenspendende Heil dar.

4. Ardennenkreuz, um 830–840

5. Ardennenkreuz, um 830–840 (um 90 Grad gedreht; der untere Teil gibt den linken Seitenarm wieder)

Nur der uns viel geläufigere Charakter des Kreuzes als Marterholz Christi lag der Entstehungszeit des *Ardennenkreuzes* noch gänzlich fern und sollte erst Jahrhunderte später in der künstlerischen Gestaltung des Kreuzes Christi, die Leidensthematik dann vor allem im Bild des Gekreuzigten selbst, Ausdruck finden; aus gotischer Zeit kennen wir die ergreifendsten Beispiele.

Das Ardennenkreuz als Goldschmiedewerk

Betrachten wir nun das Ardennenkreuz als Goldschmiedewerk (Abb. 4 bis 6). Das eigentliche Kreuz selbst mit seinem Holzkern ist 56 Zentimeter hoch und 42,2 Zentimeter breit. Auf der Vorderseite ist es mit Goldblech beschlagen und in dichter Reihung mit Edelsteinen besetzt; der Schmuck des rechten Querbalkens ist seit unbekannter Zeit verloren. Während die seitlichen Kanten ebenfalls mit Goldblech bedeckt sind, das mit einer weitmaschigen Filigranranke verziert ist, weist die Rückseite nur einen Beschlag aus vergoldetem Kupfer auf, aus dem eine großformige, auf den Querarmen in zwei Weintrauben auslaufende Blattranke getrieben ist. Der ursprünglich für sich gearbeitete Besatz der Kreuzesmitte fehlt auf der Rückseite.

Die auffallend schmalen hölzernen Kreuzesarme, die auf der Vorderseite glatt und auf der Rückseite gerundet sind, erweitern sich in der Mitte zu einer kreisförmigen Scheibe sowie an den Enden aller vier Kreuzesbalken, und zwar ursprünglich auch am Fuß, jeweils zu einem bezeichnenden geschweiften Abschluß, wobei die Kreuzesarme in der Mitte aufgespalten und die Enden seitlich zu Dreiecksformen mit schwingenden Seiten ausgezogen sind. Die Herkunft dieses Gesamtumrisses von der antiken Form des Gemmenkreuzes mit den konkav einschwingenden Abschlüssen der Kreuzesbalken und den Tropfenendungen ist deutlich.

Der untere Kreuzesbalken steckt heute in einer mit vergoldetem Kupfer bedeckten Kugel, die durch aufgelegte Bänder und Metallperlen rautenförmig gegliedert ist. Aus der Kugel ragt nach unten ein eiserner Dorn heraus, mit dessen Hilfe das Kreuz auf einer Stange befestigt und so als Vortragekreuz benutzt werden kann. Die Kugel und der auf ihr aufsitzende niedrige Ring können nicht ursprünglich zu dem Kreuz gehört haben. Sie sind überaus unorganisch mit ihm verbunden. Ein Blick auf die seitlichen Kanten verrät, daß zur Befestigung der Kugel am Kreuz – wohl mit Hilfe eines nach oben gerichteten Dornes – das Holz des unteren Längsbalkens verstärkt worden ist. Dabei wurde der rückwandige Metallbeschlag nach hinten gebogen und dem neuen dickeren Holz aufgenagelt.

Da das ursprüngliche, mit Filigran verzierte Goldblech, das die Kanten des Kreuzesholzes umgibt, in der ganzen Länge der Balken gleich breit ist, also das jetzt verstärkte Holz im unteren Teil nicht mehr bedecken konnte, mußte man die hier freiliegenden Stellen durch ein untergeschobenes Stück Goldblech kaschieren. Die Verstärkung des Kreuzesbalkens im unteren Teil nahm keinerlei Rücksicht auf den geschweiften Abschluß des Balkens, wie er durch die Begrenzung des Metall- und Edelsteinbesatzes auf Vorder- und Rückseite noch deutlich erkennbar ist. Wann die sehr rohe, offenkundig primär durch praktische Erwägungen bedingte Veränderung vorgenommen worden ist, läßt sich in Anbetracht der einfachen Schmuckformen des damals hinzugefügten Kugelknaufes nicht genau bestimmen. Doch dürfte es noch im früheren Mittelalter, jedenfalls vor dem 12. Jahrhundert, geschehen sein. Offenbar wurde das Kreuz erst damals zur Benutzung als Vortragekreuz auf einer Tragestange oder zum Aufstellen auf einem festen Fuß hergerichtet. Die Hinzufügung des globusartigen Knaufes mag zugleich inhaltliche Gründe gehabt haben; der Dorn hätte sich auch ohne eine solche Kugel befestigen lassen. Bis zu diesem Zeitpunkt konnte das Kreuz wohl nur am Schaft selbst in der Hand gehalten werden, wie wir dies auf älteren Darstellungen gelegentlich beobachten können. So sieht man auf einem Mosaik des 6. Jahrhunderts in der Kirche San Vitale in Ravenna den Erzbischof Maxentius ein großes mit Edelsteinen besetztes Kreuz auf diese Weise in der Hand tragen. Denkbar wäre auch, daß das Kreuz an Schnüren oder Ketten über dem Altar aufgehängt wurde, wie dies in der Spätantike und im frühen Mittelalter häufig der Fall war. Irgendwelche Hängevorrichtungen am Kreuz selbst sind jedoch nicht vorhanden.

Das Kreuz als Reliquiar

Doch verdient unsere Aufmerksamkeit vor allem der Edelsteinschmuck der Vorderseite. Die Mitte des gesamten Schmuckes bildet ein großer, klarer, bis auf den Grund durchsichtiger, mugelig geschliffener Bergkristall, der ursprünglich eine Reliquie – am ehesten möchte man an ein Fragment vom Kreuze Christi denken – bedeckt haben könnte. Die heute dort sichtbare mehrfach gesprungene Masse aus Ton oder Erde läßt auch die Vermutung zu, die Reliquie könne Erde vom Golgathahügel oder etwas Ähnliches gewesen sein, möglicherweise sogar Erde, die vom Blute Christi getränkt war. Solche Reliquien wurden gelegentlich von Pilgern aus dem Heiligen Land mitgebracht und im frühen Mittelalter nicht selten ähnlich wie Kreuzreliquien in kostbaren Reliquiaren gefaßt. Da sie als Passionsreliquien im weiteren Sinne betrachtet wurden, hat man sie vielfach in edelsteingeschmückten Kreuzen und Staurotheken (Kreuzbehältern) geborgen. Eine zusätzliche Schwierigkeit ergibt sich daraus, daß die schmale Fassung, mit der der Bergkristall gehalten wird, anscheinend erneuert ist. Damit könnte auch der Bergkristall ein späterer Ersatz für einen ursprünglich anderen, nicht durchsichtigen Stein sein.

Dies gewinnt eine gewisse Wahrscheinlichkeit dadurch, daß das frühe Mittelalter und insbesondere die karolingische und ottonische Epoche im Gegensatz zu späteren Zeiten in der Regel Reliquien nicht unmittelbar sichtbar präsentierten; Ausnahmen gibt es freilich gerade bei Kreuzreliquien. Reliquien wurden meist in kostbaren Reliquiaren völlig verschlossen; verehrt wurde ihre Präsenz. Erst in gotischer Zeit entstand das Verlangen der Gläubigen, auch die Reliquie selbst anzuschauen und so auf unmittelbarere Weise mit ihnen in Kontakt zu treten. Leider kennen wir die Kirche, aus der unser Kreuz stammt, nicht und wissen deshalb auch nicht, welche Art von Herrenreliquie ursprünglich in unserem Kreuz verwahrt war. Wäre es eine der hochverehrten Kreuzreliquien gewesen, könnten wir sicher sein, in der auf das Kloster bezüglichen Literatur aus dem Mittelalter oder aus späteren Jahrhunderten eine entsprechende Erwähnung zu finden.

Die Edelsteine des Kreuzes

Der heute die Mitte des Kreuzes bildende Bergkristall ist von einem Kranz halbkreisförmiger roter Almandinen und ebenfalls plan geschliffener grüner Glasplättchen umgeben, die nach Art der vor- und frühkarolingischen Goldschmiedekunst mit aufrechten Stegen wie ein Zellenemail gefaßt sind. Darum legt sich ein Kranz von roten und grünen Edelsteinen in hochstehenden großen Fassungen, wobei jeweils rote Steine in ovalen Fassungen mit grünen Steinen in rechteckigen Fassungen wechseln.

Die Kreuzesbalken sind ihrer Länge nach mit einer Reihe großer, von tiefem Dunkelblau bis zu durchsichtigem Hellblau spielender ovaler indischer Saphire besetzt, wobei ursprünglich an den Enden der Arme besonders große Steine saßen. Am rechten Kreuzesarm ist dieser Stein noch erhalten, oben und unten am Längsbalken zeugen die großen, heute leeren Fassungen von der Größe der ursprünglichen Steine. Sämtliche Saphire sind der Länge nach durchbohrt, stammen also von einer Kette oder einem großen Geschmeide, das in karolingischer Zeit oder vielleicht auch schon im Altertum einer vornehmen Dame gehört haben dürfte. Solche Zweitverwendung wertvoller Steine begegnet uns im Mittelalter allenthalben, die Schenkung kostbarer weltlicher Juwelen zum Schmuck eines kirchlichen Gerätes ist aus allen Jahrhunderten bis in unsere Tage überlieferter Brauch.

Die mittlere Reihe der Saphire wird auf beiden Seiten von einer Reihe kleinerer roter ovaler oder rechteckiger Steine begleitet, die jedoch sämtlich in ovalen Fassungen sitzen und jeweils genau auf der

6. Ardennenkreuz, um 830–840

Höhe des Zwischenraumes, wo die Saphire aneinander stoßen, angebracht sind. Nur in der Mitte des unteren Längsbalkens finden sich einmal zwei kleine blaue Saphire in der Reihe der roten Steine. Die Zwischenräume zwischen diesen kleineren Steinen der äußeren Reihe füllen goldene Halbkugeln, die mit kreuzförmigen Bügeln bedeckt und zugleich gehalten werden. Der Steinbesatz an den Enden der Kreuzesbalken unterstreicht den geschweiften Abschluß: Rechts und links der großen Saphire sitzen anstelle der sonstigen ovalen Steinfassungen zwei leicht nach außen gerichtete rechteckig gefaßte Steine von grüner Farbe. Die darauf folgenden beiden äußersten Steine sind entgegen der sonstigen Längsrichtung des Edelsteinbesatzes quer zu den Steinreihen angebracht und wiederum von roter Farbe; nachdrücklich betonten diese Anordnung und vor allem die hier eingefügten grünen Steine den sich verbreiternden Umriß des Kreuzes und damit das Nachleben der traditionellen Form der Gemmenkreuze. Die Kanten der Vorderseite des Kreuzes begleiten gedrehte, sogenannte kordonierte Golddrähte. Auch die Köpfe der kleinen Nägel, mit denen der Beschlag am Rande zwischen den Edelsteinen und Goldperlen auf dem Holze befestigt ist, sind mit ähnlichen Golddrähten umgeben, so daß sie wie kleine Rosetten aussehen.

Die sorgfältige Farbkomposition der Edelsteine – vor allem der Wechsel von roten und grünen Steinen – zeigt ebenso wie die Verwendung der kostbaren Saphire, daß der Goldschmied, der den Steinbesatz am Kreuze anbrachte, über eine große Auswahl von Edelsteinen verfügt haben muß und nicht genötigt war, Steine allenfalls ähnlich zu bezeichnender Farbigkeit einander zuzuordnen, wie wir dies auch an wertvollen und aufwendigen mittelalterlichen Goldschmiedewerken allenthalben beobachten können. Nicht selten, wenn gleichfarbige Edelsteine nicht in genügender Anzahl zu beschaffen waren, hat man sogar auf eine bewußte Farbkomposition verzichtet und die Steine gleichsam wahllos über die Fläche gestreut.

Wir dürfen daraus schließen, daß unser Goldschmied in einem bedeutenden Zentrum oder wenigstens für einen nicht nur vermögenden, sondern auch einflußreichen Auftraggeber tätig war, der in der Lage war, die notwendigen Steine zur Verfügung zu stellen oder zu beschaffen. Meist geschah dies wohl nicht durch Erwerb neuer, aus dem Orient eingeführter Edelsteine, sondern durch Auflösung älterer, nicht selten aus dem Altertum stammender Goldschmiedewerke. Leider läßt sich der Ort des Wirkens unseres Künstlers bisher nicht näher bestimmen. Doch dürfen wir davon ausgehen, daß das Kreuz im Zentralgebiet des karolingischen Reiches, also im Westen Deutschlands oder im Norden Frankreichs, entstanden ist.

Stephansbursa und Psalter Karls des Kahlen

Für die zeitliche Entstehung des Kreuzes bietet die Form der Fassungen einen gewissen Anhaltspunkt. Die vom Grund sehr weit hochstehenden und ziemlich großen Goldschmiedefassungen haben nicht nur die Aufgabe, die Steine zu halten, sondern sollen, wie das stets bei Edelsteinfassungen der Fall ist, diese größer erscheinen lassen. Nicht zuletzt dienen sie dazu, angesichts der sehr unterschiedlichen Größe und Form der versetzten Steine das Gesamtbild zu vereinheitlichen.

Abgesehen von dem um den mittleren Bergkristall gelegten Edelsteinkranz und den jeweils zwei Steinen an den Enden der Kreuzesbalken mit ihren rechteckigen Kastenfassungen haben alle Fassungen auf dem Kreuz eine ovale Grundform, auch wenn sie im Inneren einen quadratischen oder rechteckigen Stein halten. Ein ziemlich hoher Goldblechstreifen ist jeweils senkrecht auf der Grundplatte aufgelötet; an seiner Oberkante ist er mit einem geperlten Golddraht bedeckt. Von hier steigt ein zweites Goldblech schräg zur Mitte auf, wo es den Stein oval oder kantig einfaßt. Ist die Fassung sehr viel größer als der Stein, so wird dabei eine charakteristische Mulde um den Stein gebildet.

Solche Muldenfassungen, in denen sich die Edelsteine spiegeln, so daß der von dem Kreuze ausgehende Glanz sich noch erhöht, finden sich auch an anderen karolingischen Goldschmiedewerken. Zu nennen sind vor allem die vielleicht noch aus der Spätzeit Karls des Großen stammende, spätestens in den ersten Regierungsjahren Ludwigs des Frommen entstandene *Stephansbursa*, ein edelsteinbesetztes Reliquiar, das zu den deutschen Reichskleinodien gehört und sich mit diesen heute in Wien befindet, und andererseits der in die Mitte des 9. Jahrhunderts datierte Goldschmiededeckel des Psalters Karls des Kahlen in der Pariser Nationalbibliothek. Auf diesem Buchdeckel gibt es wie auf dem Ardennenkreuz zwischen den Edelsteinen auch die charakterischen goldenen Halbkugeln mit kreuzförmigen Bügeln.

Im Prinzip sind die Fassungen bei allen drei Goldschmiedewerken in gleicher Weise angelegt. Auf der *Stephansbursa* sind die Mulden jedoch weniger breit, die Fassungen insgesamt kleiner, ihre äußere Kante ist nicht durch einen aufgelöteten Filigrandraht betont. Die Form der Fassung folgt immer der Form und in stärkerem Maße auch der Größe des einzelnen Steines, so daß ovale Steine stets ovale, runde Steine runde Fassungen haben und rechteckige Edelsteine jeweils auch rechteckig gefaßt sind.

Der Steinschmuck des Deckels des Psalters Karls des Kahlen zeigt ein anderes Verhältnis von Fassung und Stein. Seine Fassungen mit stark ausgeprägten Mulden sind von Größe und Form der Steine weitgehend unabhängig. Sie sind sämtlich oval, die Mulden viel größer als auf dem älteren Werk. Weniger die Edelsteine in ihrer jeweiligen Größe als die sehr auffallenden und schweren Fassungen bestimmen deshalb die Gliederung und das Gesamterscheinungsbild des mit Edelsteinen besetzten Goldschmiededeckels. Die Mulden, die übrigens hier wie beim Ardennenkreuz an ihrer Außenkante von einem Perldraht umgeben sind, sind zu kleinen flachen Tellern geworden, in deren Mitte die in ihrer Einzelform vergleichweise zurücktretenden Edelsteine liegen.

Ein Werk aus der Zeit Kaiser Ludwigs des Frommen

Von späteren karolingischen Goldschmiedewerken aus dem ausgehenden 9. Jahrhundert kennen wir große, erhöhte, mit Filigran besetzte Schmuckteller als Folien der auf ihnen angebrachten Edelsteine. Es läßt sich also über mehrere Jahrzehnte eine deutliche Entwicklung beobachten, in deren Verlauf die Fassungen sich immer stärker verselbständigen und gegenüber den Steinen ein ästhetisches Eigengewicht gewinnen. Das *Ardennenkreuz* nimmt zwischen der *Stephansbursa* aus dem ersten Viertel des 9. Jahrhunderts und dem Buchdeckel aus der Mitte des 9. Jahrhunderts ausgesprochen eine Mittelstellung ein. Daraus dürfen wir eine Entstehungszeit innerhalb des zweiten Viertels des Jahrhunderts erschließen, am ehesten noch in der Regierungszeit Kaiser Ludwigs des Frommen (814–840). Diese Annahme findet eine Stütze darin, daß die kunsthistorische Forschung für die getriebene Ranke auf der Rückseite des Kreuzes auf Parallelen innerhalb der Buchmalerei der Schule von Tours hat hinweisen können. Dem Gesamtcharakter der Ranke entsprechen Formen in Handschriften aus der Zeit Abt Adalhards (834–843), einzelne verwandte Motive finden sich bereits in Arbeiten aus der Zeit seines Vorgängers Fridugisus (807–834).

Andere Gemmenkreuze aus karolingischer Zeit

Betrachtet man nicht nur die Einzelformen, sondern das Kreuz als Ganzes, so sind die Vergleichsmöglichkeiten dadurch außerordentlich erschwert, daß die meisten der kostbaren edelsteinbesetzten Kreuze aus dem frühen Mittelalter der Habgier späterer Jahrhunderte zum Opfer gefallen, längst eingeschmolzen und ihre Steine anderweitig verwendet worden sind.

Das *Ardennenkreuz* ist das älteste nördlich der Alpen erhaltene Großkreuz mit Edelsteinbesatz. Erst aus ottonischer Zeit haben sich mehrere solcher Kreuze erhalten: das *Reichskreuz*, das Bestandteil der deutschen Reichskleinodien ist und im Inneren neben einer Kreuzesreliquie die vornehmste Reliquie des Heiligen Römischen Reiches, die Heilige Lanze, birgt, heute in Wien, das vielleicht von Otto III. gestiftete sogenannte *Lotharkreuz* im Aachener Domschatz mit einem großen Kameo des Kaisers Augustus im Zentrum und vier weitere Gemmenkreuze im Essener Münsterschatz.

Die beiden in der *Camera santa* in Oviedo in Spanien verwahrten Gemmenkreuze – die nach mittelalterlicher Überlieferung von Engelhand geschaffene *Cruz de los Angeles* aus dem Jahre 808 und die von Alfons III. gestiftete *Cruz de la Victoria* von 909 – sind von gänzlich anderer Form. Das gilt auch für die in Italien erhaltenen Stücke, vor allem die mit Kameen übersäte, wohl noch dem 8. Jahrhundert entstammende *Croce del Re Desiderio* in Brescia und das freilich stark erneuerte von Kaiser Justinus II. (565–578) gestiftete Kreuz in der Sakristei von St. Peter in Rom.

Aus frühmittelalterlicher Zeit wissen wir noch von zwei Kreuzen in der mit dem westfränkischen und späteren französischen Königtum aufs engste verbundenen Abtei Saint-Denis bei Paris. Zum Schatz dieser Kirche müssen außerdem noch zwei weitere ähnlich kostbare Kreuze aus gotischer Zeit gehört haben. Sie sind freilich sämtlich während der Französischen Revolution 1793 zerstört worden. Abbildungen, wenn auch von unterschiedlichem Wert, und ausführliche Inventarbeschreibungen geben jedoch gewisse Hinweise auf ihr ursprüngliches Aussehen. Ein offenbar sehr großes Kreuz, das König Dagobert (623–639) gestiftet hatte und das als ein Werk des heiligen Goldschmiedes Eligius besonderen Ruhm genoß, ist auf einem spätgotischen Altargemälde relativ zuverlässig abgebildet; ein kleines Fragment ist außerdem erhalten.

Daneben gab es ein von Karl dem Kahlen (840–877, Kaiser seit 875) gestiftetes, gelegentlich – wenn auch sicherlich zu Unrecht – mit Karl dem Großen in Zusammenhang gebrachtes Kreuz, das 1634 ausführlich beschrieben worden und in einem Werk über die Abtei Saint-Denis von Michel Felibien aus dem Jahre 1706 zusammen mit anderen Gegenständen des Schatzes auch abgebildet ist (Abb. 7).

Von allen uns bekannten spätantiken und mittelalterlichen Gemmenkreuzen kommt dieses Kreuz Karls des Kahlen dem *Ardennenkreuz* am nächsten. Auch hier gab es als zentrales Motiv einen großen, durchsichtigen, hochovalen Stein, in diesem Fall einen in allen Quellen als besonders kostbar bezeichneten Amethysten, der aus einem Kollier der Königin Nanthilde stammen sollte, umgeben von einem Kranz von Smaragden. Eine Reihe großer Saphire, offenbar in ähnlichen Muldenfassungen wie beim Ardennenkreuz, schmückte die Mitte der Kreuzesbalken. Dazwischen waren jeweils wechselnd dreieckförmige Plättchen aus roten Almandinen und grünen Glasflüssen angebracht.

7. Teile des Schatzes der Abtei Saint-Denis bei Paris, links das Kreuz Karls des Kahlen, Kupferstich des 18. Jahrhunderts

Der Wechsel roter und grüner Steine spielt auch in der Farbigkeit des *Ardennenkreuzes* eine große Rolle. Statt der seitlichen Edelsteinreihen war als Rahmung eine gesondert abgesetzte Schnur großer Perlen angebracht. Zu den Goldkugeln scheint es keine Entsprechung gegeben zu haben, wenn die recht schematische Zeichnung insoweit zuverlässig ist; die Verfasser der Inventarbeschreibung von 1634 interessierten sich ohnehin nur für die einzelnen Edelsteine und ihren Wert. Vor allem durch diese Perlen und die vier großen freistehenden Saphire in den Ecken zwischen den sich kreuzenden Balken unterschied sich das Kreuz Karls des Kahlen vom *Ardennenkreuz.* Auch der Abschluß der Kreuzesarme stimmte nicht völlig überein. Es fehlte die mittlere Aufspaltung; ähnlich war jedoch die ausschwingende Verbreiterung der Kreuzesarme an ihren Enden, wie sie für die Tradition der Gemmenkreuze seit alters verbindlich war. Die Höhe des Kreuzes wird mit 2½, die Breite mit 2¼ Fuß angegeben; es dürfte also noch etwas größer als das *Ardennenkreuz* gewesen sein. Die im Kreuz geborgenen Reliquien waren in Fächern in den waagerechten Armen untergebracht. Über das Aussehen der Rückseite ist leider nichts überliefert, was besonders bedauerlich ist, weil vielleicht von hier aus Rückschlüsse auf das verlorene Mittelmotiv der Rückseite des *Ardennenkreuzes* möglich gewesen wären.

Überblickt man die Gesamtheit der Gemmenkreuze von der Spätantike bis in ottonische Zeit, so entsprechen sich die beiden uns heute noch allein bekannten karolingischen Werke, das *Ardennenkreuz* und das einige Jahrzehnte später entstandene Kreuz Karls des Kahlen im Schatz von Saint-Denis, auffallend.

Das *Ardennenkreuz* und allenfalls die ihr zeitlich vorausgehende *Stephansbursa* sind die beiden einzigen Goldschmiedewerke, die aus der Regierungszeit Kaiser Ludwigs des Frommen (814–840) erhalten sind. Doch besteht kein Anlaß, seine Entstehung unmittelbar mit dem Hof dieses Kaisers in Zusammenhang zu bringen. Über Künstler im Umkreis Ludwigs des Frommen ist bisher nichts Sicheres bekannt. Die zeitgenössischen Quellen und die materielle Überlieferung legen eher den Schluß nahe, daß er anders als sein Vater Karl der Große oder gar sein Sohn Karl der Kahle, auf den zahlreiche ungewöhnlich prunkvolle Werke der Goldschmiedekunst, Elfenbeinskulptur und Buchmalerei zurückgehen, in der Förderung der Künste vielleicht nicht dieselbe Aufgabe gesehen hat. Das *Ardennenkreuz* kann auch im Auftrage eines Bischofs, einer Domkirche, einer bedeutenden Abtei oder als Stiftung eines weltlichen Großen des karolingischen Reiches entstanden sein.

Als einem der ganz wenigen erhaltenen Werke aus einem in der Geschichte der Kunst großen Jahrhundert, aus dem uns Handschriften und Elfenbeintafeln in gewissem Umfang überkommen sind, von dessen großen Goldschmiedewerken wir aber meist nur in literarischen Quellen lesen können und in seltenen Fällen aus kümmerlichen Nachzeichnungen späterer Zeit uns ein Bild zu machen suchen, kommt dem *Ardennenkreuz* ein besonderer Rang zu.

Rainer Kahsnitz

DAS GOLDENE EVANGELIENBUCH VON ECHTERNACH

Buchmaler, Schreiber, Goldschmiede und Elfenbeinschnitzer schufen an einem Prachtband

Notiz für den Leser

Das christliche Abendland war im Mittelalter ein Land der Analphabeten. Lesen (oder gar schreiben!) konnten nur ein Bruchteil der Mönche hinter den Klostermauern und nur sehr wenige Angehörige der Adelsschicht. Literatur – in der mittelmeerischen Antike zur hohen Blüte entwickelt – fand kaum statt: Die mündliche Erzähltradition der breiten Volksschichten beschränkte sich auf die Weitergabe von Bibelgeschichten und Heiligenlegenden, die der gehobenen Stände auf Heldenepen und Minnelieder.

Entsprechend blieben die Bücher nur einem kleinen Leser-, vielleicht auch nur Besitzerkreis vorbehalten: den Klöstern selbst, wo sie geschaffen wurden, den großen Kirchen und Fürstenhöfen.

Eines der schönsten und prunkvollsten Exemplare dieser Art stammt aus der Werkstatt des Klosters Echternach, einer Gründung jener Westeuropa christianisierenden irisch-schottisch-englischen Missionsbewegung (in dieser Reihenfolge!); sein Herstelljahr ist um 1030 anzusetzen. Dieser »Codex aureus der Abtei Echternach« war vermutlich eine Auftragsarbeit und enthält das Leben Christi in der Form der vier Evangelien sowie auf insgesamt sechzehn Zier- und Bildseiten in einer selbst für das Mittelalter einmaligen Schönheit.

Dem Inhalt entsprach der Einband. Eines der wertvollsten Geschenke, die das Kloster von Otto III. und seiner Mutter Theophanu erhielt, ein Buchdeckel aus der Trierer Goldschmiedewerkstatt, nahm das Evangeliar auf. Holz, Elfenbein, Goldblech, Email, Edelsteine und Perlen waren die Materialien, Jesu Kreuzestod, die Evangelisten, Klostergründer und Stifter das Thema dieses Meisterwerks. Der Einband, um 990 gefertigt, entstand rund vierzig Jahre vor dem Buch, das er schützen und schmücken sollte. W. D.

Englische Mönche gründen das Kloster Echternach

Als in Echternach um das Jahr 1030 das ottonische Evangelienbuch mit seinen Bild- und Zierseiten auf Purpurgrund und seinen Textseiten in Goldschrift geschaffen wurde, das zu den kostbarsten Schätzen des Germanischen Nationalmuseums gehört, hatte das Kloster des heiligen Willibrord schon eine jahrhundertelange Geschichte hinter sich.

Um das Jahr 700 hatte Willibrord, aus Northumbrien in England kommend, damals Missionserzbischof von Utrecht, mit Hilfe des fränkischen Hausmeiers Pippin des Mittleren und seiner Gemahlin Plektrudis das Kloster Echternach in der Nähe von Trier, heute auf luxemburgischem Staatsgebiet gelegen, gegründet. Im 8. Jahrhundert erlebte es eine erste Glanzzeit mönchischen Lebens, die sich auch in einer Produktion von Handschriften mit großartigen Werken der Buchmalerei niederschlug. Diese lebte noch ganz aus dem Formenschatz der irisch-angelsächsischen Ornamentik und der insularen Tier- und Menschendarstellung, wie sie durch die Herkunft des Klostergründers vermittelt war.

Im 9. und 10. Jahrhundert geriet Echternach unter die Herrschaft von Laienäbten. Doch setzte Otto der Große bereits 973 wieder einen Mönch als Abt ein, der mit vierzig Benediktinern aus dem großen Reichskloster St. Maximin in Trier in Echternach einzog und die dort lebenden Kanoniker vertrieb, so daß man von einer Neugründung durch das Trierer Maximin-Kloster sprechen kann. Die enge Verbindung zu Trier blieb seitdem bestehen.

Die Reformbewegung, die im 10. und 11. Jahrhundert, von Gorze in Lothringen und von Cluny in Burgund ausgehend, zu einer grundlegenden Erneuerung des gesamten abendländischen Mönchstums führte, kam in Echternach offenbar erst im 11. Jahrhundert zur vollen Entfaltung, als der große Reformabt Poppo von Stablo-Malmedy, inzwischen selbst zusätzlich Abt von St. Maximin, aus cluniazensischem Geiste mit Hilfe Kaiser Konrads II. und seiner Gemahlin auch Echternach reformierte. 1028 war Abt Urold »propter incontinentiam corporis« (wegen Unenthaltsamkeit des Körpers) abgesetzt worden. 1031 weihte Erzbischof Poppo von Trier im Beisein Graf Heinrichs II. von Luxemburg die neuerbaute Abteikirche in Echternach, da der aus der zweiten Hälfte des 8. Jahrhunderts stammende große ältere Bau 1016 abgebrannt war. Abt war jetzt Poppos Schüler Humbert, in dessen Regierungsjahren (1028–1051) Echternach die größte künstlerische Entfaltung seines Skriptoriums erlebte.

Während in der Zeit von Otto dem Großen bis zu Otto III., also in den Jahren vor und um 1000, in den großen Reichsklöstern und an den großen Erzbischofssitzen – auf der Reichenau, in Fulda, in Trier und Köln – jene Werke der Buchmalerei geschaffen wurden, deretwegen wir die ottonische Kunst zu einer der großen Epochen der europäischen Kunstgeschichte zählen, hören wir aus Echternach nichts; allenfalls einige Texthandschriften mit bescheidenen Initialen wechselnden Stils mögen damals dort geschrieben worden sein. Im zweiten und dritten Viertel des 11. Jahrhunderts aber, als von den alten Zentren der ottonischen Kunst nur noch in Köln anspruchsvolle Handschriften mit Bildern geschaffen wurden, entstand in Echternach in dichter Folge eine Reihe von Prachthandschriften, die ein gut organisieres und planvoll geleitetes Skriptorium voraussetzen.

Zehn solcher Handschriften mit Bildern haben sich bis heute erhalten, wenn auch von unterschiedlichem Format und sehr unterschiedlichem Umfang ihres Bilderzyklus. Von den zehn Handschriften sind sieben Evangeliare; in zweien, darunter dem Nürnberger, ist der gesamte Text in Goldschrift geschrieben. Zwar hatte es solche Goldhandschriften in der Spätantike – damals zum Teil sogar mit Goldschrift auf Purpurgrund –, in karolingischer Zeit und vereinzelt auch noch in ottonischer Zeit gegeben. Doch war dieser Aufwand an kostbarem Material und an Arbeit immer auf seltene Einzelfälle, wohl vor allem auf kaiserliche Aufträge, beschränkt geblieben. Das Reichenauer Skriptorium etwa, das doch für uns Inbegriff des Glanzes der ottonischen Kunst ist, hat niemals einen *codex* in Goldschrift geschaffen.

Zu den sieben in Echternach in dieser Zeit entstandenen Evangelienbüchern mit dem fortlaufenden Text der Evangelien kommen zwei weitere Handschriften in kleinerem Format, die die Evangelientexte in der Folge der Lesungen des Kirchenjahres ordnen, ebenfalls mit reicher Bildfolge aus dem Leben Christi – heute in Bremen und Brüssel verwahrt. Die zehnte Handschrift, ein Sakramentar, enthält andere beim Gottesdienst, vor allem bei der Messe, benötigte Texte.

Auftragsarbeiten für König und Kaiser Heinrich III.

Drei dieser insgesamt zehn Bilderhandschriften sind unmittelbar für den deutschen König und Kaiser Heinrich III. (1039–1056) aus dem salischen Herrscherhause geschaffen worden. Die älteste Handschrift ist ein heute in Bremen befindliches Perikopenbuch, in dem unter anderem auf vier Bildern die Herstellung der Handschrift und ihre Übergabe zusammen mit einer Bittschrift an den König sowie die Begrüßung des Königs und seiner Mutter, der Kaiserinwitwe Gisela, bei einem Besuch in Echternach, wohl im Jahre 1039, dargestellt sind. In den Jahren 1045/1046 bestellte Heinrich III. in Echternach ein großes Prachtevangeliar in Goldschrift, auf dessen Eingangsseiten er selbst mit seiner Gemahlin Agnes sowie seine Eltern, Konrad II. und

Gisela, dargestellt sind. Es war als königliches Geschenk für den Dom in Speyer, die Grablege des salischen Herrscherhauses, bestimmt. Diese an Größe, Aufwand und Pracht anspruchsvollste Handschrift, die aus dem Echternacher Skriptorium hervorgegangen ist, wird seit dem 16. Jahrhundert im Escorial in Spanien aufbewahrt. Zwischen 1051 und 1056, wahrscheinlich 1056, schenkte der inzwischen zum Kaiser gekrönte Heinrich III. dem von ihm gegründeten Stift St. Simon und Juda in Goslar ein weiteres kostbares, in Echternach in seinem Auftrag geschriebenes und mit Miniaturen verziertes Evangelienbuch, heute in Uppsala, und bestätigte im Mai desselben Jahres in einer Urkunde von Goslar aus dem Kloster Echternach ausdrücklich den Status eines königlichen Klosters in Lotharingien. Vor allem nachdem es der Abtei Echternach gelungen war, Heinrich III. als Auftraggeber zu gewinnen, fiel Echternach für Jahrzehnte im 11. Jahrhundert als Kunstzentrum die Stellung zu, die unter den ottonischen Kaisern und noch unter Heinrich II. die Reichenau eingenommen hatte.

Vor diesen in königlichem und kaiserlichem Auftrag entstandenen Handschriften für Heinrich III. ist als älteste der Prunkhandschriften des 11. Jahrhunderts das heute in Nürnberg liegende Evangelienbuch geschaffen worden, das, soviel wir wissen, seit seiner Anfertigung um 1030 bis in die Zeit der Französischen Revolution im Kloster Echternach selbst aufbewahrt wurde und wohl von Anfang an zum eigenen Gebrauch der Abtei bestimmt war. 1801 mußten es die nach Thüringen geflohenen Echternacher Mönche zur Bestreitung ihres Lebensunterhaltes an die Herzöge von Sachsen-Gotha verkaufen, von deren Familie es 1955 das Germanische Nationalmuseum erwarb.

Über die Größe des Echternacher Skriptoriums im 11. Jahrhundert haben wir leider keine Nachrichten; doch wird man, rechnet man mit einem Konvent von etwa vierzig Mönchen, die Zahl der mit der Herstellung von Handschriften beschäftigten Mönche nicht sehr hoch ansetzen dürfen. Im Gegensatz zur Frühzeit des 8. Jahrhunderts und zur zweiten Hälfte des 11. Jahrhunderts, in der mehrere Echternacher Mönche ihren Namen in den von ihnen geschriebenen *codices* eingetragen haben, kennen wir aus der Zeit des Abtes Humbert (1028–1051) keine Schreiber- oder gar Malernamen. Malersignaturen waren freilich im frühen Mittelalter noch seltener als Schreibervermerke und kommen am ehesten in den Ausnahmefällen vor, in denen Maler und Schreiber identisch waren. Die Forschung hat festgestellt, daß die meisten großformatigen und bilderreichen Luxushandschriften, die im zweiten Viertel des 11. Jahrhunderts in Echternach entstanden, im wesentlichen von nur zwei Personen geschrieben worden sind. Die Eigentümlichkeiten ihrer Schriftzüge lassen sich deutlich durch die Handschriften verfolgen. Da wir ihre Namen nicht kennen, werden sie in der Literatur als Schreiber A und B bezeichnet. Ihnen zur Seite standen offenbar mehrere Maler, die neben den ganzseitigen Bildern und Zierseiten auch die zahlreichen Initialen auszuführen hatten. Für sie pflegten die Schreiber den entsprechenden Platz auf der Seite frei zu lassen, wobei sie manchmal sogar mit einem kleinen Buchstaben in dem leer gelassenen Raum angaben, welchen Initialbuchstaben die Maler einsetzen sollten. Durch die ausgeführten, meist aus Goldranken bestehenden Initialen wurden diese Hinweise dann verdeckt.

Die Herstellung einer Handschrift

Über die Dauer der Arbeit an einer solchen Handschrift können wir nur Vermutungen anstellen. Die in mittelalterlichen *codices* gelegentlich enthaltenen Hinweise, wieviel Zeit die Herstellung in Anspruch genommen hat, schwanken naturgemäß außerordentlich. Neben wenigen Wochen werden oft viele Monate, für große Bibelhandschriften auch Zeiten von ein bis zwei Jahren genannt. Doch dürfte der moderne Betrachter den Zeit- und Arbeitsaufwand in der Regel überschätzen. Die vergleichsweise kurzen Texte einer Evangelienhandschrift, die mengenmäßig knapp ein Zehntel einer Bibelhandschrift ausmachen, werden, was die reine Schreibarbeit anbelangt, leicht in wenigen Monaten vollendet gewesen sein. Daß das Schreiben mit Goldtinte, für deren Zubereitung aus dem Altertum und dem Mittelalter mehrere Rezepte überliefert sind, besonders langsam vor sich gegangen sei, ist nicht anzunehmen. Das pulverisierte Gold wurde mit einem Bindemittel flüssig und für das Auftragen auf dem Pergament haftend gemacht; gelegentlich wird in diesem Zusammenhang Honig genannt. Wichtigster Bestandteil waren aber auf jeden Fall noch andere rasch trocknende Substanzen. Arbeitsintensiver und deshalb langwieriger als das reine Schreiben der Texte waren ohne Zweifel die Bild- und Zierseiten sowie die über fünfhundert Initialen, wie sie für die Echternacher Prachthandschriften typisch sind. Doch scheint es nicht notwendig, auch für ein solches Werk wie das Nürnberger *Goldene Evangelienbuch*, wenn nicht äußere Umstände eine Unterbrechung der Arbeiten verursachten, mit einem wesentlich längeren Zeitraum als etwa einem Jahr zu rechnen, zumal sich in der Regel wie auch an der Nürnberger Handschrift mehrere Maler die Arbeit teilten und für Initialen und Zierseiten möglicherweise auch Gehilfen und Schüler herangezogen werden konnten. Zwei Maler lassen sich in der Nürnberger Handschrift deutlich unterscheiden; ein dritter war offenbar nur zeitweilig beteiligt.

Kennen wir auch die Namen der Echternacher Schreiber und Maler nicht, so finden wir in dem schon erwähnten Perikopenbuch, das zwischen 1039 und 1043 für König Heinrich III. als Geschenk gefertigt wurde und das sich heute in Bremen befindet, aber ein Bild, auf dem wir sie bei der Arbeit sehen (Abb. 1). Innerhalb eines kirchenartigen Gebäudes, das in dem begleitenden Vers ausdrücklich als Efter-

1. Maler und Schreiber bei der Herstellung einer Handschrift, Echternach 1039–1043, Universitätsbibliothek Bremen

2. Engel mit Schrifttafel zum Matthäusevangelium, Goldenes Evangelienbuch von Echternach um 1030

3. Gleichnis vom armen Lazarus und reichen Prasser aus dem Goldenen Evangelienbuch

naca (Echternach) bezeichnet wird, sind zwei Personen, über ein Pult gebeugt, bei der Arbeit an der noch unfertigen Handschrift dargestellt; in der Hand halten sie eine Feder. Die vordere in langer weiter Kutte ist als Mönch gekennzeichnet, die weiter hinten sitzende ist ein Laie. Überzeugend hat man vorgeschlagen, in dem Mönch den Schreiber, in dem Laien den Maler zu sehen; die Handschrift ist von der Hand eines Schreibers, ihre Bilder sind von der Hand eines einzigen Malers erstellt worden. Gewiß war das Schreiben von Handschriften, wozu wohl auch gewisse Lateinkenntnisse gehörten, in erster Linie Aufgabe der Mönche, werden die meisten Klöster, die überhaupt anspruchsvolle Handschriften hergestellt haben, über Mitglieder des eigenen Konvents verfügt haben, die in der Lage waren, eine saubere und sorgfältige Buchschrift zu schreiben. Nicht immer, wahrscheinlich nur sehr selten, aber hatte ein Kloster Mönche, die auch fähig waren, Bilder zu malen, weshalb man wohl öfter, als man lange Zeit geglaubt hat, berufsmäßige Künstler von auswärts zu solchen Arbeiten heranziehen mußte. Sie mögen gelegentlich Priester oder Mönche gewesen sein, häufiger aber waren es wohl Laien. Es scheint, daß die Echternacher Buchmaler aus dem Kreis der Künstler hervorgegangen sind, die, wie wir aus einer literarischen Quelle wissen, um 1030 die neuerbaute Echternacher Abteikirche – der Vorgängerbau war 1016 abgebrannt – mit Fresken ausgeschmückt haben. Bei Wandmalern, die oft von weit her berufen wurden, wird man ohnehin in erster Linie mit Laien zu rechnen haben. In dem über das Pult gebeugten Laien dürfen wir demnach ein Bildnis des Malers der für Heinrich III. geschaffenen Handschrift, wenn natürlich auch kein Selbstporträt im Sinne der neueren Kunst sehen; die Wiedergabe physiognomischer Eigenarten lag noch gänzlich außerhalb des Vorstellungsbereiches dieser Künstler. Von seiner Hand stammt auch ein wesentlicher Teil der Miniaturen unserer Handschrift; auch der dargestellte Mönch hat an dem Goldenen Evangelienbuch mitgearbeitet; es ist der oben genannte Schreiber A.

Das *Goldene Evangelienbuch* in Nürnberg gehört, wie schon gesagt, zusammen mit dem für Speyer bestimmten Evangeliar Heinrichs III. zu den beiden Goldhandschriften des Echternacher Skriptoriums. Nicht nur durch diese Goldschrift ragen sie aus der üblichen Produktion der ottonisch-salischen Handschriften heraus, sondern auch buchstäblich durch ihre Größe – die meisten auch der schönsten und aufwendigsten ottonischen Handschriften sind wesentlich kleiner –, durch die Sorgfalt in der Auswahl und Bearbeitung des Pergamentes, durch die Ausgewogenheit der Anordnung der einzelnen Seiten und des ganzen Buches, vor allem aber durch den Reichtum ihrer Zierseiten und den Umfang ihres Bilderzyklus. Die Handschrift hat über sechzig Bild- und Zierseiten, von denen die wichtigeren purpurfarbenen Grund haben. Hinzu kommen unzählige Initialen aus Gold- und gelegentlich auch aus Silberranken auf den reinen Textseiten, so daß kaum eine der 276 Seiten der Handschrift ohne künstlerischen Schmuck geblieben ist.

Wie schon die Buchmalerei des Altertums zu Beginn eines Textes das Bild des jeweiligen Verfassers setzte, so hat die christliche Kunst die Evangelienbücher stets mit den Bildern der Evangelisten geschmückt. So stehen auch in unserer Handschrift zu Beginn der vier Evangelien die Bilder der Evangelisten Matthäus, Markus, Lukas und Johannes. Auf der im aufgeschlagenen Buch dem Evangelistenbild gegenüberstehenden Seite halten jeweils Engel große Schrifttafeln oder Bücher, in denen die Botschaft des jeweiligen Evangeliums in gehobener Sprache und gebundener Rede von sprachlich oft hoher Ausdruckskraft dem Betrachter gedeutet wird (Abb. 2). Jedem dieser Evangelistenbilder gehen in der Handschrift vier Seiten mit Szenen aus dem Leben Jesu voraus.

Das Leben Jesu in Bildern

Wenn ein mittelalterlicher Künstler ein Evangelienbuch, also den gesamten Text der vier Evangelien, mit einem einheitlichen Bilderzyklus aus dem Leben Christi illuminieren wollte, stand er vor einem schwierigen Problem, da viele der wichtigen Ereignisse aus dem Leben Jesu an vier oder doch an drei Stellen der Evangelien berichtet werden. Nur wenige, am ehesten byzantinische Handschriften haben den Text fortlaufend und unabhängig voneinander illustriert, also etwa die Kreuzigung Christi bei allen vier Evangelien dargestellt. Abendländische und auch byzantinische Künstler haben häufig versucht, eine einzige Serie von Bildern aus dem Leben Christi über die vier Evangelien zu verteilen. Wollte man dabei die historische Reihenfolge des Lebens Jesu beibehalten, so gelang dies jedoch wegen der Eigenart der Evangelientexte nur unter vielen Kompromissen und teilweise auch gar nicht. Die genannte Echternacher Handschrift im Escorial ist ein Beispiel dafür: Die Verkündigung an Maria bei Lukas folgt auf das Bild der Kreuzigung bei Markus. Darüber hinaus ergab sich eine sehr ungleichmäßige Verteilung der Bilder innerhalb des *codex*.

Eine sinnvolle Folge war eher noch bei Handschriften zu erreichen, die wir Perikopenbücher nennen, die also nur die einzelnen Abschnitte der Evangelien enthalten, die an den Sonn- und Festtagen im Gottesdienst gelesen wurden, und zwar in der Reihenfolge des Kirchenjahres. Auch in Echternach sind zwei solcher Handschriften geschaffen worden; die genannte Handschrift, die Heinrich III. als Geschenk erhielt (heute in Bremen), ist ein solches Perikopenbuch. In den im Mittelalter häufigen reinen Evangelienhandschriften war dies aber kaum möglich.

Die Echternacher Künstler haben in dem besonders bilderreichen Zyklus des Nürnberger *codex* die Szenen aus dem Leben Jesu zu einer einheitlichen Folge zusammengefaßt und diese unabhängig von dem Text der Evangelien kurzerhand in vier Teilen auf jeweils vier Seiten mit streifenförmigen Kompositionen den einzelnen Evangelientexten vorangestellt. Auf Matthäus entfiel dabei die Kindheitsgeschichte von der Verkündigung an Maria bis zur Berufung der Apostel. Vor Markus folgten die Szenen aus dem öffentlichen Wirken des Herrn, vor allem die Wundertaten.

Der nächste Abschnitt setzt zu Beginn des Lukasevangeliums die Themen des öffentlichen Wirkens mit den ausführlichen, sonst eher seltenen Darstellungen der Gleichnisse fort: das Gleichnis vom großen Gastmahl, von den Arbeitern im Weinberg, vor allem aber auf einer ganzen Seite die ausführliche Darstellung des Gleichnisses vom armen Lazarus und reichen Prasser nach Lukas 16, 19–31 (Abb. 3). Im oberen Streifen sitzt der Prasser an seiner Tafel, rechts daneben bettelt der mit Geschwüren bedeckte Lazarus an seiner Tür, wo die Hunde seine Wunden lecken. Im mittleren Streifen ist Lazarus gestorben; Engel kommen vom Himmel und bergen seine Seele in Gestalt einer kleinen nackten Figur in einem Tuch, um sie in den Himmel zu tragen. Rechts sitzt Lazarus im Schoße Abrahams; zahlreiche andere kleine Seelen bevölkern das durch Bäume bezeichnete Paradies. Handbewegung und Kopfneigung von Abraham und Lazarus beziehen sich auf die Hilferufe des unter ihnen in der Hölle brennenden Prassers. Denn im unteren Streifen ist links der gräßliche Tod des Prassers dargestellt, dessen Seele von Teufeln geholt und in das ewige Feuer geworfen wird. Im Kreise anderer Seelen erkennen wir rechts in dem Feuer oberhalb des gebundenen Satans den mit ausgebreiteten Händen Abraham anflehenden Prasser: »Vater Abraham, sende den Lazarus, daß er die Spitze seiner Finger in Wasser tauche und meine Zunge erfrische, denn ich leide große Pein.« – Abraham aber erwiderte bekanntlich: »Gedenke, Sohn, daß du Gutes empfangen hast in deinem Leben, Lazarus hingegen Übles. Jetzt wird dieser getröstet, du aber gepeinigt. Und überdies ist zwischen uns und euch eine so große Kluft, daß die, welche von hier zu euch hinübergehen wollten, es nicht könnten, und die, welche von dort herüberkommen wollten, auch nicht.«

Den Abschluß des Leben-Christi-Zyklus bilden dann die vier Sei-

4. Majestas Domini, Titelbild des Goldenen Evangelienbuches

ten vor dem Johannesevangelium mit den Ereignissen der Passion Christi, der Auferstehung und dem großen Bild der Himmelfahrt und des Pfingstgeschehens.

Mit dieser Verteilung des im Rahmen der gesamten mittelalterlichen Kunst ungewöhnlich bilderreichen Leben-Christi-Zyklus auf die Anfänge der vier Evangelien hat es das Echternacher Skriptorium in der Nürnberger Handschrift verstanden, den Zyklus in das feste Ausstattungssystem des *codex* einzugliedern, das bei allen vier Evangelien strikt eingehalten wird und im Prinzip nicht nur für die beiden großen Handschriften in Nürnberg und im Escorial (hier bei abweichender Bildfolge), sondern in vereinfachter Form auch für die kleineren Evangelienhandschriften gilt: Nach den Zierseiten und Ziertiteln zu den Vorreden und dem Kapitelverzeichnis der einzelnen Evangelien, wozu auch eine große Zierseite mit dem Namen des Evangelisten gehört, bezeichnen zwei Ornamentseiten, die Motive byzantinischer und orientalischer Seidenstoffe aufnehmen, den eigentlichen Beginn des jeweiligen Evangeliums. Darauf folgen – ebenfalls auf Purpurgrund – vier Seiten mit den streifenförmigen Darstellungen der Szenen aus dem Leben Christi. Diesen vier Bildseiten schließen sich bei jedem Evangelium vier weitere Seiten auf Purpurgrund an: das Bild des Evangelisten und ihm gegenüber die von Engeln gehaltene Schrifttafel mit Versen über das jeweilige Evangelium, der Titel des Evangeliums, also eine Zierseite mit dem Text »Incipit Evangelium secundum Matheum«, usw. und eine große Zierseite mit dem ersten Wort des jeweiligen Evangelientextes. Eine solche Folge von insgesamt sechzehn Zier- und Bildseiten geht jedem Evangelientext voraus. Hinzu kommen in der Handschrift die Bild- und Zierseiten, die sich auf die Evangelienhandschrift als Ganzes beziehen, am Anfang der Handschrift stehen und sozusagen allen vier Evangelien gemeinsam sind.

Das Buch des Lebens

Bezeichnen den Beginn des einzelnen Evangeliums, wie wir gesehen haben, Bild und Name seines Verfassers, also des jeweiligen Evangelisten, so steht am Beginn des gesamten Evangelienbuches das Bild Christi selbst als des eigentlichen Urhebers und Inspirators der in den vier Evangelien nur in Facetten aufgefächerten göttlichen Offenbarung (Abb. 4). Umgeben von den vier Evangelistensymbolen und den vier großen Propheten Isajas, Jeremias, Ezechiel und Daniel, thront der Herr in blauem Gewand vor einer goldenen Mandorla (mandelförmiger Heiligenschein). Eine Inschrift in griechischen Buchstaben, die den inneren Rand umgibt, feiert das Königtum Christi: »Dein Thron, Gott, steht bis in alle Ewigkeit, das Zepter der Gerechtigkeit ist das Zepter Deiner Herrschaft« (Psalm 44,7). Im aufgeschlagenen Buch, das Christus auf dem Knie hält, lesen wir: »Gaudete, quorum nomina vestra scripta sunt in libro vitae – Freuet euch, ihr, deren Namen eingeschrieben sind in das Buch des Lebens.« In dem für Speyer geschriebenen, wenig später entstandenen Evangeliar Heinrichs III. heißt es in diesem Zusammenhang sogar: »Hic Liber est vitae, quia vitam continet in se – Dies ist das Buch des Lebens, da es das Leben in sich birgt.« Das Evangelienbuch selbst wird zum Buch des Lebens, das vom Heil nicht nur berichtet, es verkündet, sondern es selbst verkörpert.

Etwas von dem hohen Rang, der dem Evangelienbuch in der Liturgie und im allgemeinen Verständnis des frühen Mittelalters zukommt, wird hier für uns faßbar. Wie der Altar, auf dem das Opfer Christi erneuert wird, konnte auch das Evangelienbuch Christus selbst verkörpern, so daß es in Prozessionen mitgeführt und Gegenstand des Weihrauchopfers sein konnte. Von diesem Verständnis her erst wird letztlich auch der Aufwand erklärbar, mit dem gerade die ottonische Zeit Evangelienbücher ausgeschmückt hat und ihnen nicht selten – wie auch der Nürnberger Handschrift – einen Deckel aus Gold und Elfenbein gegeben hat.

Das Gedicht, das die Engel auf der Schrifttafel auf der der *Majestas Domini* im Buch gegenüberstehenden Seite halten, erklärt die Darstellung des thronenden Christus und die Funktion seines Bildes zu Beginn des Buches:

»Prima fronte libri
Residet regnator olympi . . .«

»Auf der ersten Seite des Buches thront der Herrscher des Olymp; hierher gesetzt als der Erste [an die erste Stelle], da ihm niemand vorausging. Aller Könige König ist er und Gott der Götter. Wer dem Herrn des Himmels, dem das himmlische Reich dient, sich einen will und zugesellen, der tue, was dieses Buch befiehlt, auf daß er, frei von Schuld, dorthin gelange, wo er [Christus] in alle Ewigkeit lebt.«

Die Vorbilder

Der große Atem, der durch diese Darstellung weht, ist ein Erbe ältester christlicher Kunst. Die Bildprägungen der früh- und hochmittelalterlichen Kunst sind nicht freie Erfindungen der einzelnen Künstler, wie der an den Originalitätskult der neuzeitlichen und modernen Kunst gewohnte Betrachter glauben mag. Auch die größten Meister der Kunst des frühen Mittelalters haben die oft vor Jahrhunderten, nicht selten seit den Tagen der Spätantike vorgeprägten Bildfindungen aufgenommen und weiter tradiert, dabei freilich ihren inhaltlichen Vorstellungen und künstlerischen Idealen entsprechend angenähert und umgebildet. Gerade bei der *Majestas Domini* der Echternacher Handschriften sind wir in der selten glücklichen Lage, die Bilder zu kennen, von denen diese Maler – und auch der Maler des Nürnberger Bildes – ausgegangen sind, mit denen sie sich auseinandergesetzt und die sie nach ihrem stilgeschichtlichen Wollen neu formuliert haben.

Von überraschender Ähnlichkeit ist das Bild einer Handschrift, die um 984 in Trier geschrieben – übrigens auch als reine Goldhandschrift – und von dem wohl bedeutendsten Maler der ottonischen Zeit mit Bildern illuminiert worden ist, den wir nach einer weiteren Handschrift den »Meister des Registrum Gregorii« oder kurz »Gregor-Meister« nennen. Wie kein anderer in ottonischer Zeit hat er spätantike Traditionen, aber auch karolingische Vorbilder aufgenommen, wenn auch in den härteren, abstrakteren Geist der ottonischen Kunst umgeprägt. Zahlreiche seiner Bildformulierungen sind gerade für die Echternacher, aber auch für andere ottonische Skriptorien vorbildhaft geworden.

In dieser Handschrift, die der französische König im 14. Jahrhundert der Sainte-Chapelle in Paris zum Geschenk machte und die im 11. Jahrhundert wenn nicht sogar in Echternach lag, so doch in Trier den Echternacher Künstlern zugänglich gewesen sein muß, sehen wir – sehr ähnlich wie in der Nürnberger Handschrift – Christus auf einem Steinthron vor einer goldenen Mandorla sitzen. Auch hier umgibt ein griechischer Bildtitel – in diesem Fall aus Psalm 144 – den inneren Rand der goldenen Sphäre. Die Evangelistensymbole sind in ihren Kreismedaillons Christus in ähnlicher Weise zugeordnet; in den Ecken sitzen, tief mit gerundetem Rücken über ihre Arbeit gebeugt, die Evangelisten – wie in Nürnberg an derselben Stelle die Propheten. Daß sowohl Propheten wie Evangelisten zum ursprünglichen Bildtyp gehört haben, lehrt ein Blick in die karolingische Handschrift, von der der Gregor-Meister ausgegangen ist, die um 840 in Tours in Frankreich entstandene Vivians-Bibel, zu der es eine heute verlorene Parallelhandschrift in Trier gegeben haben muß. In der atmosphärisch-malerischen Welt der karolingischen Miniaturmalerei thront Christus im goldenen Gewand vor einem Gebilde aus Sphären, die von farbigen Wolken durchzogen sind. In den Ecken der Gesamtkomposition finden wir die vier Evangelisten auf ihren Thronen bei der Niederschrift ihrer Evangelien; nur Johannes oben links ist in der charakteristisch gebeugten Form wie die Figuren des Gregor-Meisters und unserer Echternacher Handschrift dargestellt. In den vier Kreismedaillons der Spitze der Rautenform um die Gestalt Christi sind die Halbfiguren der Propheten gruppiert; unmittelbar der aus

5. Kanontafel mit den Parallelstellen der einzelnen Evangelien aus dem Goldenen Evangelienbuch

zwei Kreisen gebildeten Mandorla Christi zugeordnet sind die vier lebenden Wesen als Symbole der Evangelisten.

Hatte der Gregor-Meister die Propheten ganz ausgeschieden, so nahm der Echternacher Maler dieses Thema wieder auf, wenn auch in der Bildgestalt, die der Gregor-Meister den Evangelisten in Übertragung des karolingischen Johannestyps gegeben hatte. Die spätere Entstehung der Echternacher Miniatur – rund vierzig Jahre nach dem Gregor-Meister – wird nicht zuletzt in der stärkeren Verspannung und Geometrisierung der Gesamtkomposition deutlich. Nicht von ungefähr verknüpft der Echternacher Maler die Medaillons der Evangelistensymbole, die in der älteren Miniatur noch frei im Bildgrund schwimmen, fest mit dem Rahmen seines Bildes, womit er zugleich die Mandorla Christi vergrößern und ihr eine stärker beherrschende Stellung geben kann. Gleichzeitig verkleinert er die Kreiskompartimente der Evangelisten. Die Öffnung der Gestalt Christi, die die segnende Hand weit vom Körper erhebt – beim Gregor-Meister blieb sie in den Umriß der Gestalt eingebunden –, weist in dieselbe Richtung seiner Tendenz, die Erscheinung des thronenden Herrn zu steigern und die Nebenfiguren als Trabanten zurücktreten zu lassen. Von dem in dunklen Farben prunkenden atmosphärischen Himmelsgewölk der älteren karolingischen Miniatur ist, scheint es, nichts mehr übriggeblieben. Nur die Zackenränder der grünen Hintergrundfläche hinter den sitzenden Propheten – innerhalb des Goldrandes – verraten dem Kundigen noch, daß zu den Bildquellen der Komposition einst ein solches Bild gehört hat, in dem die Erscheinung des am Himmel Thronenden auch mit den Naturformen von Wolken verbunden war.

Wie die Kunst des Gregor-Meisters in ihrer ottonischen Form, aber auch in ihrer Funktion als Erbe und Überlieferer antiker, und zwar spätantiker Formulierungen an das Mittelalter für unsere Handschrift und die Echternacher Buchmalerei generell wichtig geworden ist, läßt sich auch in den Schmuckseiten der Handschriften, im System der Zierseiten, in der Vorliebe für den Farbgegensatz von hellem Grün und Purpur, vor allem aber bei den szenischen Darstellungen beobachten. Viele der Bilder aus dem Leben Christi in unserer Handschrift setzen sich mit den Kompositionen des Gregor-Meisters in einem Perikopenbuch auseinander, das dieser um 985/990 für den Trierer Erzbischof Egbert geschaffen hat.

Hinzuweisen ist noch auf einen letzten Komplex im Illuminationssystem der Handschrift: Wie die *Majestas Domini* im Kreis der Evangelisten oder Evangelistensymbole zu Beginn der Handschrift gleichsam als Autorenbild des ganzen Evangelienbuches verstanden werden muß, so dienen auch die sogenannten Eusebianischen Kanontafeln der Dokumentation der Einheit der in den Evangelien enthaltenen Offenbarung (Abb. 5). Die auf den Bischof Eusebius, also das frühe 4. Jahrhundert, zurückgehende Zusammenstellung der Parallelstellen der einzelnen Evangelien, die jeweils dasselbe Ereignis berichten, in zehn Tafeln wurde in Handschriften spätestens seit dem 6. Jahrhundert auf einer Folge von Seiten mit reichdekorierten Säulenstellungen und dekorativem Zierwerk den Evangelien vorangestellt. Aus dem 6. Jahrhundert kennen wir nur wenige Handschriften. Vom 8. bis 12. Jahrhundert aber hat die Buchmalerei den ganzen Reichtum ihrer dekorativen Möglichkeiten zur Ausstattung dieser an sich überaus trokkenen bloßen Zahlenreihen aufgeboten. Auch in unserer Handschrift füllen die Kanontafeln zehn große Seiten zwischen der *Majestas Domini* und dem Beginn des Matthäusevangliums: Auf einem Purpurstreifen zwischen den Säulen sind in Goldschrift die Zahlen der Parallelstellen untereinander aufgereiht. Ein Aufwand an Zierformen sondergleichen hat sich bei ständiger Variation der Säulen mit ihren Basen, Kapitellen und Arkaden bemächtigt. Mäanderbänder der verschiedensten Form und Farbe, Muster und Ornamentformen, die Imitation von Marmor und Porphyr schmücken den Lauf der Säulen und Arkaden. Atlantenfiguren treten an die Stelle der Säulenbasen, Vögel, ein Adler, der einen Fisch schlägt, oder ein Storch stehen auf den Akroterblättern der Arkaden. Auf einer anderen Seite macht sich ein Mann mit dem Wassergefäß eines Ziehbrunnens zu schaffen, oder ein sich aufbäumender Kentaur schießt mit Pfeil und Bogen. Eine inhaltliche Bedeutung wird man diesen Figuren nicht mehr zumessen dürfen. Zu deutlich ist die Freude am dekorativen Reichtum, an ständiger Variation und offensichtlich sehr freier, beliebiger Ausweitung des Motivschatzes. Gerade hier finden die dekorativen Tendenzen des Echternacher Skriptoriums ihr reichstes Betätigungsfeld, gerade hier steigern die Maler ihre Variationsmöglichkeiten zu schönster Blüte.

Eine illuminierte Handschrift und allemal eine Echternacher von diesem Aufwand ist ein vielseitiger Komplex, dessen Rang und Schönheit nur schwer in wenigen Abbildungen verdeutlicht werden kann. Die Leistungen dieses Skriptoriums liegen weniger in der einzelnen edlen Figur, in der fein gezeichneten Gestalt, im Schmelz der Farben, in der groß ausgreifenden Komposition der einzelnen Bilder, wie dies für die Bilder des Gregor-Meisters oder andere Hauptwerke der ottonischen Kunst zu gelten hat, sondern gerade in der Gesamtausstattung der Handschrift. Auch in der ottonischen Kunst haben die übrigen Skriptorien ihre Handschriften sonst nicht wie in Echternach mit einer solchen Fülle von Schmuckseiten, mit einem solchen

Aufwand an Ziertiteln und Ornamentformen, und dies in der diszipliniertesten Planung und nach einem festgefügten System, geschmückt. Kaum sonst hat die mittelalterliche Kunst einen so umfassenden Zyklus von Bildern aus dem Leben Christi vorgestellt. Gerade dies hat als besondere Leistung Echternachs zu gelten.

Der Einband entstand vor dem Buch

Der mit verschwenderischem Reichtum ausgestatteten Handschrift entspricht der kostbare Bucheinband, mit dem die Echternacher Mönche das von ihnen geschriebene und mit Miniaturen versehene *Evangelienbuch* umgaben (Abb. 6). Welch hohen Rang gerade die ottonische Epoche – darin der vorausgehenden karolingischen folgend – der Ausstattung der Evangelienbücher beigemessen hat, wird nicht zuletzt an dem Aufwand deutlich, mit dem das Äußere der Bücher geschmückt wurde. Werke aus Gold und Elfenbein galten schon dem Altertum als Inbegriff des Kostbaren schlechthin; nur besonders verehrte Götterbilder wurden aus diesen Materialien gebildet.

Bei unserem Buchdeckel wurde der Goldrahmen, der das Elfenbeinrelief mit der Kreuzigung Christi umgibt, noch zusätzlich durch Edelsteine, Perlen und transluzide Emailplättchen von ungewöhnlicher Reinheit und Schönheit gesteigert. Der Deckel, den die Abtei schon mehrere Jahrzehnte besaß, bevor die Handschrift geschaffen wurde, war ein Geschenk des jugendlichen Königs Otto III. und seiner aus Byzanz stammenden Mutter, der Kaiserinwitwe Theophanu, der Gemahlin Ottos II. Erst 984 war Theophanu nach dem Tode ihres Gatten in Rom (983) aus Italien zurückgekehrt, um die Regentschaft für ihren unmündigen Sohn Otto III. zu übernehmen; im Jahre 991 ereilte sie bereits ihr früher Tod. Der Buchdeckel kann deshalb nur in den Jahren zwischen 985 und 991 nach Echternach gelangt sein. Er muß im Auftrag der Kaiserin in der Goldschmiedewerkstatt geschaffen worden sein, die für Erzbischof Egbert in Trier arbeitete, von deren Schöpfungen sich mehrere ähnliche kostbare Goldschmiedewerke in Trier und in Limburg erhalten haben. Weitere Buchdeckel aus Gold, möglicherweise mit Elfenbein und Edelsteinen, die Erzbischof Egbert wahrscheinlich in derselben Werkstatt hat machen lassen, sind wie die meisten dieser Werke aus wertvollem Material im Laufe der Zeit zugrunde gegangen. Dem Bildschmuck des Deckels liegt ein weit ausholendes theologisches Programm zugrunde, das die auf dem Elfenbeinrelief dargestellte Kreuzigung Christi als Ereignis weltumspannender kosmischer Bedeutung begreift. Das Kreuz Christi wird von der Personifikation der »terra«, der Erde, getragen. Die Halbfiguren von Sonne und Mond in den Medaillons am oberen Rand – antiker Tradition entsprechend in Menschengestalt darge-

6. Vorderdeckel des Goldenen Evangelienbuches von Echternach. Tier, Goldschmiedewerkstatt Erzbischof Egberts, 985–991

stellt, und zwar die Sonne nach ihrer lateinischen Bedeutung als »sol« in männlicher Gestalt, der Mond, »luna«, als weibliche Figur hinter einer Mondsichel – verhüllen, über den Schmerz Christi weinend, ihr Angesicht. Von rechts naht Stephaton mit dem Essigschwamm und dem Essigeimer, von links stößt Longinus mit einer Lanze in die Seite Christi.

Der kosmologische Bezug wird in den Goldreliefs ober- und unterhalb der Elfenbeinplatte fortgeführt. Den Symbolen der Evangelisten – Mensch für Matthäus, Adler für Johannes, Löwe für Markus und Stier für Lukas – sind die Personifikationen der Paradiesflüsse zugeordnet. Diese Verbindung der Evangelien mit den Paradiesflüssen ist alte christliche Vorstellung und seit der Kirchenväterzeit vielfach belegt. Schon nach vorchristlicher Vorstellung gingen aus der Mitte des Paradieses die vier Paradiesflüsse Phison, Geon, Tigris und Euphrat hervor und durchflossen von hier in den vier Himmelsrichtungen die gesamte Erde, wobei sie ihr zugleich Wasser und Fruchtbarkeit brachten. Da das Kreuz Christi mit seinem Erlösungstod Mittelpunkt der heilsgeschichtlichen Welt war und teilweise auch realiter der Golgathaberg als der ursprüngliche Paradiesberg und damit als Mittelpunkt der Erde verstanden wurde, bot sich solche Parallelisierung an: Wie die Paradiesflüsse die Welt durchfließen und befruchten, so geht vom Kreuz Christi die Offenbarung aus, die in Gestalt der vier Evangelien die Welt durchdringt.

Auf den seitlichen Goldreliefs sind in getriebener Arbeit stehende Heilige, die in besonderer Weise mit der Abtei Echternach in Verbindung stehen, und die Stifter des Buchdeckels dargestellt. Sie sind wie die Evangelistensymbole und Paradiesflüsse jeweils mit den in den Grund des Goldes geritzten Buchstaben ihres Namens bezeichnet: links (von oben nach unten) die Muttergottes und der Stifter und Patron der Echternacher Abtei, der heilige Willibrord, darunter der heilige Benedikt als Begründer des Ordens und der junge König Otto III. als Stifter; auf der rechten Seite stehen ihnen gegenüber der heilige Petrus als der von Christus zur Leitung seiner Kirche eingesetzte und damit nach der Gottesmutter vornehmste Heilige der Christenheit, zugleich der ursprüngliche Patron der alten Echternacher Abteikirche, der heilige Bonifatius, Missionar und Apostel Deutschlands, und darunter der neben Willibrord und Bonifatius wichtigste – ebenfalls aus England stammende – Missionar der Friesen, der heilige Liudger. In der untersten Reihe, wenn auch in gleicher Größe wie die Heiligen, steht ihrem jungen Sohn Otto III. die Kaiserin Theophanu gegenüber.

Einem alten für Buchdeckel der Spätantike und des frühen Mittelalters bezeichnenden Schema entsprechend ist der Schmuck des Einbandes kreuzförmig gegliedert. Die schmalen aufgesetzten Zierleisten mit den Edelsteinen und Emailplättchen rahmen die Vorderseite; eine waagerechte und eine senkrechte Zierleiste teilen die Fläche kreuzförmig. Diesem Kreuz als Grundschema ist gleichsam das hochrechteckige Feld der Elfenbeinplatte, das seinerseits mit einem solchen Edelstein-Email-Rahmen gefaßt ist, aufgelegt. Perlreihen verbinden diagonal die Enden dieses Mittelfeldes mit dem äußeren Rahmen. Auf den Zierleisten selbst wechseln mit den wie Edelsteine in einer goldenen Fassung gerahmten Emailplättchen verschiedener Muster gleichgroße Platten, deren zentraler Edelstein jeweils von vier herzförmigen Almandinen – nach heutigem Sprachgebrauch Granaten – umgeben ist; der frei bleibende Grund ist mit Filigran belegt. Die Emails – vor allem in den Farben Grün und Blau von völliger Transparenz – lassen den Goldgrund hindurchschimmern. Solche transluziden Emails, deren Glasmasse auf Goldgrund aufgeschmolzen ist, waren eine besondere Eigenart ottonischer Goldschmiedekunst und gehören zu den großen Meisterleistungen der mittelalterlichen Goldschmiedekunst. Die getriebenen stehenden Figuren auf den Goldreliefs sind in ihrer Formbildung von jener zarten Feinheit und Zurückhaltung, wie sie für die ottonische Darstellung menschlicher Figuren generell, vor allem aber für die Werke, die im Umkreis des kaiserlichen Hofes entstanden sind, bezeichnend ist.

In äußerstem Gegensatz dazu steht die kräftige und energische Gestaltungsweise des Elfenbeinschnitzers, dem es wesentlich auf die Vergegenwärtigung der Aktion seiner Figuren und auf die Steigerung des Ausdrucksgehalts seiner Darstellung ankommt. Die Schergen sind widrige, derbe Gesellen, die unter dem Kreuze Christi kauernde Erde ist eine mächtige, dumpfe, erdhafte Muttergottheit.

In dem Streben nach Expressivität gewinnt der Elfenbeinschnitzer eine für die Zeit des 10. und 11. Jahrhunderts sonst untypische Individualität seines künstlerischen Vortrages. In einer der Zeit sonst nicht zugänglichen Weise scheint sein persönliches Temperament in der Auffassung des dargestellten heiligen Ereignisses Eingang gefunden zu haben. Der dadurch bedingte Stellenwert in der Geschichte der mittelalterlichen Kunst läßt es uns leicht werden, seine Hand auch in einigen anderen ebenfalls aus der Umgebung von Trier stammenden Elfenbeinschnitzereien zu erkennen, die heute in den Museen von Berlin und Paris verwahrt werden.

So vereinigt der Buchdeckel in den Zierrahmen, vor allem den Emails, Arbeiten der ornamentalen Goldschmiedekunst von höchster handwerklicher Präzision mit goldgetriebenen Figuren, die den abstrakten Stilwillen unpersönlicher äußerster Verhaltenheit und Vergeistigung vertreten und der adligen Sphäre der kaiserlichen Stifter entwachsen scheinen, mit einem Elfenbeinrelief von künstlerischer Individualität und Expression, das sich ganz anderer Mittel zur Vergegenwärtigung des dargestellten Ereignisses bedient. Erst auf der Ebene des hohen künstlerischen Ranges schließen sich diese unterschiedlichen Teile zusammen und zeigen dabei zugleich die Spannweite, die, wenn auch nur in seltenen Einzelwerken, die Kunst jener Zeit kurz vor der Jahrtausendwende auszufüllen in der Lage war. Die Schönheit seines Zierwerkes und die eindrucksvolle Vergegenwärtigung des Kreuzestodes Christi – beides verbunden mit dem besonderen Rang einer kaiserlichen Stiftung und der Darstellung eben dieser Stifter in den Goldfiguren der Seitenreliefs – mögen wohl die Echternacher Mönche veranlaßt haben, das von ihnen geschaffene, reich und kostbar illuminierte Evangeliar mit dem in ihrem Schatz befindlichen Buchdeckel noch vierzig Jahre nach Entstehung dieses Goldschmiedewerkes zu verbinden.

Rainer Kahsnitz

DIE ARMILLA KAISER FRIEDRICH BARBAROSSAS

Ein Schmuckstück aus Email als Zeichen der Königswürde

Notiz für den Leser

Im Jahre 1054 wurde die Zweiteilung Europas in eine östliche und eine westliche Hälfte vollzogen. Durch das Schisma zwischen den orthodoxen, von der byzantinischen Staatskirche geprägten Gläubigen und den Katholiken, deren geistiges Zentrum in Rom lag, begann eine kulturelle und politische Eigenentwicklung, deren Folgen wir noch heute spüren. Der Gegensatz zu Ostrom prägte das Feindbild des Westens fast so sehr wie das zu den islamischen Staaten im Süden des Kontinents.

Was hat diese religiös- und machtpolitische Situation mit einem der schönsten Gegenstände des Nürnberger Nationalmuseums, dem Armreif, der »Armilla«, Kaiser Friedrich Barbarossas (1152–1190) zu tun? Der am Oberarm getragene Reif aus Email, ursprünglich ein Schmuckstück der vornehmen Römer der Spätantike, war zu einem Teil der Reichsinsignien, der Symbole abendländischen Herrschaftsanspruchs, geworden. Kaiser in der Welt zu sein hieß zugleich Verteidiger und Mehrer des Glaubens zu sein; es ist daher nicht verwunderlich, daß Herrschaftssymbole oft mit religiösen Motiven verziert waren. So schmückten die Armillae Kaiser Friedrichs Motive der Kreuzigung und Auferstehung Christi. Daß diese Vorstellung eines »Ersten Streiter Gottes« für den Stauferkaiser ernste Pflicht war, beweist seine Bereitschaft, an der Spitze christlicher Heere Jerusalem zu befreien. Doch dazu kommt es nicht mehr: Auf dem dritten Kreuzzug ertrank er beim Baden im Fluß Saleph (bei Göksen in Kleinasien).

Auch Begegnungen kriegerischer Art können kulturell innovierend wirken. Die Kreuzzugsheere brachten Kenntnisse dieser Kultur mit in den Westen. Und so ist es nicht verwunderlich, daß Motive und Ausführung der Armreifen Barbarossas, obwohl in der Maasgegend gefertigt, unverwechselbare Eigenheiten byzantinischer Kunst zeigen und zu Belegen für eine ost-westliche Geistessymbiose werden.

W. D.

Vom Armschmuck zur Insignie

Ein Werk der Goldschmiedekunst ist zu besprechen, das in sehr großer Ferne zu dem Begriff von Goldschmiedekunst steht, wie er modernem Verständnis entspricht. Dieser Gegenstand, eine *armilla*, ist weder aus Gold noch aus Silber, sondern aus Kupfer, nur ein wenig vergoldet; der Materialwert könnte nicht geringer sein. Das Stück ist in vieler Hinsicht merkwürdig: ein Armschmuck, eine gebogene Scheibe mit Löchern an den Ecken, an denen sie mit Lederriemen am Arm befestigt wurde. Der Gegenstand ist ein Schmuckstück, ja eine königliche und kaiserliche Insignie; andererseits ist er ungewöhnlich groß und erschreckend schwer; er wiegt fast ein Pfund. Er ist nicht köstlich und feinteilig mit dekorativem Schmuckwerk verziert wie ein Schmuckstück sonst, sondern eine einfache glatte Fläche; dafür zeigt er eine große figurenreiche Komposition, die Kreuzigung Christi – mehr ein Bild also als ein Juwel! Für das Ganze gibt es nicht einmal eine deutsche Bezeichnung, jedenfalls kein neuhochdeutsches Wort. Wir nennen es mit dem fremdartigen Wort *armilla*, wie in antiken und mittelalterlichen lateinischen Quellen die Armreifen genannt werden, die vornehme und reiche Personen trugen. In germanischen Quellen, als vor allem auch Männer sich auf diese Weise schmückten, wurden sie Baugen genannt. Wie der Armschmuck der Männer im Laufe der Zeit verschwand, verschwand mit der Zeit auch das Wort dafür.

Wie in der Spätantike gelegentlich die römischen Kaiser und andere vornehme Römer und Byzantiner trugen auch in den germanischen Königreichen des frühen Mittelalters Männer – ähnlich wie Frauen – goldene und silberne, edelsteinbesetzte Armspangen als Schmuck und Zeichen ihres besonderen Reichtums, und zwar – nach dem Brauch der Zeit – nicht, wie wir es gewohnt sind, am Handgelenk, sondern am Oberarm. Die schönsten dieser Baugen schmückten den König, der sein Ansehen mehrte, indem er wertvolle Baugen und Ringe an seine Helden verschenkte. Deshalb wird der König in germanischen Quellen auch »Herr der Bauge« oder »Baugengeber« genannt, auch der »Ringtriefende«, wie der Königssaal als »Baugen- oder Ringsaal« bezeichnet wird. Kostbarer Armschmuck bedeutete Reichtum, Ansehen beim König und somit Macht. Schon von König Chlodwig (um 500) wird berichtet, daß er in diesem Sinne *armillae aureae* als Ehrengaben verwandte. Unter den Karolingern setzte sich dieser Brauch zunächst fort. Als Karl der Große 803 neue Gesetze für die besiegten Sachsen erließ, bestimmte er auch, daß die Kaufleute nicht mit Baugen handeln dürften. Es sollte offenbar nicht dem freien Spiel des Handels überlassen bleiben, wer sich auf diese Weise schmücken dürfe; sie sollten nicht Handelsware werden, es sollte vielmehr dem König allein vorbehalten bleiben, wen er auf diese

1. Armilla mit Kreuzigung Christi Maasgebiet, gegen 1180

2. Stephaton und Longinus von der Armilla mit Kreuzigung Christi Maasgebiet, gegen 1180

3. Armilla mit Auferstehung Christi
Maasgebiet, gegen 1180
Louvre, Paris

4. Kupferstich mit den verlorenen Armillae der Reichskleinodien mit Geburt und Darbringung Christi im Tempel
Kupferstich von Johann Adam Delsenbach, Nürnberg, Mitte 18. Jahrhundert

Weise ehren wolle. Eine Entwicklung wird deutlich, in der die *armilla* vom Schmuckstück zum besonderen Ehrenzeichen wurde.

In spätkarolingischer Zeit galt es bereits zunehmend als weibisch – wie es übrigens auch spätantiken Kaisern bereits vorgehalten worden war –, wenn Männer Armreifen trugen. Nur in der zeremoniellen Welt der Tracht der Könige hielten sich diese Schmuckstücke; bald galten sie als besondere königliche Zeichen. In einer deutschen Quelle aus der Zeit Konrads II., also kurz nach 1000, ist dann bereits die Rede von den »armillae, wie sie den Königen zustehen«. Der sächsische Geschichtsschreiber Widukind von Corvey berichtet, wie 936 bei der Krönung Ottos des Großen zum deutschen König im Aachener Münster auf dem Altar die *insignia regalia* lagen, die königlichen Insignien: das Schwert, der Mantel mit den *armillae*, das Zepter und das königliche Diadem. Der Erzbischof von Mainz nahm diese Abzeichen des Königtums und bekleidete unter Gebeten, die die Bedeutung der einzelnen Insignien erläuterten, den König mit ihnen. Abgeschlossen wurde die Entwicklung vom auszeichnenden Schmuckstück zum Zeichen des Königtums, zur Insignie, spätestens, als das Mainzer Pontifikale in dem Ordo für die Krönung des deutschen Königs, um 960, vorschrieb, daß dem König bei der Krönung auch Ring und *armillae* zu übergeben seien. Wie lange die deutschen Könige bei der Krönung und bei sonstigen Anlässen, bei denen sie im Schmuck des vollen Ornates erschienen, die *armillae* tatsächlich getragen haben, können wir nicht mit Sicherheit sagen. Ohne Zweifel war dies jedoch in den Jahrhunderten des hohen Mittelalters der Fall.

Armillae aus staufischer Zeit

Auch die staufischen Könige und Kaiser haben solche *armillae* getragen. Bilder von ihnen kennen wir im Grunde kaum. Die offiziellen Darstellungen – ihre Siegel und Goldbullen – geben wegen ihrer Kleinheit die *armillae* meist nur summarisch wieder. Am deutlichsten zu erkennen sind sie auf dem Siegel König Konrads III. von 1138, eindeutig aber auch auf dem Königssiegel Friedrich Barbarossas von 1152. Die *armillae* erscheinen wie stets auf Abbildungen als edelsteinbesetzte Armreifen, was sie wohl in alter Zeit auch waren. Dem Charakter des Siegelbilds entspricht es, daß weniger ihre Form noch gar das Aussehen der von einem speziellen König getragenen speziellen *armilla* wiedergegeben, sondern nur die Insignie als solche erkennbar vorgeführt wird. Ausdrücklich erwähnt werden die *armillae* in einer Quelle aus staufischer Zeit, als 1218 Kaiser Otto IV., der Gegenspieler des jungen Friedrichs II., in seinem Testament Bestimmungen über seine Aufbahrung traf und dabei auch anordnete, daß er mit *armillae in brachiis*, mit *armillae* an den Armen, geschmückt werden wollte.

Darüber hinaus kennen wir aus staufischer Zeit vier *armillae*, die in den Jahren von 1170 bis 1780, also während der Regierungszeit Friedrich Barbarossas (1152–1190), im Rhein-Maas-Gebiet, einem der Zentren der damaligen Goldschmiedekunst, angefertigt worden sind (Abb. 1 bis 4). Sie sind nicht mehr wie die *armillae* der älteren Zeit, wie es auch die Siegel noch zeigten, juwelengeschmückte goldene Armreifen, sondern große schildförmig gebogene Emailplatten, die mit Bändern am Arm befestigt werden mußten. Die Entwicklung vom Armschmuck zur Insignie könnte nicht deutlicher werden als durch diese Wandlung ihrer äußeren Gestalt: Sie waren nicht mehr Schmuckstücke, sondern Zeichen des Königtums; ihre künstlerische Gestaltung unterlag deshalb auch ganz anderen Ansprüchen. Dem Wandel des Zeitgeschmacks entsprechend, der nicht mehr in erster Linie nur das kostbare Material und die rein ornamentale Kunst schätzte, sondern der Bildkunst den höchsten Rang einräumte, konnten solche Flächen Träger großer Bildkompositionen mit den wichtigsten christlichen Heilstatsachen werden: Geburt und Darbringung Christi, Kreuzigung und Auferstehung.

Die beiden *armillae* mit der Darstellung der Geburt und Darbringung Christi im Tempel gehörten noch im späten 18. Jahrhundert zu den in Nürnberg von 1424 bis 1796 aufbewahrten Reichskleinodien. Sie sind 1796 bei der Bergung der Reichskleinodien vor den französischen Revolutionstruppen über Regensburg nach Wien verlorengegangen, aber auf einem 1790 veröffentlichten, um die Mitte des 18. Jahrhunderts entstandenen Kupferstich von Johann Adam Delsenbach noch abgebildet (Abb. 4). (Als Untergrund dieser Darstellung dient ein kaiserliches Humerale [Schultertuch] mit Perlstickerei des 14. Jahrhunderts, zu dem die beiden Tauben und das große Christushaupt gehören.) Die *armillae* selbst zeigten vor blauemailliertem Grund die teils ausgesparten vergoldeten Figuren der Geburt und Darbringung Christi im Tempel.

Der Nürnberger Historiker Christoph Gottlieb von Murr würdigt sie ausführlich in seiner *Beschreibung der vornehmsten Merkwürdigkeit in des Heiligen Römischen Reichs freyen Stadt Nürnberg* aus dem Jahre 1778. Daß es sich bei den im 18. Jahrhundert doch sicherlich als recht fremdartig empfundenen Gegenständen um *armillae*, »die an der kaiserlichen Kleidung auf den Armen nahe an der Achsel befestigt wurden«, handelte, war ihm klar; sein Text erweckt auch den Eindruck, als könne er solches bei seinen Lesern voraussetzen. »Die Figuren auf diesen Armspangen sind besser gezeichnet«, sagt er, »als alle anderen auf den Stücken des kaiserlichen Ornates. Der Grund der Schmelzarbeit ist blau, mit wenig grünen und weißen Farben, mit

Gold eingelassen.« Von der Figur des Hirten auf der Hirtenverkündigung rühmt er, sie sei »recht griechisch, wie Paris auf alten Kunstwerken, gezeichnet«, womit er auch in den Augen der modernen Kunstgeschichte durchaus recht hatte. Selbstverständlich ist dies eine antike Hirtenfigur, die in den Zusammenhang der christlichen Szene eingefügt ist. Die mittelalterliche Kunst hat, besonders durch die Werke der Buchmalerei vermittelt, zahllose antike Figurenerfindungen tradiert. Paris war als Hirte auf den Feldern, als ihm die Göttinnen jenes verhängnisvolle Urteil über ihre Schönheit abverlangten, das dann zum Trojanischen Krieg führte, und wurde dementsprechend in der antiken Kunst stets auch als Hirte dargestellt.

Auch sonst muß es sich bei diesen *armillae* um Kunstwerke außerordentlichen Ranges gehandelt haben; ich weise nur auf die herrliche Figur der liegenden Gottesmutter in ihrem reichen Gewand vor der Krippe auf der Geburtsdarstellung hin. In der nicht leicht zu erklärenden Inschrift über der Darbringung Christi ist von der Königin der Keuschheit die Rede, die die Gesetze der Ehe wahre. Dies ist sicher zunächst von Maria gesagt, die das Gesetz des Alten Bundes erfüllt, aber in zweiter Linie auch von der irdischen Königin, die in liturgischen Texten stets auf die Gottesmutter bezogen wurde, da, wie Maria als Mutter des Herrn Verehrung genoß, auch die Königin vor allem als Mutter des zukünftigen Königs gesehen wurde. Mit Recht hat man deshalb angenommen, diese beiden verlorenen *armillae* hätten ursprünglich zum Ornat der deutschen Königinnen und Kaiserinnen gehört. Ohnehin hat man sich stets darüber gewundert, daß im Reichsschatz keinerlei Insignien für die Frauen vorhanden waren, obwohl eine Krönung zur Königin bei der Königskrönung in Aachen und auch zur Kaiserin bei der Kaiserkrönung in Rom üblich war, wenn der König oder Kaiser zu diesem Zeitpunkt eine Gemahlin hatte.

Bis heute erhalten hat sich ein zweites Paar von *armillae*: von ähnlicher Form und ähnlicher Größe, aus derselben Zeit und demselben Kunstkreis stammend und, wie es scheint, mit den zugehörigen ergänzenden Themen: Kreuzigung und Auferstehung Christi. Die Auferstehungsarmilla gehört dem Louvre in Paris (Abb. 3), die mit der Kreuzigung seit einigen Jahren dem Germanischen Nationalmuseum (Abb. 1 und 2). Alles spricht dafür, daß es sich hierbei um die Armspangen handelt, die ursprünglich für den König und Kaiser selbst bestimmt waren, an deren Stelle im Reichsornat dann aus unbekannten Gründen zu einem späteren Zeitpunkt die ursprünglichen Armspangen der Königin getreten sein mögen. Nach ihrer Entstehungszeit müssen die *armillae* mit Kreuzigung und Auferstehung ursprünglich zum Herrscherornat Friedrich Barbarossas, allenfalls seines jugendlichen Sohnes Heinrich VI., gehört haben. Aus stilgeschichtlichen Gründen können sie zwar erst Jahrzehnte nach Barbarossas Krönung zum König (1152) oder zum Kaiser (1155) geschaffen worden sein. Doch trug der Kaiser nicht nur bei der Krönung, sondern bei zahlreichen Gelegenheiten, vor allem bei den vielfach bezeugten Festkrönungen, in späteren Jahren ebenfalls den vollständigen Ornat. Von Barbarossa sind solche Festkrönungen regelmäßig an den drei kirchlichen Hochfesten Weihnachten, Ostern und Pfingsten wie an bestimmten Heiligenfesten bezeugt. Außerdem trug er Krone und Ornat natürlich bei besonderen Anlässen, etwa beim Triumph über das besiegte Mailand. Vielleicht sind die maasländischen *armillae* zu einer solchen Festkrönung im Auftrag des Kaisers oder als Geschenk für ihn angefertigt worden. Denkbar ist, wie gesagt, auch, daß sie für seinen Sohn Heinrich VI. bestimmt waren, der 1169 noch zu Lebzeiten des Vaters als Vierjähriger zum deutschen König gekrönt wurde und um 1180 als etwa Vierzehnjähriger durchaus in der Lage war, die schweren Schmuckstücke zu tragen.

Vom Insignienbrauch der europäischen Könige

Daß es noch weitere Exemplare von *armillae* gegeben hat, ist wahrscheinlich. Zumindest muß Friedrich Barbarossa bis zur Anfertigung dieser *armillae* ein älteres Paar gehabt haben. Wir wissen von den meisten Königen und Kaisern des Mittelalters, daß sie selbst mehrere Kronen besaßen. Unsere Vorstellung, daß ein bestimmter Gegenstand *die* Krone des Reiches, *das* Zepter oder *der* Reichsapfel des Reiches sei, ist modern und scheint sich erst im 12. Jahrhundert und hier vor allem für die Krone herausgebildet zu haben. Für die weniger wichtigen Insignien galt dies wohl noch nicht. Es ist dies überdies eine typisch deutsche Vorstellung, die für andere europäische Könige niemals gegolten hat. Bei den meisten Völkern hatte jeder König seine eigene neue Krone, wie das in England bis heute der Fall ist. Auch die Päpste hatten jeweils eine eigene Tiara, solange sie – bis in unsere Tage – noch eine Tiara trugen. Interessant für den Insigniengebrauch ist in diesem Zusammenhang auch, daß bei der Krönung der jetzigen englischen Königin Elisabeth II. – die englischen Könige waren neben den deutschen die einzigen, die *armillae* trugen – nicht die traditionellen *armillae* verwandt wurden, die seit der Krönung Karls II. im Jahre 1661 gebraucht wurden, sondern neue, breite, goldene Armbänder mit Wappenschmuck, die die Völker des Commonwealth zu diesem Anlaß gestiftet hatten. Die Königin trug sie jetzt übrigens nach modernem Brauch auch nicht mehr am Oberarm, sondern am Handgelenk.

Aber das führt uns weit weg aus dem 12. Jahrhundert, wo im Maasgebiet um 1180 die *armillae* mit Kreuzigung und Auferstehung Christi geschaffen worden sein müssen. Natürlich haben wir keine schriftliche Nachricht, wann, wo, in wessen Auftrag oder gar von welchem Künstler sie angefertigt wurden. Das wissen wir im Grunde aber von kaum einem Werk des 12. Jahrhunderts.

Als Kunstwerk gehörten die *armillae* mit der Kreuzigung zusammen mit ihrem Gegenstück im Louvre zu den schönsten Werken der Kunst im Rhein-Maas-Gebiet. In Köln, Lüttich, Huy und an anderen Orten des heutigen Belgiens entstanden in der zweiten Hälfte des 12. Jahrhunderts umfangreiche Goldschmiedewerke – mehrfach auch im Auftrag Kaiser Barbarossas, etwa das Reliquiar für den Arm Karls des Großen oder der große Radleuchter für das Aachener Münster. Seit der Mitte des 12. Jahrhunderts erfreute sich vor allem in der Goldschmiedekunst des Rhein-Maas-Gebietes die Emailtechnik höchster Wertschätzung. Ihre Blütezeit endete bereits nach wenigen Jahrzehnten noch vor der Wende zum 13. Jahrhundert. Hauptwerke der Goldschmiede- und Emailkunst im Rhein-Maas-Gebiet waren vor allem die großen Reliquienschreine, wie sie in rheinischen und belgischen Kirchen mehrfach erhalten sind. Auch der schöne emaillierte Knauf im Germanischen Nationalmuseum (Abb. 6) stammt von der Firstbekrönung eines solchen Schreines, während die beiden halbrunden Platten mit den Evangelisten Markus und Lukas (Abb. 5) zusammen mit zwei weiteren Platten zum Schmuck des Deckels eines Evangelienbuches gedient haben dürften.

Email als Werkstoff und Kunstform

Bei diesen Emails des 12. Jahrhunderts wurden in der Technik des Grubenschmelzes aus Kupferplatten mit Hilfe eines Grabstichels flache Gruben ausgehoben, die mit farbigen Glasflüssen gefüllt wurden; der Rest der Platte wurde anschließend vergoldet. Teils wurden nur die Gründe emailliert, während die Figuren in vergoldetem Metall stehen blieben – so auf den verlorenen, ehemals in Nürnberg befindlichen *armillae* (Abb. 4). Teils wurden wie bei den *armillae* mit Kreuzigung und Auferstehung die Gewänder der Figuren und der Bodengrund durch farbiges Email wiedergegeben, während der Hintergrund der Darstellung und die Gesichter der Figuren in Metall ausgespart blieben.

Stellen die rheinisch-maasländischen Emails aus der zweiten Hälfte des 12. Jahrhunderts schon an sich einen besonderen Höhepunkt der mittelalterlichen Kunst dar, so müssen in dieser Gegend vor allem um 1170/1180 mehrere überragende Künstlerpersönlichkeiten und Werkstätten tätig gewesen sein. Neben dem Meister der ehemals in Nürnberg befindlichen Reichsarmillae, von dem sich im Wiener Diözesanmuseum sechs weitere Platten mit alttestamentarischen Szenen und Darstellungen der antiken Windgötter erhalten haben, steht vor allem der Schöpfer des sogenannten Klosterneuburger Altares bei Wien aus dem Jahre 1181, einer riesigen, emaillierten, seit dem 14. Jahrhundert zu einem Flügelaltar umgebauten Amboverkleidung, dessen Namen wir durch die Inschrift auf diesem Werk als Nikolaus von Verdun – Nicolaus Virdunensis – kennen. In einundfünfzig Bildern sind in einem theologisch vielschichtigen Programm den Szenen aus dem Leben Christi in der mittleren Reihe oben und unten alttestamentarische Ereignisse und Personen als Vorbilder zugeordnet. Die Zeichnung der Figuren – übrigens sind hier die Figuren in Metall ausgespart und nur die Gründe und allenfalls die Binnenzeichnungen der Falten emailliert – ist von dynamischer Intensität des künstlerischen Ausdrucks und abstrakter Linienkraft sondergleichen (Abb. 7). Die Komplexität des theologischen Programms und die höchste künstlerische Meisterschaft eines solchen Werkes zeigen den Rang, den die Zeit dieser Kunst beizumessen gewohnt war.

Man sollte nicht außer acht lassen, daß es im 12. Jahrhundert noch keine Tafelmalerei gab, daß auch auf dem Gebiet der Skulptur seit dem Ende der Antike damals erst wieder einige wenige Werke geschaffen wurden. Die führenden, stilbestimmenden Kunstgattungen waren Goldschmiedekunst und Buchmalerei, nachdem die in karolingischer und ottonischer Zeit wichtige Elfenbeinschnitzerei im 12. Jahrhundert fast ganz erloschen war.

Auf diesem Gebiet erfolgten die großen künstlerischen Leistungen der Zeit. In kleinem Format und mit kostbarem Material arbeiteten auch die größten Künstler des Jahrhunderts. Wir haben gerade aus dem 12. Jahrhundert manche erstaunliche Nachricht über die hohe Wertschätzung und den großen Ruhm, den einzelne Künstler dieser Art genossen. Literarische Quellen, aber auch Künstlerinschriften zeugen davon. Selten lassen sich freilich wie im Fall des Klosterneuburger Altares mit den überlieferten Namen auch Werke verbinden. Auf einem zeitgenössischen, wenn auch englischen Email von einem Reliquienschrein, den der Bischof von Winchester, Henry von Blois, seiner Kathedrale für die Gebeine des heiligen Swithwin stiftete, findet sich die bezeichnende Inschrift: *ars auro gemmisque prior, prior omnibus autor* – die Kunst geht vor Gold und Edelstein, allen voran aber steht der Autor, will sagen der Künstler oder doch der Schöpfer und Initiator des Werkes.

Welch außerordentlicher Rang einer solchen bildlichen Darstellung von den Zeitgenossen beigemessen wurde, zeigt nicht zuletzt, daß selbst eine kaiserliche *armilla*, die man sich im Grunde doch nur aus purem Golde vorstellen kann, aus Kupfer, aus vergoldetem Kupfer, gefertigt wurde, weil nur auf Kupfergrund die zeitgenössischen Goldschmiede emaillierte Darstellungen anzubringen gewohnt waren. Offensichtlich war die Möglichkeit einer bildlichen Darstellung wichtiger als die Wahl des »königlichen Metalls«, des Goldes.

Zur Bildthematik der Kreuzigung Christi

Doch wenden wir uns näher der Kreuzigungsdarstellung auf der *armilla* zu: eine große figurenreiche Bildkomposition. Christus hängt – man könnte auch sagen »steht« – vor dem tiefblauen Kreuz; die Augen sind geschlossen, er ist also tot; sein Haupt ist ganz auf die rechte Schulter gesunken, die langen Haare fallen auf beiden Seiten herab. Die Arme wirken wie ausgebreitet, die Hände sind abgewinkelt, die Daumen hängen herab – auch dies in der früh- und hochmittelalterlichen Ikonographie Zeichen des bereits eingetretenen Todes. Die rechte Hüfte ist unter dem weiß-grünen Lendentuch weit zur Seite gebogen. Die abgewinkelten, sehr schlanken und dünnen Beine enden in den schwachen Füßen, die auf dem ungewöhnlich großen, goldgerandeten, grünemaillierten Suppedaneum, einer Fußstütze,

5. Emailplatten von einem Buchdeckel mit den Evangelisten Markus und Lukas Maasgebiet, um 1160–1170

6. Knauf eines Reliquienschreines Rheinland, zweite Hälfte des 12. Jahrhunderts

7. Kreuzigung Christi vom Klosterneuburger Altar Nikolaus von Verdun 1181 Chorherrenstift Klosterneuburg bei Wien

aufsetzen. Die roten Flecken im grünen Grund weisen in Analogie zu anderen Darstellungen der Kreuzigung auf das herabtropfende Blut des Herrn: Der Schädel Adams, dessen Grab auf dem Golgathaberg angenommen wurde, wird vom Blut aus den Füßen Christi benetzt; durch diese Darstellung wird Adams Erlösung angedeutet.

Longinus stößt von links die Lanze in die Seite Christi, während ihm gegenüber in ähnlich heftig bewegter Figur Stephaton mit dem auf einen Ysopstengel gesteckten essiggetränkten Schwamm und dem Essigeimer naht. Solche Kombinationen zeitlich einander folgender

Ereignisse sind in der hochmittelalterlichen Kunst nicht ungewöhnlich, beide Figuren in ihrer formalen Gegenüberstellung Bestandteil vieler mittelalterlicher Kreuzigungsdarstellungen. Maria und Johannes stehen am äußersten Rand der Bildfläche, Maria die Hände vor der Brust gekreuzt, Johannes die Rechte im antiken Trauergestus an die Wange gelegt. Ihre Namen sind beigefügt: »Sancta Maria«; Johannes hält ein emailliertes Schriftband mit seinem Namen. Über beiden schweben Halbfiguren von Engeln auf blauen Wolken. Aus ihrem Gewandbausch ragt jeweils eine Hand heraus, die ihre Herkunft von der Gestik der akklamierenden Engel der byzantinischen Kunst deutlich verrät. Sie weinen nicht über den Tod Christi wie oft auf Darstellungen späterer westlicher Kunst, sondern sie begrüßen durch zeremonielles Händeklatschen den Herrn beim Eintritt in sein himmlisches Reich. Unten werfen die Soldaten das Los über den auf dem blauen und purpurfarbenen Golgathafelsen liegenden ungenähten purpurfarbenen Leibrock des Herrn. Das grüngelbe Gewand mit den schwingenden Ärmeln davor ist offensichtlich sein Mantel. Die Soldaten würfeln nicht, wie wir uns diese Szene vorzustellen gewohnt sind; aber auch der lateinische Bibeltext spricht nur allgemein von Losen. Die erhobenen Finger der Soldaten bezeichnen das aus der Antike stammende Morraspiel, bei dem zum Losen einzelne Finger aus der geballten Faust herausgeschnellt werden. Der breite Raum, der gerade dieser Szene eingeräumt wird, ist in der zeitgenössischen Kunst durchaus ungewöhnlich.

Die losenden Soldaten, obwohl zum Bestand ältester christlicher Kreuzigungsbilder gehörend, wurden in der westlichen Kunst des 12. Jahrhunderts offenbar so gut wie niemals, aber auch in der zeitgenössischen byzantinischen Kunst nur selten dargestellt. Spätestens seit dem 9. Jahrhundert läßt sich sowohl im Westen wie im Osten eine auffallende Reduzierung der Zahl der Figuren im Kreuzigungsbild beobachten. Typisch wird das Dreifigurenbild: Christus in der Mitte zwischen Maria und Johannes, gelegentlich auch Christus zwischen Stephaton und Longinus. Daneben gibt es wie auf der *armilla* seltener das Fünffigurenbild, das neben Jesus, Maria und Johannes auch Stephaton und Longinus vereint. Die losenden Soldaten verschwinden völlig und kehren erst auf den sogenannten volkreichen Kalvarienbergdarstellungen der spätgotischen Malerei wieder.

Für Stephaton und Longinus – ihre Namen werden in den Evangelien nicht genannt, sind aber in den für die christliche Kunst einflußreichen apokryphen sogenannten Pilatusakten festgehalten – gibt es eine interessante, nicht leicht zu erklärende Bildtradition. Wie auf der *armilla* werden sie oft in heftiger Bewegung dargestellt, als wollten sie von den Seiten im Laufe heranstürmen, um auf Christus einzustechen, wobei der Schwammträger überwiegend als Rückenfigur erscheint. Longinus und Stephaton werden in der exegetischen Literatur als Repräsentanten des Heidentums und Judentums verstanden, wie denn in Kreuzigungsdarstellungen, die weniger den historischen Vorgang als den theologischen Gehalt des Kreuzestodes Christi verbildlichen, die Gestalt der Kirche oft das Blut Christi in einem Kelch auffängt, während auf der linken Seite ihr gegenüber die Gestalt der verblendeten Synagoge sich vom Kreuze abwendet oder fortgestoßen wird.

Der heidnische Soldat, der mit der Lanze die Seite Christi öffnet, verbildlicht die neue Kirche, da der wahre Glaube auf die Heiden übergegangen ist. Den Schwammträger hat die Überlieferung stets als Vertreter der Juden angesehen; er stellt die Synagoge dar. Der Essig, mit dem er den Schwamm gefüllt hat, ist die alte verdorbene Lehre, wie die *Glossa ordinaria* zum Johannesevangelium sagt. Deshalb erscheint der Schwammträger auf der linken Seite Christi, und deshalb wird er in dem Topos besonders negativer, schmähender Charakterisierung als die Figur ohne Gesicht, als Rückenfigur fester Bestandteil des mittelalterlichen Kreuzigungsbildes.

Wie stark diese Bildtradition noch im hohen Mittelalter war, läßt sich auch bei der *armilla* ablesen: Dort ist die Figur des Stephaton als Rückenfigur auf den ersten Blick nicht leicht zu erkennen; jedenfalls ist sein Unterkörper wie der einer Vorderfigur gebildet. Aber seine Hand, die den Essigeimer hält, und vor allem der vom Leib verdeckte Ysopstengel, den der Soldat natürlich vor seiner Brust und nicht etwa in seinem Rücken hält, lassen die Herkunft von einer solchen Rükkenfigur nur zu deutlich erkennen. Den künstlerischen Intentionen unseres Goldschmiedes entsprach ganz offensichtlich die große, klare, flächige, weit auseinandergezogene Komposition, wie es ja auch bei der Gruppe der Soldaten keine Überschneidungen gibt. Eine räumlich so verschränkte Figur, wie es eine sich halbwegs nach vorn umwendende Rückenfigur ist, war seinen künstlerischen Absichten offenbar zuwider. Er breitete deshalb auch diese Figur in kompositioneller Entsprechung – bei feinster Differenzierung – zu dem gegenüberstehenden Longinus in der Fläche aus. In der immer noch sehr abstrakten Welt seiner Kunst war das möglich. Gerade diese beiden Figuren sind ja die schönsten und eindrucksvollsten der ganzen Komposition. Aber ganz löst der Meister sich nicht vom Bildschema der Rückenfigur. In der Haltung des Ysopstengels, in der Art, wie Eimer und Stengel gehalten werden, wirkt die Bildtradition nach. Wir erhalten hier Einblick in den Mechanismus der Entstehung eines solchen hochmittelalterlichen Kunstwerks, den Freiraum und die Zwänge vorgegebener Bildprägungen, die auch für einen großen Künstler dieser und in anderer Weise auch späterer Zeit gelten.

Maasländische Traditionen und byzantinische Anregungen

Betrachtet man das engere künstlerische Umfeld, aus dem der Künstler der *armilla* hervorgegangen ist, also die Kunst im Rhein- und Maasgebiet, vor allem in deren Zentren Köln und Lüttich, etwa in den Jahren von 1160 bis 1180, so sind die meisten Kreuzigungsdarstellungen als Dreifigurenbild mit Christus am Kreuz zwischen Maria und Johannes gestaltet. Immer erscheint Christus als Lebender. Wenn die Soldaten dargestellt sind, ist Stephaton als Rückenfigur verstanden.

Sehr ähnliche Kreuzigungsbilder finden sich in der Kunst des engeren Maasgebietes, und zwar in der Buchmalerei und auf emaillierten Goldschmiedewerken. Das typische Kreuzigungsbild der Maaskunst zeigt etwa ein vor 1164 wahrscheinlich in Lüttich entstandenes Sakramentar der Kölner Dombibliothek und fast wie eine Kopie ein sicherlich gleichzeitig entstandenes Emailkreuz, heute in Baltimore. Solch enge Zusammenhänge zwischen Buchmalerei und Goldschmiedekunst sind in der Schatzkunst des 12. Jahrhunderts geläufig und seit langem bekannt. Der entscheidende Unterschied ist auch hier, daß Christus lebend wiedergegeben ist; sein Haupt ist zwar zur rechten Schulter geneigt, der Blick jedoch eindrucksvoll fixiert, fast den Betrachter anschauend. Die Beine hängen herab: eine Fußstütze fehlt. Sehr ähnlich – nur seitenverkehrt – ist das Lendentuch geschürzt. Während es auf der einen Seite bis zum Knie herabreicht, wird es auf der anderen in schrägen ungebrochenen Zerrfalten bis zu dem großen, auf dem Hüftknochen aufsitzenden Knoten hochgezogen und bildet am unteren Ende eine sehr bezeichnende kantige Faltentüte. Diese Bildung des Lendentuches, die sich auch auf anderen maasländischen Werken nachweisen läßt, kehrt genauso auf der *armilla* wieder. Auch die Binnenzeichnung des Körpers mit den Doppellinien des Rippenbogens, dem Punktkranz um die Brustwarzen verbindet die beiden Werke. Allein diese sichtbaren Übereinstimmungen würden die Zugehörigkeit der *armilla* zur Maaskunst erweisen. Schlanker freilich, zarter und feiner ist der Körper Christi gebildet. Gravierend unterschiedlich ist vor allem die Wahl des toten Christus als Bildthema. Daß in diesem künstlerischen Milieu der maasländischen Kunst die Heimat des Goldschmiedes liegt, der die *armilla* geschaffen hat, daß er auch ikonographisch in der Komposition seines Kreuzigungsbildes der Tradition dieses Kunstkreies verpflichtet ist, ist nicht zu bezweifeln.

Und doch scheint es gewisse Elemente in seiner Komposition zu geben, die der Kunst des Maasgebietes generell fremd waren. Alle Darstellungen dort bleiben bei dem Dreifigurenbild, immer wurde Christus lebend dargestellt, die akklamierenden Engel begegnen uns sonst nirgends in der westlichen Kunst. Weder an der Maas noch in Köln findet sich unter den Füßen Christi eine Fußstütze, ein Motiv, das doch in der Komposition der *armilla* eine so prominente Stellung einnimmt. Offenbar muß der Goldschmied Kreuzigungsbilder eines ganz anderen Kunstkreises gekannt haben. Wie so oft in der früh- und hochmittelalterlichen Kunst war die Lehrmeisterin westlicher Künstler auch hier die byzantinische Kunst. Auch in der mittelbyzantinischen Kunst war freilich das Dreifigurenbild das vorherrschende Kreuzigungsbild. Fast immer aber schweben zusätzlich Engel, und zwar akklamierende Engel, über den Kreuzesbalken. Seit der zweiten Hälfte des 10. Jahrhunderts steht Christus, den die byzantinische Kunst seit dem Bilderstreit immer tot, mit geschlossenen Augen, dargestellt hatte – die Gründe hierfür sind sehr komplexer theologischer Natur – nicht mehr starr aufgereckt vor dem Kreuzesholz. Das Haupt Christi ist stets auf die Schulter gefallen und oft fast zwischen die Schulterblätter eingesunken. Die Füße stehen auf einem großen perspektivisch wiedergegebenen Suppedaneum, über das das Blut Christi auf den darunter sichtbaren Schädel Adams strömt. Die Hüfte ist nach links ausgebogen, ein Motiv, das sich in Ansätzen auch in der älteren Maaskunst findet. Vom 10. bis 12./13. Jahrhundert läßt sich nun eine deutliche Entwicklung innerhalb des byzantinischen Kreuzigungsbildes beobachten, bei der die ausschwingende Bewegung der Hüfte zunehmend gesteigert wird. Solche extreme Ausbiegung der Hüfte nach links, das nahezu völlige Versinken des Hauptes Christi zwischen den Schultern, die überaus zarte und schlanke Bildung des Körpers Christi, vor allem der Beine, das auffallende Fußbrett und nicht zuletzt die typisch byzantinischen Engelbüsten – dies sind Motive, die der Meister der *armilla* nicht aus der Tradition seiner eigenen maasländischen Kunst entnehmen konnte, die aber altes Traditionsgut der byzantinischen Kunst waren.

Daß der Goldschmied unserer Kreuzigungsdarstellung ein oder mehrere bedeutende Werke byzantinischer Kunst, und zwar offensichtlich zeitgenössischer byzantinischer Kunst, gekannt hat, daran scheint kein Zweifel möglich. Zu allen Zeiten hat die Faszination, die für den Westen von der Kunst des so viel reicheren und mit der Tradition der Antike gesättigten christlichen Ostens ausging, byzantinische Werke in die früh- und hochmittelalterlichen Kirchenschätze gebracht. Besonders im Maasgebiet ist die Kenntnis byzantinischer Kunst allenthalben zu beobachten. Die Kontakte waren mannigfach.

Abt Wibald von Stablo, einer der größten Kunstförderer im Maasgebiet in staufischer Zeit, der bereits als Kanzler Konrads III. enge Beziehungen zu Byzanz unterhalten hatte, unternahm im Auftrag Barbarossas zwei Reisen in diplomatischer Mission an den byzantinischen Kaiserhof. Offenbar hat er damals auch zwei noch heute erhaltene byzantinische Kreuzreliquiare, die in Stablo in ein maasländisches Emailtriptychon gefaßt wurden, mitgebracht. Angeblich gab es in Stablo noch im 18. Jahrhundert einen goldenen Altaraufsatz, der von Friedrich Barbarossa gemeinsam mit Kaiser Manuel von Byzanz, der mit einer Schwägerin König Konrads III. verheiratet war, gestiftet worden war.

Hatte sich der Meister der Kreuzigungsarmilla in manchen Motiven und Einzelheiten durch eine byzantinische Kreuzigungsdarstellung anregen lassen, hatte er möglicherweise, durch eine solche Darstellung auf den biblischen Text verwiesen, auch das ungewöhnlich erscheinende Thema der um den Leibrock Christi losenden Soldaten der Kompositionen des 6. bis 8. Jahrhunderts wieder aufgegriffen, so dürfen wir auch vermuten, daß die Entscheidung für die Darstellung des der Maaskunst fremdartigen toten statt des lebenden Christus durch die Kenntnis byzantinischer Kunst ausgelöst worden ist.

Daß dies eine ungemein folgenreiche Entscheidung war, lehrt ein Blick auf den wenig später entstandenen Klosterneuburger Altar bei Wien (Abb. 7). Nikolaus von Verdun, dessen latenter Byzantinismus eines der großen Themen der Kunstgeschichte ist, ist ihm hierin gefolgt. In dem unerhörten Pathos seines Figurenstiles und in der Kraft seiner strömenden Linienführung kehrte er – das lag in der Natur seines ganz anders gearteten künstlerischen Temperaments – zu der auf die Hauptfiguren beschränkten Dreiergruppe zurück, zu monumentaler Form gesteigert noch einmal durch den abstrakten Rautengrund. In der Biegung des Leibes Christi, in dem Motiv des Einsinkens des toten Hauptes, in der Form des Suppedaneums, das auch hier mit Blutstropfen übersät ist, ohne daß es der Darstellung Adams oder seinens Schädels bedurft hätte, greift er unübersehbar deutlich auf die Komposition der *armilla* zurück.

Der Meister

Die ältere Kunstgeschichte hat auch die *armillae* mit der Kreuzigung und der Auferstehung gelegentlich Nikolaus von Verdun zugeschrieben. Ohne Zweifel steht ihm der Meister der *armilla* mit der Auferstehung relativ nahe. Die große Gebärde, mit der der im offenen Grab stehende Christus das Leichentuch hochhebt und vorweist, verrät eine ähnliche Tendenz zu gesteigertem Pathos. Zu dem ganz byzantinischen Kopf des Auferstehenden ließen sich allenthalben am Klosterneuburger Altar Parallelen finden. Auch für den eindrucksvollen Kopf des Stephaton auf der Kreuzigungsarmilla kann man auf dem Klosterneuburger Altar verwandte Bildungen aufspüren. Doch weist das wohl nur auf denselben byzantinischen Quellenbereich. Ansonsten steht der Meister der Kreuzigungsarmilla dem Werk des Nikolaus weniger nahe als der Meister der Auferstehungsarmilla. Es scheint, daß es zwei Goldschmiede waren, die die beiden *armillae* gearbeitet haben. Dafür sprechen stilistische Unterschiede und manche gegenständlichen Details. Äußerliche Gründe mögen wie bei vielen mittelalterlichen Werken dafür maßgebend gewesen sein – vor allem wohl die Notwendigkeit, daß die Stücke zu einem bestimmten Ereignis, das wir freilich nicht kennen, fertig sein sollten, um dem Kaiser, vielleicht als Geschenk, überreicht zu werden. Der Meister der Kreuzigungsarmilla setzt sich in seinem weniger dynamischen Gestaltungswillen, in seiner Tendenz zu großen, auseinandergefalteten figurenreichen Kompositionen stärker als sein Zunftgenosse von dem Meister des Klosterneuberger Altars ab. Er ist ein anderes künstlerisches Temperament; man möchte ihn auch für älter halten.

Neben der historischen Bedeutung der *armilla* als Insignie aus dem Umkreis einer der großen deutschen Herrschergestalten, dem künstlerischen Rang ihrer Bildkomposition mit der Kreuzigung Christi und deren Stellung in der Geschichte der christlichen Kunst sollte die Schönheit des Emails nicht übersehen werden. Eine solche reichdifferenzierte Farbigkeit innerhalb der einzelnen Emailgründe findet sich nur bei den schönsten und reichsten Werken der Rhein-Maas-Kunst. Eine gewisse, sonst bei Grubenschmelzen kaum zu beobachtende Transparenz des Emails, bei dem das einfallende Licht in die obersten Schichten der Glasflußmasse eindringt, bewirkt die tiefe Leuchtkraft und intensive Farbigkeit von selten erreichter Strahlkraft. Besonders eindrucksvoll ist das grüne, fast ganz transparente Email der Standfläche unter den Füßen Christi, in dem die roten Flecken schwimmen, die das herabtropfende Blut des Herrn bezeichnen, und das technisch-künstlerisch die höchsten Qualitäten verrät, die dieser Kunstgattung möglich waren.

Günther Bräutigam

BILDWERKE DES SPÄTMITTELALTERS

Der Bürger als Auftraggeber – der Künstler als Bürger

Notiz für den Leser

Die erste Blüte des deutschen Bürgertums am Ausgang des Mittelalters und zu Beginn einer Zeit geistiger Verunsicherung, technischer Umwälzungen (Mechanisierung von Arbeitsabläufen durch die Nutzung der Wasserkraft, die »Erfindung« der Buchdruckerkunst), politischer und sozialer Unruhen bedeutete auch für Baumeister und Bildhauer einen Neubeginn. War man bisher im wesentlichen als Wanderarbeiter von Bauhütte zu Bauhütte gezogen, so ließ man sich jetzt in festen Werkstätten innerhalb der Stadtmauern nieder und nahm von den wohlhabenden Schichten der Kaufmannschaft Aufträge entgegen. Bürgerhäuser, Rathäuser, Kirchen und Brunnen zeugen so von der Ausbildung einer lokalen Kunsttradition. Neben Stein und Holz gewann ein neuer Werkstoff besondere Bedeutung: der Ton.

Drei der bedeutendsten Meister dieser Epoche sind im Nationalmuseum vertreten, die nicht nur durch ihr Werk, sondern auch durch ihre Vita die Zeit des Umbruchs und des neuen Lebensgefühls repräsentieren. Da ist Adam Kraft (um 1460 bis 1508), der nach seinen Wanderjahren im Süden Deutschlands eine eigene Werkstatt in Nürnberg eröffnete und zu einem der meistbeschäftigten Handwerker seiner Stadt wurde: Epitaphe für Kirchen, Hauszeichen für öffentliche und private Gebäude, Kreuzwegstationen und kunstvoll gestaltete Bauteile zeugen von seiner Schaffenskraft. Farbiger verlief das Leben von Veit Stoß (um 1448 bis 1533): Nach langem Aufenthalt in Krakau ließ er sich in der alten Reichsstadt nieder. Erfolgreich als Künstler (der »Englische Gruß«), hatte er als Geschäftsmann eine weniger glückliche Hand. Als er bei einer Handelsspekulation betrogen wurde, versuchte er durch eine Urkundenfälschung sein Geld zu retten und wurde vor Gericht gestellt. Erst seine Rehabilitation durch Kaiser Maximilian brachte ein Ende seiner sozialen Ächtung. Schlimmer erging es Tilman Riemenschneider (um 1460 bis 1531). Er, der es als angesehener Meister zum Bürgermeister der Stadt Würzburg gebracht hatte, mußte wegen seiner Parteinahme für die aufständischen Bauern in den Unruhen des Jahres 1525 Gefangenschaft, Folterung und Ehrverlust erleiden.

Sosehr die Technik und Motive dieser Künstler noch dem deutschen Mittelalter verhaftet sind, so zeigt doch ihr Spätwerk bereits den Einbruch eines neuen Kunstverständnisses, das von Italien ausging: Die Renaissance eroberte Europa und prägte den Stil für ein knappes Jahrhundert. W. D.

Das Stadtbürgertum – eine neue Kraft im Reiche

Das europäische Spätmittelalter bietet sich dar als eine Epoche tiefgreifender Wandlungen. Die gut anderthalb Jahrhunderte vom letzten Drittel des 14. Jahrhunderts bis zu den beiden ersten Jahrzehnten des 16. Jahrhunderts christlicher Zeitrechnung bezeichnen den Übergang vom Mittelalter zur Neuzeit, vereinen »Noch« und »Schon«, Ende und Neuanfang.

Weittragende Bedeutung für den Strukturwandel in Gesellschaft und Politik hatten die Umwälzungen in Wirtschaft, Wissenschaft und Technik. Der ehedem führenden Schicht der adligen Grundherren, deren Einkünfte und deren Macht sich auf Landbesitz und Agrarwirtschaft gründeten, war seit dem 13. Jahrhundert ein rasch erstarkender Rivale im Stadtbürgertum erwachsen, das – durch kaiserliche Privilegien gestützt – mit Handel und Handwerksfleiß Geld erlangte und Einfluß verlangte. Die Ausdehnung des Fernhandels und der damit verbundene Ausbau der Geldwirtschaft brachten den Kaufherren und Handelsgesellschaften neue Risiken, aber auch reiche Erträge.

Für die Gewinnung und Verarbeitung von Rohstoffen wurden neue Technologien entwickelt, besonders bei der Verhüttung von Erzen und in der Verarbeitung von Metallen. Die Nutzung der Wasserkraft für die Mechanisierung von Arbeitsabläufen führte zu einem neuen Verfahren in der Drahtherstellung. In der Kriegstechnik bewirkte die Anwendung des Schießpulvers rasche Fortschritte in der Fertigung von Geschützen und anderen Feuerwaffen.

Die wirtschaftliche und technische Entwicklung kam natürlich nicht allein dem stetig an Wohlstand gewinnenden Stadtbürgertum zugute, aber sie trug wesentlich zur Stärkung von dessen Position bei. Die städtischen Gemeinwesen im »Heiligen Römischen Reich Deutscher Nation« trachteten zunehmend nach der Erringung der Selbstverwaltung, der größtmöglichen Unabhängigkeit von geistlichen oder weltlichen Landesherren, und einer beträchtlichen Anzahl gelang der Aufstieg zur »Freien Stadt« oder »Reichsstadt«, untertan nur dem deutschen König und Kaiser.

Die Veränderung der gesellschaftlichen Verhältnisse ist besonders deutlich abzulesen an den Wandlungen in der Architektur, an den gestellten Bauaufgaben und der Art und Weise ihrer Bewältigung – technisch und gestalterisch. Hatte ehedem der Burgenbau die führende Rolle im Bereich der Profanarchitektur gespielt und hatten in dieser Zeit die Dome und Klosterkirchen den Charakter von »Gottesburgen« gehabt, so standen im Spätmittelalter Stadtbefestigungen und städtische Gemeinschaftsbauten wie Pfarrkirchen und Rathäuser an der Spitze der Bauprojekte. Das Streben nach Monumentalität, Feierlichkeit und Würde, das der Epoche des Rittertums im Hochmittelalter eigen war, wurde im nachfolgenden bürgerlichen Zeitalter abgelöst durch eine neue Sicht der Wirklichkeit, aber auch durch neue Formen der Frömmigkeit, die der Andacht der Einzelperson Raum ließen. Die bildende Kunst empfing davon frische Impulse, das gilt für die Bauten wie für ihre Ausstattung.

Bildhauer wurden seßhaft

Die im deutschen Sprachraum in dieser ersten Bürgerzeit entstandenen Bildhauerwerke, von denen hier an Hand im Nationalmuseum bewahrter Beispiele die Rede sein soll, bieten nach Form und Inhalt eine Vielzahl von Aspekten für die Betrachtung.

Im Mittelalter standen – mit landschaftlichen Unterschieden – überall in Mitteleuropa Stein, Holz und Ton als Materialien für Skulpturen größeren Formats zur Verfügung. Schwieriger zu gewinnen und zu verarbeiten war die für den Bildguß benötigte Bronze. Die Führungsrolle behielt bis in das 15. Jahrhundert hinein die dem Bauwesen am engsten verbundene Gattung: die Steinplastik. Dabei mag die besondere Witterungsbeständigkeit des Materials eine Rolle gespielt haben. Ausschlaggebend war die bis zum Ende des Mittelalters funktionierende Organisation des Bauwesens durch Bauhütten. Unter Leitung eines Baumeisters arbeiteten Wanderhandwerker, die nach dem Abschluß – oder auch der Einstellung – eines Projektes den Ort wechselten. Wanderhandwerker waren auch die Bildhauer, die den Skulpturenschmuck der öffentlichen Gebäude schufen. Feste Werkstätten, die Einzelaufträge für die Innenausstattung, besonders von Kirchen, ausführten, bestanden nur im Einflußbereich von Fürstenhöfen und geistlichen Zentren wie Bischofssitzen oder Klöstern. Erst als mit den zu Vermögen gekommenen führenden Schichten des Bürgertums ein größerer Kreis von Bestellern auftrat, begannen Bildhauer und Bildschnitzer, sich in den Städten als selbständige Meister niederzulassen und so in den Kreis einer seit langem berufsständisch organisierten Handwerkerschaft einzutreten. Die Ausbildung lokaler Kunsttraditionen konnte beginnen, ein Prozeß, der in einer Reichsstadt wie Nürnberg erst in der zweiten Hälfte des 14. Jahrhunderts in Gang kam.

Der »Schöne Brunnen« in Nürnberg – ein symbolträchtiges Monument

Ein Bauhüttentrupp schuf im letzten Viertel des 14. Jahrhunderts den »Schönen Brunnen« in Nürnberg, an dessen angestammtem Platz an der Nordwestecke des Hauptmarktes von 1897 bis 1902 eine vollständige Kopie aufgestellt wurde. Die Reste des Originalbestandes erhielt das Nationalmuseum von der Stadt Nürnberg als Leihgabe, drei Prophetenköpfe ausgenommen, die schon 1886 in die Königlichen Museen zu Berlin gelangt waren. Die Bezeichnung »schön« für die über siebzehn Meter hohe, reich ausgearbeitete und mit zahlreichen Skulpturen versehene gotische Turmpyramide bedeutet soviel wie »herrlich« oder »glänzend«. Das bedeutende und überaus symbolträchtige Brunnenmonument verdient dieses Beiwort in jedem Sinne, doch läßt es sich auch durchaus wörtlich nehmen, bezogen auf die prächtige Fassung. Architektur und Figuren strahlten in Gold und Silber, Rot und Blau. Die bereits für 1396 verbürgte Bemalung wurde im Verlauf mehrerer Jahrhunderte von Fall zu Fall erneuert. Durch einen besonderen Glücksumstand hat sich die fast einen Meter hohe, mit Aquarell und Deckfarben kolorierte Pinselzeichnung auf Papier erhalten, die der Maler Andreas Herneysen für die Renovierung von 1587 anfertigte. Die Farbangaben dieser im Kupferstichkabinett des Germanischen Nationalmuseums bewahrten Darstellung bilden in unserer Gegenwart weiter die Grundlage für Überholungsarbeiten an der Kopie des Monuments, so wie dies bei der Neufassung 1956 geschah. Von den originalen Resten aus feinem, im Lauf der Jahrhunderte stark verwitterten Schilfsandstein sind die Farben gänzlich verschwunden.

Die Brunnenanlage basierte auf einem achteckigen Grundriß. Achtseitig war der niedrige Wasserkasten. Auf acht Pfeilern, die aus dem Wasser ragten, ruhte die bis zur Spitze vierfach gestufte Turmpyramide. Auf die einfache und doppelte Achtzahl bezogen war auch das reiche Skulpturenprogramm von ursprünglich vierzig, in drei Rängen übereinander angeordneten Figuren. Die sechzehn großformatigen Statuen des Hauptgeschosses (die sieben Kurfürsten und die neun »Guten Helden«) wurden jeweils paarweise an den Eckpfeilern auf Büstenkonsolen aufgestellt. Im Geschoß darüber standen, ebenfalls auf Konsolen, acht Figuren kleineren Formats: Moses, in der Linken die Gesetzestafeln, und – durch Spruchbänder kenntlich – die sieben Propheten Jesaja, Jeremia, Hesekiel, Daniel, Hosea, Joël und Amos. Von den insgesamt vierundzwanzig Statuen dieser beiden Geschosse lassen sich, alle Fragmente eingerechnet, immerhin noch neunzehn in Teilen nachweisen. Verschollen sind die sechzehn Sitzfiguren, die – in zwei Reihen geordnet – in der untersten Zone auf Pfeilerpostamenten zwischen Turmaufbau und Beckenrand thronten. Es waren je acht der bedeutendsten heidnischen und christlichen »Skribenten« (Schriftsteller). In der inneren, erhöhten Reihe saßen die vier Evangelisten Matthäus, Markus, Lukas und Johannes sowie die vier lateinischen Kirchenväter Hieronymus, Ambrosius, Augustinus und Gregor. Zu Füßen der christlichen Skribenten, entsprechend ihrer dienenden Funktion gegenüber der Gotteserkenntnis, waren in der äußeren Reihe aufgestellt die Vertreter der Philosophie und der Sie-

1. Julius Cäsar vom Schönen Brunnen in Nürnberg

2. Gottfried von Bouillon vom Schönen Brunnen in Nürnberg

ben Freien Künste (Artes liberales), das heißt der Grammatik, Dialektik, Rhetorik, Arithmetik, Geometrie, Musik und Astronomie, in Gestalt von Aristoteles, Donatus, Sokrates, Cicero, Nikomachos, Euklid, Pythagoras und Ptolemaios.

Die sieben Kurfürsten, drei geistliche – die Erzbischöfe von Mainz, Trier und Köln – und vier weltliche – der König von Böhmen, der Pfalzgraf bei Rhein, der Herzog von Sachsen und der Markgraf von Brandenburg –, hatten das Recht, den deutschen König zu wählen. In ihnen manifestierte sich die aktuelle politische Macht, die staatliche Autorität des Reiches. Als Vorbilder für ein gerechtes Regiment aus vergangenen Zeitaltern sind die »Guten Helden« zu verstehen, je drei Vertreter des heidnischen, jüdischen und christlichen Altertums, nämlich: Hektor, Alexander und Julius Cäsar (Abb. 1); Josua, David und Judas Makkabäus; Artus, Karl der Große und Gottfried von Bouillon (Abb. 2), der König von Jerusalem. Daß hier neben historischen Persönlichkeiten auch Sagengestalten auftreten, war für die Menschen des 14. Jahrhunderts ohne Bedeutung. Wesentlich war das »exemplum«, das lehrhafte Beispiel.

Dieselbe Einstellung wird in der Darstellungsweise deutlich. Während Moses und die Propheten wie üblich in einer zeitlosen Tracht, barhäuptig oder mit turbanartigen Kopftüchern gezeigt werden, sind die Kurfürsten und Helden in Rüstungen des späteren 14. Jahrhunderts gehüllt. Individuell kenntlich gemacht werden sie durch ihre Kopfbedeckungen und ihre Barttracht. Könige tragen Kronen, geistliche Kurfürsten die Mitra, der Kurfürst von Sachsen den Kurhut, und alle Christen haben modisch gestutzte Bärte. Josuas Haupt ist mit dem kegelförmigen Judenhut bedeckt, der den Juden im Mittelalter vorgeschrieben war, sein Bart bildet lange Korkenzieherlocken. In einer Spitze auslaufende Phantasiehelme, umwunden von einem Tuch, einem »Bund«, und dazu mächtig wuchernde Bärte haben die Helden des heidnischen Altertums wie Hektor und – überraschend für uns Heutige – auch Julius Cäsar, denen damit ein quasi orientalischer Charakter verliehen wird.

Die Figuren im Hauptgeschoß des Schönen Brunnens zeigen an, daß das Nürnberger Stadtregiment sich einig wußte mit der Sache von Kaiser und Reich, verpflichtet dem Dienst an der Gerechtigkeit. Mahner zur Gerechtigkeit sind auch die Propheten – so treten sie an den Weltgerichtsportalen der Kirchen auf –, aber nicht nur dies. Sie weisen voraus auf das kommende Heil, auf die Errettung der Menschheit durch das erlösende Wasser und werden darum an Taufbecken dargestellt.

Der Taufe zugehörig ist auch die Zahl Acht. Achtseitig wurden

Taufbrunnen und Taufkapellen gestaltet, achtseitig und mit acht Wasserläufen versehen wurde auch der Schöne Brunnen angelegt. So wird seine Turmpyramide zum Sinnbild christlicher Heilserwartung, zum Abbild des Lebensbrunnens, der *Fons Vitae.*

Beispiele für die Darstellung der Kurfürsten, der »Guten Helden« und der Propheten im Zusammenhang mit städtischen Bauwerken finden sich auch andernorts in Deutschland. Einmalig ist aber die Gesamtkonzeption des Schönen Brunnens. Man hat daher überlegt, ob nicht Kaiser Karl IV., Nürnbergs beständiger Freund und Gönner, der Bauherr der von 1350 bis 1358 am neugeschaffenen Hauptmarkt errichteten Frauenkirche, das Programm inspiriert haben könne. Die Ausführung vor Karls Tod 1378 ist allerdings nach dem stilistischen Befund unwahrscheinlich. Baurechnungen, die jedoch nichts über den Beginn der Arbeiten aussagen, sind erst ab 1385 vorhanden. Die zeitgenössischen Skulpturen in der kaiserlichen Residenzstadt Prag waren den Bildhauern des Schönen Brunnens offenbar nicht fremd, nur fiel das Ergebnis in Nürnberg anders aus: Hier entstand bürgerliche, nicht aber höfische Kunst. Ein Zug der Zeit war die Abkehr von denkmalhaft heroischer Haltung: Die fein modellierten Gesichter der Kurfürsten und Helden überschatten Ernst und ein Anflug von Melancholie.

Blüte eines neuen Werkstoffs: Ton

Der sogenannte Heldenmeister des Schönen Brunnens schuf auch als Hausfigur die elegante Statue eines gerüsteten Fürsten, die sich im Bode-Museum in Berlin (Ost) befindet. Das Material ist gebrannter Ton – wie bei den Figuren sitzender Apostel, die um 1400 in einer nunmehr fest in den Nürnberger Bereich gehörenden Werkstatt entstanden (Abb. 3 bis 5). Der Übergang von der Bauhütte zum seßhaften Handwerksbetrieb ist damit vollzogen.

Der weiche, gut formbare Ton bot sich den Bildhauern als idealer Werkstoff an in einer Zeit, deren Interesse auf eine ausgewogene Oberflächenwirkung gerichtet war, auf die Charakterisierung von Stofflichkeit etwa bei Gewändern mit sorgfältig drapierten Faltenbahnen oder feingesträhnten Haaren und Bärten. Von den erwähnten Apostelfiguren sind insgesamt neun erhalten, sechs im Nationalmuseum, drei in der Nürnberger Jakobskirche. Man muß sie sich in Gedanken ergänzen zu einer Folge, die Christus mit den zwölf Aposteln darstellte. Die stattliche Größe der Figuren (zwischen 61 und 65 Zentimetern) und ihre sorgfältige Ausarbeitung auch auf der Rückseite – die Sitzbänke tragen überdies an den Seiten und rückwärts reichverziertes Maßwerk – erschweren die Vorstellung, daß sie ursprünglich in zwei Reihen übereinander in einem Altarschrein gestanden haben

3. Sitzender Apostel, um 1400

4. Sitzender Apostel, um 1400

5. Sitzender Apostel, um 1400

könnten. Näherliegend erscheint eine freie Aufstellung, wie sie im Nationalmuseum versucht worden ist. Besonders verbreitet war die Tonplastik in der Zeit des »Schönen Stils« von etwa 1390 bis 1430 am Mittelrhein, in Niederbayern und im Nürnberger Raum. Auch zu den beiden erstgenannten Bereichen bewahrt das Museum wesentliche Beispiele.

Andachtsbilder: Zeugnisse mystischer Frömmigkeit

Angeregt durch die Mystik, deren Gedankenwelt ganz besonders in Frauenklöstern gepflegt wurde, entstanden seit dem ausgehenden 13. Jahrhundert sogenannte »Andachtsbilder«, Einzelskulpturen mit Christus und Maria betreffender Thematik, die besonders für die individuelle Andacht des einzelnen Gläubigen bestimmt waren. Die Darstellungen wurden vielfach aus einem größeren szenischen Zusammenhang herausgelöst. Das gilt für das Vesperbild ebenso wie für den Schmerzensmann oder die Christus-Johannes-Gruppe. Das Vesperbild, die Totenklage Mariens über den auf ihrem Schoß gebetteten Leichnam ihres Sohnes, leitet sich von den szenischen Schilderungen der Beweinung Christi nach der Kreuzabnahme her. Es erhielt seinen Namen von den Tagzeitgebeten zur Vesper, die auf den Tod Christi und seine Abnahme vom Kreuz »um die neunte Stunde« – gegen drei Uhr am Nachmittag – Bezug nehmen. Die Darstellung als Schmerzensmann im sogenannten »Erbärmdebild« zeigt Christus mit den Wundmalen seines Kreuzestodes, lebend und in aufrechter Stellung, nicht jedoch in der Verklärung. Die zur Anbetung aufgeforderten Gläubigen werden auf sein Leiden als den Inbegriff des Heilsgeschehens hingewiesen. Die liturgische Entsprechung zu diesem mystischen Bild bildet die Kreuzverehrung des Karfreitags. Die Christus-Johannes-Gruppe, für die das Nationalmuseum keine Beispiele aufzuweisen hat, ist der Darstellung des letzten Abendmahls entnommen. Johannes, der Lieblingsjünger Christi, ruht an der Brust des Herrn. Der Verfasser des »Evangeliums der Gnade« wurde verehrt als »Vorbild und Patron der in Gott geeinten und göttlicher Offenbarungen gewürdigten Seele«.

Die stetig sich ausbreitende Marienverehrung im Spätmittelalter brachte es mit sich, daß auch viele Darstellungen der thronenden oder stehenden Muttergottes, der Maria mit dem Jesuskind, den Charakter von Andachtsbildern gewannen. Zu den Besonderheiten gehören die dem Jesuskind die Brust reichende Maria (Maria lactans), in unseren Sammlungen durch eine um 1380 entstandene Figur aus Mariazell in der Steiermark vertreten, oder der im deutschen Osten heimische Typus der Muttergottes auf dem Löwenthron. Die auf einem Thron über zwei kauernden Löwen sitzende Muttergottes aus Rengersdorf in der böhmisch-schlesischen Grafschaft Glatz (um 1370) versinnbildlicht die Lobpreisung Mariens als »Neuer Thron Salomonis«. Der Christusknabe auf ihrem Schoß ist der »wahre Salomon«, er verkörpert die ewige göttliche Weisheit. Vom Thron Salomons, des wegen seiner Weisheit gerühmten alttestamentarischen Königs, berichtet die Bibel im Buch der Könige, daß zwei Löwen neben den Armlehnen standen und je zwei weitere auf jeder der sechs Thronstufen. So wurden die Löwen auch Maria beigegeben.

Aus dem Gebiet des Deutschen Ordens, aus Westpreußen, stammt die »Schreinmadonna« vom Ende des 14. Jahrhunderts, die wie die vorgenannten Skulpturen aus Lindenholz geschnitzt ist. Die vollplastisch ausgeführte, vergoldete Figur der thronenden Muttergottes hat wie ein Altarschrein zwei aufklappbare Flügel. Geöffnet verwandelt sich die Figur in eine Schutzmantel-Maria. Die Malereien auf den Flügelinnenseiten zeigen die Vertreter der weltlichen und geistlichen Stände als Schutzflehende unter dem ausgebreiteten Mantel der Gottesmutter und Himmelskönigin. Im Mittelteil erscheint, plastisch ausgeführt, der »Gnadenstuhl«: Der thronende Gottvater hält das Kreuz Christi. Der Kruzifixus und die Taube des Heiligen Geistes, die zu dieser Darstellung der Dreifaltigkeit gehören, sind verloren. Dem Typus nach stammt die »Schreinmadonna« aus Frankreich und wurde möglicherweise direkt von dort nach dem Osten übertragen, da der Deutsche Orden auch in Burgund und Frankreich Besitzungen hatte.

Die geretteten Flügelaltäre

Die umfangreichsten und bedeutendsten Aufträge, die deutschen Bildschnitzern des Spätmittelalters zuteil geworden sind, betrafen die Ausstattung der Kirchen und besonders der Altäre. Der mit Skulpturen oder Malerei geschmückte Altaraufsatz, das seit dem 11. Jahrhundert zu belegende Retabel, wurde mit dem 14. Jahrhundert in den Flügelaltar verwandelt, einen mit geschnitzten Bildwerken besetzten Schrein, der mit an Scharnieren befestigten Flügeltafeln geschlossen werden konnte, den Gläubigen werktags eine andere Ansicht darbietend als an Sonn- und Feiertagen. Die Skulpturen im Schrein standen als Statuen aufgereiht oder waren eingeordnet in eine szenische Gruppierung. Beide Möglichkeiten haben frühzeitig nebeneinander bestanden. Die Größe der Flügelaltäre wie der bei der Ausführung getriebene Aufwand hingen natürlich in erster Linie von den Mitteln ab, die von den Bestellern aufgewendet wurden, aber ebenso vom vorhandenen Raum. Die ganz große Zeit dieser oft zu monumentalen Ausmaßen gesteigerten Werke waren die Jahrzehnte von etwa 1460 bis gegen 1520. Der Beginn der Reformation und der Bauernkrieg von 1525 brachten einen jähen Absturz. Der Umbruch, der sich im

Bereich der bildenden Kunst seit dem Beginn des 16. Jahrhunderts unter dem zunehmenden Einfluß der italienischen Renaissance angekündigt hatte, war vollzogen. Das Mittelalter hatte sein Ende erreicht.

Vollständig erhalten blieben nur wenige Altäre des Spätmittelalters. Viele sind verloren, Opfer von Bilderstürmern oder des veränderten Geschmacks späterer Generationen, zugrunde gegangen wie die unzeitgemäß gewordenen Gotteshäuser, in denen sie gestanden hatten. Für die öffentlichen Sammlungen, denen in der ersten Hälfte des 19. Jahrhunderts Werke altdeutscher Kunst aus Klöstern und profanierten Kirchen zugewiesen wurden, waren die Teile zunächst interessanter als das Gesamtkunstwerk. Skulpturen und Tafelgemälde desselben Altars wurden nach Gattungen getrennt, das Gehäuse – der Schrein – war häufig dem Untergang preisgegeben.

Der größte im Nationalmuseum aufgestellte Flügelaltar, den der Kaufherr Markus Landauer für den Hochaltar der Nürnberger Katharinenkirche stiftete, besteht noch aus dem Schrein und einem Teil der erst 1911 wieder mit diesem vereinigten Flügelgemälde. Der Unterbau, Staffel oder Predella genannt, und das geschnitzte, aus architektonischen Zierformen bestehende Gesprenge, das den Abschluß nach oben bildete, sind verloren. In der Schreinmitte des um 1470 geschaffenen Werkes ist Christus am Kreuz dargestellt zwischen Maria und dem Evangelisten Johannes. Rechts und links der Mittelgruppe folgen jeweils zwei weitere Statuen von Heiligen, die auf Konsolen stehen: links Johannes der Täufer und Katharina von Alexandrien, rechts Dominikus und Thomas von Aquin. Die Gemälde auf den Flügeln zeigen auf den Innenseiten Geburt und Auferstehung, auf den Außenseiten die Kreuzigung Christi sowie die mystische Verlobung der heiligen Katharina mit dem Jesuskind. Die für den Hochaltar der Dominikanerinnen-Klosterkirche wichtigen Heiligen werden durch die architektonische Rahmung im Schrein zu Gruppen zusammengefaßt, doch bleiben sie Einzelstatuen, untereinander nicht in Beziehung gebracht. Der als »Meister des Landauer-Altars« bezeichnete Maler der Flügelgemälde steht dem bedeutenderen Hans Pleydenwurff nahe und hat vielleicht sogar in dessen Werkstattverband gearbeitet. In denselben Kreis gehört auch der sehr konservative Schnitzer, der wahrscheinlich nicht als selbständiger Meister tätig war.

Nur wenig früher entstanden als der Katharinenaltar, aber einer anderen Kunstlandschaft, nämlich Thüringen, zuzurechnen ist der um 1460 anzusetzende Altarschrein mit einer Marienkrönung, der eigentlich als »Altartafel« bezeichnet werden muß, da er nie Flügel erhalten sollte (Abb. 6). Kleiner im Format als der Katharinenaltar, ist er auch kleinteiliger in der Ausgestaltung. In der Mitte der breit gerahmten, durch reiches architektonisches Beiwerk in fünf Szenenfelder unterteilten Tafel erscheint, nach Stellung und Größe herausgehoben, die fast vollplastische Gruppe der Marienkrönung. Die zwischen den thronenden Gestalten von Christus und Gottvater kniende Maria empfängt, leiblich in den Himmel aufgenommen, die Krone der Himmelskönigin. Die paarweise angeordneten kleineren Reliefs zeigen links die Geburt Christi und die Anbetung der Könige, rechts die Auferstehung Christi und die Ausgießung des Heiligen Geistes. Die zentrale Darstellung weist den Schrein als Marienaltar aus, während die zugeordneten Szenen die christlichen Hauptfeste Weihnachten, Epiphanias, Ostern und Pfingsten bezeichnen. Die lebhaft vergoldete Tafel besticht durch ihre dekorative Wirkung. Dramatische Höhepunkte fehlen, aber das Ganze ist sehr konzentriert erzählt mit

6. Erfurt um 1460: Altarschrein

7. Oberschwaben um 1490: Muttergottes

einer spürbaren Freude am schmückenden Detail. Der Altartypus war in Thüringen, ausstrahlend vom geistigen Zentrum Erfurt, in der zweiten Hälfte des 15. Jahrhunderts verbreitet. Der Verzicht auf Flügel stellt jedoch einen Sonderfall dar. Eine Handzeichnung, die als Entwurf für das Relief mit der Anbetung der Könige gelten kann, befindet sich im Kupferstichkabinett der Kunstsammlungen der Veste Coburg.

Die Mittelfigur eines Maria gewidmeten Altarschreins dürfte die »Muttergottes auf der Mondsichel« (um 1490) gewesen sein, die Oberschwaben in den Sammlungen des Germanischen Nationalmuseums vertritt (Abb. 7). Der spezielle Typus der stehenden Maria mit dem schräg vor den Leib gehaltenen nackten Christkind, das in unserem Falle mit der Linken nach einem Apfel griff und mit der Rechten den Segensgestus andeutet, läßt sich bei der schwäbischen Holzplastik bis in die ersten Jahrzehnte des 15. Jahrhunderts zurückverfolgen. Die kleine Mondsichel zu Füßen Mariens nimmt Bezug auf die Vision vom »Weib in der Sonne« in Kapitel 12 der Offenbarung des Johannes. Stilistisch ist unsere Muttergottesfigur, die von Mainfranken her beeinflußt erscheint, in den Bereich des Ulmer Kunstkreises zu rücken, dessen bedeutendster Vertreter in dieser Zeit der Bildhauer Gregor Erhart war, der unmittelbar nach der Fertigstellung des 1493/1494 geschaffenen Blaubeurer Hochaltars nach Augsburg übersiedelte. Die Jahre um 1490 waren eine fruchtbare Zeit für die Produktion von Schnitzaltären. Einen Eindruck von der Fülle des Geschaffenen vermittelt die Notiz, daß das Ulmer Münster 1488 nicht weniger als einundfünfzig Altäre besaß. Dem Schmuckbedürfnis der Zeit entsprechend, ist unsere Figur aufwendig gefaßt mit goldenem, blau gefütterten Mantel und einem Kleid aus rotgrundigem Goldbrokat, dessen Musterung in Stuckmasse plastisch aufgetragen war.

Aus dem für die Alpenländer charakteristischen Holz der Zirbelkiefer schnitzte um 1495 Hans Klocker (Brixen, nachweisbar 1477–1500) eine thronende Muttergottes, deren Jesuskind zwar heute verloren ist, die aber noch ganz über den Reichtum der ursprünglichen Fassung verfügt (Abb. 8). Die Anmut und Liebreiz ausstrahlende Madonnenfigur ist eines der spätesten bekannten Werke des nach Michael Pacher bedeutendsten Tiroler Bildschnitzers in den letzten Jahrzehnten des 15. Jahrhunderts. Auch sie war ehedem die zentrale Skulptur in einem Altarschrein, flankiert von den Standfiguren zur Assistenz aufgebotener Heiliger – eine Anordnung, die an Klockers erhaltenem Flügelaltar für die Stephanskirche in Pinzon (Südtirol) noch studiert werden kann. Vergleichbare Statuen von Klockers Hand bewahrt das Nationalmuseum in Gestalt der beiden

Heiligen Leonhard und Stephan aus Villnöß bei Klausen. Wie die Madonna zeugen sie für Klockers bravourösen Umgang mit dem Schnitzmesser bei der knitterig-lebhaften Behandlung der Faltenbrüche in den stoffreichen, über die Standfläche herabfließenden Gewändern.

Adam Kraft, Bildhauer, Steinmetz und Baumeister

In Franken sind die bedeutendsten Leistungen der Bildhauerkunst am Ende des Mittelalters durch drei Künstlernamen zu bestimmen: Adam Kraft, Tilman Riemenschneider und Veit Stoß. Gebürtiger Franke (genauer noch: Nürnberger) war nur einer von ihnen: Adam Kraft, der Bildhauer, Steinmetz und Baumeister, dessen Schaffen fast ausschließlich bauverbundenen Werken galt. Sein Handwerk wird der um 1455/1460 Geborene als Mitarbeiter am Neubau des Chores der Nürnberger Lorenzkirche erlernt haben. Danach war Kraft etliche Jahre auf der Wanderschaft, vermutlich mit Aufenthalten in Ulm und Salzburg. Nach Nürnberg zurückgekehrt, hat er, wahrscheinlich 1490, geheiratet. Damit konnte er auch als Meister eine eigene Werkstatt eröffnen. In den achtzehn Schaffensjahren, die ihm bis zu seinem Tode Ende 1508 noch beschieden waren, hat er mit seinen Mitarbeitern ein erstaunliches Arbeitspensum geleistet bei stetig gesteigerter Kraft der künstlerischen Aussage.

Kraft schuf in Nürnberg eine Fülle von Steinreliefs: Epitaphien im kirchlichen Bereich, Hauszeichen für öffentliche und private Gebäude, schließlich die Kreuzwegstationen am Wege vom Tiergärtnertor zum neu angelegten Johannisfriedhof außerhalb der Stadt. Hausmadonnen und Figurengruppen wurden bei ihm bestellt, reiche Bürger übertrugen ihm die Gestaltung der Innenhöfe ihrer Häuser mit Maßwerkgalerien und figürlichem Schmuck. Das höchste Raffinement an durchbrochener Steinarbeit bietet das fast neunzehn Meter hohe Sakramentshaus, das von 1493 bis 1496 im Ostchor der Lorenzkirche errichtet wurde.

Manche von Krafts Werken haben den Bombenhagel im Zweiten Weltkrieg nicht überstanden, andere – dazu gehören auch die im Nationalmuseum geborgenen Stücke – zeigen deutlich die Spuren jahrhundertelanger Witterungseinflüsse. Dennoch bleibt das Œuvre eindrucksvoll genug.

Zwei Werke seien hier herausgehoben: das Hauszeichen von der alten Nürnberger Stadtwaage, datiert 1497, und das Relief mit der Beweinung Christi aus der Reihe der 1506/1508 geschaffenen sieben Kreuzwegstationen nach St. Johannis (Abb. 9). Die Stärke Krafts lag nicht in dramatisch zugespitzten Schilderungen. Seine sorgfältig ausgearbeiteten Reliefs verraten Beobachtungsgabe, Freude am Detail

8. H. Klocker: Muttergottes, um 1495

9. Kraft: Kreuzwegstation, Beweinung Christi

und im Falle des Waagreliefs auch einen tiefgründigen Sinn für Humor. Das Relief von der Nürnberger Stadtwaage zeigt die Auswiegung eines Warenballens, womit die Zweckbestimmung des Hauses anschaulich gemacht wird, während es die beigegebenen Nürnberger Wappenschilde als Amtsgebäude kennzeichnen. Hinter dem Kopf des Waagmeisters, der zum (abgebrochenen) Zünglein an der Waage aufschaut, verkündet ein Schriftband »Dir als ein andern« und erhebt so die seltene Darstellung aus der Alltagswelt zu einem Sinnbild der Gerechtigkeit. So wie der säuerlich dreinblickende, nobel gekleidete Kaufherr am Bildrand muß jeder in den Beutel greifen und seine Gebühr zahlen. Das Relief mit der Beweinung Christi demonstriert Krafts Fähigkeit, eine figurenreiche Szene auf engem Raume übersichtlich zu entwickeln. Obwohl die Bindung an den Reliefgrund der Ausarbeitung Grenzen setzte, erreicht er eine bemerkenswerte Tiefenstaffelung, die vom Leichnam Christi über die drei Marien und Johannes, die ihn auf ein Tuch betten, zu den im Hintergrund stehenden Freunden und Anhängern führt. Insgesamt elf Personen, alle erkennbar in Nürnberger Tracht, sind – schmerzerfüllt und doch gefaßt – zu einer bewegenden Totenklage versammelt.

Veit Stoß im Konflikt mit der Justiz

Im Jahre 1496, als Adam Kraft an der Vollendung des Sakramentshäuschens von St. Lorenz arbeitete, erwarb Veit Stoß das Nürnberger Bürgerrecht wieder, das er 1477 aufgegeben hatte, um in der polnischen Königsstadt Krakau im Auftrag der deutschen Gemeinde für den Hochaltar der dortigen Marienkirche einen Schnitzaltar mit dem Thema der Verherrlichung der Jungfrau Maria zu schaffen. Es dauerte zwölf Jahre, bis der riesenhafte Flügelaltar fertiggestellt war. Ein unübertreffbares Meisterwerk war entstanden.

Veit Stoß, der nach einer Krakauer Erwähnung aus Horb (am Neckar) stammte, wo er etwa 1447/1448 zur Welt gekommen sein könnte, hätte es als Nürnberger Neubürger schwerer gehabt, wäre er nicht als wohlhabender Mann wiedergekehrt. 1499 erwarb er ein ansehnliches Haus, und es fehlte ihm inzwischen auch nicht an Aufträgen. Daneben betriebene Handelsspekulationen ließen ihn zum Opfer eines Betruges werden, dem er 1503 durch eine Urkundenfälschung zu entgehen suchte. Der Konflikt mit der Justiz warf ihn für Jahre aus dem Gleis, ehe seine großartigen Spätwerke entstehen konnten. Besonders berühmt blieben bis heute der »Englische Gruß« von 1517/1518, eine frei im Chor der Lorenzkirche aufgehängte Darstellung der Verkündigung an Maria, umrahmt vom Rosenkranz, und der »Bamberger Altar« von 1520/1523, ein Marienaltar für die Nürnberger Karmelitenkirche, der heute – unvollständig – im Bamberger Dom steht.

Unter den Werken des Veit Stoß im Nationalmuseum fällt eines durch seine ungewöhnliche Thematik auf: die Raphael-Tobias-Gruppe (Abb. 10). Der für einige Jahre in Nürnberg tätige Florentiner Seiden- und Juwelenhändler Raphael Torrigiani hat die Gruppe mit seinem Namenspatron, dem Erzengel Raphael, 1516 bei Stoß in Auftrag gegeben, um sie als Gedächtnisbild in die Dominikanerkirche zu stiften. Die Beliebtheit des Themas rührt daher, daß solche Bilder als Dank für wiedererlangte Gesundheit und zu Ehren des Reisepatrons Raphael für junge Kaufmannssöhne, die im Ausland weilten oder von dort zurückkehrten, aufgehängt wurden.

Im apokryphen Buch Tobias des Alten Testamentes wird erzählt, daß der blinde Vater Tobias seinen Sohn nach Medien schickt, um verliehenes Geld einzufordern. Der junge Tobias findet als Begleiter »einen feinen jungen Gesellen«, den von ihm nicht erkannten Erzengel, der ihn die Reise sicher überstehen läßt. Unterwegs fangen sie einen Fisch, dessen Leber dem Tobias auf wunderbare Weise ein Weib gewinnt und dessen Galle den Vater wieder sehend macht. Die Gruppe ist spürbar nach einem italienischen Vorbild gestaltet, über das wahrscheinlich der Auftraggeber verfügte. Der Erzengel ist »antikisch« gewandet, Tobias modisch gekleidet, ein jugendlicher Stutzer.

Die fein geschnittenen Oberflächen der Lindenholzfiguren lassen erkennen, daß sie nur partiell getönt werden sollten. Farbreste sind nicht mehr erhalten. Einmal mehr erweist sich hier die Fähigkeit des Veit Stoß, Materie zu verwandeln: Unter seinem Schnitzmesser wird Holz zu einem wehenden Mantel, glatter Haut oder feinem Pelzwerk.

Tilman Riemenschneider als Sympathisant von Aufrührern

Adam Kraft und Veit Stoß haben sich gekannt als Mitbürger und Angehörige desselben Berufes, so sehr sie sich in Temperament und Stil unterschieden. Auch Stoß und Tilman Riemenschneider wußten voneinander und kannten Werke des jeweils anderen. Einen Beleg dafür, daß sie sich jemals persönlich begegneten, haben wir nicht. Riemenschneider, dem um 1460 in Heiligenstadt im mainzischen Eichsfeld geborenen Sohn eines von materiellen Sorgen bedrückten Münzmeisters, hatte ein hilfreicher Onkel aus geistlichem Stande den Weg nach Würzburg geebnet, wo er seit 1479 nachweisbar ist. 1485 beginnt mit Heirat, Meisterwürde und Bürgerrecht sein sozialer Aufstieg. Die Städte des Frankenlandes bestellten große Schnitzaltäre. Für Würzburg schuf er Steinfiguren und Bischofsgrabmäler, für den Bamberger Dom das Kaisergrabmal: Das alles trug eine große Werkstatt. Der Meister stieg in den Ämtern der Stadt bis zum Bürgermeister auf, und doch mußte er, nach der Niederschlagung des Bauernaufstandes von 1525 wegen seiner Parteinahme für die Aufständischen als Aufrührer angeklagt, Gefangenschaft und Ehrverlust erdulden.

Man hat Riemenschneider im Vergleich mit dem ruhelosen Veit Stoß als das ausgeglichene Temperament gewürdigt, als den feinsinnigen Lyriker, dessen Gestalten dem Streit dieser Welt entrückt sind. An innerer Kraft fehlt es aber auch seinen Geschöpfen nicht.

Von vielen Schnitzaltären des Meisters blieben nur Fragmente erhalten. Einige davon sind auch im Nationalmuseum zu finden, darunter die heilige Elisabeth, die hier stellvertretend für alle anderen Relieffiguren stehen soll (Abb. 12). Die 1231 in freiwilliger Armut gestorbene Landgräfin von Thüringen weihte ihr Leben der Pflege der Kranken und Speisung der Hungrigen. Riemenschneider gelang mit dieser Figur eine bedeutende Charakterisierung des von Hilfsbereitschaft und Demut geprägten Wesens der Dame aus vornehmem Stand.

Der schwäbische »Parallelfaltenstil«

Weder Riemenschneider noch Stoß noch Kraft haben in ihrem Spätwerk verleugnen können, daß unter dem Einfluß der italienischen Renaissance die deutsche Kunst sich zu wandeln begann. Zu Bekennern für das Neue konnten sie ihrer Generation und ihrer Prägung nach nicht mehr werden. Diese Richtung zu vertreten, waren jüngere Meister herangewachsen.

10. V. Stoß: Raphael und Tobias, 1516

11. Meister von Ottobeuren: Martin und Barbara, um 1515

12. Riemenschneider: Heilige Elisabeth, um 1500

Einer von ihnen wirkte in Oberschwaben (wahrscheinlich hatte er seine Werkstatt in Memmingen). Der unbekannte Schnitzer, ein Zeitgenosse des Hans Leinberger, wird nach zwei Reliefs im dortigen Klostermuseum der Meister von Ottobeuren genannt.

Von diesem Vertreter des schwäbischen »Parallelfaltenstiles« – an die Stelle der kunstvoll geknitterten Gewandfalten der spätesten Gotik sind hier parallel zueinander gelegte, glatt schwingende Faltenzüge getreten – besitzt das Nürnberger Nationalmuseum zwei großformatige Flügelreliefs von einem verlorenen Altarschrein mit je zwei Heiligengestalten: Martin und Barbara auf der linken, Gereon und Katharina auf der rechten Seite (Abb. 11). In seinem schnitzerischen Können Veit Stoß oder Riemenschneider ebenbürtig, mit einem wachen Sinn für Monumentalität, legt der Unbekannte besonderen Wert auf dekorative Elemente, auf die sorgfältige Schilderung von Gewandborten, Stickereien und Schmuck. Der Sinn für Dramatik und Ekstase, für Wirklichkeitsbeobachtung und emphatische Überhöhung wurde am Ende des Mittelalters abgelöst von einem Streben nach einem Formenkanon der Klassizität und Harmonie.

Aber bereits nach weniger als hundert Jahren begann mit dem Frühbarock wiederum eine neue Epoche der Ausdruckskunst.

Kurt Löcher

MARIENBILDER

Maria als Jungfrau, Gottesmutter und Himmelskönigin im Spiegel der spätmittelalterlichen Kunst

Notiz für den Leser

Das Mittelalter war ein katholisches Zeitalter. Nicht das »Ob« und »Was« der Glaubensinhalte standen zur Diskussion, sondern das »Wie« der Gottesverehrung. Der Mensch fühlte sich als Glied in einer Generationenkette, die von Adam an bis zum Jüngsten Tag Gottes Schöpfungsplan in einer vorgegebenen Weltordnung erfüllen sollte. Der Aufbau dieser nicht angezweifelten Gesellschaftsordnung war pyramidenförmig (mit Kaiser und Papst an der Spitze) und spiegelte eine himmlische Hierarchie wider. An deren Spitze standen zweifelsohne Gottvater, Sohn und Heiliger Geist; aber ihnen – fast gleichberechtigt – zur Seite trat frühzeitig Maria, die Mutter Christi.

Sie, die durch ihre Mutterschaft die Fleischwerdung des Heilands erst ermöglichte, wurde zur volkstümlichsten Heiligen des Mittelalters. Ihr irdisches Dasein, ihr Erleben der »Sieben Freuden« und »Sieben Schmerzen«, machte sie zur idealen Fürbitterin für die Gläubigen. Als »Schutzmantelmadonna« fühlte man sich bei ihr und durch sie geborgen.

Einen Höhepunkt erreichte diese Marienverehrung in Wort und Bild im hohen und späten Mittelalter. Sie wurde neben Christus selbst zum beliebtesten Motiv der Künstler, die sich damit in wohl einmaliger Übereinstimmung mit der allgemeinen Volksfrömmigkeit befanden. Darstellungsstil und -techniken wechselten, es wechselte auch die Vertrautheit zum Motiv vom persönlich Familiären zum vergeistigt Überhöhten, es blieb aber stets das Ziel der Verehrung: die Himmelskönigin Maria.

Erst der Umbruch der Zeitenwende um 1500, der neben Glaubensobjekten auch Glaubensinhalte in Frage stellte, setzte dem Marienkult ein jähes Ende. Die Kunst im Norden und Westen Europas entdeckte neue, weltliche Motive.

W. D.

Neue Legenden, neue Motive

Die Verehrung Mariä – der Heiligen Jungfrau, Mutter des Herrn und Königin des Himmels – gelangte im hohen und späten Mittelalter zur schönsten Blüte. Die Quellen hierfür lagen in der oströmisch-byzantinischen Kirche, die auch die entsprechenden Bildtypen ausgebildet hatte. In der Folgezeit wurden die Ereignisse aus dem Leben der Muttergottes durch immer neue Legenden umsponnen, ihre Bilder durch neue Motive und seelische Stimmungen bereichert. Die Statuen in und an den Kirchen, die Schnitzfiguren in den Schreinen der Altäre, die Glasgemälde und die Altarbilder zeigen die Vielfalt der Typen und ihrer individuellen Gestaltung durch die Künstler, zeigen die Verbindlichkeit einmal geschaffener Formen und die lokale Eigenart.

Das Glasgemälde aus Wiener Neustadt (Abb. 2) ist Teil einer um 1310 ausgeführten Fensterverglasung für den dortigen Dom. Die zugehörige maßwerkgefüllte Bekrönung hat sich gleichfalls erhalten. Man denkt an Portal- und Gewändefiguren hochgotischer Kathedralen, etwa an die *Vierge dorée* von Amiens. Maria wächst schlank zwischen zwei Säulen auf. Die Ringellocken, die annähernd gerade geschnittenen Unterlider der Augen und der S-Schwung der Gestalt kennzeichnen den Stil des 14. Jahrhunderts. Bei aller Formelhaftigkeit der Linienführung ist das großäugige ovale Gesicht doch von starkem Leben erfüllt.

Die leichte Verlagerung des Gewichts und das Durchbiegen der Hüfte werden durch die Sitzhaltung des Kindes auf dem rechten Arm der Muttergottes motiviert. Es hält einen Vogel in der Hand, greift mit der anderen nach dem Tuch der Mutter, wendet und neigt den Kopf und blickt aus den Augenwinkeln zum Beschauer. In dieser Lebhaftigkeit drückt sich kindliches Wesen aus, auch wenn der in ein langes Gewand gehüllte Herr der Welt weit entfernt ist von den pausbäckigen Christuskindern späterer Zeit. Wie immer in der gotischen Kunst führen die Gewandfalten ein reiches Leben, das in dieser Stilstufe aber noch immer an die Körperbewegung gebunden bleibt. Das Kopftuch begleitet mit feinem Wellenschlag der Säume das Gesicht der Maria und legt sich in einem breiten Schwung über ihre Brust und Schultern. Der grüne Mantel mit den gemusterten Borten folgt kurvierend der Biegung des Körpers und bildet über dem Schoß eine Schüsselfalte. Den Stoffcharakter des gelben Kleides markieren scharf gezeichnete Querfalten. So teilt sich dem Beschauer über die schwungvolle und spannungsreiche Linienzeichnung etwas vom Gefühlsleben der heiligen Gestalten mit. Der große grüne Scheibennimbus der Muttergottes und der rote Hintergrund schaffen eine ruhige Folie. Ihren vollen Zauber entfalten Glasgemälde dieser Art am ur-

1. Nürnberg um 1400, Maria und Elisabeth mit ihren Kindern bei häuslicher Tätigkeit, Miteigentum der Stadt Nürnberg

»Sieh hin, Mutter, Jesus tut mir . . .«

sprünglichen Standort, in der Abfolge der Tageszeiten und ihrer wechselnden Beleuchtung.

Bald einhundert Jahre jünger ist die auf Holz gemalte Darstellung mit Maria und Elisabeth bei häuslicher Tätigkeit (Abb. 1). Um 1400, als das Gemälde entstand, hatte sich das transportable Tafelbild längst gegen die Wand- und Glasmalerei durchgesetzt, hatten die großen vielteiligen freigestellten Altarretabel und Flügelaltäre Einzug in die Kirchen gehalten. Der Meister des Glasfensters aus Wiener Neustadt blickte nach Frankreich, der Meister des Nürnberger Marienaltars erhielt seine Anregungen aus Böhmen, der Residenzstadt des Königs von Böhmen und Ungarn, der damals zugleich die Reichsgewalt innehatte. Das Bild mit den heiligen Frauen war Teil eines umfangreichen Altars, dessen goldgrundige Innenseiten Darstellungen aus dem Marienleben zeigten. Die Außenseiten führten Szenen der Passion Christi drastisch vor Augen.

Die Frauen sitzen auf einer Steinbank. Maria ist ganz in Blau gekleidet. Eine prunkende Goldkrone, Mantelschließe und Gürtel bilden ihren Schmuck. Elisabeth, die Mutter Johannes des Täufers, hat ihren rosa Mantel über den Kopf geschlagen, ein weißes Kopftuch schaut nur eben hervor. Die dünnen Stoffe erlauben ein reiches und flüssiges Spiel der Falten und Säume. Die Farben sind durchsichtig und bis ins Weißliche aufgelichtet. Maria hält in der Linken Spinnrocken und Spindel, läßt das Buch sinken und schaut sinnend auf. Elisabeth wickelt von der Spindel in ihrer linken Hand den Faden auf eine Haspel, deren Kurbelgriff sie mit der rechten dreht. Im zugehörigen Kasten liegen Knäuel und weitere Spindeln. Die Kinder zu Füßen der Frauen, Christus und Johannes, sind gleich ihren Müttern durch goldene Nimben ausgezeichnet, Christus durch den Kreuznimbus. Er hält einen Löffel und eine Pfanne oder Kasserolle, nach der auch Johannes greift. Mit den Worten »Sieh hin, Mutter, Jesus tut mir . . .«, die auf einem Schriftband stehen, wendet er sich an die Mutter Elisabeth. Wort und Motiv sind nicht leicht zu deuten. Beklagt sich Johannes? Handelt es sich um einen Kinderstreit, und findet dieser seine tiefere Bedeutung in der vollkommenen »Menschwerdung Christi«? Oder soll man den Schöpflöffel als Hinweis auf die spätere Taufe ansehen, »Jesus tut mir« mit »Jesus deutet mir etwas« übersetzen? Das wohlabgewogene, mit Feinsinn und Sachverstand wiedergegebene Nebeneinander der tätigen Frauen erhält durch das Kinderspiel ein zweites, lebhaftes Zentrum des Interesses. Der Rasen im Vordergrund macht den Bildraum zum Garten, der Goldgrund macht ihn zum himmlischen Garten. Das Gemälde zeigt alle Eigenschaften des »weichen Stils«: die fließenden Linien, die weich fallenden Stoffe, die transparenten Farben, die schlanken Gestalten und ihre gedämpfte Seelenlage. Man bedauert, daß der Altar, der vielleicht als Hochaltar in der Nürnberger Frauenkirche stand, nicht mehr vollständig erhalten ist.

Dieselbe Strömung trägt die kölnische »Muttergottes mit der Erbsenblüte« (Abb. 3). Das Bild war Teil eines Triptychons, das heißt, bewegliche Flügel, wohl mit Heiligendarstellungen, rahmten die Muttergottes. Man darf das Werk zu den Hausaltärchen zählen, die der privaten Andacht dienten. Wie man sich den Altar ursprünglich vorzustellen hat, zeigt die im Wallraf-Richartz-Museum in Köln verwahrte »Madonna mit der Wickenblüte«. Maria erscheint in halber Figur mit dem Kind auf dem Arm. Es liegt bequem in ihrer Armbeuge, blickt zur Mutter auf und reicht ihr eine Erbsenblüte, während es mit der anderen Hand das seinen Unterkörper bedeckende Schleiertuch hält. Die weich gerundeten Züge charakterisieren einfühlsam das Kindesalter. Maria trägt einen roten, grüngefütterten Mantel, dessen Säume melodisch ausschwingen und zusammen mit den das Mantelfutter nach außen kehrenden Umschlägen die Bildkomposition rhythmisieren. In der rechten Hand hält sie einen blühenden Erbsenzweig, dessen aufgeplatzte Schote wohl einen Hinweis auf die Geburt des Erlösers gibt. Sie senkt gedankenvoll den Blick; aber so innig die Beziehung von Mutter und Kind sein mag, sie rechnen doch mit dem Betrachter, schließen ihn nicht aus. Die Lebenswärme, Nähe und Natürlichkeit der Maria werden durch ihre zarte Mädchenhaftigkeit im Gleichgewicht gehalten. Vor dem Goldgrund, dessen Rahmenkante punziert ist, kommt der Rot-Grün-Klang des Mantels voll zur Geltung. In den umgrenzten Heiligenschein des Kindes ist das Kreuz, das auf seinen Erlösertod hinweist, eingezeichnet, in den Nimbus der Mutter die Inschrift: »Sancta Maria Mater Dei« = Heilige Maria Muttergottes. Das Bild soll aus dem Kloster der Benediktinerinnen Mariengarten zu Köln stammen und befand sich schon 1809 in der Sammlung der Brüder Melchior und Sulpiz Boisserée, von denen es König Ludwig I. von Bayern erwarb. In seiner lyrischen Grundhaltung gilt es als Inbegriff der altkölnischen Malerei. Der unbekannte Künstler ist unter dem Namen des »Meisters der heiligen Veronika« bekannt.

Die prägende Kraft des »heiligen Köln« vermochte, die verschiedensten schöpferischen Individualitäten zu einer »Schule« von unverwechselbarer Eigenart einzuschmelzen. Der Meister der heiligen Veronika hatte in Burgund gelernt, ehe er in Köln heimisch wurde. Stefan Lochner, der Schöpfer des berühmten Dombildes und der

2. Wiener Neustadt, Anfang 14. Jahrhundert, Muttergottes mit Kind, Glasmalerei

3. Meister der hl. Veronika, Muttergottes mit der Erbsenblüte, Leihgabe Wittelsbacher Ausgleichsfonds

»Maria im Rosenhag«, kam aus Meersburg am Bodensee. Das Nürnberger Museum verwahrt seine »Kreuzigung mit Heiligen«, ein Gemälde von stattlichen Ausmaßen. Vor dem gemusterten Goldgrund werden zu beiden Seiten des Gekreuzigten jeweils drei heilige Gestalten aufgereiht, unter ihnen die Muttergottes und Johannes der Evangelist. Nicht eine räumliche Gruppierung, sondern der Rhythmus weich fallender, faltenreicher Gewänder, die teilnahmsvollen Gebärden und die feinabgestuften Farben schaffen die Bildeinheit.

In Utrecht war der sogenannte Meister des Bartholomäusaltars tätig, bevor er sich um 1480 in Köln niederließ. Er hatte Handschriften mit Deckfarbenmalereien geschmückt, die seine erzählerische Begabung, seine präzise Beobachtungsgabe, seine ungewöhnliche Phantasie, seinen Schmucksinn und seine außerordentliche Fähigkeit zur Feinmalerei bezeugen. Von alledem findet man in der um 1495/1500 gemalten »Vermählung der heiligen Agnes« (Abb. 4). Hinter einer Marmorbrüstung stehen die beiden Frauen: Maria im schlichten blauen Kleid, dem frei fallenden Lockenhaar der Jungfrau und der Krone der Himmelskönigin, Agnes im prunkenden Kostüm und Kopfputz einer fürstlichen Braut. Sie vermählt sich auf mystische Weise dem Herrn, welcher der schönen und jungen, demütig und liebevoll auf ihn blickenden Heiligen in kindlicher Ungeduld und vor Freude hüpfend den Ring auf den Finger steckt. Sein Gesichtchen ist voller Ernst und Würde, während der Blick der Mutter eine stille Freude offenbart. Der zeltartige Vorhang und die fliegenden Engelkinder, von denen das eine die Trommel schlägt, bezeichnen das himmlische Paradies. Dasselbe Lämmchen, das als Attribut der Heiligen auf der Brüstung liegt und sowohl auf ihren Namen (lateinisch agnus = Lamm) als auch auf das Lamm Gottes anspielt, begleitet die heilige Agnes noch einmal auf ihrem Weg über den Platz zur Kathedrale im Hintergrund des Bildes. Die beiden Pfauen sollen die Ewigkeit symbolisieren. Alles an dem Bild ist zu bewundern: die feinen Linien der Köpfe, der perlmutterartige Fleischton, die spätgotischen beweglichen Finger und die Schönheit der Brokatmuster und Schmuckstücke. Es scheint, daß die Originalität und Phantasie des Künstlers und der Wunsch nach feierlicher Repräsentation nicht ganz zur Deckung gebracht wurden, vielmehr einander beflügeln und dem Bild zu seiner spannungsvollen Lebendigkeit verhelfen.

Die Heilsgeschichte in die Gegenwart geholt

Um 1500, als der Bartholomäus-Meister die »Vermählung der heiligen Agnes« malte, waren die kühnen Anfänge einer radikal auf Vergegenwärtigung der heiligen Stoffe drängenden Malerei schon beinahe vergessen. Die Brüder van Eyck hatten ihr am Beginn des

15. Jahrhunderts mit offenem Blick und unerreichten malerischen Fähigkeiten zum Durchbruch verholfen. Der 1432 vollendete Genter Altar legt Zeugnis davon ab. Gesinnungsgenossen gab es in Südwestdeutschland, am Oberrhein und am Bodensee.

Der eine ist Lukas Moser, der Maler des Magdalenenaltars in Tiefenbronn, der andere Konrad Witz aus Rottweil. Seine »Verkündigung an Maria« (Abb. 5) stammt von einem Flügelaltar, der um 1440/1445 entstand. Das Thema ist der Heiligen Schrift entnommen: Der Erzengel Gabriel verkündet der Jungfrau Maria, daß sie den Herrn gebären wird.

Wir blicken in einen Innenraum: Dielen am Boden, eine durch Pfosten abgestützte, von Balken getragene Holzdecke, getünchte Wände, Tür- und Fensterlaibungen aus Stein. Ist schon die »Zimmermannsarbeit« von verblüffender Genauigkeit und Suggestivkraft, so gilt das auch für die Detailbeobachtung. Sie folgt den Altersspuren und Veränderungen, den Rissen im Holz, dem abblätternden Putz, dem an den Fugen herunterlaufenden Mörtel. Aber es ist nicht nur das. Der Maler erfüllt den Raum mit Licht und Luft, unterscheidet zwischen der vom Außenlicht getroffenen und der im Gegenlicht stufenweise verschatteten Wand, weiß die Schlagschatten der Balken und des metallenen Türgriffs wiederzugeben und verfolgt den bildeinwärts geworfenen Schlagschatten eines Eckpfostens, der als solcher im Bilde gar nicht dargestellt ist. Ein derart lapidar und einfühlsam erlebter und gestalteter Bildraum verlangt Figuren, die mit ihm korrespondieren, sich gegen ihn durchsetzen. Beides geschieht durch die Gestalten des Engels und der Maria. Sie sind körperlich greifbar, von einfacher, sinnfälliger Gebärdensprache und kräftigem Typus. Der Engel spricht mit erhobenem Zeigefinger, hält in der anderen das Schriftband mit den Worten: »Ave Maria gracia plena dominus tecum« = Gegrüßest seist du Maria voll der Gnade, der Herr ist mit dir. Maria wendet sich von dem Buch, das sie in beiden Händen hält, zu dem Himmelsboten, demütig und ohne die Augen aufzuschlagen. Das farbige Konzept ist einfach. Der Engel trägt über einem weißen Kleid einen roten Mantel, Maria ein blaues Kleid, beides mit spärlicher Goldstickerei an den Säumen. Die Figurenumrisse sind geschlossen, auch wenn sich reiches Faltenwerk am Boden staut. Maria ist durch den goldenen Scheibennimbus als heilige Jungfrau herausgehoben, und es ist bezeichnend, daß der bildeinwärts fallende Schlagschatten vor ihr haltmacht - wohl in Analogie zu dem auf anderen Altarwerken vorkommenden, die Reinheit der Maria symbolisierenden Glas, durch das das Licht fällt, ohne Spuren zu hinterlassen. So bleibt der packende Realismus im Dienste der Vergegenwärtigung des Heiligen.

4. Meister des Bartholomäusaltars, Die Vermählung der hl. Agnes

Maria als Gnadenpforte und Schutzmantelmadonna

Neben der Verkündigung gehörten die Geburt Christi, die Anbetung der Könige und die Darstellung im Tempel, die Kreuzigung und die Beweinung Christi und die Ausgießung des Heiligen Geistes (Pfingsten) zu den am häufigsten dargestellten Ereignissen aus dem Leben der Maria. Alle diese Themen finden sich auf Altarbildern des Nationalmuseums in wechselnder Zusammenstellung. Sie ließen sich, um weitere Ereignisse aus dem Marienleben vermehrt, unter dem Blickwinkel der »Sieben Freuden« oder der »Sieben Schmerzen« Mariä betrachten und kommen als Geheimnisse des Rosenkranzes auf Altarbildern vor, auch in Schnitzwerken wie dem »Englischen

5. Konrad Witz, Die Verkündigung an Maria

Gruß« des Veit Stoß in der Nürnberger Lorenzkirche oder auf einer in das Germanische Nationalmuseum gelangten Rosenkranztafel aus der Werkstatt desselben Meisters.

Innerhalb von Bildfolgen der »Heiligen Sippe« erscheint Maria zuweilen in der Zimmermannswerkstätte des Nährvaters Josef, auf Gerichtsbildern der Rathäuser zusammen mit Johannes dem Täufer als Fürbitterin für die Auferstandenen beim »Jüngsten Gericht«, als »Gnadenpforte«. Aus diesem Zusammenhang herausgelöst, übernimmt sie die Funktion der »Schutzmantelmadonna«, die den weltlichen und geistlichen Ständen unter ihrem Mantel Schutz gewährt. Immer wieder bildet sie den Mittelpunkt von Versammlungen heiliger Frauen und Männer, ist sie als Schmerzensmutter mit sieben Schwertern in der Brust oder mit dem toten Sohn auf den Knien zu sehen. Als Kind ihrer Mutter Anna sitzt sie auf deren Schoß und hält selbst das Christuskind. Diese Gruppe ist unter dem Namen der »Anna Selbdritt« bekannt. Schließlich kann Maria die Gestalt des vom Evangelisten Johannes in der *Offenbarung* geschilderten »Apokalyptischen Weibes« annehmen: auf dem Mond stehend und mit der Sonne bekleidet. So kennt das späte Mittelalter eine unerschöpfliche Fülle von Marienbildern, die immer wieder Ausgangspunkt für neue Variationen wurden.

Der große, 1487 datierte Altar aus der Nürnberger Augustinerkirche St. Veit enthält nur eine Darstellung der Muttergottes oder, besser: zwei Marienbilder in einem. Lange Zeit wurde er mit dem urkundlich genannten Peringsdörffer Altar verwechselt, den Dürers Lehrer Michael Wolgemut für dieselbe Kirche malte. Der heute verlorene Schrein umfaßte geschnitzte Figuren der Muttergottes und zweier Heiliger. Die Innenseiten des den Schrein begleitenden Flügelpaares tragen geschnitztes und vergoldetes Maßwerk über jeder gemalten Darstellung. Eine von ihnen zeigt den Evangelisten Lukas, wie er die Muttergottes malt (Abb. 6). Der Maler im grauen Gewand mit der Kappe und dem über die Schulter geworfenen roten Mantel sieht eher einem Gelehrten gleich, als daß wir ihn als Handwerker erkennen würden. Er sitzt auf einer schmalen Bank, führt geschickt den Pinsel und den Malstock mit der einen Hand und hält die Palette in der anderen. Er malt an einem Bilde der Muttergottes, das auf der Staffelei steht. Der Raum ist zweigeteilt. Diesseits des weit offenen Durchgangs und der zweistufigen Schwelle arbeitet der Künstler, jenseits befindet sich Maria mit dem Kind. Nicht als Gast, sondern als Herrin des Hauses sitzt sie am Kamin, in dem ein Holzfeuer brennt, das einen Topf warm hält. Maria im goldbrokatenen Kleid und blauen Mantel drückt das Kind an sich, das auf ihren Knien balanciert und sich lebhaft ihren Händen zu entziehen sucht – so wie der erwachsene Christus einmal Abschied von seiner Mutter und das Kreuz auf sich nehmen wird. Der Kreuznimbus hinter dem Kopf des Kindes weist auf seinen Leidensweg und Erlösertod hin. Ein Strahlenkranz statt der noch bei Witz üblichen Goldscheibe hinterfängt Maria. So werden die heiligen Gestalten als solche in einer bürgerlichen Umgebung kenntlich gemacht. Freilich gibt es einige weitere Hinweise auf den Himmelskönig und seine Mutter: die mit der Inschrift (MA)RIA versehene Blumenvase am Boden und den das Heilige symbolisierenden Goldgrund des Bildchens auf der Staffelei. Das direkte Nebeneinander und Gegenüber von Maler und Modell ist vermieden. Maria sitzt in einem eigenen Raum, um zwei Stufen erhöht, allein mit dem Kind beschäftigt und wie in Unkenntnis des Porträtisten. So wird ihre Anwesenheit zur »Erscheinung«, die leibhaftig vor dem inneren Auge des Evangelisten steht.

Der Meister des Augustineraltares gehörte nicht der Nürnberger Schule an, sondern kam aus einer anderen Kunstlandschaft, wohl vom Oberrhein. Von Konrad Witz trennen ihn zwei Generationen, in denen die Spätgotik zur vollen Blüte gelangte. Der Künstler bietet eine Überfülle detaillierter Beobachtung, die auch den Stadtplatz und die Landschaft im Fensterausblick mit einbezieht und alle Teile des Raumes, den Fliesenboden, die Möbel und Geräte mit größter Genauigkeit wiedergibt. Mit dem Porträtisten an der Staffelei und der Muttergottes schafft er Sammelpunkte des Interesses, führt er den Blick durch das Bild und erschließt so die Räumlichkeit. Gern wüßte man mehr über die Persönlichkeit des Künstlers, der ein Geist von großer Beweglichkeit war.

Die Überwindung der Spätgotik

Es mag überraschen, daß sich gegen das Ende des 15. Jahrhunderts die Muttergottes wiederum aus der Welt, in der sie sich so häuslich eingerichtet hatte, in einen imaginären Himmelssaal zurückzieht, in dem sie als Königin und Mutter des Herrn thront, während Engel das Kind umhegen. Hans Holbeins des Älteren Madonnenbild von 1499 (Abb. 7) gewinnt so eine eigene Exklusivität, die durch die schlanke und feingliedrige Erscheinung der Heiligen Jungfrau nur bestätigt wird. Das Bild ist gerade 46 Zentimeter hoch, geschaffen für die private Andacht eines Patrizierpaares, des Hans Gossenbrot und seiner Frau Gertrude aus der Familie Eggenberger. Ihre Wappen erscheinen oben links und rechts im Maßwerk, das in der Durchsteckung der Rippen Stein imitiert.

Der Saal mit Fliesenboden, Teppich und Thronbank ist nach hinten geöffnet, wenn man den das Heilige symbolisierenden Goldgrund nicht als Abschluß ansehen will. Alle Formen des Bildes sind schlank, streben aufwärts bis hin in die aufgestellten Flügel der Engel. Die innige Beziehung der Mutter zum Kind, das die Arme um ihren Hals legt und sein Köpfchen an ihre Wange schmiegt, macht die dem Herrn huldigenden Engel zu einer liebenswürdigen Zutat. Sie überreichen dem Kind als Zeichen seiner Weltherrschaft den Reichsapfel. Der Zauber des Bildes beruht nicht zuletzt auf der sanft schimmernden, harmonischen Farbigkeit, die alles Altdeutsch-Bunte hinter sich läßt.

Wenige Jahre später hat Holbein das Thema variiert. Wiederum sitzt die Muttergottes im himmlischen Thronsaal. Engel schweben ihr zu Häupten, um ihr die Krone aufzusetzen. Maria schaut bescheiden herab, aber das winzige Kindlein auf ihrem Schoß scheint Audienz zu

6. Nürnberg 1487, Der hl. Lukas malt die Madonna, Leihgabe der Bayerischen Staatsgemäldesammlungen

halten, faßt mit den erhobenen Händen den Rosenkranz und schaut aus dem Bild heraus. Wollte man den Stilwandel mit einem Wort bezeichnen, so müßte man von der »Renaissance« sprechen, die hier den spätgotischen Elementen entgegenwirkt, ohne daß der Künstler

7. Hans Holbein der Ältere, Maria mit dem Kind und Engeln, Leihgabe Wittelsbacher Ausgleichfonds

allerdings fähig wäre, ihr zu ihrer vollen Erscheinung zu verhelfen. Das vermochten erst der in Italien geschulte Nürnberger Albrecht Dürer und in Augsburg Hans Burgkmair.

Das große Madonnenbild Burgkmairs von 1509 (Abb. 8) zeigt einerseits, wie bindend und beständig einmal geschaffene Bildtypen waren, und andererseits, was ein genialer Künstler daraus zu machen wußte. Es handelt sich im weiteren Sinne um eine Darstellung der »Maria im Rosenhag«, auch wenn der Rosenstock das Interesse eines Hauptmotivs verliert und in das Ganze der Bilderscheinung eingefügt wird. Dem Thema der »Maria im Rosenhag« hatte der am Oberrhein tätige Martin Schongauer seine gültige Ausprägung gegeben. Das Bild befindet sich in der Martinskirche in Colmar. Burgkmair, der auf der Wanderschaft den älteren Künstler in seiner Colmarer Werkstatt aufsuchte, kannte das Gemälde. Nach seiner Heimkehr variierte er es zunächst mit noch anfängerhafter Unfreiheit, aber bereits mit einem andersgearteten Schönheitssinn und einem für die Landschaft weiter geöffneten Blick. Als das Thema wieder auf ihn zukam, behandelte er es als erfahrener Meister.

Der obere Rundbogenabschluß der Tafel ist ursprünglich. Der Aufsatz der thronartigen Gartenbank wiederholt die Form. In Marmor gehauen, mit reichgestuftem Profil und mit antikisierenden Grotesken geschmückt, legt er Zeugnis ab für die Begegnung mit der Kunst des Südens, der italienischen Renaissance. Auch die in schöner Müßigkeit dasitzende Madonna, welche die Finger in die Seiten des Buches legt und mit der anderen Hand das Händchen des Kindes hält, ist nicht mehr die gemütvolle deutsche Muttergottes, der immer etwas Bürgerliches anhaftete. Die angehobenen Brauen und der Blick unter den gesenkten Lidern, die aufrechte Haltung und der Ausdruck aristokratischer Vornehmheit schaffen Distanz. Das Kleid – vergleicht man mit Schongauer – entfernt sich nicht allzusehr vom Körper, führt kein Eigenleben, akzentuiert aber die Gestalt durch die Umschläge, welche die schillernde Innenseite des Mantels nach außen kehren, und durch die an einigen Stellen, besonders über den Händen, gesammelten Faltenmotive, insgesamt aber durch den großzügigen Fluß der Linien.

Das auf schwachen Beinen dastehende Kind, das die Unterstützung der Mutter braucht und zugleich mit kindlicher Wißbegier seine Umgebung betrachtet, ist durch und durch deutsch oder, besser: altdeutsch. Für das Köpfchen mit dem krausen Blondhaar, dem geknautschten Ohr lag kein idealer Typus vor. Die eingeknickten Beine, die isolierte Hand mit dem Granatapfel wollen sich nicht ganz mit der Vorstellung vollkommener Idealität vertragen. Freilich ist gerade der Granatapfel als Symbol der Weltherrschaft Christi zu verstehen.

Der Luftraum, die Atmosphäre sind so wirksam, daß man kaum merkt, wie wenig Platz eigentlich für den Garten bleibt. Der größere Teil gehört der Marmorarchitektur, deren schimmernde rötliche Oberfläche und reicher Zierat sich der üppigen Vegetation ohne Zwang verbinden. An dem Orangenbäumchen vorbei geht der Blick in die frei und leicht ansteigende Berglandschaft, die von einer zinnengekrönten Burgmauer durchschnitten wird. Der tiefblaue Himmel ist über dem Horizont aufgelichtet. Es bleibt immer bewunderungswürdig, wie Burgkmair das Gebaute und das Organische, die Kunst- und die Naturform miteinander verbindet. Kaum ein nordischer Künstler seiner Zeit hat der venezianischen Malerei, der in sich ruhenden Reife ihrer Formen und der Sättigung ihrer Farben ein so tiefes Verständnis entgegengebracht wie der Augsburger Meister, für dessen gemutmaßte Italienfahrt sich nicht einmal schriftliche Quellen finden.

Ein Jahr später, 1510, malte Burgkmair die Madonna mit der Traube. Die Weintraube, die Maria dem lebhaft danach greifenden Kinde reicht, ist Symbol für die Eucharistie und damit für den Opfertod Christi. Alles an dem Bilde ist Wohllaut. Der Teppich auf der Querstange und die aufstrebenden Stämme schaffen ein festes Bildgerüst, doch sind die Bewegungen der Figuren weich und gerundet, die Farbigkeit voll und warm, die Landschaft von üppiger Schönheit.

Leidensvisionen und Bildersturm

Anders als Burgkmair neigte der um mehr als zehn Jahre jüngere Hans Baldung Grien, der bei Dürer in Nürnberg lernte und später in Straßburg tätig war, zum Problematisieren. Das ist sicher nicht der Fall bei der idyllischen Heiligen Familie in der Landschaft, die auch als »Ruhe auf der Flucht« angesprochen worden ist. Die »Muttergottes im Gemach« von 1516 (Abb. 9) setzt dagegen den verständigen Betrachter voraus. Man blickt in einen durch rote Vorhänge begrenzten Raum. Der vordere ist seitlich gerafft und wird von einem Engelkinde aufgerollt. Den Fußboden aus großen steinernen Platten umspült an der vorderen Ecke Wasser. Maria kniet in einem weißen Kleid, aus dem die blauen Ärmel herausschauen. Sie preßt das Kind, das auf ihrem Schoß steht, liebevoll und beinahe schmerzlich an sich. Das Christuskind greift düster und wie hilfesuchend nach ihr. Vor der Muttergottes hat ein Engelkind einen großen Folianten aufgeschlagen, in dessen Pergamentseiten es blättert. Ein weiterer Engel, der unter dem rückwärtigen Vorhang hervorkriecht, ist Zeuge. In einer Strahlenglorie schwebt die Taube des Heiligen Geistes. Aus den vor ihr aufgeschlagenen Schriften der Propheten erfährt Maria, wel-

8. Hans Burgkmair, Die Muttergottes in der Landschaft, Leihgabe der Stadt Nürnberg

9. Hans Baldung Grien, Die Muttergottes im Gemach

che Leiden dem Kind vorbestimmt sind. Die 1502 erstmals in deutscher Sprache erschienenen Offenbarungen der heiligen Birgitta von Schweden gaben die Grundlage für Baldungs Interpretation ab. Das schon durch den Weiß-Rot-Klang eigenartige und durch die Darstellung faszinierende Bild braucht also ein Mehr an Wissen, um voll verstanden zu werden.

Noch zwei spätere Madonnenbilder desselben Künstlers besitzt das Nationalmuseum. Die Gefühlskälte ist gewachsen, die großflächigen Formen und kantigen Bewegungen muten manieristisch an, und doch ist immer noch so viel Geheimnis in ihnen, daß wir uns nur ungern mit der äußeren Erscheinung zufriedengeben wollen. Bei der

Madonna mit dem Papagei zwickt der exotische Vogel Maria, die dem Kind die Brust gibt, in den Hals. Im zweiten Bild tritt das Kind auf die Seiten des von der Muttergottes gehaltenen Buches, während eine kleine Kollektion farbiger Steine beziehungsvoll den Blick auf sich lenkt. Hier wie dort erscheint das nackte Kind im Verhältnis zur Mutter übergroß und ins Heroïsche gesteigert.

In Baldungs Bildern erscheint die Marienverehrung nicht mehr selbstverständlich, sondern intellektuell gebrochen. Die auf die Reformatoren Zwingli und Calvin sich berufende bilderfeindliche Richtung der Reformation setzte dem Marienkult in weiten Teilen Europas nicht nur ein Ende, sondern führte auch zur Vernichtung zahlreicher altehrwürdiger Madonnenbilder. Viele Marienaltäre wurden damals abgebaut und in ihre Teile zerlegt. Weniges überdauerte. Erst die Gegenreformation bewirkte in den katholischen Ländern eine neue Blüte des Marienkultes und der Marienbilder – bis hin zu den triumphalen Darstellungen in den Kuppelräumen spätbarocker Kirchen.

Leonie von Wilckens

DIE WOHNUNG DES BÜRGERS IM SPÄTEN MITTELALTER

Häuslich eingerichtet in einer kleinen Welt

Notiz für den Leser

Die beachtlichen Leistungen, die das seit dem 13. Jahrhundert aufkommende städtische Bürgertum im späten Mittelalter vollbrachte – sei es als Anreger, Auftraggeber und Stifter von Werken der Kunst in die Kirchen und im öffentlichen Bereich (wie im vorangegangenen Kapitel beschrieben), sei es als Entdecker neuer Märkte, Produkte und Absatzwege und bei deren systematisch betriebener Ausbeute –, spielten sich vor dem Hintergrund einer häuslichen Kultur ab, deren Komfort und Bequemlichkeit allerdings nicht mit denen der zweiten Hälfte des 20. Jahrhunderts verglichen werden dürfen. Nur eine recht kleine, besser situierte Schicht war in der Lage, sich mehr als das allernotwendigste Zubehör zu leisten. Das Wenige, das als Zeugnisse des damaligen Wohnens die Zeiten überdauert hat – Schränke, Tische und Bänke, Betten und Gerät, besonders für die Küche, Ofenkacheln, Wandteppiche und andere Textilien –, stammt eben nur von einem, jedoch tonangebenden, Ausschnitt der spätmittelalterlichen Gesellschaft. Mit Hilfe von zeitgenössischen bildlichen Darstellungen und schriftlichen Angaben kann immerhin ein detailliertes Bild vor unseren Augen entstehen. Dabei wird deutlich: Entscheidend für Anschaffung und Gestaltung sämtlicher Haushalts- und Gebrauchsgegenstände war deren Nützlichkeit und praktische Handhabe, hier und da sogar für mehr als einen Zweck. Hinzu kam eine ausgesprochene Freude am Dekor, an der Verzierung und Ausschmückung. Aber ein Teppich an der Wand diente eben zugleich als Wärmeschutz, ein besticktes Kissen ersetzte die noch unbekannte Polsterung. Die Zahl der reisenden Kaufleute war verschwindend klein; so lebten der normale Bürger und vor allem die Frauen in einer eng begrenzten Welt, gelassen und mit einem in sich ruhenden Selbstverständnis.

1. G. Mäleßkircher: Christus im Hause des Simon, 1476

Die wohleingerichtete Stube

Während in Italien Renaissance und Humanismus schon das 15. Jahrhundert bestimmen, geht nördlich der Alpen das Mittelalter kaum vor der Wende zum 16. Jahrhundert seinem Ende entgegen. Wohl läßt sich keine Zeit mit dem Zollstock bemessen, eine jede naht mit noch kaum bemerkten Vorboten; ihre Ausläufer werden schließlich Schritt für Schritt von der nachfolgenden Epoche aufgelöst und dieser angepaßt.

Wenn hier von Wohnen und häuslichem Leben im Deutschland des späten Mittelalters die Rede sein soll, so denken wir dabei vor allem an die zweite Hälfte des 15. Jahrhunderts, ohne jedoch Blicke sowohl weiter zurück als auch in das frühe 16. Jahrhundert aussparen zu wollen. Vor den Augen des Lesers kann allerdings nur die Häuslichkeit vor nunmehr einem halben Jahrtausend anschaulich erstehen, die – den damaligen Maßstäben entsprechend – von einigermaßen wohlsituierten Bürgern gepflegt wurde. Bei schlichten Handwerkern, Bauern oder Lohnarbeitern ging es weitaus bescheidener und genügsamer zu, sie besaßen gerade das allernotwendigste Zubehör; das war wenig genug und bestand dann auch noch aus billigstem Material in einfachster Ausführung.

Wo es angängig war, hat damals genaue Beobachtung und Freude an der Darstellung der realen Dinge des Alltags diese im Bild festgehalten, allerdings der Zeit gemäß nicht um ihrer selbst willen, sondern als heimische Umwelt, in die biblisches Geschehen oder Szenen aus dem Leben verehrter Heiliger hineinversetzt wurden. So führen uns zwei fast gleichzeitige süddeutsche Tafelgemälde – aus dem Jahr 1476 und um 1480 – die Häuslichkeit städtischer Bürger vor.

Der Münchner Maler Gabriel Mäleßkircher schildert Christi Aufenthalt im Hause des Pharisäers Simon, wo die Sünderin Maria Magdalena Jesu Füße mit Tränen der Reue netzt, mit ihren langen Haaren trocknet, sie salbt und den Herrn um Vergebung bittet (Abb. 1). In der Mitte einer recht geräumigen Stube steht ein gedeckter Tisch, an den rechts und links Bänke gerückt sind. Wie üblich werden diese mit ihrem kastenförmigen Unterteil zugleich als Truhen gedient haben, dabei ließ sich die Sitzfläche als Truhendeckel hochheben. Man erkennt, daß mit Hilfe von Scharnieren die Banklehnen umgeklappt werden konnten, um dann ebenso von der anderen Seite Platz zu nehmen. Diese Bänke hatten keinen festen Platz in der Einrichtung, sie konnten dahin gestellt werden, wo man sie benötigte; nicht ortsgebunden, vermochten sie mehr als einem Bedürfnis nachzukommen. Bei dem Tisch handelt es sich offensichtlich um ein Schragengestell, auf das eine Platte gelegt ist, die abgenommen wurde – »die Tafel wird aufgehoben« –, wenn man den Tisch nicht gebrauchte. Im Hintergrund links erkennt man gerade noch einen Teil einer tief in die Mauer eingeschnittenen Fensterlaibung; darunter ist ein Brett als wandfeste Bank angebracht. Daneben führt an der Rückwand eine schmale Tür hinaus ins Freie oder auf einen Flur. Über ihr bietet ein Wandregal Platz für drei Flaschen. Dann springt die rückwärtige Wand der Stube zurück: War draußen vor der Tür ein Windfang angebracht, und ist diese deshalb etwas hereingezogen worden?

An der getäfelten Rückwand zieht sich eine Sitzbank entlang, die rechts mit einer hohen, schön geschwungenen Lehne endet. Auf der Bank steht links ein nicht allzu geräumiger Schrank mit zwei durch Türen verschlossenen Fächern übereinander; sein Aufsatz ist in fünf Kreisen mit zierlich geschnitzter Füllung durchbrochen. Das Mittelfeld der rückwärtigen Stubenwand wird von einer profilierten Rahmung eingefaßt; über der geöffneten Klappe der darin eingelassenen Durchreiche schaut eine Frau aus der Küche dem Geschehen im Zimmer zu. Hoch oben sind auf einem weiteren Wandregal mehrere Schüsseln aufgereiht und hängen in den an seiner Vorderkante angebrachten Ausschnitten Krüge mit ihren geöffneten Deckeln nach unten – zum besseren Austrocknen. Schließlich nimmt die gesamte Wandhöhe ein schlanker Waschkasten (Waschschrank) ein; in die Deckplatte des sechseckigen Unterteils ist die Schüssel eingelassen, das darüber angebrachte Gefäß hält das Waschwasser bereit; im oberen Fach können notwendige Gerätschaften verschlossen werden, während der Aufsatz ähnlich wie der des Schrankes verziert ist. Links neben dem Waschschrank hängt über einer Rolle ein langes, mit zwei farbigen Streifen geschmücktes und mit Fransen versehenes Handtuch. Der Tisch ist für die Mahlzeit mit einem gleichfalls mit Streifen verzierten, weißen Tischtuch bedeckt. Darauf stehen ein Glas, zwei becherartige Gefäße (das eine für Salz), flache, runde Teller, in der Mitte eine Schüssel mit einem Fasan; dazwischen liegen ein Messer, zwei Löffel, einige Brote. Ein Diener schenkt aus einem birnförmigen Krug ein, während ein zweiter mit einem langen Pfauenwedel die Fliegen abwehren will.

Die wie hier meist wandfeste Einrichtung wurde auch sonst nur durch wenige bewegbare, mobile »Möbel« ergänzt, die eben keinen festen Platz hatten. Die zeitgenössischen Inventare und sonstigen Besitzverzeichnisse führen nur die »Möbel« auf, deren Zahl noch lange recht spärlich blieb.

Himmelbetten, Spannbetten, Schaltbetten

Im Gegensatz zum grauen Dielenboden auf dem Bild von 1476 ist die Südtiroler Stube mit der Geburt der Maria vom sogenannten Meister der Uttenheimer Tafel, um 1480, in Rot und Grün gefliest (Abb. 2).

Hier treffen wir nun auf ein Bett, dem noch durch lange Zeit wichtigsten Ausstattungsstück überhaupt. Auf der linken Seite liegt die Wöchnerin – die Mutter Anna – in einem hohen, hier offenbar wandfesten Bett, in das sie über ein Podest, das zudem als Truhe eingerichtet ist, hat steigen müssen. Ihr Kopf ruht auf einem Kissen mit dunkelblau und weiß kariertem Bezug. Sie ist mit einer auf der Oberseite schwarzen, auf der Unterseite roten Wolldecke zugedeckt, über bzw. unter der das Leintuch liegt, dessen Kante ein gleichfalls dunkelblaues (gesticktes?) Muster aufweist. Vor dem Bett wickelt eine junge Frau das Neugeborene, das sie auf dem vor sich ausgebreiteten langen, weiten Rock ihres Kleides auf den Boden gebettet hat. Nachdem zuvor die lange, stoffreiche Windel wie eine Binde aufgerollt worden ist, wird das Kind nun fest mit Armen und Beinen »eingefatscht«.

Auf der rechten Seite des Bildes hält eine zweite Frau ein großes Leintuch zum Anwärmen vor ein offenes Feuer; für die brennenden

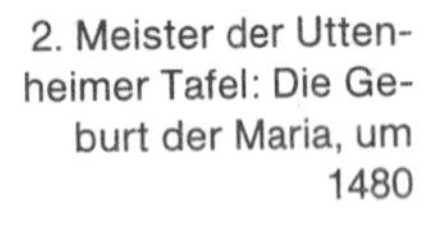

2. Meister der Uttenheimer Tafel: Die Geburt der Maria, um 1480

3. Alpengebiet, Ende 15. Jahrhundert: Zweigeschossiger Schrank

Holzscheite ist ein niedriges Podest aufgemauert; der Rauch kann durch den hohen Rauchfang abziehen, dessen schweren Holzrahmen man unter der getäfelten Decke erkennen kann. Im Hintergrund steht die Tür nach draußen offen.

Das Bett galt selbstverständlich als das Möbel, das auch im bescheidensten Haushalt nicht fehlen durfte. Die Mehrzahl der Betten war nicht wie auf dem Südtiroler Bild eingebaut, sondern es waren tatsächlich »Möbel«. In den zumeist nach Räumen vorgehenden Besitzinventaren findet man fast überall – soweit es sich nicht um Küche, Keller und Vorratskammern handelt – ein, wenn nicht mehrere Betten verzeichnet.

Ihr höheres Kopfbrett, bisweilen auch das Fußbrett boten sich zur Verzierung an, mit geschnitztem maßwerkartigen Dekor, als farbig unterlegte, durchbrochene oder aufgelegte Arbeit, mit Rankenwerk in Flachschnitzerei oder gar mit bunter Malerei. Seit dem frühen 15. Jahrhundert waren die vornehmeren Betten mit einem halben oder einem ganzen Himmel ausgestattet. Statt eines solchen am Bett selbst angebrachten Himmels hing bisweilen eine Art Baldachin an Seilen von der Decke herab, wobei – wie beim Himmel – daran befestigte Vorhänge das Bett abschließen konnten und so die Schläfer von ihrer Umgebung isolierten. Bei dem üblichen Spannbett waren zwischen die vier Bretter des Bettgestells kreuzweise Seile gespannt oder diese in einem in die Lade eingefügten Holzrahmen befestigt. Deswegen heißt es in einem 1514 in Straßburg gedruckten Gedicht, das sämtliche für einen wohlgeordneten Haushalt notwendigen Dinge aufzählt: ein hübsch gespanntes Spannbett, das wohlgeseilt.

Ein Kölner Inventar aus dem Jahre 1519 führt neben einer geschnitzten Bettstatt mit zwei zugehörigen Bänken (zum Hereinsteigen) aus Tannenholz, die als Ehebett gedient haben dürfte, ein niederes Bett zum Schieben und ein kleines Bett aus Tannenholz mit Rollen auf. Solche Schalt- oder Schubbetten, wenn sie sich schieben ließen, oder Renner bzw. Roller, wenn sie mit Rollen versehen waren, konnten tagsüber abgestellt werden; oft waren sie so niedrig, daß sie sogar unter hochbeinigen Betten, wie sie etwa dem Hausherrn und der Hausfrau gebührten, Platz fanden. Stand das Bett nicht auf Beinen, konnte seine kastenartige Lade auch Schubfächer aufnehmen, die ebenso praktisch als Behälter waren wie die gern als Truhen ausgebildeten Antritte vor dem Bett.

Notgedrungen ging man mit dem Heizmaterial – es wurde ja nur mit Holz geheizt – sparsam um. Deshalb mußte die Bettstatt über dem Strohsack und dem mit Federn gefüllten Unterbett zahlreiche wärmende Kissen und Decken enthalten. Die Kissenbezüge wurden nicht geknöpft, sondern auf einer Seite durch Löcher in deren Kanten verschnürt. Deckte man sich nicht mit einem Federbett, sondern mit einer Wolldecke zu, wurde das Leintuch nur darüber bzw. darunter gelegt, so wie es auf dem Bild mit der Mariengeburt zu sehen ist.

Schränke und Truhen

Aus dem einzigartig erhaltenen Schenkbuch der Nürnberger Patrizierfrau Walburga Kress erfahren wir, was sie und ihre Familie in den Jahren von 1416 bis 1438 vor allem Verwandten und Freunden zu Hochzeiten, Kindtaufen oder beim Einzug in ein neues Haus geschenkt haben. Neben mancherlei Stücken aus Edelmetall, neben Leuchtern aus Messing, Schüsseln aus Zinn, neben Kleidungsstükken, Wein, sogar südländischen Gewürzen lesen wir von Tischen und Schränken, die da geschenkt worden sind. Ein Schrank hieß in Nürnberg »kalter«, in Bayern und sonst in Süddeutschland sprach man vom »kasten« (daher auch: Waschkasten), in Norddeutschland vom »schapp«. Meist bewahrte man die Kleidungsstücke noch liegend auf in Truhen oder eben in Schränken mit Fächern. Im ältesten erhaltenen »Spruch« vom Haushalt, von dem Nürnberger Hans Folz gedichtet und um 1480/1485 gedruckt, lautet es dazu folgendermaßen:

> Ein gwant kalter [Kleiderschrank] dar ein man düt [tut] / mentll [Mäntel] röck hossen hemet [Hemden] gut / schawben [lange Mäntel] pelcz kittel vnd ein hut / gürtel hantschüch / daschen vnd pruch [Unterhosen] / weschcker [Beutel] paret [Barett] dar pey.

4. Salzburg, Ende 15. Jahrhundert: Truhe. Auf einem hohen Untersatz mit drei Schubladen ruht der Truhenkasten.

Immerhin ist 1498 in einem Straßburger Inventar die Rede von einem »gewandkensterlin« (kleinen Kleiderschrank) »zü hangenden kleydern«. Indessen kommen die wenigen erhaltenen großen Schränke kaum aus bürgerlichen Haushalten, sondern fast alle aus Sakristeien und Archiven. Da die meisten von ihnen in der Mitte waagerecht unterteilt sind und zudem jeder Teil seitliche Griffe besitzt, nahm man noch bis vor kurzem an, daß sich der große Schrank aus zwei übereinandergestellten Truhen entwickelt habe (Abb. 3). Nun gibt es jedoch eingeschossige Schränke bereits aus dem 13. Jahrhundert, so daß die Zweigeschossigkeit mit der Funktion der Schränke – liegende Aufbewahrung – zusammenhängt und die seitlichen Griffe praktische Handhaben für den Transport waren. Jeder Schrank war so konstruiert, daß er sich in verschiedene organische Teile zerlegen und leicht wieder zusammenbauen ließ.

Während man in Norddeutschland für den Möbelbau Eichenholz bevorzugte, verwendete man in Süddeutschland zumeist Nadelholz. Hier und dort unterscheidet sich die Konstruktion grundsätzlich. Die norddeutschen Möbel sind Zimmermannsarbeit, wobei zwischen seitliche tragende sogenannte Stollen, die oft zugleich die Beine bilden, die Bretter für die vier Wände eingespannt werden. Vordere Stollen und Frontbrett von Truhen werden gern durch reiche Schnitzerei – mit Maßwerk, Fabeltieren, Wappen – hervorgehoben. Lange Zeit war das sogenannte Faltwerk sehr beliebt, in der Richtung der Maserung des Holzes gehobelte Hohlkehlen und Rundstäbe, die in ihrer dichten vertikalen Folge wie gefaltete Pergamentrollen wirken konnten; auch den Füllfeldern von Schranktüren oder den Seitenbrettern einer Bettstatt diente es zur Zierde.

Dagegen ist die Möbelkonstruktion in Süddeutschland eine schreinermäßige. Hier wird der Truhen- oder Schrankkasten in einen Sokkel eingefügt, der das Gewicht des Aufbaues trägt, nicht die Eckstollen wie im Norden. Der Kasten selbst ist als Rahmen mit eingelassenen Füllbrettern gebildet, wobei an den Ecken die verschiedenen Rahmenteile mit Feder und Nut ineinandergreifen. Neben auf farbige Gründe aufgelegter oder aus dem Grund herausgearbeiteter Schnitzerei (Abb. 4) wird die farbig gefaßte Flachschnitzerei als Dekorationsweise bevorzugt. Wie in Norddeutschland liefern häufig ornamental formierte Eisenbeschläge, die zugleich der Stabilisierung dienen, weitere Schmuckelemente.

Selbstverständlich brauchte man Schränke und Truhen nicht nur zum Aufbewahren von Kleidung und Wäsche, sondern auch für Briefe und Dokumente oder für Schmuck. Dafür kamen – soweit es sich um privaten Bedarf handelte – allerdings meist kleinere Behälter

5. Meister des Landauer Altars: Die Verlobung der heiligen Katharina, um 1470/75

in Frage, die oft noch reicher und qualitätvoller mit Malerei – bisweilen auch mit aufgeklebten kolorierten Holzschnitten – und Schnitzerei ausgestattet, mit gepunztem oder getriebenem Leder überzogen oder mit Elfenbeinplatten belegt waren. Größere Wertgegenstände – Silbergerät und dergleichen – verschloß man in der Schatztruhe. Nicht vergessen werden dürfen die Speiseschränke; um sie zu durchlüften, aber zugleich Fliegen und Mücken abzuhalten, versah man sie mit Drahtgittern.

Bänke, Stühle und Tische

Zum Sitzen dienten Bänke und Stühle, die jedoch noch bis zum 17. Jahrhundert nicht gepolstert waren. Für bessere Bequemlichkeit sorgten dann die zahlreichen Kissen und Polster, von deren Bezügen aus Leder, aus Woll- und Seidengeweben, mit Stickerei und Wirkerei später noch die Rede sein wird. Außer den zerlegbaren Tischen, für die auf Bockgestelle eine Platte gelegt wurde, gab es auch solche, deren Platte auf einem Wangen- oder einem Schragengestell befestigt war. Bei ersteren handelte es sich meist um Kastentische mit seitlichen Brettstützen, während die gespreizten Beine der Schragengestelle zur besseren Stabilität eine untere Fußleiste verband. Beim Kastentisch ließ sich die Deckplatte oft hochheben über einem innen mit verschiedenen seitlichen Fächern eingerichteten Kasten.

Aber man besaß auch bereits Tische, deren Platten für Spiele eingerichtet waren. Die drei Platten des um 1500 zu datierenden sogenannten Spieltisches des Johann von Leyden in Münster (Westfalen) haben Spielfelder für Schach, Tricktrack und Damespiel. Andere Tische konnte man durch Aufklappen oder durch Ausziehen und Einfügen von Platten vergrößern. Die Mehrzahl der Tische war allerdings ganz einfach, zumal sie mit Tischdecken und Tischteppichen bedeckt wurden.

Der Kastentisch auf einer Nürnberger Altartafel um 1470/1475 mit der Verlobung der heiligen Katharina – mit dem Christuskind – hat seitlich hübsch ausgeschnittene Wangen und eine mit in Blau und Rot ausgelegten Rauten dekorierte, durchbrochene Zarge unter der überstehenden Platte, auf der eine Schale mit Früchten steht (Abb. 5).

Fenster und Vorhänge

Wenn hier die beiden großen Fenster mit mittlerem Kreuz Scheiben von durchsichtigem Glas aufweisen, durch die man in die heimische Landschaft hinausschauen kann, so ist dies nur ein Effekt des Malers, der den Blick ins Freie darstellen, den Innenraum mit der Natur, der Welt draußen, verbinden wollte. Bei uns hat es damals so verglaste Fenster kaum gegeben, vielmehr sahen sie alle aus wie das kleine im Hintergrund des gleichen Bildes, dessen nicht durchsichtiges Glas in ein Gitterwerk aus Bleistegen gefaßt ist. Durchsichtiges Flachglas war hierzulande viel zu teuer; noch lange hatte man höchstens ein kleines Guckfenster aus »weißem« (durchsichtigem) Glas im großen Fenster. Dementsprechend muß man sich das Licht in den Stuben sehr gedämpft vorstellen, zumal auch die üblichen Fenster gegenüber später oder gar heute wesentlich kleiner waren. Deshalb dienten die Fensterläden, die außen oder innen angebracht sein konnten, sicher zuerst als Wärmeschutz und kaum als Schutz vor zu starkem Sonnenlicht.

Auf Albrecht Dürers berühmtem Kupferstich mit dem heiligen

6. A. Dürer: Der heilige Hieronymus in der Zelle, 1514

7. Mainfranken, um 1495–1519: Ofen. Die bunten Kacheln zeigen Apostel, Landsknechte und Wappen.

8. Sachsen, 2. Hälfte 15. Jahrhundert: Ofenkachel mit dem heiligen Bartholomäus, der als Zeichen seines Martyriums seine abgeschundene Haut hält.

Hieronymus in der Zelle füllt die tiefe Fensternische auf der linken Seite ein hohes mehrteiliges Fenster, durch dessen kleine Butzenscheiben das Sonnenlicht abgeblendet in die Studierstube eintritt (Abb. 6). So konnten Vorhänge am Fenster noch lange eine Seltenheit bleiben; sie wurden als etwas Besonderes angesehen. Gewiß ist das der Grund, daß der Nürnberger Patrizier Kaspar Kress im Jahr 1525 seiner Tochter für ihre Wochenstube zwei Fenstervorhänge und einen weiteren für die Tür nur geliehen hat. Wenn damals von Vorhängen die Rede ist, handelt es sich gewöhnlich um Bettvorhänge. Immerhin findet sich dann doch in dem schon erwähnten Kölner Inventar von 1519 eines augenscheinlich recht wohlhabenden Haushaltes eine schwarze Gardine für die Glasfenster; allerdings nur eine neben einer Vielzahl von Stuhlkissen und Polsterbezügen, dazu weiteren sechzehn mit Rosen bestickten Kissenblättern, also noch nicht einmal für den Gebrauch zerschnittenen.

Von Leuchtern, Öfen und Herden

Für die Beleuchtung hatte man Leuchter mit meist selbst aus Talg gezogenen Kerzen; Wachskerzen waren für den normalen häuslichen Gebrauch viel zu teuer. Mit allem, was zur Verfügung stand, mußte man äußerst sparsam umgehen, nicht zuletzt, um durch die langen, kalten und dunklen Wintermonate zu kommen.

Mit Fenstern und Täfelungen sowie allem sonst Festeingebauten gehörten auch die Öfen zum niet- und nagelfesten Bestand. Während in den meisten anderen Ländern offene Kamine üblich waren, wurde in Deutschland der Ofen im Laufe des 15. Jahrhunderts zu einem auch künstlerisch gestalteten Einrichtungsgegenstand ersten Ranges (Abb. 7). Wenn er nicht schon aus Kacheln gebaut war, war er wie ein Backofen aus Tonerde geformt. Zwar sind aus dem 15. Jahrhundert nur wenige vollständige Kachelöfen erhalten, doch bezeugen zahlreiche einzelne Kacheln einerseits die Vorliebe für leuchtende Buntfarbigkeit und andererseits das Geschick der Hersteller, ganz präzise Formungen sowie Glasuren von höchster Qualität aus dem Brand hervorgehen zu lassen (Abb. 8). Die Töpfer haben die Kacheln, die zur Verstärkung der Wärmeausstrahlung meist nach innen gewölbt wurden, mit christlichen und profanen Motiven, mit einzelnen Figuren oder ganzen Szenenbildern, mit Wappen und dergleichen ausgestaltet und mit ein- oder mehrfarbigen Glasuren überzogen.

Obwohl auf der Südtiroler Tafel mit der Mariengeburt das große Leintuch vor dem offenen Feuer einer kaminartigen Herdstelle gewärmt wird oder auf einer der Tafeln vom Altar aus dem Jahr 1487 der Nürnberger Augustinerkirche mit dem heiligen Lukas, der die Muttergottes malt, diese neben einem hohen Kamin sitzt, so war doch hier wie dort zu dieser Zeit der von der Küche oder vom Flur aus beheizte Stubenofen durchaus gebräuchlich. Abgesehen von einer Ofenbank durfte ein von unten gestütztes oder an der Decke aufgehängtes Stangengerüst – zum Trocknen der Wäsche etwa – auf den frei stehenden Seiten des Ofens nur selten fehlen. Indessen ist die Feuerstelle im Kamin der beiden genannten Bilder augenscheinlich nicht nur zum Wärmen, sondern auch zum Kochen bestimmt gewesen. Bei der Mariengeburt ist das langgestielte Pfännchen, das auf dem Boden steht, wohl eben erst aus dem Feuer genommen worden. Außerdem erkennt man in der Höhe die schwere eiserne Kette, an der ein großer Kochtopf befestigt werden konnte, damit ihn die Flammen von allen Seiten erreichten.

Vom Kochen und Schlachten

Weil für die Mahlzeiten alles im Hause selbst gerichtet und zubereitet wurde, brauchte man in der Küche eine Vielzahl an Geräten und sonstigem Zubehör, Dinge, die heute gar nicht mehr bekannt und doch noch bis vor nicht allzu langer Zeit für Hausfrau und Köchin notwendig gewesen sind. Wohl trat schon in manchen Gegenden Deutschlands im Laufe des 16. Jahrhunderts der mit Eisenplatten abgedeckte Herd an die Stelle des offenen Feuers, die eigentliche Revolution der Küche begann aber erst im 19. Jahrhundert, als der Holzherd allmählich durch den Kohleherd, dann durch den Gas- und schließlich den Elektroherd abgelöst wurde.

Da die Vorräte nicht nur über Tage, sondern oft über Wochen und Monate reichen mußten, brauchte man geeignete Aufbewahrungsmöglichkeiten, kühle Keller, gutgelüftete Speisekammern. Auch wenn es im Hof einen eigenen Hausbrunnen gab, so sollte doch genügend Wasser zur Hand sein in großen kupfernen Wasserständen, in Wasserkrügen und -eimern. Entsprechend hat es Hans Folz in seinem schon zitierten Spruch vom Haushalt formuliert:

> So man düt in die küchen gann / heffen [Hafen = Topf, also Töpfe] vnd krüg, kessel vnd pfann / driffus [Dreifuß] pratspis [Bratspieß] müs mon aüch hann / plaspalg ein rost ist sit [ist Sitte, ist üblich] / ein pratter [Brater, Bratrost] vnd ein offen ror / ... ein krüg mit essig laütter [lauter, rein] klar / morser [Mörser], stempffel [Stampfer für den Mörser] offengabel / hackpret hackmesser ... / Vamloffel [Schaumlöffel] seichpfan [Pfanne für Geselchtes] offenkruck [Feuerhaken] / da mit mons feir [Feuer] zw samen ruck [zusammenschiebt] / ein pessen [Besen] in ein winckel schmück / ein panczer fleck / da mit mon weck [weg] den vnflat reiben dw [tue]. Kolloffel [Schaufel für Holzkohlen] vnd aüch ein salczfas / schüssel vnd deller [Teller] klein vnd gras

[groß] / hack penck [Hackbank] vnd penck schab [Strohwisch] nit krat das / feierzeüg [Feuerzeug] schweffel / macht ein feier schnel / vnd düres [dürres] holcz darzw.

Die Kochtöpfe hängte man am Kesselhaken oder Hängeisen über das Feuer, stellte die Pfannen und Kasserollen auf dem Feuerknecht oder dem Dreifuß in das Feuer hinein. Das Fleisch wurde beim Braten vom Spieß gehalten, oder es lag auf dem Bratrost. Das Küchengeschirr bestand aus Kupfer, Messing, Eisen, Holz oder Ton. Die flachen Eßteller waren aus Holz, selten aus Zinn. Man aß mit dem Löffel, nahm auch ein Stück Brot zu Hilfe, brauchte das Messer zum Zerkleinern; Gabeln dienten nur als Vorlegebesteck. Zum einfacheren Geschirr gehörten auch die Krüge, Becher, Schüsseln und sonstigen Gefäße aus gebrannter, teilweise glasierter Tonerde. Die Löffel bewahrte man im Löffelkorb auf, einem oben offenen Kasten mit Griff oder Henkel. Die Teller wurden über- oder nebeneinander in den Tellerkorb oder das Tellerfutter (Futteral) geschichtet; wenn dabei im letzteren Fall jeder ein eigenes Fach hatte, konnte es höchst anschaulich auch »Tellerbissen« heißen.

Zum Verzieren von Sülzen, vor allem von Gebäck verwendete man in Holz geschnitzte oder in Ton geformte und gebrannte Model. Der Frankfurter Patrizier Friedrich Stalburg besaß 1521 vierzig derartige »kuchelstain« mit den verschiedensten Darstellungen, teilweise sowohl auf der Vorder- als auch auf der Rückseite, aus dem Alten und dem Neuen Testament, der antiken Mythologie, der mittelalterlichen Dichtung sowie aus der volkstümlichen Bilderwelt. Einige Stücke dieser auch damals tatsächlich herausragenden Sammlung blieben erhalten.

Verständlicherweise gehören wegen ihres Bedarfs zu den Inkunabeln des deutschen Buchdrucks Kochbücher, »Küchenmeisterei« genannt. In seiner Folge der zwölf Monate hat der Landshuter Maler Hans Wertinger (um 1470 bis 1533) als für den Dezember charakteristische Tätigkeit das frühwinterliche Schlachten und Einkochen vorgeführt (Abb. 9). Dabei füllt der große, von allen Seiten zugängliche Herd mit dem offenen Feuer fast den ganzen Raum, der ein eigenes hohes Dach mit dem Rauchfang besitzt. Während zwei Frauen und ein Mann am Herd mit Töpfen und Tiegeln, auch einem Bratrost hantieren, eine schwere eiserne Kette den riesigen Kessel mit der Wurstsuppe über dem Feuer hält, ein anderer Mann sich am Hackbrett betätigt, hängen unter dem Rauchfang über Stangen bereits fertige Würste zum konservierenden Räuchern.

9. H. Wertinger: Der Monat Dezember, um 1525–30

Wandteppiche: »heidnisch werk«

Als Schutz gegen die Kälte vom Boden her findet man auf so manchem Bild geflochtene Strohmatten, etwa an der Lagerstatt Mariens bei der Geburt des Jesuskindes. Schmale wollene Wandbehänge, sogenannte Rücklaken, gewirkte oder gewebte Teppiche, konnten sich als Wärmeschutz und Zierde zugleich wohl nur wirklich wohlhabende Leute leisten. Von den in unseren Zusammenhang gehörenden Wirkteppichen mit weltlichen Themen, mit Rankenwerk, Wappen oder Tieren sind wahrscheinlich noch viel weniger erhalten als von den für den kirchlichen Gebrauch bestimmten, die als Antependien zur Verkleidung der Altarvorderseiten, als Grabteppiche über aufgebahrten Särgen, als Behänge für Pulte und Gestühle und als große Stücke dienten, die wie die ersteren stets nur zu bestimmten Anlässen, vor allem den hohen Kirchenfesten, aufgehängt wurden. Die Teppiche der weltlichen Themenkreise haben sowohl in den Häusern der Bürger als auch in öffentlichen Gebäuden, in den Rathäusern etwa, Platz gefunden. Bezeichnenderweise nannte man am Oberrhein noch weit bis in das 16. Jahrhundert hinein solche weltlichen Wirkereien »heidnisch werk«, wobei heidnisch nicht als Gegensatz zu christlich zu verstehen ist, sondern als profan und weltlich.

Seit langem besonders beliebte Gestalten für Gleichnisse und Allegorien, für die Übertragung von Vorstellungen in eine von der normalen menschlichen Existenz abgesetzten Welt, abgehoben von dem eigenen Äußeren, dem anerzogenen Wesen, waren die »Wilden Leute«. Man dachte sie sich als Männer, Frauen und Kinder, mit Fellen bedeckt, die im Walde ein einfaches Leben führten, Menschen, die gewissermaßen »außer sich« geraten waren, Ausgesetzte, die mit den Tieren oder teilweise wie die Tiere lebten oder von denen man es sich wenigstens so vorstellte. Im Begreifen des mittelalterlichen Menschen besaßen die »Wilden Leute« einen festen Platz als reale Wesen.

Während sie im hohen Mittelalter noch aus der Tradition der mythischen Vergangenheit die ungezähmte Wildheit verkörperten, die es für den Menschen zu beherrschen galt, also dem Ritter, der stets die »masze«, das Maßhalten, üben sollte, entgegengesetzt waren, ging mit dem Verfall des ritterlichen Ethos der hohen Minne, der sich selbst entäußernden Liebe, diese Gegensätzlichkeit verloren. Zur gleichen Zeit, als man im 14. Jahrhundert begann, sich bei Festlichkeiten und Umzügen als »Wilde Leute« zu verkleiden, sich sozusagen die Maske eines »Wilden Mannes« überzustülpen, konnten die »Wilden Leute« zum Spiegelbild menschlichen Wesens, auch menschlicher Schwächen werden, zum Abbild menschlicher Betätigungen und Vergnügungen. Wir kennen Darstellungen von »Wilden Leuten« bei den die Monate charakterisierenden Arbeiten, bei Mahlzeiten und Spielen; »Wilde Leute« als Kämpfer gegen Löwen (wie Simson, David oder Herkules), gegen Drachen (wie der heilige Georg), als Jäger des wilden Einhorns, das sich in den Schoß einer reinen Frau flüchtet wie in den der Jungfrau Maria; »Wilde Leute« auf der Jagd, als Liebespaare. Diese »Wilden Leute« vereinten erotische und moralische Aspekte. Sie spielten aber auch als Wappenträger und Schildhalter eine Rolle und konnten selbst zu Wappenfiguren werden. Als Wächter standen sie neben Portalen und Eingängen. Das Dämonische, Unmenschliche hatten sie abgestreift und waren aus dem realen Gegenbild des Menschen zu seinem Spiegelbild geworden. Sie hielten ihm den Spiegel vor, damit er sich darin wiederfände. War das Turnier der Ritter ein festen Regeln unterworfener Wettkampf, wurde das Turnier zweier »Wilder Leute« eine Parodie darauf.

Die linke Hälfte eines elsässischen Teppichs um 1420 zeigt unter einem Zelt, dessen hohes, buntes Dach seitlich mit zwei Seilen von einem alten und einem jungen »Wilden Mann« gehalten wird, eine gekrönte »Wilde Frau« zwischen einem bärtigen und einem jugendlichen Wildmann (Abb. 10). Während der eine ihr eine Rehkeule zum Essen reicht, prostet der andere ihr mit einem Daubenbecher (wie bei Fässern oder Bottichen aus einzelnen Holzstücken – Dauben – zusammengefügt und mit einer Rute anstelle des Faßreifens umwickelt) zu. Unter dem mit Speisen bedeckten langen Tischtuch warten Hunde auf herunterfallende Bissen. Rechts daneben reiten »Wilde Leute« in phantastischem Aufzug und auf seltsamen Fabeltieren, angeführt von Amor (als Wildmann), in den Kampf, um die Minneburg zu erstürmen. Die mit Wassergraben und Zugbrücke bewehrte Veste wird gleichfalls von »Wilden Leuten« verteidigt; doch während diese mit Pfeilen schießen, die mit weißen Lilien als Zeichen der reinen, der hohen Minne bestückt sind, schießen die Angreifer mit Rosenpfeilen. Die »Wilden Leute« haben sich des ritterlichen Ideals der Minne bemächtigt und werden zugleich von ihresgleichen mit Amor selbst an der Spitze angegriffen. Die Minnekönigin sitzt bereits als eine von ihnen im Zelt und wird von alt und jung bedient und hofiert.

Das Thema war offenbar so beliebt, daß sogar mehrere Exemplare des Teppichs erhalten sind. Seine dichte Musterung, die keine Stelle leer läßt, der rote Grund mit einem frühen Granatapfelmuster, der schollenartige Untergrund mit seinen vielerlei Tieren, Pflanzen und bunten Blumen, seine leuchtende Buntfarbigkeit verbinden ihn mit den übrigen erhaltenen oberrheinischen Teppichen der ersten Hälfte des 15. Jahrhunderts.

Aus der gleichen Gegend, aber erst vom Ende des Jahrhunderts, stammt der Teppich mit den letzten Szenen aus der Geschichte vom »Busant«. Da war ein englischer Königssohn an den Hof des französischen Königs gekommen, wo er dessen Tochter kennen und lieben lernt, die aber dem König von Marokko versprochen ist. Der Prinz kehrt in die Heimat zurück und kommt als Spielmann verkleidet zur Hochzeit wieder. Heimlich fliehen die Liebenden. Als sie auf einer Waldlichtung ausruhen, kommt ein Bussart (»Busant«) und stiehlt ihnen den Ring, das Zeichen ihrer Liebe. Der Königssohn stellt dem Vogel nach und verirrt sich im Walde. Vor Angst und Gram und in seiner großen, nun unerfüllten Liebe gerät er außer sich, wird wie ein Tier, gleichsam zum »Wilden Mann«. Die Prinzessin wird unerkannt von einem Müller aufgenommen, wo sie nach einem Jahr der Herzog und seine Frau, der Bruder des englischen Königs, entdecken. Ein Jahr später trifft man im Walde einen verwilderten Mann und bringt auch ihn zum Schloß. Dort weckt ein gefangener Bussard bei ihm unterbewußte Erinnerungen, so daß er ihn ergreift und tötet. Nach und nach wird ihm dann das Vergangene immer deutlicher bewußt, bis er es schließlich zu erzählen vermag. Dadurch wird der Wahn gebrochen, der Prinz gesundet, die Prinzessin erkennt ihn wieder. Ein Priester vollzieht die Trauung, das Hochzeitsmahl wird angerichtet und zur Feier ein Lanzenstechen veranstaltet.

10. Elsaß, um 1420: Tafelnde »Wilde Leute« unter einem Zelt. Linker Abschnitt eines 89 cm hohen Wirkteppichs.

Auch hier wurden nach dem gleichen Entwurf mehrere Teppiche gewebt, deren erhaltene Teile allerdings, erkennbar an leichten »Modernisierungen«, im Laufe von fast zwei Jahrzehnten entstanden. Die fünf Bilder, mit dem glücklichen Abschluß nach den tragischen Verwicklungen, des Teppichs in Nürnberg gehören zur spätesten Replik um 1490.

Bildteppiche – Wirkteppiche, Tapisserien – werden wie Gewebe auf dem Webstuhl gearbeitet. Doch wird bei ihnen der Schußfaden nicht mit dem Weberschiffchen von Webkante zu Webkante geschossen, sondern mit der Nadel durch die Kette nur so weit geführt, wie die betreffende Farbe jeweils im Bilde reicht. Für farbige Nuancierungen, Modellierungen in der Fläche, bedient man sich gern der Schraffuren, feiner paralleler Streifen, dicht nebeneinander in wenigstens zwei verschiedenen Farben. Bei den meisten Wirkteppichen sitzt der Weber im rechten Winkel zum Bild, die Kettfäden verlaufen also beim fertigen Teppich waagerecht. Dementsprechend braucht man für ein niedriges Rücklaken nur einen schmalen Webstuhl, dagegen für einen hohen Teppich einen solchen, der wenigstens so breit sein muß wie dessen Höhe. Bei allen mittelalterlichen Wirkteppichen aus Deutschland, aber auch aus dem Elsaß und der Schweiz ist die Kette aus Leinen im Gegensatz zu den flandrischen, französischen und italienischen Teppichen mit Wollkette. Für den Schuß verwendete man bunte Wolle – um besonderen Glanz zu erreichen, auch Seide –, für weiße Partien Leinen, schließlich für Kronen und andere Schmuckstücke, für Waffen und dergleichen oft Häutchengold oder Häutchensilber (hier stets um einen Leinenfaden, die »Leinenseele«, gedrehte vergoldete oder versilberte Darmhäutchen) bzw. Gold- (meist vergoldet) oder Silberlahn um entsprechende »Seelen«.

Die Wirkteppiche der verschiedenen süd- und westdeutschen Landschaften lassen sich meist ohne Schwierigkeiten unterscheiden, nicht nur aufgrund ihrer Herkunft (die bisweilen allerdings in die Irre führen kann, gibt es doch einen berühmten oberrheinischen Teppich mit »Wilden Leuten« vielleicht schon seit dem Mittelalter in Regensburg) oder der eingewirkten Wappen ihrer Stifter und Auftraggeber. Für die Mehrzahl der Nürnberger Teppiche ist ein tiefdunkelblauer Grund charakteristisch.

Vor einem solchen stehen die noch stark stilisierten Apfelbäume des Teppichs mit einem Liebesgarten um 1460 (Abb. 11). Links sitzen drei junge Mädchen und ein junger Mann um einen runden, festlich gedeckten Tisch, daneben spielen zwei Musikanten mit Fiedel und Knickhalslaute zum Mahl auf. Dahinter plaudert ein junges Paar an einem Brunnen. In der Mitte eines vielpassigen Beckens erhebt sich die von einem Kapitell bekrönte Brunnensäule, aus deren seitlich angebrachten Ausgüssen in Form von Löwenköpfen das Wasser fließt. Ein junger Mann füllt es in einen Krug, während ein zweiter, sich niederbeugend, es direkt trinkt. Die Kleider der Mädchen, die Kränze und Bänder in den Haaren tragen, sind bodenlang, die der Männer nur knielang. Die hohen, vorn verschnürten, den Hals bedeckenden Kragen der Jünglinge galten um 1460 als höchst modern. Der Fiedler ist in sogenanntes »mi-parti« gekleidet: Sein Gewand einschließlich der darunter sichtbaren Beinkleider ist auf seiner rechten Seite blau, auf der linken weiß. Bei den anderen Jünglingen heben sich die Beinkleider farbig von den Röcken ab, wobei nicht bei allen die Farbe des Kragens wiederaufgenommen wird.

Wirkteppiche waren kostspieliger als gewebte, mit sich wiederholendem Rapport, wenn auch gern als abgepaßte Stücke mit Bordüren ringsum, von den Deckenwebern gearbeitete Decken. Von ihnen ist fast nichts erhalten, doch dürften sie noch zahlreicher gewesen sein als die gewirkten. Beide dienten nicht nur als Wandbehänge, sondern auch als Tisch- oder gar als Bettdecken. Als kleine Stücke in den gleichen Techniken wurden Kissenplatten gefertigt. Schließlich bediente man sich als Auszier für Behänge, Decken und Kissenbezüge der Stickerei mit der ganzen Vielfalt ihrer Stiche und Materialien, mit Wolle und Seide auf Wolle, mit Leinen, Wolle oder Seide auf Leinen (Abb. 13), schließlich mit Seide auf Seide für ganz kostbare Zwecke. Wie wir schon im Bild gesehen haben, wurden Tischtücher und Handtücher aus weißem Leinen mit eingewebten bunten, meist blauen oder braunen Streifen geschmückt. Ein besonders kostbares Tuch des Augsburger Webers Hans Velman aus den sechziger Jahren des 15. Jahrhunderts verwendet dazu Baumwoll- und Seidenfäden, sogar etwas Häutchengold (Abb. 12). Da der Weber seinen Namen in den Rapport aufnahm, könnte es sich um ein Meisterstück oder um eine Arbeit für den eigenen Bedarf, vielleicht zu seiner Hochzeit, handeln.

Bilder und Musik

Einen gewissen Wärmeschutz vermittelten auch getäfelte Wände gegenüber bloß gemauerten – sei es mit Ziegeln oder als Fachwerk –, verputzten und gekalkten; doch scheint Täfelung ein Aufwand gewesen zu sein, den sich im 15. Jahrhundert nur erst ganz wenige leisten konnten. Die weißen Wände wurden hier und da mit Malereien überzogen, mit Rankenwerk, Blumen, Fabelwesen, Tieren oder dann mit dem ganzen Schatz an Motiven, den man ebenso an anderen Stellen gern ausbreitete.

Bilderschmuck an den Wänden muß noch nahezu unbekannt gewe-

11. Nürnberg, um 1460: Liebesgarten. Bildteppich

12. Augsburg, um 1460: Musterstreifen eines Handtuchs. Zwischen den Löwinnen ein Pinienzapfen, das Wappenbild Augsburgs.

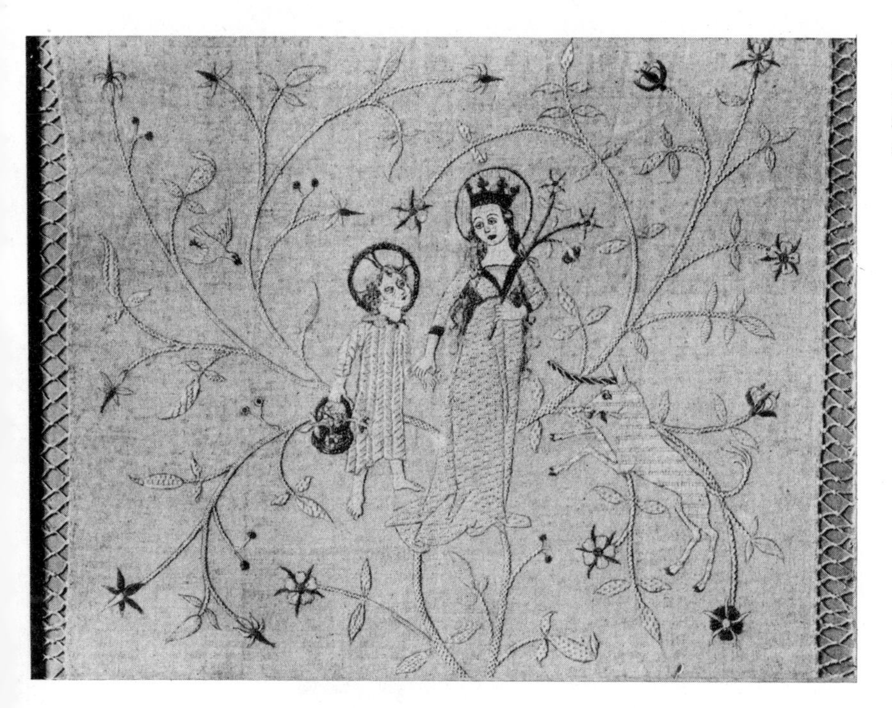

13. Basel, um 1500: Die heilige Dorothea mit dem Christkind. Schweizer Leinenstickerei.

sen sein. Ob die Bildnisse, die auch Bürger damals bisweilen schon in Auftrag gegeben haben, an die Wand gehängt wurden, wissen wir nicht; eher werden sie sie als Andenken verschlossen aufbewahrt haben. Hin und wieder mag man ein Andachtsbild aufgehängt haben oder – noch häufiger – einen kolorierten Holzschnitt mit der Muttergottes oder einem Heiligen.

Man musizierte, der Fiedler und der Lautenspieler auf dem Teppich mit dem Liebesgarten, sicher keine Berufsmusikanten, stehen dafür als Zeugen. Ebenso können die erwähnten Tische, deren Platte als Spielfläche eingerichtet war, hier nur ein Hinweis auf den Spaß am Spiel, auf ernste und heitere Vergnügen sein.

Die Welt, in der der normale Bürger lebte, war eine ganz kleine, die gerade die nähere Umgebung, die eigene Familie, die Nachbarn und Freunde einschloß. Er lebte mit den Jahreszeiten, von einem Tag zum anderen, von einer Woche zur nächsten, im bewußten Rhythmus von Leben und Tod. Sein christlicher Glaube begleitete ihn, bestimmte sein Tun und seine Einsichten. So besaß er – trotz manchem kritischen Aufbegehren, manchem Widerspruch – ein inneres Selbstverständnis, eine – wir meinen heute vielleicht: sehr beschränkte – Gelassenheit, für die Langeweile und der Drang zum Zeitvertreib noch lange unbekannte Regungen geblieben sind.

Rudolf Pörtner

DER »ERDAPFEL«, DER WIE EIN AUGAPFEL GEHÜTET WIRD

Martin Behaim, der Seefahrer aus Nürnberg –
Die Geschichte des ältesten Globus der Welt

Notiz für den Leser

Die Welt: das war im späten Mittelalter kaum mehr als die kleine Welt, in der man ackerte, handelte und mit den Nachbarn lebte und stritt. Die Welt: das war zur gleichen Zeit nicht weniger als die Idee eines Gottesstaates, den es zu realisieren und gegen die Ungläubigen zu verteidigen galt. Die Welt als geographischer Raum mußte erst entdeckt werden. Kaufleute und Seefahrer, Missionare und Abenteurer waren es dann, die sich mit den bekannten Grenzen nicht mehr zufriedengaben und das bestehende Weltbild revolutionierten. Ausgangspunkt dieser Bewegung waren die großen Handelsstaaten in Italien und auf der Iberischen Halbinsel. Geographen, die das bereits im Altertum bekannte Modell der Erde als Kugel wieder aufgriffen, ermutigten Expeditionsflotten zu ausgedehnten Fahrten.

All diese Zeitströmungen vereinen sich exemplarisch in der Person eines jungen deutschen Kaufmannes, Entdeckungsreisenden und Kartographen; sein Name ist Martin Behaim von Schwarzbach aus Nürnberg. Am portugiesischen Hof, in der Nachfolgeschaft Heinrichs des Seefahrers, des Initiators zahlreicher Afrikaexpeditionen, sammelte er die Erfahrungen, die er, nach Nürnberg zurückgekehrt, in das Projekt einer Indienfahrt über den Atlantik einbrachte. Um seine Förderer zu überzeugen, ließ Behaim nach seinen Angaben den Globus bauen, der bis heute in seiner Vaterstadt verblieben ist. 1492, im Jahr der Amerikaentdeckung, war er vollendet.

Seine Faszination beruht nicht zuletzt darauf, daß er – trotz seiner enzyklopädischen Aussagekraft – jenen fruchtbaren Irrtum, der zur Entdeckung neuer Kontinente führte, wiedergibt und damit anschaulich diese dramatische Zäsur der Menschheitsgeschichte zwischen Ahnen und Wissen um die weite Endlichkeit der Weltkugel belegt. Niemals zuvor und wohl kaum danach hat sich ein Deutscher so um das Wissen über diese Welt verdient gemacht. W. D.

1. Behaim-Globus

1100 Ortsnamen und 48 Miniaturen

Noch ein Blick auf die großen Dürer-Bilder, vor allem das Konterfei Karls des Großen, ein reines Phantasieprodukt, das aber der imaginären Gottvaterrolle des allmächtigen Frankenkaisers vollauf gerecht wird – und ein neuer Raum tut sich auf. Ein längliches Rechteck, an den Wänden gewissermaßen ein Fries von Fotos, in der Mitte eine bemalte Kugel, die von einem schmiedeeisernen Gestell getragen wird – der »Erdapfel« des Ritters Martin Behaim, der älteste Globus der Welt, 1492 entstanden, als die Karavellen des Kolumbus unterwegs nach Amerika waren (Abb. 1). »Ein unvergleichliches historisches Kulturdokument«, eine der »größten geographisch-historischen Kostbarkeiten, die Deutschland besitzt«, ein »technisches Kunstwerk von unschätzbarem Wert«, und was sonst zu seinem Lob gesagt worden ist.

Sehr attraktiv wirkt der Erdball des Martin Behaim von Schwarzbach auf den ersten Blick allerdings nicht. Die fast fünfhundert Jahre, die er überstanden hat, haben ihre Spuren hinterlassen. Der »Apfel« ist zwar nicht wurmstichig geworden, aber seine Farben sind verblaßt, die pausbäckige Jugendlichkeit, die ihn sicher einmal ausgezeichnet hat, ist dahin. Aber das tut der merkwürdig bannenden, fast magischen Wirkung, die von ihm ausgeht, keinen Abbruch, und schon bei flüchtiger Betrachtung erweist sich, daß man gut daran tut, ihm einige Aufmerksamkeit zu widmen.

Der Globus hat, rund um den Äquator gemessen, einen Umfang von 159,5 Zentimeter (das heißt: einen Maßstab von 1 : 25 200 000). Ein so kenntnisreicher und detailkundiger Autor wie Oswald Muris verzeichnet auch, daß die »beiden Polpunkte . . . durch eine Metallachse verbunden« sind, »ein Zeichen dafür, daß man zu Zeiten Behaims von der Drehung der Erde um sich selbst eine feste Vorstellung hatte«. Der Meridianring aus Messing und der eiserne Dreifuß, auf dem der Globus heute ruht, sind eine spätere Zutat; beide wurden erst 1510 angefertigt. Muris betont auch, daß der Nürnberger »Erdapfel« zu den überaus seltenen handgemalten und mit einem umfangreichen Text versehenen Globen zählt. Und sowohl die bildlichen als auch die erklärenden, kommentierenden, informativen Legenden sprechen den Betrachter unmittelbar an.

Denn wenn die Farben auch verblichen und verschossen sind, man spürt ihre einstige Leuchtkraft, ihren Zusammenklang, ihren Symbolgehalt. Meere und Ozeane sind dunkelblau, bis auf das Rote Meer, das sich seinem Namen entsprechend als purpurner Farbfleck präsentiert. Erdteile und Inseln stellen sich in einem lichten Braun dar, die Wälder in einem dunklen Grün, die Berge im kräftigen Violett, Schnee- und Eisgebiete in kühlem Silber.

Das geographische Bild ergänzen, beleben und illustrieren 48 Miniaturen. Ein reichhaltiges Angebot: gekrönte Könige auf Thronen, exotische Herrscher in bunten Zelten; »Heilige, Missionare und Reisende«, vor allem an den Küsten Palästinas und Kleinasiens. Und viele, viele Tiere. Mancherlei Fabelwesen, die vor allem im Meer ihre munteren Spiele treiben: Meermännchen, Meerweibchen, Seepferdchen, Seekühe, Seeschlangen. Aber auch »richtige« Tiere: Elefanten, Löwen und Bären; Kamele, Strauße und farbige Papageien. Und Fische jeglicher Art; in der Antarktis zieht sogar ein majestätischer Walfisch seine Spur.

Schiffe mit gebauschten Segeln zeigen die wichtigsten Seehandelsstraßen des ausgehenden 15. Jahrhunderts an. Karavellen markieren die Punkte, die die portugiesischen Entdecker Diego Cao und Bartholomäus Diaz an der afrikanischen Westküste erreichten. Drei Männer im armenischen Bergland werden als Marco Polo samt Vater und Onkel identifiziert.

Trotz dieser üppigen, phantasiereichen Bebilderung haben an die elfhundert Ortsnamen auf dem Globus Platz gefunden, oft in Gesellschaft von Türmen, Häusern und Mauern. Am eindrücklichsten bringt sich Nürnberg selbst in Erinnerung. Allerdings nur symbolisch – das Wappen der Stadt, der Adler mit dem Jungfrauen-Oberteil, bedeckt die seinerzeit noch völlig unbekannte südliche Polarkalotte, zusammen mit den Wappen von vier Nürnberger Patriziern, von denen der eine, Georg Holzschuher, wohl der Anreger, die drei anderen die Auftraggeber des »Erdapfels« waren.

Die Nordpolkalotte schmückt ein Kranz von frei erfundenen, willkürlich plazierten Inseln, der eine Art von Binnenmeer, das »gefrorene mer septentrional«, hermetisch umschließt. Phantasie war auch hier kräftig am Werk. Aus den Inseln wachsen Berggipfel, ein vermummter Mensch versucht mit Hilfe von Pfeil und Bogen einen Eisbären zu erlegen, und unter dem Stichwort Island ist zu lesen, daß die Bewohner dieser Insel Hunde verkaufen und ihre Kinder an fremde Kaufleute verschenken, um sie nicht selbst ernähren zu müssen. Außer Island sind auch Grönland, Lappland und Venmarck (vielleicht Finnland?) eingezeichnet. Die staatliche Zugehörigkeit zeigen zwei dänische Flaggen an, Skandinavien erscheint richtig als Halbinsel. Dänemark muß sich freilich mit dem nördlichen Teil von Jütland zufriedengeben, das nur durch eine schmale, sehr schmale Landbrücke mit der norddeutschen Tiefebene verbunden ist. Auch die Umrisse der deutschen Küste haben wenig mit der geographischen Wirklichkeit zu tun.

Überhaupt scheinen exakte Details den Schöpfer dieses Globus wenig interessiert zu haben. Die Flüsse Europas stimmen allenfalls in der Grundrichtung mit der Realität überein. Von den Städten unseres Kontinents sind lediglich Paris und Rom, Lissabon und Venedig richtig lokalisiert. Selbst den Zug der großen Gebirge hat offenbar stärker die Imaginationskraft des Zeichners als das erdkundliche Wissen des Globusvaters diktiert.

Das gilt auch für die Darstellung der asiatischen Landmasse, die weder der arabischen Halbinsel noch dem indischen Subkontinent, weder China noch Sibirien, weder den japanischen noch den indonesischen Inseln gerecht wird und den Indischen Ozean als *mare clausum* beschreibt. Auch die »Innenarchitektur des asiatischen Kontinents« ist dichterischer Freiheit mehr als geographischer Wirklichkeit verpflichtet. Immerhin finden sich in den beigegebenen Legenden einige Angaben, etwa über den Zug Alexanders des Großen, die Lage der Gewürzinseln oder die Handelswege zwischen dem Fernen Osten und Venedig, die historische oder wirtschaftspolitische Erfahrungen verraten.

Am ehesten entspricht noch das Bild Afrikas den Tatsachen, zumindest das Profil der Westküste läßt klar erkennen, daß dem Nürnberger Martin Behaim die Entdeckungen und Erkenntnisse der portugiesischen Seefahrer der zweiten Hälfte des 15. Jahrhunderts voll zur Verfügung standen. Auch die Azoren und Kapverdischen Inseln sind

2. Detail aus dem Behaim-Globus

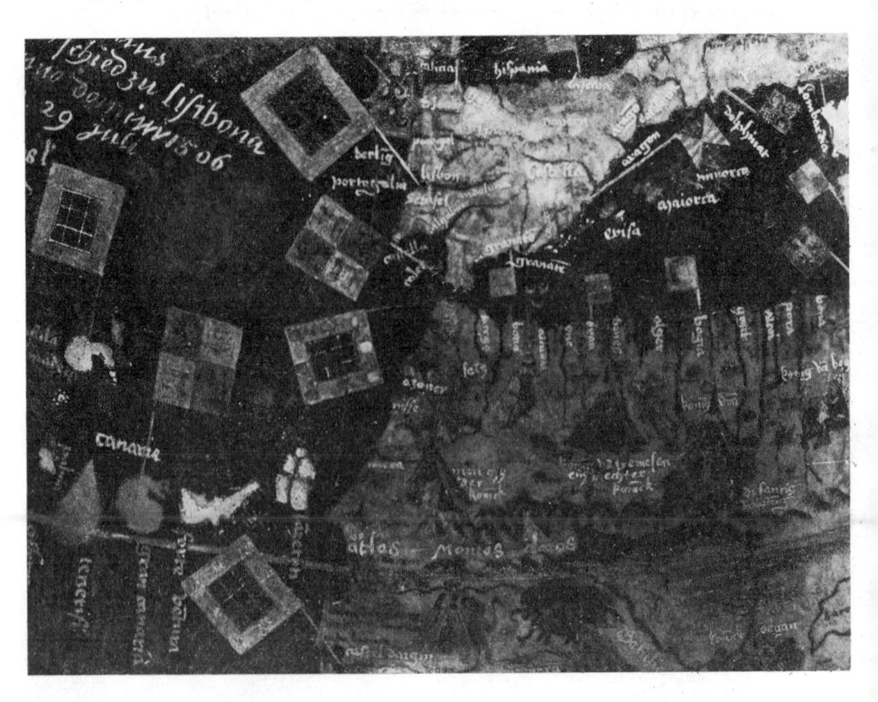

3. Posthumes Bildnis des Martin Behaim

einigermaßen richtig eingetragen (Abb. 2). Dann aber stößt man auf den Grundirrtum des damaligen Weltbildes. Schon ein Stück weiter westwärts tauchen die ersten – natürlich frei erfundenen – Inselgruppen des Fernen Ostens auf. Amerika war noch nicht entdeckt und hat deshalb auch keinen Platz gefunden.

Das heißt: Der Behaim-Globus gibt die vorkolumbische Weltvorstellung wieder und liefert damit die leicht verständliche Erklärung für den Entschluß des Genuesen in spanischen Diensten, den Fernen Osten im Westen zu suchen; nach seinen Vermutungen mußte ja bereits einige Tagereisen jenseits der Azoren die Wunderwelt der asiatischen Länder beginnen, die Marco Polo auf der ostwärts führenden Landroute erreicht und so anschaulich und packend beschrieben hatte.

Das gibt dem Behaimschen Erdapfel einen gewissermaßen überzeitlichen Wert. Dieser älteste Globus der Welt ist in einem hochbrisanten Stadium der Weltgeschichte entstanden: zu einem Zeitpunkt, da die Autorität der alten Geographen, vor allem des Ägypters Claudius Ptolemäus, das Weltbild zwar noch bestimmte, aber doch schon eine gewisse Bereitschaft bestand, neue Fakten und Erfahrungen (im ursprünglichen Wortsinn) zur Kenntnis zu nehmen. Behaims Erdball ist also nicht nur ein Produkt phantasievoller antiker und mittelalterlicher Überlieferung, es verrät auch einen von Wißbegier und Erkenntnisdrang beseelten neuen Geist. Die Vorstellungen der Alten leben zwar noch weiter, sind aber nicht mehr sakrosankt. Der Mensch dieser Zeit hat sich aus seinen mittelalterlichen Bindungen noch nicht gelöst, ist aber bereits geneigt, sie in Frage zu stellen, neue Erkenntnisse zu sammeln und dort, wo die Überlieferung mit den neuen Einsichten nicht mehr übereinstimmt, die erforderlichen Korrekturen vorzunehmen.

Der Nürnberger Martin Behaim von Schwarzbach, der Seefahrer genannt und von Portugals König zum Ritter geschlagen, hat an dieser Entwicklung bedeutenden Anteil gehabt (Abb. 3).

Ein junger Deutscher in Lissabon

Die Behaims waren, wie ihr Name verrät, in Böhmen zu Hause, und zwar in Schwarzbach bei Pilsen; ihr vollständiger Name lautete Behaim von Schwarzbach. Wann sie in den Adelsstand erhoben wurden und wann der erste Vertreter dieser Sippe nach Nürnberg kam, verraten die einschlägigen Quellen nicht. Die Chronisten wissen lediglich von einem um 1332 geborenen Albrecht Behaim, der bereits den Nürnberger Patriziern zugerechnet wurde, einen lukrativen Handel mit italienischen Spezereien betrieb und 92 Jahre alt wurde. Andere Familienmitglieder verrichteten, »mehr auf Mars als Merkur eingeschworen«, lieber Kriegsdienste, wozu ihnen die zahlreichen Fehden der macht- und selbstbewußten Freien Reichsstadt reichlich Gelegenheit boten.

Martin Behaims Vater, ebenfalls Martin genannt, gehörte dem ökonomischen Zweig der Sippe an. Er trieb einen florierenden Handel, vor allem mit Österreich, und wurde 1461 in den Nürnberger Senat gewählt. Doch starb er früh, so daß sein Bruder Leonhard gezwungen war, sich seiner Witwe und ihrer sieben unmündigen Kinder anzunehmen. Die ehrbare Wittib Agnes Behaim war eine geborene Schopper und hatte das berühmte Schoppersche Haus am Hauptmarkt, vor dem der Rat alljährlich die Reichskleinodien und Heiltümer unter einem Zeltdach öffentlich ausstellte, mit in die Ehe gebracht. In diesem Haus wurde der Schöpfer des Globus geboren, nach neueren Berechnungen am 6. Oktober 1459. Als sein Vater 1472 (oder 1474) das Zeitliche segnete, war er also gerade den Kinderschuhen entwachsen.

Die Jugend Martin Behaims ist ein Buch mit sieben Siegeln. Sicher ist aber, daß er, der Familientradition entsprechend, eine Kaufmannslehre durchlief. Nürnberg bildete dafür einen idealen Nährboden. Die fleißige, nüchterne und fromme Stadt unterhielt rege wirtschaftliche Beziehungen zu Osteuropa, Oberitalien und den Niederlanden, entwickelte einen starken kulturellen Ehrgeiz und war die Metropole des deutschen Humanismus. Der junge Behaim wird außer neueren Sprachen und kaufmännischem Rechnen, sozusagen den Basisfächern eines zukünftigen Handelsherren, auch Latein und Griechisch gelernt haben. Wahrscheinlich konnte er Strabo und Ptolemäus im Urtext lesen.

Ebenso wichtig dürfte gewesen sein, daß er, vielleicht schon im Elternhaus, einen der angesehensten Gelehrten des späten 15. Jahrhunderts kennenlernte, und zwar den Mathematiker Johannes Müller, der sich nach seinem Geburtsort Königsberg (in Franken) Regiomontanus nannte. Ob Behaim wirklich ein Schüler des berühmten Mannes war, wie er später in Portugal behauptete, begegnet einigen Zweifeln. Sicher aber hat der große Müller von Königsberg, dessen Anwesenheit in Nürnberg für die Jahre 1471 bis 1475 bezeugt ist, sein Interesse für die Seefahrt geweckt und ihm mancherlei nautische Kenntnisse vermittelt. Martin Behaim dürfte also bereits in jungen Jahren die *Ephemeriden* des Regiomontanus studiert haben, »ein astronomisches Tabellenwerk, das in der Vorausberechnung der Standorte der Himmelskörper für die Jahre von 1474 bis 1506 reichte«. Auch der Umgang mit dem von Johannes Müller verbesserten Jakobsstab, »mit dessen Hilfe man den jeweiligen Standort eines Schiffes bestimmen konnte«, wird ihm früh vertraut gewesen sein.

Ja, es ist wahrscheinlich, daß dieses Gerät und diese Tabellen – Schöpfungen eines hellwachen forschenden Geistes – eine starke Faszinationskraft auf ihn ausgeübt, daß sie ihn zumindest stärker angesprochen haben als das Ausschreiben von Rechnungen und Lieferscheinen. Behaim scheint zumindest zeitweilig ein Sorgenkind der Familie gewesen zu sein: ein unruhiger, von Fernweh erfüllter junger Herr mit anfechtbarem Privatleben, dessen Interessen mehr auf Mathematik, Astronomie und Seefahrt als auf die Soll- und Haben-Register eines ehrbaren Kaufmanns gerichtet waren.

Das mag auch einer der Gründe dafür gewesen sein, daß ihn Onkel Leonhard 1476 zur weiteren Ausbildung nach Mecheln (in der heutigen belgischen Provinz Antwerpen) schickte, zum Tuchhändler Jorius van Dorpp. Behaim scheint sich dort bewährt zu haben, zumal ihm seine Aufgabe Gelegenheit zu allerlei Reisen verschaffte. Mehrfach hat der junge Handlungsgehilfe in den folgenden Jahren zum Beispiel die Frankfurter Herbstmesse besucht – mit Erfolg, wie man annehmen muß; denn 1479, nunmehr gerade zwanzig Jahre alt, machte er sich selbständig. Er wurde Großkaufmann und eröffnete eine mit einem Speditionsgeschäft kombinierte Agentur in Antwerpen. Ein Milchbart noch, aber schon ein tüchtiger Unternehmer, der vor allem in der Welt der Zahlen heimisch war. Überliefert ist, daß er sozusagen nebenberuflich dem Obermeister der dortigen Tuchmacherinnung das »Rechnen mit der Feder« beibrachte.

Von Antwerpen aus, das als bedeutendster Umschlagplatz für portugiesische und spanische Kolonialwaren die reichste und umsatzfreudigste Hafenstadt Europas geworden war, hat Behaim wahrscheinlich seine engen Beziehungen zu Lissabon geknüpft. Jedenfalls siedelte er 1482 in die Stadt am Tejo über, den anderen großen Wirtschaftshafen des Kontinentes: dem Atlantik zugewandt, aus einer römischen Siedlung hervorgegangen, jahrhundertelang in arabischem Besitz, von Kreuzfahrern befreit, nun Hauptstadt des mächtig ausgreifenden portugiesischen Reiches und somit eine Metropole, die auf Abenteurer, Entdecker und Glücksritter jeglicher Färbung eine starke Anziehungskraft ausübte.

Auch die Deutschen hatten ihre eigene Kolonie in Lissabon und erfreuten sich beträchtlichen Ansehens, nicht zuletzt als Soldaten. Die portugiesischen Könige schätzten vor allem die deutschen Büchsenschützen; ein gewisser Wilhelm von Leu war zum Beispiel Befehlshaber der portugiesischen Musketiere. Ebenso bildeten die deutschen Artilleristen – nach Ghillany, Behaims Nürnberger Biographen, damals »die angesehensten in ganz Europa«– »in Portugal ein sehr geachtetes Corps, das viele Vorrechte genoß und unter dem direkten Befehle des Königs stand«.

Im zivilen Bereich waren es vor allem die deutschen Kaufleute, die von sich reden machten. Nürnberger Händler versorgten die Bombardiere mit dem notwendigen Pulver. Deutsche betrieben aber auch Druckereien und Verlage. Überliefert sind die Namen von Johann Kampen, der Artillerist und »Schwarzkünstler« zugleich war, Valentin Ferdinand, der Marco Polo ins Portugiesische übersetzte und zum Schildträger der Königin Leonore ernannt wurde, und Jacob Cramberger, »einem Buchdrucker«, der von König Manuel in den Adelsstand erhoben wurde.

So fiel es Martin Behaim, als er dreiundzwanzigjährig nach Lissabon gekommen war, auch nicht schwer, sich nach einer deutschsprachigen Frau umzusehen. Im Jahre 1486 ehelichte er die Tochter des Ritters Jobst von Huerten, der – aus Brügge stammend – in portugiesischen Diensten zum Statthalter der Azoreninseln Fayal und Pico aufgestiegen war. Sie hieß Johanna und soll recht ansehnlich gewesen sein. Die beiderseitigen Herzensbeziehungen blieben jedoch kühl. Sicher aber trug die Ehe mit der geborenen von Huerten, deren Mutter Palastdame der Königin gewesen war, dazu bei, Behaim den Weg zum Hofe Johannes' II. zu ebnen, eines Herrschers, der zugleich Herz und Hirn einer Junta war, deren erklärtes Ziel es war, das nautische Rüstzeug der portugiesischen Seefahrer und Entdecker ständig zu verbessern.

Die Reise des Dalmatiners Marco Polo

Das Mittelalter hat die Kenntnisse und Forschungsergebnisse früherer Zeiten, wie man weiß, zum großen Teil wieder vergessen. Auch das Wissen um fremde Völker und Länder siechte dahin. Die Geographie ging an Krücken, mehr noch, sie bewegte sich nicht mehr. Es ist berechnet worden, daß der Zugewinn an erdkundlichen Einsichten zwischen 1000 und 1400 allenfalls ein Prozent in einem Jahrhundert ausmachte. Dann aber nahm die »Erkundung der Erde« ein beträchtliches Tempo an. In den nächsten beiden Jahrhunderten betrug der Erfahrungszuwachs jeweils 27 Prozent. Das geographische Vorstellungspotential füllte sich fast selbsttätig auf. Dementsprechend gewann auch das Bild von den Meeren, Inseln und Kontinenten dieser Erde mehr und mehr an Realität.

Die ersten Breschen waren allerdings schon vorher geschlagen. Die Kreuzfahrer, die von 1100 an erbittert um den Besitz des Heiligen Landes rangen, mehr aber noch ihre Nutznießer und Mitläufer, die Seefahrer und Kaufleute, brachten von ihren blutigen Pilgerzügen ja nicht nur mancherlei Reichtümer mit, nicht zuletzt in Gestalt hübscher, dienstbereiter Muselmaninnen, sondern auch unbezahlbare militärische, nautische und handelspolitische Erfahrungen. Ihre Erzählungen bereicherten selbstverständlich auch das geographische Panorama, und zumindest die Kaufleute machten, neugierig und gewinnfreudig, einigen Gebrauch davon. Sie taten dann auch den nächsten Schritt.

Im Jahre 1271 brachen die Brüder Niccolo und Matteo Polo, nachdem sie sich bereits um 1260 von Konstantinopel aus bis in das ferne Turkestan durchgeschlagen und dort einträgliche Geschäfte getätigt hatten, von Venedig zu einer großen Reise in den Osten auf. Sie wurden von Niccolos damals siebzehnjährigem Sohn Marco begleitet – eben jenem Marco Polo, der fast dreißig Jahre später in genuesischer Gefangenschaft einem französischen Leidensgefährten einen ausführlichen Report über diese Reise in die Feder diktierte. Einen erstaunlichen Report, den die meisten Zeitgenossen für das epische Gespinst eines allzu phantasiebegabten Traumfabrikanten hielten, dessen Tatsachengehalt sich nach neueren Forschungen aber durchaus mit modernen Entdeckerberichten messen kann.

Die Reise der drei in Venedig heimisch gewordenen Dalmatiner nahm nicht weniger als zweieinhalb Jahrzehnte in Anspruch. Sie führte über Bagdad zum Persischen Golf, von dort nach Afghanistan und über das Pamirgebirge nach China. Siebzehn Jahre blieb der Venezianer Marco Polo dann im Reich der Mitte. Er erwarb die Gunst des Herrschers, führte mehrere diplomatische Missionen durch und wurde schließlich sogar Statthalter der Provinz Kiang-nan. Erst Mitte der neunziger Jahre kehrte er zurück, mit jenem Fundus an Informationen, die zunächst nur mit ungläubigem Staunen registriert wurden, schließlich aber im europäischen Weltbild ihren legitimen Platz fanden. Sie waren, wie wir sahen, auch im Bildungsgut des Ritters Martin Behaim gegenwärtig und jederzeit abrufbar.

Die hohe Schule der portugiesischen Entdecker

Zu seiner Zeit waren die Portugiesen die besten Kenner des Globus. Schon seit 1400 waren ihre Seefahrer auf allen damals bekannten Weltmeeren unübersehbar präsent, und zwar nicht nur als Händler, sondern auch als Kolonisatoren und Entdecker. Ein starker missionarischer Impuls wirkte in ihrer Aktivität mit. In ihm wiederum lebte der alte Kreuzfahrergeist, wenn auch vielfältig getarnt und verwandelt, kräftig weiter.

Sein ausführendes Organ war der 1318 durch Papst Johannes XXII. ins Leben gerufene *Ordo Militiae Jesu Christi*: der portugiesische Christusorden, der die Traditionen des verbotenen und entrechteten Templerordens weitertrug. Seine Organisation entsprach der der Ritter vom Tempel, ebenso die Regel, er erfreute sich des Besitzes und der Privilegien des Vorgängerordens, residierte wie dieser im Castro-Marim an der Algarve und bestand aus *freires cavaleiros* und *freires clerigos*, ritterlichen und geistlichen Brüdern also, die ihr Leben, »in Wiederaufnahme der alten Kreuzideen«, gemeinsam der Aufgabe geweiht hatten, den Islam zu bekämpfen.

Daß sie auch handelspolitischen und kolonisatorischen Ehrgeiz entwickelten, entsprach ebenfalls den Traditionen der Tempelherren, war aber entscheidend das Verdienst eines ihrer Großmeister aus königlichem Geblüt, des Infanten Heinrich, der als Heinrich der Seefahrer eine der Zentralgestalten des Zeitalters der Entdeckungen wurde.

Heinrich der Seefahrer verkörperte wie kaum ein zweiter den Übergang vom Mittelalter zur Neuzeit, vom Zeitalter des Glaubens zu dem des Planens und Schaffens. Das Prinzip der wissentlichen, auf ein klar umrissenes Ziel gerichteten Weltveränderung nimmt in ihm zum ersten Mal Gestalt an. Schon seine Lebensdaten beweisen, daß er – in dieser Hinsicht einem modernen Manager vergleichbar – vor allem durch die Fähigkeit wirkte, Projekte zu entwerfen und zu organisieren und andere für seine Absichten zu begeistern.

Der 1394 als dritter Sohn von König Johann I. geborene Infant Heinrich nahm als Einundzwanzigjähriger zwar an der Erstürmung der maurischen Festung Ceuta teil und entrichtete damit sozusagen seinen Tribut auf dem Altar der Bekämpfung der Ungläubigen, verzichtete dann aber auf jeglichen militärischen und höfischen Ruhm und errichtete 1419 in Sagres auf dem Felsplateau von Kap São Vicente, Europas Südwestspitze, eine Sternwarte und nautische Akademie. Dort arbeitete er mit einem von ihm selbst geleiteten Stab von Astronomen, Mathematikern und Praktikern der Seefahrt ein Programm zur systematischen Erforschung der noch unerforschten Ozeane und Meere aus. So entstand unter seiner anfeuernden und energischen Führung auf dem Kap São Vicente die maritime Kommandozentrale des Königreiches Portugal und damit die Herzkammer des künftigen portugiesischen Imperiums.

Die große Leidenschaft des Infanten Heinrich, der, wie Friedell beiläufig bemerkt, nie ein Glas Wein, geschweige denn einen Weibermund berührte, war »die Entschleierung der afrikanischen Küsten«. Seine Methodik und seine Besessenheit zahlten sich aus; schon

1419 veranstaltete er die erste Entdeckungsfahrt längs der westafrikanischen Küste;

1420 erreichten die Kapitäne Zarco und Teixeira die Inseln Madeira und Porto Santo;

1425 legten Heinrichs Entdecker an den Kanarischen Inseln an;

1427 nahmen sie die Kapverdischen Inseln und die Azoren für die portugiesische Krone in Besitz;

1441 begann das »Kapspringen« an der westafrikanischen Küste, das über Kap Blanco hinaus in die Arguin-Bai an der Goldküste führte;

1444 gingen portugiesische Seefahrer in Guinea an Land, nachdem sie bei Kap Verde die Westspitze des Schwarzen Kontinents passiert hatten;

1446 fuhr Kapitän Tristao in die Mündung des Rio Grande ein;

1448 wurde in der Bucht von Arguin die erste Siedlung errichtet.

Die Zahlen und Namen beweisen die Konsequenz der von Heinrich dem Seefahrer in Szene gesetzten Entdeckerfahrten. Die Verwegenheit, das nautische Können und das riesige Potential an menschlicher Leistung, das in ihnen steckt, lassen sie bestenfalls ahnen. Noch waren die Herzen und Hirne der Seefahrer ja von furchtsamen, erschrekkenden und wunderlichen Vorstellungen beherrscht.

Jenseits von Kap Bojador, so hieß es zum Beispiel, werde das Meer so salzig, daß es sich in eine pechartig-zähe Masse verwandle, die kein Schiffskiel mehr zu teilen vermöchte. Auch ging die Mär um, daß die senkrecht einfallenden Sonnenstrahlen in Äquatornähe eine solche Hitze erzeugten, daß alles Land zu einer vegetationslosen Hölle würde. Als die portugiesischen Seefahrer statt dessen üppig wuchernde Wälder und fruchtbare Palmenhaine entdeckten, schrieb ein Chronist den vielzitierten Satz nieder: »Dies alles gebe ich mit Verlaub Seiner Gnaden des Ptolemäus zu Protokoll, der recht gute Dinge über die Einteilung der Welt hat verlauten lassen, aber in diesem Stücke sehr fehlerhaft dachte. Zahllos wohnen am Äquator schwarze Völkerschaften, und zu unglaublicher Höhe erheben sich die Bäume, denn gerade im Süden steigert sich die Kraft und Fülle des Pflanzenwuchses.«

Traumziel Ferner Osten

Natürlich profitierte der lusitanische Staat von diesen Entdeckungen. Mit seinen Schiffen legten auch die Kaufleute an fernen Gestaden an. Häfen und Marktorte entstanden, und so brachten die von der Krone entsandten Seefahrer nicht nur wichtige Informationen über bisher unbekannte Länder und Landstriche mit, sondern auch Gold und Elfenbein, Weizen und Zuckerrohr, Moschus und Kokosnüsse, schließlich auch Sklaven, obwohl der Infant selber dieser Sparte des ostafrikanischen Handels wenig Sympathie entgegenbrachte.

Der Christusorden, deren Großmeister »der Seefahrer« war, wirkte bei all diesen Aktivitäten kräftig mit. Er gründete zahlreiche Kommenden, und wer sich bei den Kämpfen mit den ungläubigen Eingeborenen auszeichnete, konnte sicher sein, zum Ordensritter geschlagen zu werden. Auch der abenteuerliche Plan, zusammen mit dem Kaiser von Äthiopien einen Gürtel christlicher Länder quer durch Afrika zu schaffen, war ein Produkt des missionarischen Geistes, mit dem die *freires cavaleiros* die Tätigkeit der portugiesischen Entdecker sozusagen ideologisch auffüllten.

Einen weiteren Impuls löste die Eroberung Konstantinopels durch die Türken im Jahre 1453 aus. Da das Osmanische Reich nun die Landwege nach Ostasien und damit zu den geheimnisvollen Wunderländern beherrschte, die köstliche Gewürze und andere raffinierte Gaumenfreuden, kostbare Tuche und betörende Edelsteine, überhaupt: viele Dinge des gehobenen Bedarfs lieferten, sahen sich die europäischen Kaufleute gezwungen, einen Seeweg in den Fernen Osten zu suchen. Für die Portugiesen stand von Anfangfest, daß man zu diesem Zweck die Südspitze Afrikas erreichen und umschiffen mußte. Auf dieses Ziel konzentrierten sie daher in der zweiten Hälfte des 15. Jahrhunderts alle ihre Kräfte, ja, sie waren von diesem Gedanken geradezu besessen. So vermochten sie auch dem Vorschlag des florentinischen Arztes und Kartographen Paolo Toscanelli, der 1474, zu dieser Zeit schon fast achtzig Jahre alt, ihrem König Alfons V. riet, den »Orient im Okzident zu suchen«, das heißt also: Ostasien in westlicher Richtung anzusteuern, nur wenig Geschmack abzugewinnen.

Heinrich der Seefahrer – von dem man sagt, daß er nie zur See gefahren sei – lebte zu dieser Zeit schon nicht mehr. Er starb 1460 in Sagres, in der Nähe seines astronomisch-nautischen Institutes, von dem aus er zahlreiche Expeditionen zum »Kapspringen« in südlicher Richtung ausgerüstet hatte. Sein Geist, seine Pläne, seine Methoden, auch seine Einrichtungen wirkten jedoch weiter, und da Portugal unter der kraftvollen Regierung von König Alfons V. (dem »Afrikaner«) auch innerlich ein starker Staat geworden war, »mit gesicherten Grenzen und geordneten Verhältnissen«, wuchs das kleine Land am Tejo langsam, aber stetig in eine weltgeschichtliche Rolle hinein.

Behaim und die Junta dos Mathemáticos

Als Behaim 1482 nach Lissabon gekommen war, regierte Johann II., ein kluger, energischer, gelegentlich auch recht hemdsärmeliger Herrscher, dem die Ausübung von Autorität das höchste königliche Gesetz war. Er zauderte zum Beispiel nicht, sich mit dem mächtigen, stets aufsässigen Hochadel anzulegen. So ließ er 1483 den Herzog von Bragança enthaupten und demonstrierte damit seine Entschlossenheit, sich von niemandem in die königlichen Geschäfte hineinreden zu lassen. Wie sein Vorgänger konzentrierte er die Macht des Staates auf den einträglichen Außenhandel. Er gründete Kolonien und Handelsfaktoreien und tat alles, seine Flotte zur besten Flotte der Welt zu machen.

Schon Johannes' Vorgänger Alfons, »der Afrikaner«, hatte das Werk des Infanten Heinrich nicht nur gefördert, sondern auch fortgeführt. Der neue, 1481 inthronisierte König ging noch einen Schritt weiter. Er gründete eine Gesellschaft, der die besten Mathematiker seines Landes angehörten. Diese *Junta dos Mathemáticos* hatte die verbriefte Aufgabe, sich vor allem mit der Nautik zu beschäftigen. Sie sollte den portugiesischen Seefahrern die Kenntnisse und die Geräte verschaffen, die es ihnen ermöglichten, sich von der Küste zu lösen und auch auf hoher See Kurs zu halten und den jeweiligen Standort zu bestimmen.

Die Ergebnisse ihrer Arbeit waren geheime Reichssache, sie wurden unter Verschluß gehalten und nur den Kapitänen – oder deren wissenschaftlichen Beratern – vermittelt, die im Auftrag der Krone neue Seewege suchten und erkundeten; der »nautische Generalstab des Königs« trat deshalb nicht in einem öffentlichen Gebäude zusammen, sondern in einem sorgsam abgeschirmten Privathaus, das nur einem kleinen Kreis Eingeweihter bekannt war.

Die Junta hatte eine außerordentliche Macht. Sie entschied über die Ziele der Entdeckungsfahrten, sie sprach ein gewichtiges Wort bei der Auswahl der Kommandanten mit, sie verlangte, daß über alle nautischen Details der Reisen genau Buch geführt wurde. Sie war es auch, die 1483 den durch den genuesischen Seefahrer Christoph Kolumbus erneut ins Gespräch gebrachten Plan, Indien im Westen zu suchen, ablehnte – und Portugal damit um die Chance brachte, daß Amerika von portugiesischen Schiffen entdeckt wurde.

Wie es Behaim gelang, Mitglied dieses erlauchten Kreises von Mathematikern, Astronomen und Theologen zu werden, wissen wir nicht. Vielleicht öffneten ihm die Beziehungen seines Schwiegervaters den Weg zum Hof. Wahrscheinlicher ist jedoch, daß er, der Kaufmann aus Nürnberg, schon damals als bedeutender Nautiker galt. Jedenfalls erhielt er den Auftrag, zusammen mit den königlichen Leibärzten José und Rodrigo ein neuartiges Astrolabium herzustellen: ein Instrument, das durch die Projizierung des Sternenhimmels auf verschiedene Ebenen eine exakte Bestimmung geographischer, nautischer und astronomischer Daten ermöglichte (Abb. 4). Vorsichtiger ausgedrückt: Er scheint an der von der Junta verlangten Verbesserung der bis dahin gebräuchlichen Astrolabien einen erheblichen Anteil gehabt und dabei die Kenntnisse verwertet zu haben, die ihm Regiomontanus vermittelt hatte.

Neuere portugiesische Forscher stellen Behaims Rolle in der Junta in Frage. Sie bezweifeln sogar, daß der Nürnberger Patrizier 1484/85 an der Expedition des Diego Cao, der im Golf von Guinea die Insel Annobon (heute Pagula) entdeckte und in die Kongomündung einfuhr, als »Astronom und Kosmograph« teilgenommen hat. Der Nürnberger Globus weist aber gerade auf diese Reise unmißverständlich hin. »Der durchleuchtig König Don Johann von Portugal«, so heißt es in einer der vielen kartographischen Legenden, »hat das übrig Teil, des Ptolemäus noch nit kundig gewesen ist, gegen Mittag lassen mit seinen Schiffen besuchen anno dmi 1485, dabey ICH, der diesen Apffel angegeben hat, gewesen bin.«

Sicher ist auch, daß Martin Behaim von Schwarzbach 1485, nach Rückkehr Diego Caos von seiner beschwerlichen Reise, von Johann II. zum Ritter des Christusordens erhoben wurde. Über die Zeremonie ist genau Buch geführt worden. Kronprinz Manuel heftete dem Nürnberger Patrizier den rechten, des Königs Vetter Christoffel de Abelo den linken Sporen an. Graf Fernando Martins Mascarinis- setzte ihm den Helm auf, der Herrscher selbst gürtete ihn mit dem Schwert. Martin Behaim war 26 Jahre alt, »als er solchermaßen geehrt wurde«. In der Tat nannte er sich fortan »portugiesischer Ritter«.

In den zeitgenössischen Quellen verschwindet der Name Behaim dann für einige Jahre. Der junge erfolgreiche Handelsherr und »Chefkartograph des portugiesischen Königs« (wie ihn Paul Herrmann genannt hat) sinkt gleichsam in die Anonymität zurück. Die portugiesischen Entdecker aber gaben keine Ruhe:

1486, im August, verließ Bartholomäus Diaz mit zwei »kleinen, aber wendigen und eigens für den stürmischen Südatlantik gebauten Schiffen« den Hafen von Lissabon und umsegelte einige Monate später das Kap der Guten Hoffnung;

1487, kurz vor seiner Rückkehr, entsandte König Johann II. die beiden Kapitäne Pedro de Covilhao und Alfonso de Paiva in die Levante, um zu erkunden, woher die Venezianer durch Vermittlung der Araber ihre Gewürze aus Indien bezögen;

1488 erschien der afrikanische Häuptling Bemoy aus dem Stamm der Jalofer (zwischen Senegal und Gambia) in Lissabon und bat den König um Hilfe gegen seine schwarzen Feinde;

1489 rüstete Johann II. zwanzig Karavellen für eine Fahrt in den Senegal aus; die Expedition scheiterte jedoch, nachdem Pedro Vaz, der Leiter des Unternehmens, den Häuptling Bemoy hatte umbringen lassen;

1490, im Dezember, liefen in Lissabon drei Schiffe zu einer Fahrt in den Kongo aus; die mitsegelnden Missionare bekehrten den dortigen König und tauften ihn und viele seiner Untertanen;

1491 lud Johann II. Christoph Kolumbus ein, nach Portugal zurückzukehren und ihm Pläne für die Westfahrt nach Indien vorzulegen; der Genuese lehnte jedoch ab.

Ein Jahr vorher, 1490, war Martin Behaim nach mehrjähriger Abwesenheit wieder in Nürnberg aufgetaucht, wahrscheinlich zur Regelung von Erbschaftsangelegenheiten.

Sehr eilig hatte er es allerdings nicht. Er verwendete auf seine Aufgabe, wie seine emsigen Landsleute verwundert feststellten, mehr Zeit, als notwendig war. Er nahm die Gastfreundschaft seines Vetters Michael Behaim in Anspruch und lebte offenbar ziellos in den Tag hinein. Er tat, wie sein Biograph Ghillany bemerkt, »nichts Besonderes«. Er faulenzte und spielte den hochmütigen Ritter, der schnöde Handelsgeschäfte verachtete. Wenn er sich überhaupt beschäftigte, dann mit leichter Gartenarbeit.

4. Astrolab

Im übrigen flanierte er, so sahen es jedenfalls die Nürnberger »Pfeffersäcke«, nichtsnutzig in den Straßen der Stadt umher, wunderlich gekleidet, papageienbunt, fast wie ein Exote. Er trug ein resedagrünes Wams mit rot gefütterten Schlitzen, eine Pelerine aus »vogelgrellem Stoff« und fellverzierte Puffärmel. Auch seine Manieren und sprachlichen Floskeln paßten nicht mehr zum strengen, gravitätischen und selbstbewußten Auftreten der Nürnberger Handelsherren. Diese schüttelten die Köpfe, am meisten die zahlreichen Verwandten des wie ein Geck aufgeputzten Ritters aus Portugal. Man erinnerte sich, daß er schon in jungen Jahren gelegentlich kräftig über die Stränge geschlagen hatte, daß er zum Beispiel 1483 sich über die Gebote der Fastenzeit fröhlich hinweggesetzt und in der Gesellschaft eines berüchtigten Zirkelmachers lockeren Tänzen und anderen schandbaren Ausschweifungen hingegeben hatte – und daß eine entsprechende Eintragung im Strafregister der Stadtpolizei erfolgt sei.

Trotzdem verfehlten die Nürnberger nicht, den prominenten Seefahrer und Kosmographen, der zudem so flott von fremden Küsten und Menschen zu erzählen wußte, Maximilian I. vorzuführen, als dieser 1491 zu einem kurzen Besuch nach Nürnberg kam, und da der König offenbar Interesse an dem weitgereisten Manne fand, konnte auch der Rat der Stadt nicht umhin, sich näher mit ihm und seinen Plänen zu beschäftigen. Es spricht einiges für die Vermutung, daß diese darauf abzielten, oberdeutsche Händler und Unternehmer zu animieren, eine Indienfahrt über den Atlantik zu finanzieren. Möglicherweise wollte Behaim die Chancen eines solchen Unternehmens an einem Globus demonstrieren. Genau wissen wir das jedoch nicht. Sicher ist nur, daß es ihm gelang, das Interesse des Rates an einem solchen Projekt zu wecken.

Im Frühjahr 1492 scheint es zur Unterzeichnung eines förmlichen Vertrages gekommen zu sein. Das war die Geburtsstunde des Behaimschen Globus.

Globen und Weltkarten

Nach einer vagen Überlieferung soll der um 600 v. Chr. lebende Thales von Milet den ersten Globus entworfen haben: einen Himmelsglobus allerdings. Wahrscheinlich gebührt jedoch nicht Thales, sondern seinem Zeitgenossen und Mitbürger Anaximander der Ruhm, als erster Mensch die Vorstellung entwickelt zu haben, »daß der gewölbte sichtbare Himmel seine gleichmäßige Fortsetzung unterhalb der Erde finden müsse und somit eine Kugel sei«. Er räumte damit, wie es in Muris/Saarmanns Globusbuch weiter heißt, mit dem Bild der »Homerischen Erdscheibe« auf, drang mit seinen Gedanken aber noch nicht »zur wahren Kugelgestalt der Erde« vor. Diese ließ er noch »als schmalen Zylinder, etwa in der Form eines Tamburins, vom sagenhaften Okeanos umflossen, in der Mitte des gewölbten Himmels frei schweben«.

Erst bei Pythagoras – vorsichtiger ausgedrückt: bei den Pythagoreern – taucht die Idee von der Erdkugel auf. Platon hat ihr dann zu literarischen Ehren verholfen. Im Phaidon-Dialog läßt er seinen Lehrer Sokrates am letzten Tage seines Lebens das Modell einer Erde entwerfen, die »in der Mitte des nach allen Seiten hin gleichartigen Himmels im vollkommenen Gleichgewicht« schwebte.

Einen Erdglobus aber haben die antiken Denker und Geographen noch nicht entworfen. Um so mehr beschäftigten sie sich mit der Konstruktion von Himmelsgloben. Einer von ihnen hat die Zeit sogar überdauert: der Atlante Farnese, die um 300 v. Chr. entstandene Marmorskulptur eines knienden Atlas, der eine Weltkugel von 65 Zentimeter Durchmesser auf seinen breiten, muskulösen Schultern trägt.

Das Wissen oder besser: die Ahnung von der Kugelgestalt der Erde ist aber in den frühchristlichen Jahrhunderten wieder verlorengegangen, zumindest in den westlichen Ländern des Imperiums. Im Oströmischen Reich blieb der Gedanke lebendig. Von Byzanz her ging er in das arabische Denken ein, das sich, wie man weiß, sowohl mit geographischen als auch mit astronomischen Problemen intensiv auseinandersetzte. Schon der 912 gestorbene Gelehrte Kordadbeh verfaßte eine Kosmographie, »in welcher die Kugelgestalt der Erde ganz nach griechischer Auffassung geschildert wird«. Edrisi, der bedeutendste arabische Geograph des 12. Jahrhunderts, entwarf für König Roger II. von Sizilien einen Himmelsglobus und eine silberne Erdkarte. Auch Friedrich II. von Hohenstaufen, der »Kaiser von Palermo«, ließ sich von einem arabischen Astronomen einen Himmelsglobus anfertigen, angeblich aus purem Gold (wenn auch wahrscheinlicher ist, daß er lediglich »aus Messing mit goldgravierten Schriftzügen« bestand).

Allein aus der Zeit vor 1500 sind zwölf dieser arabischen Himmelsgloben erhalten, und sicher haben sie auch die abendländischen Versuche, Erde und Himmel bildlich und gleichzeitig faßbar wiederzugeben, vielfältig beeinflußt. Am stärksten zeichnet sich diese Verbindung in der Tatsache ab, daß der in der zweiten Hälfte des 13. Jahrhunderts regierende König Alfons X. von Kastilien, genannt der Weise, der den arabischen Traditionen in seinem Lande hohen Respekt entgegenbrachte, ein Kompendium über die Herstellung von Globen und die dazu notwendigen Materialien schrieb. Von dieser Zeit an scheinen auch Erdgloben, entweder aus Holz oder Metall, zunehmend gebräuchlich geworden zu sein, vor allem natürlich in der christlichen Seefahrt. »Dabei gelang es«, so Muris/Saarmann, »wenn auch noch nicht in allen Einzelheiten, so doch in den Hauptzügen, das Erdbild nicht mehr als bloßes Symbol, sondern als Realität auf die Kugel zu projizieren, so daß dadurch der Zweck einer Belehrung und Orientierung erreicht werden konnte.«

Von solchen Erdgloben haben sicher auch die großen Entdecker profitiert. Umgekehrt dürften ihre Entdeckungen der Herstellung von Globen zugute gekommen sein, nicht zuletzt dadurch, daß die geographischen Forschungsergebnisse trotz aller Geheimhaltungsbemühungen auf zahlreichen Karten ihren Niederschlag fanden. Als in der Mitte des 15. Jahrhunderts die »Schwarze Kunst« des Druckens erfunden wurde, erlebte auch die Kartographie ihre erste Konjunktur (Abb. 5). In ihrem Ablauf ist deutlich festzustellen, wie die Übernahme der Entdeckungsergebnisse das alte ptolemäische Weltbild langsam, aber sicher verschwinden läßt.

1478 erschien in Rom, von den deutschen Druckern Sweynheym und Buckinck herausgebracht, eine Karte, die noch völlig den alten Vorstellungen verhaftet ist – der Indische Ozean wird zum Beispiel noch als Binnenmeer dargestellt;

1482/83 kamen sowohl in Ulm als auch in Venedig Weltkarten typisch mittelalterlicher Weltsicht heraus, auf denen die gesamte Äquatorzone als verbranntes Land abgebildet ist; die

1485 gedruckte (heute in Wiener Privatbesitz befindliche) Wieder-Karte verharrt zwar »im Wesentlichen auf dem Boden des Althergebrachten«, verzeichnet aber die portugiesischen Entdekkungen im Golf von Guinea;

1485/86 gab der Venezianer Christoforo Soligo eine Karte heraus, die bereits die Erkenntnisse der ersten großen Cao-Expedition von 1482 bis 1484 präzis wiedergibt, u. a. den bis dahin völlig unbekannten Kongo; die

1489 in Rom gezeichnete Karte des Henricus Martellus Germanus gibt dann schon die Ergebnisse der zweiten Cao-Expedition (1485/86) und der Diaz-Reise zum Kapland (1487/88) wieder, ist also hochaktuell von »verkörpert damit den entscheidenden Durchbruch zum Neuen«.

Man darf annehmen, daß Martin Behaim als Mitglied der Lissaboner

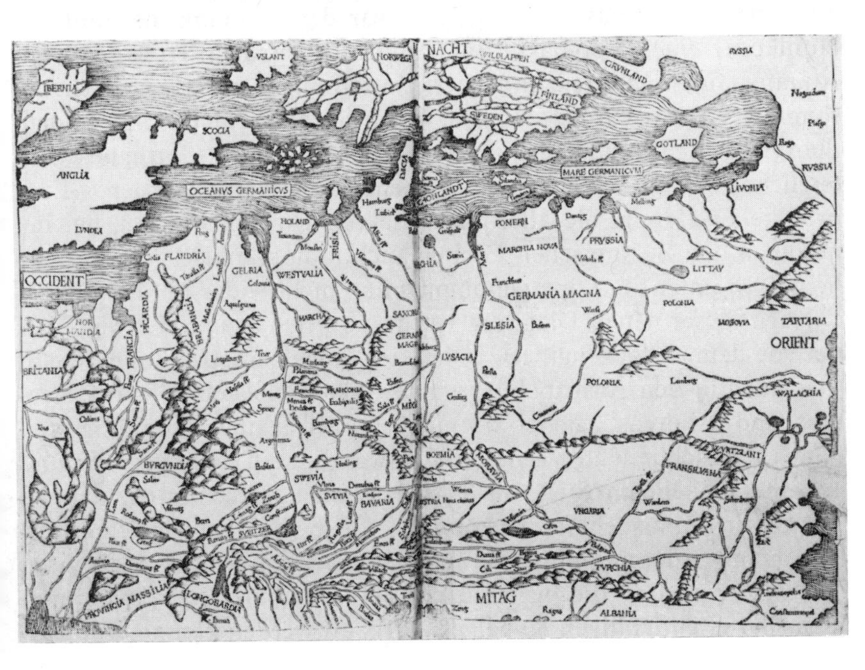

5. Landkarte aus der Schedelschen Weltchronik, 1493

Nautik-Junta alle diese Karten und noch etliche mehr gekannt hat. Als er zu Beginn des Jahres 1492 begann, seine erdkundlichen Kenntnisse auf einen Globus zu übertragen, zahlte sich für ihn aber auch aus, »daß sich die Nürnberger Humanisten am Ausgang des 15. Jahrhunderts eingehend mit Fragen aus den Gebieten Geographie, Kartographie und Topographie beschäftigten und hierzu in einem ständigen Gedankenaustausch standen«. Es dürfte ihm also von Anfang an weder an Helfern noch Förderern noch Ratgebern gefehlt haben.

Die äußeren Bedingungen für die Herstellung eines Erdglobus waren also denkbar günstig.

Wie der »Erdapfel« entstand

Die technische Herstellung bereitete allerdings mancherlei Schwierigkeiten, wie aus der 1494 erfolgten Abrechnung mit der Finanzbehörde der Freien Reichsstadt Nürnberg hinlänglich hervorgeht.

Zuerst scheint es eine Panne gegeben zu haben. Denn die »Lehmform«, »darüber« der Rechenmeister und Waagemacher Ruprecht Kolberger »eine große Kugel machen solt«, zerbrach. Die Auftraggeber ließen sich aber nicht entmutigen, sondern beauftragten den Glocken- und Geschützgießer erneut, eine Lehm- oder Tonkugel anzufertigen. Kolberger – der übrigens diese zweite Kugel aus eigener Tasche bezahlen mußte – ging wieder ans Werk, diesmal mit mehr Glück.

Es ist viel darüber nachgedacht worden, wie aus dieser Lehm- oder Tonform ein Globus wurde. Muris war der Meinung, daß auf die Hohlkugel eine Pappmasse aufgetragen, nach dem Trocknen »am Äquator aufgeschnitten und nach Entfernung der Form wieder zusammengefügt« wurde. »Eine darüber gelegte Schicht Gips bildete die verfestigte Grundlage, auf die nunmehr die bereits fertig beschrifteten und bemalten Pergamentsegmente aufgezogen wurden.« Eine probate Erklärung, die allerdings neueren Untersuchungen, bei denen man den Behaimschen Globus auch radiographisch und röntgenologisch unter die Lupe genommen hat, nicht widerstand.

Nach dieser neuen Diagnose wurde, so Friedemann Hellwig, über der von dem »Glockengißer« gelieferten Kugel, ein »weißes parchat« (das auch in den Ausgabebüchern des Bürgermeisters Ulmann Stromer und Andreas Tucher auftaucht) »gelegt und sorgfältig vernäht ... Anschließend wurde die Leinwand durch Leim versteift und an einer beliebigen Stelle in zwei Hälften aufgeschnitten, um die Lehmform herausnehmen zu können.« Die beiden Kugelhälften wurden dann wieder zusammengefügt und gleichzeitig durch Holzreifen verfestigt, »so daß die bisher leicht deformierbare Oberfläche nunmehr in der endgültigen Kugelgestalt fixiert werden konnte. Zur weiteren Verstärkung der noch recht dünnen Kugelwand und zum Ausgleich der Dicke der Reifen wurde nun eine Schicht von Leinenfasern aufgebracht, gebunden vermutlich mit wenig dünnem Leim. Für den anschließenden Überzug aus kräftigem Leder wurden acht Teile verwendet, nämlich zwei Polkalotten und sechs Segmente, die den Raum zwischen ihnen ausfüllen. Als letzter Arbeitsgang erfolgte dann das Aufbringen der papierenen Oberfläche, die noch keineswegs bemalt gewesen sein kann . . .«

Der »berühmte Illuminist« Jörg Glockendon übernahm die Bemalung des Globus. Der Meister der »Kleinmalkunst« benötigte dafür fünfzehn Wochen, die ihm mit fünfzehn Gulden sowie täglichem Mittagessen und dem dazugehörigen Wein und Bier vergolten wurden. Die Mitarbeit seiner Frau wurde mit einem Gulden honoriert. Ein gewisser, sonst unbekannter Gagenhart leistete bei der Beschriftung des Globus tätige Hilfe.

Glockendon konnte sich bei seiner Arbeit von einer Weltkarte leiten und inspirieren lassen, die der Ritter Martin vielleicht eigens für diesen Zweck entworfen hatte. Behaim hat dafür keinen klingenden Lohn empfangen. Vielleicht hat er sogar selbst kräftig in die Tasche gegriffen, um das Projekt zu finanzieren. Allerdings scheint ihm so etwas wie eine »Serienproduktion« vorgeschwebt zu haben. Vom »Hersteller« Ruprecht Kolberger, der an Geometrie stark interessiert war, wissen wir jedenfalls, daß er bereit war, weitere »Kugeln« herzustellen.

Dazu kam es aber nicht. Denn als der Globus nach gut halbjähriger Arbeit fertiggestellt worden war, gelangten die ersten Nachrichten über die von Kolumbus entdeckten Westindischen Inseln nach Nürnberg. Wenn man ihre immense Bedeutung auch nicht einzuschätzen wußte, erkannte man doch, daß sich das Bild der Welt mit einem Schlage verändert hatte – daß also auch Behaims *mapa mundy* erheblicher Ergänzungen und Korrekturen bedurfte.

Tod im Spital der Bombardiere

Martin Behaim von Schwarzbach hatte zu dieser Zeit seine Vaterstadt bereits wieder verlassen. Auch über seinen Weggang sind mancherlei Vermutungen angestellt worden. Die meisten von ihnen beschäftigen sich mit einem Empfehlungsschreiben, das ihm der Nürnberger Stadtarzt Hieronymus Münzer, ein Vertrauter und Berater von Kaiser Maximilian, mit auf den Weg gab. In ihm wurde dem portugiesischen König offenbar vorgeschlagen, Martin Behaim mit der Leitung einer Expedition zu betrauen, die Indien auf der vielbesprochenen Westfahrt ausfindig machen sollte.

Aber auch dazu war es nun, nach der glücklichen Fahrt des Genuesers, zu spät. Überhaupt scheinen die restlichen Lebensjahre des Nürnberger Kosmographen und Astronomen unter einem wenig günstigen Stern gestanden zu haben. Zwar genoß er weiterhin König Johanns Gnade und finanziellen Beistand. So reiste Behaim 1494 in diplomatischer Mission von Portugal wieder nach Flandern. Doch wurde er unterwegs von Seeräubern aufgebracht und in England gefangengesetzt. Während dieser Zeit erkrankte er so schwer, »daß er sich zweimal mit der Kerze in der Hand zum Sterben bereitete«. Zu früh – er überstand die Krise und erholte sich wieder. Einige Zeit später gelang ihm mit Hilfe von Korsaren die Flucht nach Frankreich.

Die zwölf Jahre, die ihm danach noch beschieden waren, sind nur mehr durch wenige Nachrichten erhellt. König Johann II. starb im Oktober 1495. Sein Nachfolger Manuel war dem Christusritter aus Nürnberg wahrscheinlich weniger gewogen. Martin Behaim fiel zwar nicht gerade in Ungnade, aber die Türen des Hofes blieben ihm fortan verschlossen. Einige spärliche Nachrichten vermitteln den Eindruck, daß er sich einem unsteten Leben als Seefahrer verschrieb, bei dem er finanziell wohl mehr zugesetzt als erworben hat. Da ihm die Ritterwürde verbot, Handel zu treiben, war er nach Entzug der königlichen Apanage lediglich auf sein Privatvermögen angewiesen, das für seine kostspieligen Ambitionen nicht ausreichte.

Auch die Ehe des großen Navigators erlitt Schiffbruch. Die geborene Huerten hatte in den Jahren der Trennung einem Kavalier namens Fernando d'Evora ihre Huld geschenkt. Ihr Ehebruch ist sogar aktenkundig geworden. Der Bruder der Huerterin ertappte die beiden Sünder in flagranti, ließ den Liebhaber in Ketten legen und schickte ihn zur Aburteilung nach Lissabon. König Manuel ließ jedoch Großmut walten und verzieh dem Übeltäter gegen Zahlung einer gehörigen Buße. Der darüber ausgestellte Gnadenbrief trägt das Datum vom 16. November 1501. Der betroffene Behaim selbst scheint dieses Intermezzo kaum zur Kenntnis genommen zu haben.

Die nächste Nachricht protokolliert bereits seinen Tod. Im Jahre 1507 reffte der Nürnberger Seefahrer, wenn man so sagen darf, die Segel seines Lebens. Er starb in Lissabon, im Bartholomäusspital der deutschen Bombardiere, von seiner Familie getrennt, von niemandem beweint, und wurde in der Dominikanerkirche bestattet. Der Todestag – der 23. Juli 1507 – wurde auf dem »Totenschild« und dem Kronleuchter der Katharinenkirche in Nürnberg verewigt (Abb. 6). Auch eine nachgetragene Legende auf dem Globus »zu Hause« erinnert an Behaims stillen, unauffälligen Abschied von der Welt.

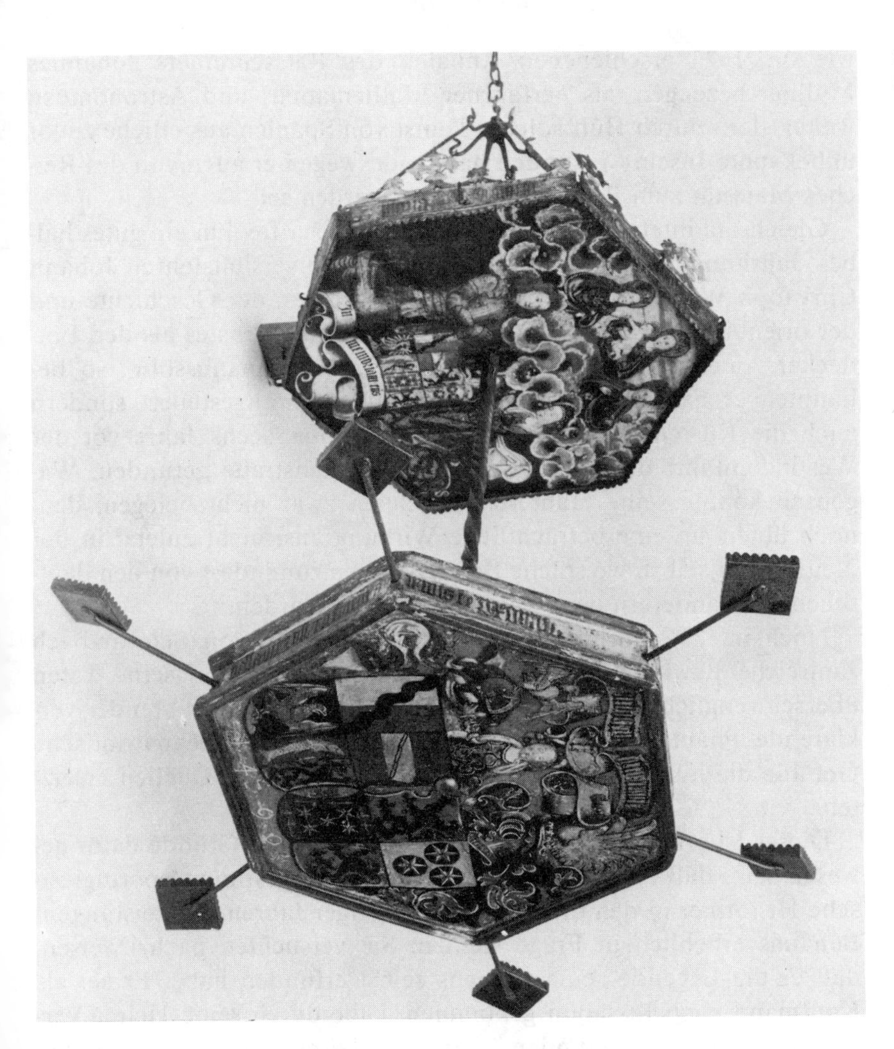

6. Totenleuchter für Martin Behaim

Sprach Behaim mit Kolumbus?

Im Gedächtnis seiner Vaterstadt lebte er weiter, nicht zuletzt dank dem von ihm entworfenen Globus, der seinen Ruhm auf einer Inschrift festhielt; diese Inschrift – vermutlich von Behaim selbst entworfen – feiert ihn als einen Mann, der ein Drittel der Welt umfahren, Plinius und Ptolemäus, Strabo und Marco Polo fleißig gelesen und mit ihrer Hilfe »alles Meer und Erden, jegliches nach seiner Form und Gestalt«, beschrieben habe.

Die Erinnerung an den abenteuerlichen, von Fernweh getriebenen, so gänzlich unbürgerlichen Sohn der Stadt Nürnberg, den König Maximilian angeblich den »weitestgereisten Bürger des Reiches« genannt hat, scheint aber auch in der mündlichen Überlieferung gegenwärtig geblieben zu sein; in ihr lebte der Seefahrer von der Pegnitz, wie die 1623 erschienenen Annalen des Ratsschreibers Johannes Müllner bezeugen, als »erfahrner Mathematicus und Astronomus« weiter, der »durch Hülf solcher Kunst von Spanien aus etliche zuvor unbekannte Inseln« gefunden habe, »deswegen er auch von des Reiches Majestät zum Ritter geschlagen« worden sei.

Gleichsam internationale Reputation verschaffte ihm ein gutes halbes Jahrhundert später der Nürnberger Universitätslehrer Johann Christoph Wagenseil, ein »Kenner des Rechtes, der Geschichte und der orientalischen Sprachen«, der Behaim allen Ernstes als den Entdecker Amerikas feierte. Der Nürnberger Kaufmannssohn, so behauptete er, habe nicht nur die Azoren als erster angesteuert, sondern auch die Küsten Brasiliens und von dort aus, sechs Jahre vor der Westindienfahrt des Kolumbus, die Magellanstraße gefunden. Wagenseil konnte seine munteren Fabeleien zwar nicht belegen, dennoch übten sie eine beträchtliche Wirkung aus, nicht zuletzt in der Neuen Welt selbst, wo solche Behauptungen zumindest von den deutschen Einwanderern bereitwillig kolportiert wurden.

Noch im 20. Jahrhundert hat Martin Behaim von Schwarzbach zahlreiche Bewunderer gefunden, die sein Leben und seine Taten überschwenglich besangen – wobei wohlwollende, verehrende, verklärende Phantasie, gelegentlich auch ausschweifende patriotische Gefühle die lakonischen Aussagen der vorliegenden Quellen ersetzten.

Dieses Übermaß an Bewunderung mag einer der Gründe dafür gewesen sein, daß einige ebenfalls sehr national gestimmte portugiesische Historiker in den dreißiger und vierziger Jahren die Leistungen Behaims erheblich in Frage stellten. Sie versuchten nachzuweisen, daß er die Legende seines Lebens selbst erfunden habe. Er sei als Kaufmann nach Lissabon gekommen, habe durch seine Heirat Verbindung zum Hofe gefunden, aber keinerlei bedeutende Funktionen ausgeübt. Seine Beziehungen zu Regiomontanus bestritten sie ebenso wie seine astronomischen und nautischen Kenntnisse. Einige Kritiker bezweifelten, wie berichtet, sogar Behaims Teilnahme an der Cao-Expedition.

Inzwischen haben sich die Gemüter beruhigt. Die Rolle Behaims in der Entdeckergeschichte wird heute nüchterner und unvoreingenommener als gestern und vorgestern betrachtet. Sicher war es nicht seinen Erfahrungen allein zu verdanken, daß die portugiesischen Seefahrer des ausklingenden 15. Jahrhunderts lernten, sich auf den Ozeanen zurechtzufinden; doch war er auch nicht der Aufschneider und Märchenerzähler, als den ihn einige beflissene Wissenschaftler des Salazar-Regimes abzutun suchten. Mag er den fleißigen, puritanischen Kaufleuten seiner Zeit als ein bunter exotischer Vogel erschienen sein, so hat er doch die astronomischen Erkenntnisse und Tabellen des Regiomontanus nach Portugal weitergegeben und an der Entwicklung des Instrumentariums der nautischen Himmelskunde einen bedeutenden Anteil gehabt.

Vieles spricht auch dafür, daß Martin Behaim und Christoph Kolumbus in engem Konnex miteinander gestanden, daß sie Erfahrungen ausgetauscht und über die Chancen und Probleme der vielerörterten Westfahrt gesprochen haben – und überhaupt: daß da zwei Gleichgesinnte am gleichen Tisch saßen, besessen von der Idee, über die Weltmeere hinweg zu neuen Küsten vorzudringen.

So wenig wir von Behaim wissen – seinen Platz im Zeitalter der Entdeckungen kann ihm niemand streitig machen; als einem der wenigen Deutschen unter der Vielzahl verwegener Seefahrer und Konquistadoren, die damals, zwischen Mittelalter und Neuzeit, das Weltbild entscheidend erweiterten, ist ihm ein ehrenvoller Vermerk in der Geschichte des zu Ende gehenden 15. Jahrhunderts sicher. Mit Recht hat ihm seine Heimatstadt daher zwei Denkmäler gesetzt. Das eine, 1892 zur Vierhundertjahrfeier der Entdeckung Amerikas enthüllt, erhebt sich auf dem Theresienplatz und zeigt den Seefahrer Martin Behaim in Schwert und Harnisch, die rechte Hand auf einen Globus gestützt. Das andere steht vor dem Martin-Behaim-Gymnasium und beschwört die Erinnerung an den Seefahrer aus Nürnberg durch eine steinerne Erdkugel.

Der Globus in der Bodenkammer

Der berühmte Globus, den er schuf, hat seine Umwelt nie verlassen. Behaim schenkte den farbigen Erdapfel seiner Vaterstadt, als er 1492 den Heimweg in die Fremde antrat, und Nürnberg gewährte ihm jahrhundertelang in seinem Rathaus Quartier, als ein einzigartiges und sicher schon damals viel bewundertes Schaustück. Eine Nachricht von 1623 besagt zum Beispiel, daß der alte »globum terrestrem« noch »vor weniger Zeit in der oberen Regimentsstuben gestanden sei«. Doch scheint der Zahn der Zeit schon damals kräftig an ihm genagt zu haben. Er war bereits recht unansehnlich geworden und weckte nur noch geringes Interesse. Schließlich geriet er in Vergessenheit und wurde nach kurzfristigem Aufenthalt »auf der Stadtbibliothek« den Behaims zurückerstattet. Die neuen Besitzer hielten ihn aber, so Ghillany, »so wenig wert«, daß sie ihn »in eine alte Bodenkammer unter einen Holzstoß« verbannten. Dort wurde er, »am Südpol eingedrückt und völlig bestaubt«, 1823 wieder entdeckt. Nun schlug den Nachfahren Behaims doch das Gewissen. Sie ließen den Globus restaurieren, und zwar durch den Nürnberger »Mechanicus« Karl

Bauer und seinen Sohn Johann Bernhard, die vor allem die größtenteils unleserlich gewordenen Inschriften wiederherstellten. Behaims englischer Biograph Ravenstein verweist noch auf eine weitere Restaurierung, die 1847 vorgenommen wurde, bevor unter Leitung des berühmten Physikers Georg Simon Ohm und des Akademiedirektors Albert Reindel ein »Facsimile« des Erdapfels für die Pariser Akademie angefertigt wurde. Weitere Kopien für Lissabon und Washington folgten.

Der Globus blieb danach noch weitere 59 Jahre in Gewahrsam der Familie; erst 1906 stellten ihn die Erben des Seefahrers dem Nationalmuseum als Leihgabe zur Verfügung. Damit erneut ins Rampenlicht gerückt, wurde er 1928 Objekt einer erregten öffentlichen Diskussion. In diesem Jahr entschlossen sich die Behaims nämlich, den Globus zu veräußern. Ein potenter Interessent war zur Hand: das Morgan-Museum in New York. Der Handel kam jedoch nicht zustande. Gleichsam über Nacht formierte sich heftiger und wirksamer Widerstand, als der Plan ruchbar wurde, eine Sondergenehmigung für den Verkauf des »Erdapfels« ins Ausland zu beantragen. So blieb den Behaim-Nachfahren nichts anderes übrig, als das kostbare Erbstück dem Nationalmuseum anzubieten, das ohnehin seit Jahrzehnten die Rolle des Gastgebers spielte.

Der endgültige Besitzwechsel erfolgte freilich erst 1937, nachdem, wie es im 84. Jahresbericht des Hauses heißt, »der Führer und Reichskanzler sowie der Oberbürgermeister der Stadt der Reichsparteitage« durch Stiftung »erheblicher Beträge« die finanziellen Voraussetzungen geschaffen hatten.

Eine weitere Restaurierung folgte, eine sehr gewissenhafte und behutsame Wiederherstellung, für die der Restaurator Barfuß verantwortlich zeichnete. Ihm verdankt der Behaimsche Globus – der den Zweiten Weltkrieg, vorsorglich ausgelagert, im »Exil« überstand – die gute innere und äußere Verfassung von heute. Die Chancen, daß er sich auch an seinem fünfhundertsten Geburtstag noch in (beinahe) alter Frische präsentieren wird, sind also gut. Dieser älteste Globus der Welt wird noch Generationen von Besuchern mit dem spätmittelalterlichen, aber bereits von den ersten großen Entdeckungen veränderten Weltbild vertraut machen.

Eine erregende Begegnung – im Jahr der Entdeckung Amerikas entstanden, gibt er jenen fruchtbaren Irrtum, der zur Entdeckung der Neuen Welt führte, farbig und anschaulich wieder und markiert damit eine der dramatischsten Zäsuren der Menschheitsgeschichte. Das gibt dem »Erdapfel« seinen unvergleichlichen Rang. Er hat es verdient, wie ein Augapfel gehütet zu werden.

Kurt Löcher

DÜRERS KAISERBILDER

Nürnberg als Hüterin der Reichsinsignien

Notiz für den Leser

Die Zeitenwende zu Beginn der Neuzeit bewirkte nicht nur eine Erweiterung des geographischen Blickfeldes, sie schuf auch ein neues Bewußtsein von der Vergangenheit. Gegenwärtige politische Zustände wurden nicht mehr nur als Hinführung zu einem postapokalyptischen Gottesreich verstanden, sondern als konkrete, historisch gewachsene Situation. In diese Zeit fällt konsequenterweise das Entstehen eines modernen Nationalstaatsbewußtseins, das sich in den westeuropäischen Königreichen (Frankreich, England, Schottland) natürlich rascher entwickeln konnte als im Heiligen Römischen Reich Deutscher Nation, das den Anspruch, Rechtsnachfolger des römischen Imperiums zu sein, aufrechterhalten mußte, um seine Vormachtstellung begründen zu können.

Symbolfigur für diese Reichsidee wurde Karl der Große. Deutsche und französische Gelehrte waren schon damals bemüht, den Frankenkaiser jeweils für die eigene Vergangenheit zu reklamieren. Die deutschen Herrscher verfügten dabei über die stärkeren Argumente für ihren Anspruch, waren sie doch im Besitz des »Heiltums«: der Reichsreliquien und Regalien (Reichsinsignien und Krönungsgewänder), von denen man annahm, daß sie unmittelbar auf Karl den Großen oder auf seinen Reliquienschatz zurückgingen. Die jährliche Zurschaustellung dieser Gegenstände war also über den religiösen Charakter dieses als »Volksfest« begangenen Ereignisses hinaus zugleich eine politische Demonstration kaiserlichen Machtanspruches.

Die unmittelbar dem Kaiser unterstehende Reichsstadt Nürnberg eignete sich als zentral gelegener Handelsort und Stätte von Reichstagen besonders gut als Aufbewahrungsort dieser Schätze. Seine reiche Kaufmannschaft, die sich des »Reichsoberhauptes getreueste Bürger« nannte, war stolz darauf, den Symbolen eines Weltmachtanspruches einen würdigen Rahmen zu geben. Kein Geringerer als der damals schon in ganz Europa geschätzte Albrecht Dürer wurde deshalb beauftragt, zwei Kaiserbildnisse zu malen, die als Flügel zu einem Schrein, in dem die Reichskleinodien aufbewahrt wurden, gedacht waren. Die Motive waren vorgegeben: Karl der Große als Repräsentant der Reichsidee und Kaiser Sigismund, der das Heiltum in Nürnbergs Hut gegeben hatte. Im Jahre 1513 waren die Bildtafeln, die sich seitdem in Nürnbergs Besitz befinden, vollendet.

W. D.

»Dis ist keiser Karlus gstalt . . .«

Von den Gemälden Albrecht Dürers, in dem man den größten deutschen Künstler sieht, blieben nur die Kaiserbilder im Besitz der Stadt Nürnberg, in deren Auftrag sie geschaffen wurden.

Es handelt sich um Darstellungen der Kaiser Karl der Große und Sigismund (Abb. 3, 4). Jener regierte das später so genannte Heilige Römische Reich Deutscher Nation, das er begründet hatte, von 800 bis 814, dieser von 1410 bis 1437.

Karl steht annähernd frontal vor uns, in den behandschuhten Händen das Reichsschwert und den Reichsapfel, auf dem Haupt die Reichskrone, eine achtseitige, rundbogige Plattenkrone mit figürlichen Emails, Steinen und Perlen. Der kostbare Ornat besteht aus der Adlerdalmatika, der über der Brust gekreuzten Stola und dem um die Schultern gelegten Mantel. Vor dem dunklen Grund werden die warmleuchtenden Farben und zumal das Gold zu einer reichen und feierlichen Wirkung gebracht. Zu Häupten des Kaisers sieht man das deutsche Adler- und das französische Lilienwappen. Der Blick des Kaisers, so mächtig und eindrucksvoll er immer vor uns erscheint, geht träumerisch ins Weite.

Sigismund, der – heraldisch gesehen – zur Linken Karls steht, sucht mit dem Blick aus den Augenwinkeln den Beschauer. Die hohe Bügelkrone steigert die schmalen Proportionen seines Kopfes. In den Händen hält er das Zepter und den Reichsapfel. Kostbarstes Kleidungsstück ist der rot gefütterte Brokatmantel. Das Haupt überfangen und rahmen die fünf Wappen seiner Kronländer: Deutsches Reich, Böhmen, Alt- und Neu-Ungarn und Luxemburg. Die leichte Drehung und die schmalen Schultern, die weniger aufwendige Kleidung und die etwas ängstliche Haltung, die dem Zeitlichen verhafteten Bildniszüge und vor allem die durch die Anbringung der Wappen herabgedrückte Position der Figur im Bild lassen Sigismund an Wirkung und Bedeutung hinter Karl zurücktreten. Kaiser Karl, in sich geschlossen, braucht den Partner nicht. Sigismunds nach links offene Bildkomposition ist ohne Pendant schwer vorstellbar.

Die Lindenholztafeln, auf welche die Kaiser gemalt wurden, sind gleich den zugehörigen Rahmen mit Inschriften versehen, die Tafelrückseiten (Abb. 1, 2) mit in Versform gebrachten Inschriften und denselben Wappen wie auf den Vorderseiten. Auf dem Bildnis Karls des Großen lesen wir: »Karolus Magnus imp(er)avit Annis 14«, auf dem Rahmen:

> »Dis ist der gstalt und biltnus gleich / Kaiser Karlus, der das Remisch reich / Den Teitschen under tenig macht / Sein kron und klaidung hoch geacht / Zaigt man zu Nurenberg alle jar / Mit andern haltum offenbar«,

auf der Rückseite des Bildes:

»Dis ist keiser Karlus gstalt / Sein kran und kleidung manigfalt / Zu Nurenberg offenlich zeige wirt / Mit anderm heiltum wie sich gepirt / Kung Pippinus sun auß Franckreich / Und Remischer keiser auch geleich.«

Das heißt: Karl der Große regierte vierzehn Jahre. Er war der Sohn des Frankenkönigs Pippin und römischer Kaiser. Er machte das Römische Reich den Deutschen untertan. Seine Krone und Kleidung werden alljährlich in Nürnberg zusammen mit anderen Heiligtümern öffentlich ausgestellt.

Auf dem Bildnis Kaiser Sigismunds lesen wir: »Sigismud imperavit Annis 28«, auf dem Rahmen:

»Dis bildt ist kaiser Sigmunds gstalt / Der dieser stat so manig falt / Mit sunder gnaden was genaigt / Fil haltums, das man jarlich zaigt. / Das bracht er her gar offenbar / Der klain zal füer und zwainczig jar M CCCC«,

auf der Rückseite des Bildes:

»Dis bildung ist kaiser Sigmund / Der Niernberg zu aller stund

1. Links: Dürer: Karl der Große. Rückseite des Gemäldes
2. Rechts: Dürer: Kaiser Sigismund. Rückseite des Gemäldes

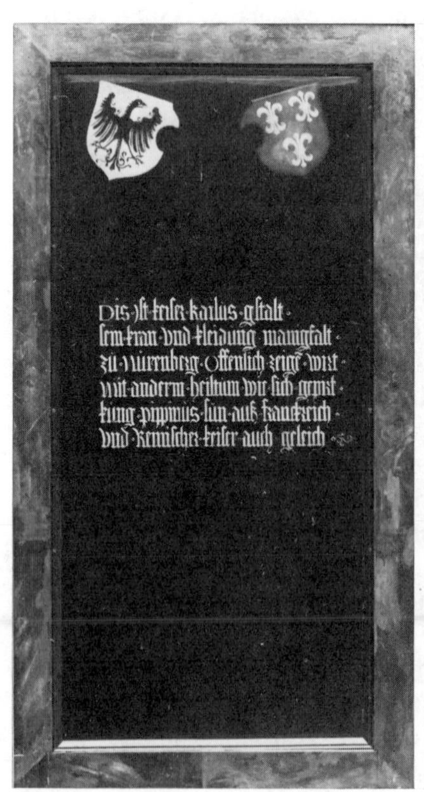

/ In sunder gnaden was genaigt. / Fil heiltums, des man järlich zaigt, / Prach er von Praug auß Pehemer lant, / Mit sunder gnaden fil bekant.«

Das heißt: Kaiser Sigismund regierte 28 Jahre. Er war der Stadt Nürnberg dauerhaft gewogen und zeichnete sie durch vielfältige und besondere Gnadenbeweise aus. Im Jahr 1424 brachte er aus Prag in Böhmen das Heiltum hierher, das man seither alljährlich zeigt.

Wir wissen nicht, wer die Verse verfaßte. Möglicherweise gehen die Inschrifttexte der Rahmen und der Bildrückseiten auf verschiedene Autoren zurück. Einer davon könnte Dürer gewesen sein, der sich gerade damals auch als Dichter versuchte. Alfred Stange (1957) hat darauf aufmerksam gemacht, daß die Inschriften Unterschiede in bezug auf die Authentizität der Bildnisaufnahmen machen. Diese Unterschiede sind zu gezielt, um durch die notwendige Variation der Reime erklärt werden zu können. Die eine Darstellung ist Karls des Großen »Gestalt und Bildnis gleich«, die andere ist »Kaiser Sigmunds Gestalt«, das heißt, die eine Gestalt gleicht der des Kaisers, die andere ist er selbst. Und wenn es auf den Tafelrückseiten heißt: »Dis ist keiser Karlus gestalt« und »Dis bildung ist kaiser Sigmund«, dann wird beim letzteren wiederum auf die größere Modellnähe des Porträts verwiesen.

Was war das in den Inschriften genannte »Heiltum«? Es setzte sich zusammen aus den Reichsreliquien und den Regalien, das sind die Reichsinsignien nebst den Krönungsgewändern. Da man von diesen annahm, Karl der Große habe sie als erster in Besitz genommen, trugen auch sie als Hinterlassenschaft des heiliggesprochenen Kaisers Reliquiencharakter, während die Heilige Lanze mit ihrer aus einem Kreuznagel Christi geschmiedeten Spitze Herrschaftssymbol war, sollte sie doch ihrem Besitzer das Anrecht auf Oberitalien und damit auf die römische Kaiserkrone sichern. König Heinrich I. erwarb die Lanze um das Jahr 935 von König Rudolf von Burgund. Hinzu kamen in ottonischer und staufischer Zeit unter anderem der Span vom Kreuz Christi, der Zahn Johannes des Täufers und das Armbein der hl. Kunigunde, das später als eine Reliquie der hl. Anna ausgegeben wurde. Von den Reichsinsignien, zu denen neben der »Karlskrone« das Reichs- oder Mauritiusschwert, mehrere Reichsäpfel und die einzelnen Teile des Krönungsornats gehörten, reicht nach neuerer Forschung kein Stück bis in die karolingische Zeit zurück.

Die Flucht des Kronschatzes

Der Kronschatz begleitete die deutschen Könige und Kaiser als Zeugnis ihrer Rechtsansprüche, ja er stellte das Reich selbst dar. Als König Konrad IV. ihn 1246 aus der staufischen Burg Trifels über-

3. Dürer: Kaiser Karl der Große. Ohne Rahmen 188 × 87,6 cm, mit Rahmen 215 × 115,3 cm, Leihgabe der Stadt Nürnberg

4. Dürer: Kaiser Sigismund. Ohne Rahmen 187,7 × 85,5 cm, mit Rahmen 214,6 × 115 cm, Leihgabe der Stadt Nürnberg

nahm, wurde erstmals ein Inventar erstellt. Kaiser Karl IV. überführte die Reichskleinodien nach Prag, wo sie im Veitsdom verwahrt wurden, dann auf seine Burg Karlstein. Ihre Reliquieneigenschaften betonend, machte er sie zum Gegenstand der Volksfrömmigkeit und unterstellte sie der päpstlichen Kompetenz. Sein Sohn Sigismund, damals König von Ungarn und später Kaiser, übergab die Reichskleinodien 1423 der freien und Reichsstadt Nürnberg »auf ewige Zeiten, unwiderruflich und unanfechtbar«. Er entzog sie damit dem gefürchteten Zugriff der Hussiten, einer sozialreligiösen Bewegung, die Böhmen zu einem Unruheherd machte, aber auch dem der Kirche und jeder territorialen Gewalt. Im Jahre 1422, als sich König Sigismund neun Wochen lang in Nürnberg aufhielt, mögen die Verhandlungen angebahnt worden sein. Sebald Pfinzing führte sie im folgenden Jahr als Nürnberger Unterhändler und Ratsmitglied zum Erfolg. Der königliche Übergabebrief datiert vom 29. September 1423. Geheim verliefen die Verhandlungen und die Übernahme des Reichsschatzes durch die Nürnberger im ungarischen Blindenburg und seine als Warentransport getarnte Überbringung nach Nürnberg.

Warum Nürnberg? Die freie und Reichsstadt unterstand als solche keinem Landesherrn, sondern dem Reichsoberhaupt unmittelbar. Die unter den Kaisern aus dem Haus Luxemburg erfolgte Verlagerung der Reichsgewalt an die Ostgrenzen des Reiches erhöhte die strategische Bedeutung Nürnbergs als der »baß gelegensten Stadt des Reiches«, aber es war vor allem der Unternehmergeist der Kaufleute, der ihre wirtschaftliche und politische Kraft ausmachte. Die Nürnberger durften sich des »Reichsoberhauptes getreueste Bürger« nennen. Praktisch führte jeder Weg eines Königs oder Kaisers zur Königswahl nach Frankfurt über Nürnberg. Nach Ludwig dem Bayern war es vor allem Karl IV., der die Stadt, der er durch bedeutende Geldgeschäfte verbunden war, nach Kräften förderte. In der Goldenen Bulle von 1356 legte er fest, daß seine Nachfolger künftig ihren ersten Reichstag in Nürnberg halten sollten. Bei der Taufe seines Sohnes Wenzel, die nach seinem ausdrücklichen Willen in Nürnberg stattfand, führte er die Reichskleinodien mit sich und ließ sie von der Frauenkirche aus, einer kaiserlichen Gründung, dem Volke zeigen. Es war die Folge enger wirtschaftlicher und politischer Verflechtungen der Stadt mit den Luxemburgern, wenn Karls Sohn Sigismund Nürnberg zum Hort der Reichskleinodien machte.

Was taten die Nürnberger für die Aufbewahrung der Reichskleinodien? Sie überführten den Kronschatz in die Kirche des Heilig-Geist-Spitals, einer städtischen Stiftung, die dem Rat unmittelbar un-

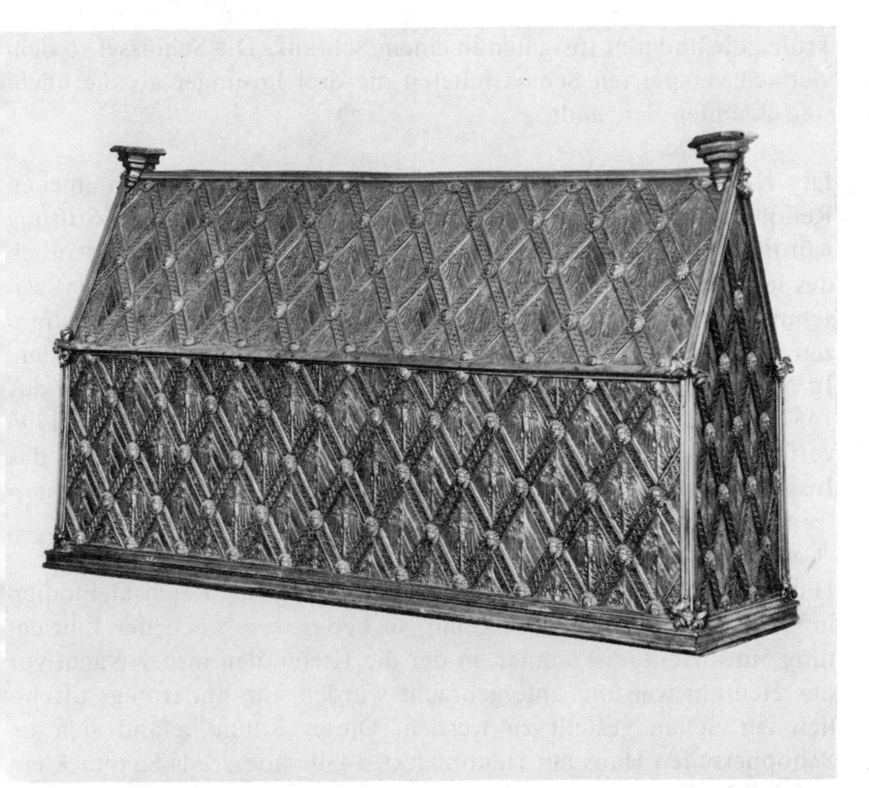

5. Heiltumsschrein, Leihgabe der protestantischen Kirchenstiftung Heilig Geist, Nürnberg

terstand und damit den Weisungen der kirchlichen Obrigkeit entzogen war. Im Jahr 1430 ließ der Rat auf seine Kosten das Gewölbe ausmalen, unter dem man den Gästen das Heiltum zeigte. Gegen 1438 entstand zur Aufbewahrung der Reliquien der sogenannte Heiltumsschrein (Abb. 5), ein mit gestanzten Silberplatten und vergoldeten Bändern beschlagener Eichenholzkasten, dessen Dekor im Wechsel das große und das kleine Nürnberger Stadtwappen zeigt. An seiner Herstellung waren die Goldschmiede Peter Ratzko und Hans Schesslitzer, der Schreiner Hans Nürnberger und der Maler Lucas beteiligt. Nicht die Stadt, sondern das Spital trug die Kosten, indem es bei der privaten Heiltumsweisung anfallende Spenden verwendete und einige ältere Reliquien verkaufte. Da der Schrein vor dem Altar an Ketten aufgehängt war, sah man auch seine bemalte Unterseite: zwei Engel, welche die Heilige Lanze und die Kreuzreliquie vorzeigen. Ein unten offener hölzerner »Schutzhut« bedeckte gewöhnlich den durch eine komplizierte Schlüsselmechanik gesicherten Schrein, der in Nürnberg verblieb und sich heute im Germanischen Nationalmuseum befindet. Ornat und Reichsinsignien waren in einem »Versperr« über der Sakristei untergebracht, die Krone in einer schwarzen

Truhe, die anderen Insignien in einem Schrank. Die Schlüssel zu dem vielfach versperrten Schatz hüteten die drei Losunger als die höchsten Beamten der Stadt.

Der Nürnberger Rat ließ es nicht bei der Pflege der übernommenen Reliquien bewenden, sondern erwies sich der königlichen Stiftung würdig, indem er Reliquien hinzuerwarb: je ein Stück vom Tischtuch des letzten Abendmahls und von der Schürze Christi bei der Fußwaschung. Für mehrere der Gegenstände ließ er kunstreiche Monstranzen anfertigen, die wiederum durch Lederfutterale geschützt wurden. In Nürnberg und im Germanischen Nationalmuseum erhalten ist das 1457 geschaffene Futteral für einen der kleineren auf der Flucht 1796 verlorengegangenen Reichsäpfel. Mühevoll und kostspielig war das Instandhalten der Krönungsgewänder, das zeitweise die Klosterfrauen des St.-Klara-Klosters besorgten.

Hatte der Rat für die dauerhafte Verwahrung der Reichskleinodien im Heilig-Geist-Spital alles getan, so bedurfte es auch der Einrichtung einer Heiltumskammer, in der die Kleinodien in der Nacht vor der Heiltumsweisung untergebracht wurden, um anderntags öffentlich zur Schau gestellt zu werden. Dieser Raum befand sich im Schopperschen Haus am Hauptmarkt. 1430 hatte er als Schmuck ein Tafelbild erhalten, dessen Thema wir nicht kennen, das aber vermutlich auf die Verwahrung der Reichskleinodien Bezug nahm. Wohl anläßlich einer erfolgten oder geplanten Umgestaltung des Raumes erhielt Dürer den Auftrag, Bildnisse der Kaiser Karl und Sigismund zu malen.

Dürer als Anreger der europäischen Kunst

Nach der Rückkehr von seiner zweiten italienischen Reise stand der Maler Albrecht Dürer (1471–1528) auf der Höhe seines Ruhmes. Der Kupferstich, mehr noch der Holzschnitt hatten seine Kunst verbreiten helfen. Kaum ein deutscher Meister, der nicht davon profitiert hätte. Aber auch in den Niederlanden, in Frankreich und Italien schöpften die Künstler aus dem gleichsam unerschöpflichen Reservoir Dürerscher Bilderfindungen. Die »Apokalypse«, das »Marienleben« und die »Kleine Passion« wurden bald nach ihrem Erscheinen nachgeahmt. Dürer, der in Nürnberg geborene Sohn eines Goldschmiedes, genoß den Umgang mit dem hochgelehrten Humanisten Willibald Pirckheimer, der den Künstler seinen besten Freund nannte und später dem Verstorbenen eine ergreifende Elegie widmete. In der Werkstatt des Michael Wolgemut in Nürnberg geschult, auf der Wanderschaft am Oberrhein und während zweier Aufenthalte in Italien weitergebildet, hatte der Künstler seine universelle Begabung, durch die er sich mit Leonardo da Vinci vergleichen darf, voll entfalten können. Das im Auftrag deutscher Kaufleute 1506 für die Kirche St. Bartolommeo in Venedig gemalte »Rosenkranzfest« warb in Italien für den Meister, der ebenso darauf ausging, die Natur in der Fülle ihrer Erscheinungen festzuhalten, als auch darauf, ihre Gesetzmäßigkeiten aufzuspüren und so seinen »Gottesbeweis« zu führen. Das christusähnliche Selbstbildnis von 1500, die Meisterstiche »Ritter, Tod und Teufel« und »Melancholia«, das gezeichnete Bildnis der todkranken Mutter und die monumentalen »Vier Apostel« von 1526 haben sich unauslöschlich dem Bewußtsein der Nachwelt eingeprägt. Noch während der Künstler im Auftrag des Kaufmanns Jakob Heller einen Altar für die Frankfurter Dominikanerkirche vollendete, erreichte ihn der Auftrag der Stadt Nürnberg, Kaiserbilder für die Heiltumskammer zu malen, welche die Reichskleinodien anläßlich der Heiltumsweisung aufnahm.

Kirchenfest und Handelsmesse

Die Heiltumsweisung war die alljährliche öffentliche Zurschaustellung der Reichskleinodien, unter denen die Reichsinsignien in diesem Zusammenhang als Hinterlassenschaft des heiliggesprochenen Kaisers Karl die Rolle von Reliquien spielten. Der Besuch des Heiltumsfestes war für die Teilnehmer mit einem Ablaß, das heißt einem Nachlaß zeitlicher Sündenstrafen verbunden, das waren in diesem Falle sieben Jahre und sieben Quadragenen (Quadragesimo = die vierzigtägige Fastenzeit vor Ostern). Jeweils am Freitag nach Quasimodogeniti (= der erste Sonntag nach Ostern) fand das Heiltumsfest auf dem Nürnberger Hauptmarkt statt.

Absperrungen verhinderten ein wahlloses Ausschwärmen der Menschenmenge über den Platz, regelten den Ablauf. Alle Türme waren besetzt, um Unruhen innerhalb der Stadt und Gefahr von außen beobachten und unter Kontrolle bringen zu können. Vor dem Schopperschen Haus, in das am Tag zuvor die Reichskleinodien gebracht worden waren, stand ein prachtvoll verkleidetes hölzernes Gerüst, das zu diesem Zweck errichtete *tabernaculum* oder der Heiltumsstuhl. Auf der Empore, die mit einem Fenster des Schopperschen Hauses, das als Durchreiche benutzt wurde, in Verbindung stand, versammelte sich eine Reihe ausgewählter Personen, darunter die Herren Älteren des Rates, die Pfarrer der Nürnberger Hauptkirchen St. Sebald und St. Lorenz und selbstverständlich, wenn er der Weisung beiwohnte, der Kaiser. Gewöhnlich zelebrierte der Abt von St. Egidien die Messe. Dann erfolgte die Weisung in drei Umgängen. Zunächst wurden in einer bestimmten Reihenfolge die Reliquien vorgeführt, die an die Kindheit des Herrn erinnerten, darunter der Span der Krippe, das Armbein der hl. Anna und der Zahn Johannes' des Täufers, dann die Reliquien Karls des Großen, zuletzt die Reliquien, die vom Leiden Christi zeugten, darunter die Heilige Lanze und das Reichskreuz, dazu die päpstlichen Ablaßbriefe. Der *Heiltumsschreier*, ein durch Kraft und Schönheit der Stimme ausgezeichneter Geistlicher, begleitete die Weisung mit Erklärungen, die er von dem sogenannten Schreizettel ablas. Mehrere solcher Schreizettel, aus denen der Ablauf der Heiltumsweisung hervorgeht, sind erhalten, dazu eine in Holz geschnittene Darstellung der Weisung in einem Nürnberger Heiltumsbüchlein von 1487 (Abb. 6), welche eine lebhafte Vorstellung von der Veranstaltung gibt. Den Abschluß der Weisung bildeten jeweils die Fürbitten für die ganze Christenheit, für die Einheit der Kirche und des Reiches, für den verstorbenen Kaiser Sigismund und schließlich für alle Fürsten, Herren, Städte, für das ganze Volk und für den Rat der Stadt Nürnberg. Nun empfingen alle Gläubigen mit dem Heiligen Kreuz den Segen. An demselben Tag begann die vierzehntägige Handelsmesse, die Kaiser Sigismund den Nürnbergern zugestanden hatte.

Was verschaffte Dürer den Auftrag, Kaiserbilder für die Heiltumskammer im Schopperschen Haus zu malen? Es gab dort bereits ein Tafelbild von 1430. Ging es dem Rat der Stadt Nürnberg nur darum, dieses ältere Bild, dessen man sich vielleicht nicht mehr recht erfreute, durch solche in der modernen, von der Renaissance berührten Kunstweise zu ersetzen? Oder wollte man den Künstler, der 1509 zum Genannten des größeren Rats bestellt worden war, mit einem bedeutenden Auftrag ehren und stärker an die Stadt binden? Überlegungen dieser Art mögen hineingespielt haben. Den Ausschlag gaben sie sicher nicht. Die Kaiserbilder sind geschaffen für das eigene Bewußtsein des reichsstädtischen Rates, aber sie sind auch Appell. Nicht um die Reichskleinodien als Ganzes ging es bei dem Auftrag, sondern um die Reichsinsignien und den Ornat – um den Kaiser, der sie stiftete, und um seinen Nachfolger, der sie der Stadt Nürnberg in dauerhafte Verwahrung gab. Der Beweggrund, dem die Bilder ihr Entstehen verdanken, ist politischer Natur. Sie sind gemalter Anspruch, Rechtfertigung gegenüber konkurrierenden Ansprüchen. Da sie in der Heiltumskammer nicht allgemein zugänglich waren, kommt als Adressat ihrer Botschaft zunächst der Reichsherr in Betracht, das ist Maximilian I. (Abb. 7), der sich 1508 in Trient zum Kaiser hatte ausrufen lassen.

Maximilian von Österreich stand in einem entschieden besseren Verhältnis zu der freien und Reichsstadt als sein kaiserlicher Vater.

Friedrich III. hatte sich zwar gerne hier aufgehalten, aber er war im ganzen mehr fordernd als fördernd aufgetreten, ließ die Stadt im Krieg gegen den Markgrafen von Brandenburg-Ansbach im Stich und wollte ihr die Verwahrung der Reichskleinodien streitig machen. Ein herzliches Einvernehmen hatte es nie gegeben. Anders der Sohn, den die Stadt Nürnberg zuerst in Begleitung seines kaiserlichen Va-

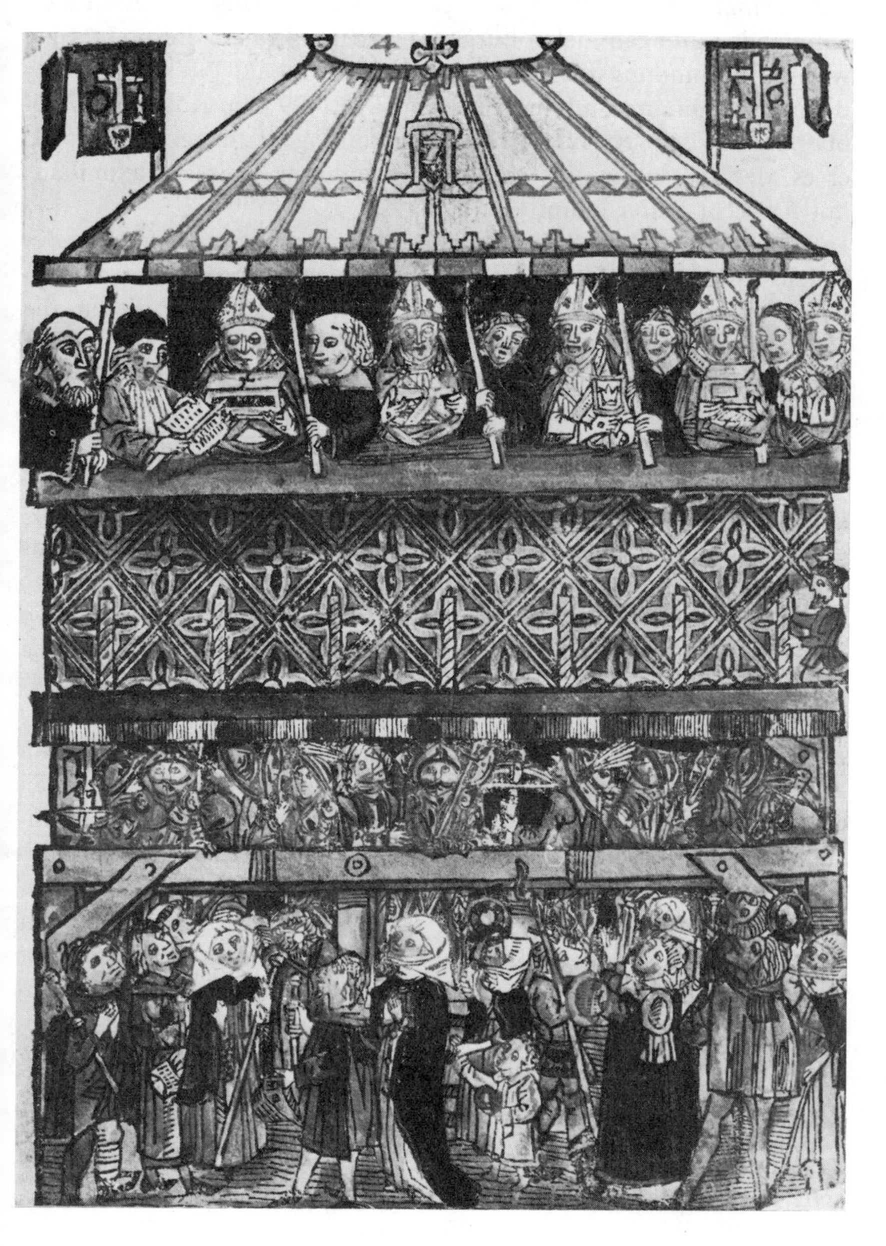

6. Heiltumsstuhl. Holzschnitt aus einem Nürnberger Heiltumsbüchlein von 1487

ters 1474 sah und der die ihm ab 1489 bereiteten festlichen Einzüge mit eben dem Maß an Stolz und Wohlverhalten absolvierte, das für ihn einnahm. 1489 bezog er in der Stadt Quartier, um sich als Bürger unter Bürgern zu fühlen. Als er 1500 nach dem Tod Friedrichs III. erstmalig als Reichsoberhaupt in die Stadt einzog, wohnte er auf der Burg. Er sprach dem Tanz auf dem Rathaus ebenso zu wie den für ihn arrangierten Turnieren und genoß den Umgang mit den unternehmenden und gebildeten Bürgern und ihren Frauen. Besonders eng war die Verbindung zu dem Humanisten Willibald Pirckheimer, der dem Rat angehörte und im Schweizerkrieg 1499 dem Kaiser als Feldoberster mit dem Nürnberger Truppenkontingent zuzog. Fraglos war er es, der später die so fruchtbare Verbindung Kaiser Maximilians mit Albrecht Dürer knüpfte.

Doch gab es auch Mißhelligkeiten. Nürnberg war auf Drängen der Reichsstände 1500 Sitz des Reichsregimentes geworden, das bei Abwesenheit des Kaisers vom Reich stellvertretend für diesen die Reichsgeschäfte führen sollte. Da das Reichsregiment Maximilian eine Unterstützung seiner kriegerischen Pläne gegen Frankreich verweigerte, der Rat der Stadt Nürnberg die geforderten Zuschüsse nicht in voller Höhe zu geben bereit war, verließ Maximilian die Stadt 1502 im Unmut. Nach der Kaiserproklamation 1508 mußte dem Nürnberger Rat daran gelegen sein, die Bestätigung der kaiserlichen Privilegien zu erhalten, unter denen die Verwahrung des Reichsheiltums und die mit seiner Weisung verbundene Handelsmesse eine wichtige Stelle einnahmen. Dürers Kaiserbilder sollten den Wert, den die Stadt dem Kronschatz beimaß, bekräftigen und seiner Verwahrung Dauer verleihen.

Der Streit Wimpfeling–Murner

Daß Sigismund zur Darstellung gelangen sollte, versteht sich. Warum aber Karl der Große? Welche Rolle spielte er im politischen Denken der Zeit um 1500? Karl IV. hatte seinem Vorgänger im Amt die höchsten Ehren erwiesen, hatte in ihm den Gründer des Heiligen Römischen Reiches Deutscher Nation und den Heiligen verehrt. Er übertrug den Karlskultus, den er am französischen Hof kennengelernt hatte, nach Böhmen und förderte ihn in der alten Kaiserstadt Aachen. Da die Reichsinsignien als Reliquien Karls des Großen angesehen wurden, stand es den Nürnbergern wohl an, sein Bild ins Bewußtsein zu rufen. Aber es war nicht nur das. Nach dem Untergang Karls des Kühnen und dem Zerfall und der Aufteilung des Herzogtums Burgund meldete der französische König verstärkt seine Ansprüche auf das linke Rheinufer an, indem er sich auf ältere französische Rechte, die von der Herrschaft Karls des Großen in diesen Ge-

7. Dürer: Kaiser Maximilian I.

bieten abgeleitet wurden, berief. Für die Begründung dieser Besitzansprüche, nicht für die realen Machtverhältnisse war die Frage nach seiner Nationalität wichtig. Um 1502/03 entbrannte in der Reichsstadt Straßburg ein Gelehrtenstreit um Karls Deutschheit, die von dem Humanisten Jakob Wimpfeling verfochten, von dem Franziskanerpater Thomas Murner bestritten wurde. König Maximilian, der Kaiser Karl zu seinen Ahnen zählte und ihn in das Programm der Bronzestandbilder seines Grabmals aufnahm, empfahl dem Rat der

Stadt Straßburg, den Streit abzukürzen und Murners Schrift einzuziehen, was auch geschah. Es versteht sich, daß patriotisch gesinnte Humanisten wie Konrad Peutinger in Augsburg oder Beatus Rhenanus in Basel sich auf die Seite Wimpfelings stellten.

Zur Zeit der Auftragserteilung an Dürer saß der dem Kaiser eng verbundene Humanist Willibald Pirckheimer im Rat der Stadt Nürnberg. Es ist nicht anders denkbar, als daß er auf das Bildkonzept und die Inschriften der Kaiserbilder eingewirkt hat, um so mehr, als der Künstler auf das umfassende Wissen seines gelehrten Freundes vertraute. Halten wir fest, daß Karl der Große als Kaiser und Reichsgründer dargestellt ist – *nicht* als Heiliger mit dem Nimbus – und mit der Erklärung, »daß er das Römische Reich den Deutschen untertänig gemacht« habe. Wir sehen darin auch ein Treuebekenntnis des Rates der Stadt Nürnberg zum damaligen Reichsoberhaupt.

Sechzig Gulden Anzahlung

Welche Funktion hatten Dürers Kaiserbilder? Wir denken hier an ihre praktische Funktion im Zusammenhang der Aufbewahrung der Reichskleinodien. Nur so viel ist sicher, daß die Tafeln bis 1526 in der Heiltumskammer des Schopperschen Hauses am Nürnberger Hauptmarkt untergebracht waren.

Über ihre Anbringung gibt es keine Nachrichten. An den zugehörigen originalen Rahmen waren ehemals Scharniere befestigt. Auch die Inschriften auf den Porträtrückseiten, die ja gelesen sein wollten, sprechen dafür, daß die Bilder gleich Altarflügeln beweglich waren. Dürers erster Gesamtentwurf, der die Kaiserbilder zu einem Diptychon verbindet, stützt diese Beobachtung. Da bei einem zusammenklappbaren Diptychon üblicherweise nur eine Rückseite bemalt war, erwog Alfred Stange (1957) die Möglichkeit, die gemalten Kaiserbilder hätten als Türen für einen Schrank, in dem die Heiltümer aufbewahrt wurden, gedient. Eine Prüfung der Rahmen ergibt: Die Angeln waren, entsprechend dem gezeichneten Entwurf, zwischen den Kaiserbildern angebracht, und zwar auf den Figurenseiten. Geht man davon aus, daß die Tafeln nicht frei im Raum standen, daß abwechselnd die Kaiserporträts und die Wappen nebst Inschriften sichtbar sein sollten und die Anordnung der Kaiser – Karl der Große heraldisch gesehen rechts, Sigismund links – verbindlich ist, dann bleibt nur eine Möglichkeit der Anbringung: Die Tafeln flankierten eine Art Schrein oder Wandvertiefung, wobei im geöffneten Zustand die beiden Kaiser, im geschlossenen Zustand die Inschriften mit den Wappen zu sehen waren. Der Schrein nahm offenbar die große Kiste auf, in der laut Endres Tucher (1464) die Reichskleinodien von Böhmen nach Nürnberg gebracht worden waren und in der sie während der

Vorbereitung der Heiltumsweisung aufbewahrt wurden, oder er war, wie Peter Strieder (1973) annimmt, mit dieser Kiste identisch. Eines jedenfalls scheint sicher: Dürers Kaiserbilder saßen nicht wie beim ersten gezeichneten Entwurf und in der heutigen Museumshängung dicht aufeinander, sondern waren durch doppelte Bildbreite voneinander getrennt. Das ist bei allen Urteilen über das kompositionelle Gesamtkonzept zu bedenken.

Wie bereitete Dürer die Kaiserbilder vor? Welchen Einblick erhalten wir in den Entstehungsprozeß der Gemälde? Archivalisch zu belegen sind allein der Auftraggeber, nämlich der Rat der Stadt Nürnberg, und annähernd auch das Vollendungsdatum. Am 16. Februar 1513 erfolgte die Bezahlung von 85 Gulden, 1 Pfund Pfennige neu und zehn Schillingen an Dürer »fur zwo groß Tafel die pildnuß kayser Carls und kayser Sigmunds gestalt zu malen in die heilthums kammer«. Schon zwischen dem 19. und 21. Juli 1511 hatte der Künstler von der Stadt sechzig Gulden »für 2 pild« erhalten, vielleicht als Anzahlung auf die Kaiserbilder. Ganz offensichtlich ist das früheste uns erhaltene Zeugnis für den Auftrag der undatierte Entwurf aus der

8. Dürer: Entwurf für die Heiltumstafeln. Federzeichnung, aquarelliert, The Princes Gate Collection, London

Sammlung Graf Seilern in London (Abb. 8): ein Diptychon mit zwei beweglichen Flügeln, deren Rahmen durch Scharniere verbunden sind. Auf dem linken Flügel ragt Kaiser Karl unter dem deutschen Adlerwappen und dem französischen Lilienwappen auf. Demgegenüber wird Kaiser Sigismund auf dem rechten Flügel von seinen fünf Wappen gleichsam herabgedrückt. Der Heilige und Reichsgründer ist erhöht, der Nachgeborene zwar nicht kniend dargestellt, aber doch deutlich niedriger eingestuft. Ähnlich verhalten sich Stifterfiguren zu Heiligen, denen sie in Devotion zugekehrt sind. Diesmal ist nur der Doppeladler ausgeführt, die andern Wappen sind durch Inschriften bezeichnet: Hongern (= Ungarn), Beheim (= Böhmen), Dalmatien und Croatien. Der Entwurf ist mit der Feder gezeichnet und farbig aquarelliert. Karl der Große erscheint im goldbrokatenen Mantel mit breitem Hermelinkragen und gotischer Bügelkrone, Sigismund mit einem blättergeschmückten Schapel, beide mit Zepter und Reichsapfel, aber nicht im Krönungsornat und nicht mit den in Nürnberg verwahrten Insignien. Da Dürer auch die Wappen zunächst nicht überprüfte und dem Bild Karls den erst unter Sigismund eingeführten Doppeladler zuteilte, muß der Entwurf noch ohne Rücksicht auf die Reichskleinodien und vor allen weitergehenden historischen Studien entstanden sein. Trotzdem handelt es sich nicht um eine erste Ideenskizze, sondern um ein ausgereiftes Konzept, worauf schon die sorgfältige Ausführung und farbige Anlage hinweisen. Wir fragen daher: Sollten die Kaiserbilder von Anbeginn für die Heiltumskammer gemalt werden und im Großformat der heutigen Tafeln oder war an einen anderen Platz, etwa im Rathaus, gedacht?

Soviel ist sicher, daß sich Dürer 1510 erneut und unter veränderten Voraussetzungen mit dem Thema beschäftigte. Das Datum entnehmen wir einer Federzeichnung der Wiener Albertina (Abb. 10), welche eine männliche Standfigur mit dem Krönungsornat und den Reichsinsignien zeigt. Sie trägt die Aufschrift: »Das ist des heilgen großen Keiser Karels habitus.« Nun erst standen Dürer die Reichskleinodien zur Verfügung, hatte er sich an sie zu halten. Vielleicht gehörten die feisten Züge des unbärtigen Mannes dem Modell, das den Ornat für den Künstler anzog. Aber die Zeichnung ist mehr als eine Modellstudie. Sie ist Kompositionsentwurf und wurde als solcher dem Gemälde zugrunde gelegt, wennschon auf drei Seiten verkürzt. Daß das Modell für die Dauer der Sitzung das Schwert in dieser Weise mit einer Hand gehalten hätte, ist ja auch nicht anzunehmen. Die Monumentalität der frei bewegten, breit entfalteten Figur imponiert. Alle Einzelstudien, von denen sich die zur Reichskrone (Abb. 9), zum Schwert und zum Reichsapfel in Nürnberg erhalten haben, sind auf diesen Entwurf bezogen, halten die Gegenstände in denselben Ansichten fest, die sie nachher auf dem Gemälde einnehmen. Es überrascht, daß aus dieser Phase der Vorbereitung nur ein Entwurf und Studien zum Bild Kaiser Karls vorliegen, doch könnten die zum Sigismund verlorengegangen sein. Hatte Dürer bei seinem ersten Gesamtkonzept die Herrscher im Dialog aufeinander bezogen, so hat Kaiser Karl nach dem jüngeren Entwurf nur noch den Bildbetrachter als gegenüber. In ihrer Frontalität einem Denkmal gleich, ist die Gestalt dem Auftrag des Diptychons entwachsen.

Wie verhält es sich mit der Bildnistreue der Kaiserdarstellungen? Karl der Große ist jedenfalls mehr Kaiserbild als Kaiserbildnis. Ein authentisches Porträt, das seine Züge unmißverständlich überlieferte, gibt es nicht. Als einer der drei christlichen Vertreter der »Neun guten Helden«, wie sie in Schlössern, Rathäusern und an Brunnen – wie dem Schönen Brunnen in Nürnberg – vorkommen, war er innerhalb der Reihe durch seinen Standort, durch Wappen und Beschriftung kenntlich, nicht durch einen unverwechselbaren Habitus. Wenn Dürer je eine ältere Vorlage zu Rate zog oder mit mehr oder weniger legendären Bildnissen des Kaisers vertraut gemacht wurde, so hat er doch schließlich von allen abgesehen und einen eigenen Typus ausge-

9. Dürer: Die Reichskrone, Federzeichnung

10. Dürer: Ornat Karls des Großen. Federzeichnung; Graphische Sammlung Albertina, Wien

bildet. Daß es dabei zu einer Annäherung an den im französischen Heldenepos oder beim Pseudo-Turpin geschilderten Typus kommt, welcher den großen Kopf, die langen Locken, den weißen Bart, die stark entwickelte Nase und die leuchtenden Augen hervorhebt, mag nur insofern kein Zufall sein, als schon diese Schilderungen ein Idealbild des Herrschers angestrebt hatten, in dem das Greisenalter durch die unverbrauchte Macht der Persönlichkeit überwunden scheint. Die nur leicht modifizierte Frontalansicht des Kopfes, die dem Kaiser eine richterliche Würde und Strenge verleiht, führte notgedrungen in die Nähe des »vera icon«, des wahren Abbildes Christi, wie es auf Darstellungen des Schweißtuches der hl. Veronika vorkommt, und weiter zu Gottvater, wie er als Weltenrichter thront oder unter dem Thema des Gnadenstuhls den toten Sohn auf dem Schoß hält. Etwas Seherisches ist in dem Blick, der sein Gegenüber umfaßt, aber nicht fixiert. Durch die Verbindung eines idealen Typus mit der nahsichtigen Beweisführung seiner leibhaftigen Gegenwart ist Dürer ein Bild gelungen, das alle Fragen nach dem realen Aussehen Karls des Großen vergessen läßt. So, wie ihn der Künstler malte, ist der Kaiser in das Bewußtsein der Nachwelt eingegangen.

Anders Kaiser Sigismund. Hier flossen die Überlieferungen reicher, gab es das Aussehen des Kaisers eindeutig belegende Bildquellen. In der Gestalt des hl. Sigismund wurde er auf Altarbildern heimisch. Als ein Beispiel des Brauchs, dem kaiserlichen Schirmherrn der Kirche in der Gestalt eines Heiligen zu huldigen, nennen wir einen Altarflügel mit dem hl. Sigismund in der Kirche von Cadolzburg bei Nürnberg. Der Burggraf von Nürnberg, Friedrich VI. von Hohenzollern, hat den Altar um 1420 in Auftrag gegeben. Der Kaiser saß dem Maler sicher nicht Modell, wie man angenommen hat. Die feinen und scharfen Züge, pointiert durch die Hakennase, werden im Sinne eines Idealbildes neutralisiert. Dürer kommt der Natur entschieden näher. Die Vorlage, die ihm zur Verfügung stand, ist nicht mehr nachzuweisen. Sie muß die Charakteristika der kaiserlichen Physiognomie bis an die Grenze des Karikierenden geführt haben, und es ist sicher, daß Dürer ihr getreu folgte. Es scheint, daß das verlorene Original oder eine alte Wiederholung in einer Miniaturkopie überliefert ist, die sich in dem bald nach 1550 angelegten Porträtbuch des österreichischen Edelmannes Hieronymus Beck von Leopoldsdorf (Wien, Kunsthistorisches Museum) findet. Sigismund trägt hier die gleiche pelzgefütterte Mütze wie der Heilige des Cadolzburger Altares. Die Ähnlichkeit der Physiognomie mit Dürers Kaiserbild ist so groß, daß man zunächst vermuten möchte, die Miniatur wäre eine Variante nach diesem.

Die Kunsthistoriker waren enttäuscht

Wie verhielt sich die Kunstgeschichte zu Dürers Kaiserbildern? Ungeachtet der Popularität des Bildnisses Karls des Großen vermochte sie wenig damit anzufangen. Die besonderen Bedingungen des Auftrags und Zwecks, aber auch der bis zur 1971 erfolgten Reinigung wenig erfreuliche Zustand der Tafeln machten es der Mehrzahl der Gelehrten schwer, die künstlerische Leistung Dürers zu würdigen. Joseph Heller (1827) hielt die Kaiserbilder für »so übermalt, daß von Dürers Pinsel gar nichts sichtbar ist«. August von Eye (1860) schränkte Hellers Behauptung ein, sah in der Gestalt Karls des Großen »die verkörperte Idee des alten Kaisertums in all seiner Herrlichkeit und Größe« und bestand darauf, daß zumindest in diesem Bilde »jeder Zug des Meisters eigene Hand« bezeuge. Moriz Thausing (1884) bezeichnete die Ausführung als »ziemlich breit und nicht von der Sorgfalt . . . wie seine (Dürers) Hauptbilder«. Heinrich Wöfflin (1908), der die Tafeln nur in einer Anmerkung streift, suchte das nach Thausing »wenig ansprechende . . . wo nicht abstoßende Bild« Kaiser Sigismunds durch Dürers Rückgriff auf eine ältere Bildvorlage zu entschuldigen. Max J. Friedländer (1921) fesselten zwar die gewissenhafte Wiedergabe der Kostüme und Attribute, nicht aber »die leeren Idealköpfe, deren Rekonstruktion dem Meister einige Verlegenheit bereitet hat«. Wilhelm Waetzoldt (1938) stellte mit Recht fest, daß der »heraldisch-historiographische Charakter« des Auftrages »für Dürer eine enge Bindung im Inhaltlichen wie Formalen« bedeutete.

1936 tauchte im Privatbesitz der schon genannte Entwurf für ein Kaiserbild-Diptychon auf. Da er nach übereinstimmender Forschermeinung der Aufgabe besser gerecht wurde als die Gemälde, trug er nur zu deren Abwertung bei. »Leider ist die Skizze nicht zur Ausführung gekommen«, schreibt Friedrich Winkler 1937; und 1957: »Die sakrale Auffassung der Gemälde entschädigt keineswegs für den Verlust der Dynamik des Kontrastes, des Lebensvollen im Verhältnis der beiden zueinander, wie sie die Bildskizze vorsah.«

1938 lernte Max J. Friedländer im Londoner Kunsthandel zwei Brustbilder der Kaiser kennen, offensichtlich Reduktionen der Kniestücke, beide 1514 datiert und mit Dürers Monogramm versehen. Friedländer selbst, Alfred Stange (1957) und Franz Winzinger (1977) sprachen die brillant gezeichneten und gemalten Porträts als eigenhändige Werke Dürers an. Da sich Dürer mit den Brustbildern laut Theodor Musper (1969) »selbst verbesserte und übertraf«, müßte man folgern, daß der Künstler am Auftrag der Heiltumstafeln – an der Form des Kniestücks wie am Konzept des Diptychons – gescheitert sei.

Lassen wir Lob und Tadel einmal außer acht und stellen wir fest, daß es sich bei den Kaiserbildern um eine Auftragsarbeit besonderer Art handelte. Zwei Kaiser, von denen der eine das Reich verkörperte, der andere der Stadt Nürnberg als Gönner eng verbunden war, sollten in repräsentativen Bildern dargestellt werden. Dabei mußte zumindest in einem Falle die künstlerische Erfindung hinter der dokumentarisch getreuen Wiedergabe des Ornates und der Insignien zurücktreten. Da aber genau dieses Bild – nämlich das Porträt Karls des Großen – das inhaltlich wichtigere war, ließ sich in dem zugehörigen Porträt dieser Mangel an künstlerischer Freiheit nicht gut aufholen. Dem Reichsgründer, der die Regalien als erster trug, sollte von vornherein ein größeres Gewicht eingeräumt werden als seinem Nachfolger, der sie der Stadt Nürnberg übergab. Für die Vergegenwärtigung Karls des Großen mochte es hemmend sein, daß kein authentisches Porträt von ihm vorlag, für die Darstellung Sigismunds, daß die überkommenen Porträts Haltung und Ausdruck des Kopfes in einer Weise festgelegt hatten, die nicht für den Kaiser einnahmen. Karl, mächtig und idealistisch, wird in Dürers Werk Symbolfigur, Sigismund bleibt Porträt. Es kann verwundern, daß der Künstler, der im ersten Gesamtentwurf gezeigt hatte, daß nur die Zueinanderwendung der Figuren eine Gruppe und nur ihre Freistellung im Rahmen einen Begriff von ihrer Körperlichkeit gibt, beim Bild Kaiser Karls auf diese Erfahrungen verzichtet. Der mächtige Rundbogen der Schultern kann sich kaum entfalten, da der Rahmen einschränkt und die angeschnittene Borte des Mantels hart begleitet. Dabei hatte der Entwurf zu einem Kaiserbild in ganzer Figur die Frage der Entfaltung des Körpers im Raum überzeugend gelöst. Und das ausgeführte Gemälde ist ja nicht eigentlich eine Verwandlung dieses Entwurfs, sondern seine beinahe mechanische Einpassung in ein kürzeres und schmaleres Bildfeld. Was nicht hineinpaßt, wird abgeschnitten.

Daraus folgt, daß in einer neuen Phase der Überlegungen der Gedanke an ein Kaiserbild-Diptychon aufgegeben und mit zwei getrennt existierenden Tafeln gerechnet wurde, vielleicht sogar nur mit einem Bildnis Karls des Großen und in ganzer Figur. Für ein solches Bild zeichnete Dürer einen Gesamtentwurf und wohl auch die verschiedenen Studien mit den Krönungsinsignien. Er war für eine solche Aufgabe nicht unvorbereitet. Auf den Flügeln des sogenannten Paumgartner-Altares (München, Alte Pinakothek) hatte er um 1500 die Nürnberger Bürger Lucas und Stephan Paumgartner in der Gestalt der von ihnen verehrten heiligen Georg und Eustachius gemalt. Auch sie stehen vor dunklem Grund. Dürer konnte sich auf die mittelalterlichen Kaiserbildreihen, auf die »Neun guten Helden«, vielleicht sogar schon auf die Planung bronzener Standbilder für das

Grabmal Kaiser Maximilians berufen. Ein solches gemaltes Denkmal Karls des Großen hätte es an Größe der Form, an inhaltlichem Gewicht und weitreichender Wirkung wohl mit den späteren »Vier Aposteln« des Künstlers von 1526 (München, Alte Pinakothek) aufnehmen können. Wenn daran gedacht war, so vereitelte die letzte, endgültige Redaktion des Auftrages seine Ausführung.

Die neuen Bedingungen, die für Dürer bindend wurden, standen offensichtlich im Zusammenhang mit Baumaßnahmen, die der Heiltumskammer ein neues Gesicht geben sollten, wohl auch mit den Abmessungen des die Reichskleinodien aufnehmenden Behältnisses, denen sich die Maße der gemalten Tafeln anzugleichen hatten. So kamen die letztlich gotisch schlanken Formate der Kaiserbilder zustande. Die Überlegung, daß das Karlsbild bereits begonnen war und für den neuen Zweck beschnitten wurde, läßt sich durch die Tafel selbst, die allseitig originale Malränder zeigt, nicht bestätigen. Da die Kaiserbilder nach dem neuen und ausgeführten Plan durch die doppelte Bildbreite voneinander getrennt waren, sind die Forderungen nach einem kompositionellen Ausgleich nicht in derselben Weise zu stellen wie bei einem Diptychon. Das mag Dürer bewogen haben, beim Porträt Karls des Großen die durch den Entwurf vorbereitete Frontalansicht beizubehalten, während der Sigismund eine historisch überprüfte und in den Größenverhältnissen dem Gegenstück stärker angeglichene Variante des ersten Gesamtentwurfs ist. Es müssen diese mehrfachen Planänderungen gewesen sein, die Dürers Freude an dem Auftrag dämpften, eine voll ausgereifte Leistung verhinderten und den Künstler zuletzt gar bewogen, keine neue Entwurfsvariante mehr zu liefern, sondern das gezeichnete ganzfigurige Porträt Karls, so wie es war, dem Kniestück zugrunde zu legen, selbstverständlich mit dem Kaiser angemessenen, idealisierten Porträtzügen. Wenn es so war, wäre damit eine großartige Bildidee zu Grabe getragen worden.

Karl dem Großen gehörten die Regalien, seinen Nachfolgern wurden sie »verliehen«. So trägt Sigismund sie nicht, womit auch eine Verdoppelung derselben im Bilde vermieden wurde. Für Sigismund kennen wir keine Einzelstudien. Gegenüber dem frühen Gesamtdiptychonentwurf sind die Insignien, die er in den Händen hält, gegeneinander ausgewechselt worden, sucht der Blick des Königs den Betrachter. Die Wappenbilder, Krone und Mantel sind sorgfältig erdacht und ausgeführt. Als Zeugnissen reichsstädtischer Selbstdarstellung kommt den Tafeln ein Ausnahmerang zu. Wenn Dürer das Porträt Sigismunds nicht nach Wunsch geriet, dann konnte er es in den Bildnissen Kaiser Maximilians, die er kurz nach dessen Tod 1519 malte, »verbessern«. Wenn ihn die Aufgabe des Diptychons und das gemalte Denkmal reizten, so hatte er in den »Aposteln«, deren Entstehungsgeschichte ja ebenfalls keine bruchlose ist, Gelegenheit, das Thema erneut zu formulieren. So sind die Nürnberger Kaiserbilder etwas Eigenständiges und als Durchgangsstufe für neue, klassische Bildlösungen zu sehen.

Es gibt eine Reihe von Wiederholungen nach Dürers Nürnberger Kaiserbildern, im originalen Bildausschnitt (Wien) und auf Brustbilder verkleinert (Wien und Schweizer Privatbesitz). Georg Pencz, selbst ein namhafter Nürnberger Maler der jüngeren Generation, erhielt 1532 den Auftrag, die Tafeln für den Kurfürsten von Sachsen zu kopieren. Ob es sich dabei, wie Hans Georg Gmelin (1966) erwägt, um die mit Dürers Monogramm und der Jahreszahl 1514 versehenen Brustbilder im Schweizer Privatbesitz handelt, bleibt offen. Kaiser Sigismund auf das Brustbild, dem er entstammte, zurückgestutzt zu sehen, mag angehen. Der ideale Kopf Karls des Großen zeigt, abgezogen vom Monument, daß ihm alles zum Porträt im engeren Sinne fehlt. Es sieht nicht so aus, als hätte sich Dürer mit solcher Art Brustbildern über deren Verwendung innerhalb der großen Kompositionen klarwerden müssen. Dazu hätten, wie beim »Rosenkranzfest«, Handzeichnungen genügt. Sie für eigenhändige Wiederholungen zu halten, verbietet sich aus verschiedenen Gründen. Hatte Dürer aufgrund der gezeichneten Studie die Reichskrone mit dokumentarischer Treue behandelt und die verschieden geformten Steine mit breiten modellierenden Lichtern versehen, so verändert der Kopist aus Unverstand oder dekorativen Gründen den Perlendekor und versieht stereotyp die Steine über die ganze Krone hinweg jeweils in der linken oberen Ecke mit Reflexlichtern in der Form von Fensterkreuzen.

Vom Schatz blieb nur der Schrein

Was brachte die Reformation in Nürnberg für die Reichskleinodien und für Dürers Kaiserbilder? 1524 ließ der Rat die öffentlichen Weisungen einstellen. Die Heiltumskammer im Schopperschen Hause wurde aufgehoben. Dürers Kaiserbilder kamen 1526 durch Ratsbeschluß auf das Rathaus. Die privaten Weisungen der Reichskleinodien bestanden in der Spitalkirche, wenn auch in weltlicher Form, fort. Die Reliquien, ihrer religiösen Bedeutung beraubt, galten doch immer etwas als Altertümer. Die Reichsinsignien waren als Symbole der Reichsherrlichkeit von den Veränderungen unberührt, wurden von den städtischen Gesandtschaften wie eh und je an die Orte der Krönungen gebracht. Im Nürnberger Rathaus hingen die Kaiserbilder eine Zeitlang in der Nähe der »Vier Apostel«, später zusammen mit Dürers berühmtem Selbstbildnis im Pelzrock. Daß sie nicht abwanderten, lag an dem minderen Wert, den man ihnen beimaß. Sie

»wurden nit begert, weil schlechte Kunst daran«. 1877 gelangten sie ins Germanisches Nationalmuseum. Damals befanden sich die Reichskleinodien bereits in der Wiener Schatzkammer. Sie waren der Stadt abhanden gekommen, als sie 1796 vor einem befürchteten Zugriff der Preußen und vor den französischen Revolutionsarmeen zunächst nach Regensburg und dann nach Wien gebracht wurden. Damit gelangten sie in die Hände eben jenes Habsburgerkaisers, welcher der Stadt Nürnberg noch 1792 die dauernde Verwahrung der Reichskleinodien garantiert hatte und der nun mit der Aufhebung des Reiches auch das Schicksal der freien Reichsstädte besiegelte, die den Territorialherren zugeschlagen wurden. Noch als bayerische Provinzstadt protestierte Nürnberg gegen die Enteignung der Reichskleinodien, aber die Stadt hatte keine Rechtsmittel mehr, ihren Anspruch durchzusetzen. So blieben ihr als Zeugnisse ihrer dereinst durch Kaiser Sigismund verbrieften Ausnahmestellung im Reich allein der Schrein, der das Heiltum aufgenommen hatte, und Dürers Kaiserbilder.

Elisabeth Rücker

DEUTSCHE BUCHILLUSTRATION VOM SPÄTMITTELALTER BIS ZUM JUGENDSTIL

Ein kulturgeschichtlicher Überblick

Notiz für den Leser

In einer Welt, in der jährlich mehr als 300 000 neue Bücher erscheinen (vermutlich soviel wie bis zum vorigen Jahrhundert insgesamt), ist jeder dritte Mensch noch Analphabet. Und auch von den verbleibenden zwei Dritteln der Erdbevölkerung dürfte nur ein verhältnismäßig kleiner Prozentsatz regelmäßiger Leser sein. Das Buch bleibt also auch heute das, was es schon in der Vergangenheit war: Medium einer lesenden Minderheit, die nur dort zur Mehrheit wird, wo die täglichen Existenzsorgen gebannt sind, in Abwandlung eines Brecht-Wortes: »Erst kommt das Fressen, dann kommt das Buch.«

Diejenigen aber, die sich mit Büchern umgaben, haben deren Besitz meist als etwas Kostbares empfunden, das dem Flüchtigen Dauer verlieh. Daß es dabei nicht nur um das geschriebene Wort ging, sondern auch das Bild zur Illustrierung des Textes, zeigen die Beispiele der Buchkunst von den ägyptischen Totenbüchern vor nunmehr dreitausend Jahren über die Buchmalereien der Spätantike und des gesamten Mittelalters, von den Inkunabeln der frühen Neuzeit bis zur Druckgraphik von heute. Gerade die frühen Drucke, die – ermöglicht durch die Gutenbergsche Erfindung – erst dem Buch zu einer weiten Verbreitung verhalfen, belegen die große Abhängigkeit zwischen Schrift und Illustration. Bedeutende Künstler wie Dürer, Cranach und Holbein stellten sich auch in den Dienst der neuen »Schwarzen Kunst«.

Buchillustrationen waren auch immer Spiegel der Zeit. Mit der Ausweitung des Weltbildes kam die Blüte der Topographien, Enzyklopädien und populärwissenschaftlichen Bücher. Die Illustratoren in der ersten Hälfte des vorigen Jahrhunderts schmückten auch viele Märchen- und Kinderbücher, Lieder- und Balladensammlungen. Das Ende des Jahrhunderts und das beginnende zwanzigste brachten dann einen neuen Aufschwung der bebilderten Bücher.

Heute ist die Buchillustration – gerade bei der Bedeutung, die das Sachbuch gewonnen hat – oftmals unverzichtbar.

W. D.

Von der Rolle zum Codex, von der Handschrift zum Druckwerk

Der Brauch, Bücher zu illustrieren, ist beträchtlich älter als die Buchdruckerkunst. Er ist für uns noch nachweisbar bis in die Geschichte des alten Ägyptens, wo sich in den Totenbüchern (seit etwa 2000 v. Chr.) Abbildungen zum Text finden. Die Schreib- und Bildkultur der griechisch-römischen Zeit ist hauptsächlich aus Kopien zu belegen. Gleichzeitig mit der Ausbreitung des christlichen Glaubens entwickelte sich zunächst im östlichen Mittelmeerbereich eine hochstehende Schreibkunst, die die Buchmalerei – also die Illustrierung der Texte – mit einbezog. Für die kulturelle Entwicklung des Abendlandes leisteten die Benediktiner auf dem Gebiet der Textverarbeitung und damit der Kunst des Schreibens die entscheidenden Beiträge.

Als im 4. und 5. nachchristlichen Jahrhundert die allmähliche Verwendung der Form des durch Deckel geschützten Buchblockes einsetzte, also das Buch in der Gestalt des Codex, die heute noch gebräuchlich ist, das Buch in der alten Form der Rolle ablöste, wie sie seit der Zeit der alten Ägypter Verwendung fand, nahmen die bildlichen Ausgestaltungen der Texte teilweise sehr prunkhafte Formen an. So kamen zu den bildlichen Texterläuterungen auch kunstvoll gearbeitete Zierseiten oder zumindest Zierinitialen hinzu. Außerdem war die Codexform widerstandsfähiger als die Rollenform, zumal man seit dem Vormittelalter das robuste Pergament als Beschreibstoff eingeführt hatte, das den empfindlicheren Papyrus der antiken Tradition ablöste. Aus diesem Grund haben sich auch relativ viele mittelalterliche Handschriften mit Illustrierungen erhalten.

Seit im Spätmittelalter, also im 15. Jahrhundert, der Bedarf an Texten – vorrangig denen der Bibel und solchen, die für die Gottesdienstordnung erforderlich waren – so zunahm, daß man nach einer schnelleren Methode der Vervielfältigung suchte, als es das Abschreiben mit der Hand war, kam es – nach wahrscheinlich sehr mühevollen Versuchen – zur Erfindung der Buchdruckerkunst.

Diese für die gesamte Weiterentwicklung des Abendlandes auf allen Gebieten revolutionierende Tat ist eine Leistung der deutschen Kultur. Johannes Gensfleisch zur Laden, genannt Gutenberg (um 1400 bis etwa 1468), hatte nach wohl jahrelangen Experimenten das sogenannte Gießinstrument erfunden, ein handliches Gerät, das es ermöglichte, eine endlose Anzahl von völlig gleichen Metallettern herzustellen. Erst diese absolute Gleichheit der einzelnen Buchstaben schuf die Voraussetzung für den Buchdruck, wie er im Prinzip bis in unser Jahrhundert praktiziert wurde. Erst die Einführung der Elektronik auch im Druckbereich löst die Erfindung Gutenbergs ab.

Wie sehr Gutenberg mit seiner 1450 erschienenen zweiundvierzig-

1. Aussetzung des Moses. Aus: Neunte Deutsche Bibel, 1483 (vergrößert)

AMBAM

zeiligen Bibel – so genannt nach der im ganzen Buch einheitlichen Zeilenzahl für jede Seite – in der Tradition der Handschriftenschreiber stand, dafür gibt es zahlreiche Indizien. So stellte er beispielsweise nicht nur die vierundzwanzig Buchstaben her, sondern er produzierte auch viele der häufigen Buchstabenfolgen, die zur Abkürzung des Schreibvorganges damals gebräuchlich waren, um Zeit und Pergament zu sparen. Deshalb stellte Gutenberg für sein Alphabet nicht weniger als 220 Typen her! Weiterhin wurden seine Bibel und die Druckerzeugnisse seiner zahlreichen Nachfolger von Buchmalern ausgeziert. Vielfach ließ der Drucker die Anfangsbuchstaben weg, damit ein Illuminator von Hand einen Zierbuchstaben einsetzen konnte. Auch haben die Drucker mit den Holzschneidern zusammengearbeitet und selbst solche Zierbuchstaben in den Satzspiegel mit eingefügt.

Parallel zur Verwendung der Holzschnittechnik für Zierbuchstaben lief deren Nutzbarmachung auch für den Bilderschmuck, der den Texten hinzugefügt wurde. Das erste in Deutschland gedruckte Buch mit Bildern erschien in Bamberg vermutlich gegen 1460. In dieser nahe zur böhmischen Grenze gelegenen Stadt arbeitete der Drucker Albrecht Pfister (gestorben 1466 oder etwas früher), der die deutschsprachige Dichtung des Johann von Saaz *Der Ackermann aus Böhmen* in zwei Auflagen herausbrachte (GW 193 und 194). Beide Editionen, von denen nur mehr ganz wenige fragmentarische Exemplare erhalten geblieben sind, enthalten die gleichen fünf ganzseitigen Holzschnitte. Der uns heute unbekannte Künstler, der noch nichts über die Zentralperspektive wußte, hat uns mit diesen ersten deutschen Buchillustrationen Werke von eindringlicher Expressivität hinterlassen.

Der Frühdruck: Anton Koberger – Drucker, Verleger und Buchhändler

Die Ausbreitung des Buchdrucks vollzog sich ziemlich rasch. Nach Mainz und Bamberg folgten in zeitlicher Reihung die Städte Straßburg, Köln, Eltville, Basel, Augsburg, Konstanz und schließlich anderthalb Jahrzehnte nach Gutenberg auch die Reichsstadt Nürnberg, die durch die Aktivitäten Anton Kobergers (1440/1445–1513) zur Wiege des modernen Verlagswesens wurde. Sein Druck einer Bibel in oberdeutscher Sprache, von der Fachwissenschaft als die *Neunte Deutsche Bibel* vor Martin Luthers Übersetzung bezeichnet (GW 4303), kam 1483 heraus und belegt durch seine Illustrierung (Abb. 1) bereits sein verlegerisches Geschick; denn die breit über beide Kolumnen des Satzspiegels reichenden Holzschnitte, die in den fortlaufenden Text eingebaut sind, wurden nicht für die Offizin Kobergers hergestellt, sondern dieser besorgte sich die Holzstöcke aus Köln von dem dortigen Drucker Bartholomäus Unkel, der sie für seinen in niederdeutscher Sprache abgefaßten Bibeldruck hatte herstellen lassen. Koberger erschienen diese Bilder deshalb so besonders geeignet, weil hier erstmals die Bildgröße nicht durch die Breite einer Textkolumne bestimmt wurde, sondern der Holzschnitt über zwei Kolumnen reicht, also die gesamte Satzspiegelbreite einnimmt, was den Umbruch und damit den Gesamtcharakter einer Druckseite außerordentlich bereicherte. Bei so viel Fingerspitzengefühl für die vielfältigen Möglichkeiten, die dem neuen Handwerk innewohnten, verwundert es nicht, daß sich Kobergers Betrieb rasch vergrößerte und er bald über hundert Gesellen beschäftigte, die folgende Berufe ausübten: »Korrektoren, Setzer, Drucker, Posselierer, Schriftschneider, Schriftgießer, Komportisten und Illuministen« (Geldner).

Neben der *Neunten Deutschen Bibel* mit ihren 109 Holzschnitten sind noch weitere bedeutende Illustrationswerke hervorzuheben, die auf Koberger zurückgehen: so ein *Heiligenleben* des Jacobus de Voragine mit 259 Holzschnitten (1488), der *Schatzbehalter* des Stephan Fridolin mit 96 ganzseitigen Holzschnitten (1491) und vor allem die großformatige *Weltchronik* des Nürnberger Arztes und Humanisten Hartmann Schedel (1440–1514) mit ihren fast zweitausend Illustrationen, die 1493 in einer lateinischen und einer deutschen Ausgabe mit dem gleichen Holzschnittschmuck erschien. Bei diesem verlegerischen Großunternehmen, das kaufmännisch ein nicht unerhebliches Risiko darstellte, beteiligte sich der vorsichtige Koberger klugerweise

2. Orientalen. Aus: Reuwichs Pilgerreise, 1486

nur als Lohndrucker, dieses Werk erschien also nicht in seinem Verlag und damit nicht auf sein Risiko.

1486, also drei Jahre nach der deutschen Koberger-Bibel, erschien in Mainz der bebilderte Bericht der *Pilgerreise* des Mainzer Domdekans Bernhard von Breidenbach (gestorben 1497), der bereits von den Zeitgenossen des geistlichen Herrn so begierig aufgenommen wurde, daß der lateinischen Erstausgabe noch im gleichen Jahre 1486 eine deutsche Parallelausgabe folgte – wiederum eine gleich lukrative Auswertung des kostspieligen Bilderschmuckes wie bei Schedels *Weltchronik* sieben Jahre später – und 1488 mit den gleichen Holzschnitten eine niederdeutsche Version. Die Illustrationen, die von dem in Mainz ansässigen Utrechter Bürger Erhard Reuwich stammten, waren so begehrt, daß sie nach ihrer dreimaligen Verwendung durch den Zeichner selbst nach Lyon, Speyer, ja sogar nach Zaragoza verkauft wurden, wo das Buch nachgedruckt wurde. Sechs weitere Editionen (bis 1522/1523) kopierten die Reuwichschen Bildinventionen durch Nachschnitte und fügten dem Werk auch neue Abbildungen bei.

Die offensichtliche Wirkung, die das Buch hatte, beruhte auf seiner in Wort und Bild dargelegten Berichterstattung über das ferne Palästina, das eigentliche Ziel der Pilgerreise, und die berühmten Stationen auf dem Weg dorthin und zurück. So gibt es darin authentische Ansichten von Venedig, Rhodos, Jerusalem und ebenso Bilder von Orientalen (Abb. 2) und exotischen Tieren. Reuwich hatte auf dieser Reise, die vom 25. April 1483 bis Ende Januar 1484 stattfand, in seiner Funktion als Bildreporter die ersten verläßlichen Stadtansichten für das deutsche illustrierte Buch geschaffen (Faksimileausgabe).

Das Renaissance-Buch

Das Illustrieren von Büchern ist auch von den großen deutschen Künstlern der Renaissancezeit, wie Albrecht Dürer (1471–1528), Lucas Cranach d.Ä. (1472–1553) und Hans Holbein d.J. (1497–1543), als eine künstlerische Aufgabe angesehen worden, wofür sie alle erstrangige Beispiele lieferten.

Dürer als der älteste unter ihnen begann seine Laufbahn noch im spätmittelalterlichen Handwerksbetrieb bei Michael Wolgemut (1437–1519), der zusammen mit seiner Werkstatt über sechshundert Holzstöcke lieferte, die zum Teil in mehrfacher Verwendung die voluminöse *Weltchronik* Schedels illustrierten. Diese Vorarbeiten hat der Lehrling Dürer noch miterlebt (Sladeczeck) und sich die gleichzeitige Ausgabe in lateinischer und deutscher Sprache der *Weltchronik* auch bei seiner 1498 erschienenen großartigen *Apokalypse* zunutze gemacht, die er im Eigenverlag herausbrachte. 1511 erfolgte mit neuem Titelblatt eine zweite Auflage.

Für Dürers Bücher der *Großen Passion*, dem *Marienleben* und der *Kleinen Passion* lieferte ihm der Nürnberger Benediktiner und spätere Abt des Wiener Schottenklosters Chelidonius (gestorben 1521) die Texte. Die lateinische Sprache dieser Bücher war kein Hindernis, daß die religiösen Bücher Dürers, die zugleich einen Wende- und Höhepunkt der deutschen Graphik darstellen, für den außerkirchlichen Bereich Verwendung fanden; denn für den liturgischen Gebrauch waren sie nicht konzipiert worden. Dürer schuf also mit dem illustrierten Buch Werke für die persönliche Andacht des einzelnen, die

3. Vertreibung aus dem Paradies. Aus: Dürers Kleine Passion, 1511

weit über das bisher übliche Gebetbuch hinausgingen. Diese Einste lung zum traditionellen biblischen Stoff kommt nicht mehr aus de Geist, der die großen Schreinaltäre des Spätmittelalters entstehe ließ, sondern weist auf die Reformation und alle damit im Zusam menhang stehenden Umbruchsgedanken hin.

Der hier abgebildete Holzschnitt (Abb. 3) gehört zur *Kleinen Pa sion*, die 1511 in Buchform erschien, wobei ihm der Drucker Hiero nymus Höltzel behilflich war. Ihr Titel lautet: *Passio Christi ab A berto Durer Nurenbergensi effigiata cum varij carminibus Fratris Ben dicti Chelidonij Musophili.* Thematisch sprengt Dürer die traditionell Bildfolge der Passion, da er dem Geschehen der letzten Tage Chris auf Erden den Sündenfall, die Vertreibung aus dem Paradies, die Ve kündigung an Maria und die Geburtsszene voransetzt.

In seinen letzten Lebensjahren edierte Dürer wissenschaftliche Bü cher mit Illustrationen wie *Die Unterweisung der Messung* (1525), di *Proportionslehre* (1528) und ein Werk über Stadtbefestigungen (1527).

Auch Hans Holbein d.J. hat sehr viel für Buchillustrationen ge zeichnet. Im Unterschied jedoch zu Dürer spielte hierbei der Buch schmuck eine tragende Rolle, wie er besonders in den zwei Jahrzehn ten bis 1530 entstand. Es handelt sich hierbei um Randleisten für Ti telblätter, Textanfänge und -rahmungen sowie um Druckersignete Rund vierzig Kompositionen für diesen Bereich liegen vor. Weiterhi gibt es etwa fünfzig Alphabete mit Zierinitialen unterschiedliche Formates. Diese Arbeiten entstanden alle während Holbeins zweiter Basler Aufenthalt von 1519 bis 1526. In diese Zeit fallen auch di Zeichnungen für seine Bibelillustrationen und seine berühmte klein formatige Totentanzfolge (6,5 cm × 5 cm), die sich aus einundfünfzi bis achtundfünfzig Holzschnitten zusammensetzt, von denen Han Lützelburger einundvierzig in Holz geschnitten hatte (Abb. 4).

Holbein griff hier eine spätmittelalterliche Tradition auf, wonac im Totentanz gezeigt wird, wie der Tod die Vertreter der einzelne Stände und Berufe, alt wie jung, aus dem Leben holt. Als Buch kar diese Folge jedoch erst 1538 bei Trechsel in Lyon heraus, weiter Lyoneser Ausgaben – 1542, 1545, 1547 und 1549 – vermehrten de Umfang. Nachschnitte im späteren 16. und auch noch im 17. Jahr hundert beweisen die Beliebtheit dieser Holbeinschen Buchillustra tionen.

Von seinen Holzschneidern verlangte Holbein geradezu artistisch Leistungen, da die feinste Strichführung seiner Zeichnungen im Holz schnitt sichtbar werden mußte, so daß die Wirkung dieser Arbeite sich der künstlerischen Eigenart des Kupferstiches nähert. Ein Tei seiner Illustrationszeichnungen wurde auch in Metall geschnitten.

Quis eſt homo, qui viuet, & nõ videbit Mortem, eruet animam ſuam de manu inferi?

PSAL. LXXXVIII.

Quis tam grandis homo, tam forti pectore viuit,
Cui maneat ſemper neſcia vita necis?
Quis vitare poteſt, quod deijcit omnia, lethum,
Eripiens animam Mortis ab enſe ſuam?

4. Haus Holbein d. J.
Totentanz, 1538
(stark vergrößert)

Luthers »September-Testament«

Holbeins Wirken für den Basler Buchdruck, hauptsächlich für die Verleger Johannes Froben und Adam Petri, fiel zusammen mit der Bedeutung der Stadt Basel als eines Zentrums des Humanismus und damit der Wissenschaft damaliger Zeit überhaupt. Weiterhin beflügelte die Reformation das Erscheinen zahlreicher Bücher und auch kleiner Schriften. Auf diesem Gebiet spielte neben Basel eine Reihe anderer Städte ebenso eine wichtige Rolle wie zum Beispiel Wittenberg, der Mittelpunkt von Luthers Wirken. Hier war es Lucas Cranach d. Ä., der sich und seine Werkstatt ganz in den Dienst der neuen Ideen stellte.

Als Martin Luther (1483–1546) seine Übersetzung des *Neuen Testamentes* in die deutsche Sprache bei Melchior Lotter in Wittenberg publizierte, lieferte ihm Cranach hierfür einundzwanzig blattgroße Holzschnitte sowie fünfundzwanzig Bildinitialen und ein Titelblatt.

Diese Ausgabe, *Editio princeps* aller evangelischen Bibeln, ist in Theologie und Kunstgeschichte mit der Bezeichnung *September-Testament* belegt worden, da im Jahre ihres Erscheinens - 1522 - bereits eine zweite Auflage notwendig wurde, die noch im Dezember herauskam. Nahezu unübersehbar ist daneben die Fülle der kleinen Reformationsschriften, für die Cranach und seine Gesellen Titelblätter, Rahmenleisten oder Bildinitialen schufen (Ausstellungskatalog Basel 1974/6).

Seit der Einführung der Reformation war der Bibeldruck auf evangelischer wie katholischer Seite und damit die Bibelillustration ein wichtiger Zweig der deutschen Buchkunst bis ins 18. Jahrhundert. Dem *September-Testament* Luthers und Cranachs folgten in Wittenberg weitere Bibelausgaben mit Bildern. Ab 1530 gewann Frankfurt durch Christian Egenolff (1502–1555) an Bedeutung für die Buchherstellung. Der andere große Verlag, der Frankfurt zur Buchstadt machte, wurde von der Familie Feyerabend getragen. Beide verstanden es, so ausgezeichnete Künstler wie Virgil Solis (1514–1562/1568) und Jost Amman (1539–1591) für ihre Bibelillustrationen heranzuziehen (Erstausgaben 1560 bzw. 1564). Auch die übrige Produktion der Verleger Egenolff und Feyerabend hat viele illustrierte Werke hervorgebracht.

Monumentalwerke des 17. Jahrhunderts

Mit der *Architectura* des Wendel Dietterlin (1550/1551–1599), die 1598 mit dem Untertitel *Von Ausstheilung, Symmetria und Proportion der Fünff Seulen, und allen darauss folgender Kunst Arbeit, von Fenstern, Caminen, Thürgerichten, Portalen, Bronnen und Epitaphien* erschien (Abb. 5), setzen die meist repräsentativen Tafelwerke ein, denen nur wenig Text beigegeben ist, so daß der Bildteil zum eigentlichen Buchinhalt wird. Diese Buchgattung ist charakteristisch für das 17. und 18. Jahrhundert, wobei die Thematik aus allen Wissensgebieten herrührt. Im Falle von Dietterlins Werk handelt es sich um Vorlagen, also eine Beispielsammlung für Architekten.

Das Prachtwerk des *Hortus Eystettensis* von 1613 ist die Arbeit eines Apothekers, des Nürnbergers Basilius Besler, der die Pflanzen des ersten botanischen Gartens auf deutschem Boden auf großforma-

5. W. Dietterlin: Brunnen, 1598

tige Blätter stechen ließ, wobei er die Gliederung des umfangreichen Materials nach den vier Jahreszeiten vornahm. Da dieser Garten in den Wirren des Dreißigjährigen Krieges völlig zerstört wurde, ist das Buch einziger Zeuge dieses frühen Beispiels botanischer Wissenschaft in Deutschland.

Ein anderes Monumentalwerk des 17. Jahrhunderts erfreut sich auch heute noch großer Beliebtheit und damit des Nachdrucks: Matthäus Merians *Topographia,* die es ab 1642 bis zum Registerband 1672 auf einunddreißig Bände mit insgesamt zweiundneunzig Karten und 1486 Kupferstichen brachte. Die Texte zu den Landes- und Ortsbeschreibungen schrieb Martin Zeiller. Der aus Basel gebürtige Merian (1593–1650) hatte sich in Frankfurt niedergelassen, wo er den Verlag seines Schwiegervaters Theodor de Bry übernahm, da er wie dieser Verleger und Kupferstecher zugleich war. Bei der Illustrierung seiner *Topographia* leistete jedoch die Werkstatt die Hauptarbeit für die Stiche.

Neben Frankfurt, wo seit 1610 nun auch Buchmessen stattfanden, spielten Augsburg durch die produktive Stecherfamilie der Kilians und Nürnberg noch eine wichtige Rolle auf dem Gebiete der barokken Buchillustration. Joachim von Sandrarts (1606–1688) *Teutsche Akademie der edlen Bau-, Bild- und Mahlereikünste,* reich mit Kupferstichen ausgestattet, begründet die deutsche Kunstwissenschaft und ist eines der Schlüsselwerke der deutschen Kulturgeschichte; es erschien von 1675 bis 1679 in Nürnberg, wo Sandrart auch die erste deutsche Kunstakademie 1662 gegründet hatte, und zugleich in Merians Verlag in Frankfurt.

Neben diesen großen Kupferstichwerken bringt das 17. Jahrhundert jedoch zugleich einen Verfall des gesamten Buchdrucks; denn schlechtes Papier, Eintönigkeit der Schriften und viel mindere Qualität in der Illustrierung sind Ausdruck einer durch Kriegswirren und Armut gekennzeichneten Epoche. In dieses Jahrhundert fällt jedoch auch der Neubeginn der deutschen Literatur, die meist in sehr kleinen Bändchen ediert wurde und wegen ihrer schlechten Papierqualität nur in relativ wenigen Exemplaren die Zeiten überlebte. Für diese neue deutsche Literatur spielten bei der Illustrierung emblematische Darstellungen eine sehr große Rolle (Abb. 6), wie überhaupt Emblembücher in Mode kamen. Diese dienten zugleich Malern und Kunsthandwerkern als Vorlagen für ihre Bildkompositionen, die in damaliger Zeit allgemein verstanden wurden, dem heutigen Betrachter jedoch vom Inhalt her erhebliche Schwierigkeiten bereiten.

Das karge 17. Jahrhundert brachte noch eine weitere Neuigkeit auf den Buchmarkt: die Zeitungen. Sie erschienen zunächst unregelmä-

6. Emblematische Darstellung aus Georg Neumark: Der neu sprossende Teutsche Palmbaum, Nürnberg 1668

ßig in kleinen Formaten und mit primitiven Holzschnittillustrationen ausgestattet. Diese heute raren und unscheinbaren Blättchen sind inzwischen zu einer nicht unwichtigen historischen Quellenliteratur geworden.

Das 18. Jahrhundert

Die Hauptwerke der Buchillustration im 18. Jahrhundert, die auf der Grundlage einer allgemeinen Konsolidierung des politischen Lebens, verbunden mit einem gewissen Maß an Wohlstand, gediehen, entstanden in der ersten Jahrhunderthälfte im Süden Deutschlands, in der zweiten Hälfte im Norden, wo sich das Buchschaffen in Leipzig und Berlin konzentrierte. Im Süden prägte das barocke Gesamtkunstwerk, bei dem sich im sakralen wie im profanen Bereich Malerei, Plastik und alle Sparten des Kunsthandwerks der Architektur unterordneten, einen wesentlichen Teil der illustrierten Bücher. Paulus Decker d. Ä. (1677–1713) ist der Schöpfer des *Fürstlichen Baumeisters*, 1711 und 1716, Salomon Kleiner (um 1703–1761) ließ seine Architekturwerke von den führenden Augsburger Stechern illustrieren, und Joh. Bernhard Fischer von Erlach (1656–1723) schuf mit seinem *Entwurf einer Historischen Architektur* 1721 eines der Standardwerke seiner Zeit.

Neben diesen Prachtwerken der Kupferstichkunst erschien eine Fülle von Illustrationswerken mit kurzen beigegebenen Texten auch in handlicheren Formaten, wobei unter den Städten Süddeutschlands Nürnberg vorrangig naturwissenschaftliche Bücher, deutsche evangelische Bibeln (Verlag Endter) und eine Gruppe von populärwissenschaftlichen Schriften hervorbrachte. Letztere illustrierten unter anderem Texte des wortgewaltigen Predigers Abraham a Santa Clara

7. Seite aus: Allerneuestes Lateinisches ABC-Buch mit Bildern. Stuttgart um 1795/1800

8. Kolorierte Modekupfer, gestochen von Fr. Gilly im Taschenbuch für 1798, Berlin. Darin befindet sich zugleich Goethes »Hermann und Dorothea« im Erstdruck

9. Ch. Weigel: Ein Schock Phantasten in einem Kasten, 1710

Der Disputier=Narr.

Manch grosser Esel Disputirt,
Wann ihm, das bier, im Kopf erst giert;
Dann ist er Doctor, in der Schrifft,
Sein *opponent*, ihn aüch ergrifft,
Bis kommt der schlüß, züm hand gefecht,
Da jeder Narr, behaüpt das Recht.

(1644–1709), die von dem Stecher-Verleger Christoph Weigel (1654–1725), der seit 1698 in Nürnberg ansässig war, wo er einen produktiven Verlag führte, illustriert wurden. *Heilsames Gemisch-Gemasch, Huy und Pfuy der Welt* und *Etwas für Alle* sind die Titel dieser wohl vielgelesenen Bücher.

In die gleiche Richtung drastischer Erbauungs- und Belehrungsliteratur gehören die Narrenbücher der Barockzeit, von denen Christoph Weigel unter dem Titel *Ein Schock Phantasten in einem Kasten* eines 1710 mit sehr guten Kupferstichen herausbrachte (Abb. 9). Im Gegensatz zu Nürnberg konzentrierten sich die Augsburger Stecher-Verleger auf Ornamentstichwerke und andere Vorlagenfolgen, die als Anregung und Motivsammlungen für die verschiedensten Kunsthandwerker dienten. Melchior Küsel, Johann Ulrich Krauss, Martin Engelbrecht oder Johann Georg Hertel seien hier erwähnt. Weiterhin verbindet sich mit dem Augsburg des 18. Jahrhunderts das Werk von Johann Jacob Haid, der die Schabkunstmanier bevorzugte, und die jagdkundliche Kupferstichproduktion Joh. Elias Ridingers (1698–1767) (Abb. 7), bei der Texte nur noch als Bildunterschriften erscheinen.

Der Schwerpunkt während der zweiten Jahrhunderthälfte lag hauptsächlich in Leipzig und Berlin, wo der ungemein produktive Daniel Chodowiecki (1726–1801) mit seinen kleinformatigen Radierungen ein lebendiges Bild vom bürgerlichen Leben seiner Zeit einfing (Abb. 8). Mit über zweitausend figürlichen Kompositionen illustrierte er zahlreiche Werke der Literatur, Kalender und sogar Lehrbücher. Im Gegensatz zur erzählerischen Darstellungsweise Chodowieckis spielte bei seinem ebenfalls in Berlin wirkenden Altersgenossen Johann Wilhelm Meil (1733–1805) das dekorative Element eine wichtige Rolle, weshalb Meil auch für die Illustrierung von dichterischen Texten zahlreiche Vignetten schuf (Abb. 10).

Das 19. Jahrhundert

Für die Buchillustration des 19. und 20. Jahrhunderts bringt die Zeit um 1800 einen gravierenden Einschnitt; denn mit Alois Senefelders (1771–1834) Erfindung der Lithographie 1797 kommt zu den bislang praktizierten Techniken des Hoch- und Tiefdruckes, also Holzschnitt, Kupferstich und Radierung, noch der Flachdruck hinzu. Bei dieser Technik kann der Künstler selbst unmittelbar mit Spezialfarben auf den Stein zeichnen, von dem gedruckt wird, so daß die Lithographie den unverfälschten Duktus der Handschrift eines Künstlers vermitteln kann. Trotz dieser künstlerischen Freiheit, die der Steindruck bietet, werden auch die bisher traditionellen Techniken weiterhin angewandt.

Aus der Fülle der illustrierten Werke der deutschen Romantik sei auf das Œuvre von E.T.A. Hoffmann hingewiesen, dessen Dichtungen wohl die meisten Illustratoren angeregt haben und auch noch die Künstler unserer Zeit zu inspirieren vermögen. Ein Höhepunkt der Buchillustration der deutschen Romantik ist die Erstausgabe von Clemens Brentanos *Gockel, Hinkel und Gakeleia*, Frankfurt 1838. Zu diesem Märchen schuf Johann Nepomuk Strixner (1782–1855) vierzehn Lithographien (Abb. 11), die er im Gedankenaustausch mit dem Dichter konzipiert hatte. So ist eine Einheit von Wort und Bild für diese höchst phantasievolle und artifizielle Dichtung entstanden. Weit populärer als das Werk Strixners ist die Zeichenkunst Adrian Ludwig Richters (1803–1884). Seine Märchen-, Lieder- und Gedichtillustrationen sind so volkstümlich, daß sie auch heute noch verstanden werden. In seinen erzählerischen Zeichnungen spiegelt sich der Geist der Romantik und des Biedermeier, wie er im deutschen Kleinbürgertum lebte. Neben der Innigkeit des Sachsen Richter nehmen sich die Illustrationen des Süddeutschen Franz Graf Pocci (1807–1876), wie sie vor allem in den Münchner Bilderbogen zu finden sind, mit ihrem Humor recht handfest aus.

Auffallend zahlreich sind in der ersten Hälfte des 19. Jahrhunderts Illustrationen zu Märchen- und Kinderbüchern. Diese Vorliebe entsprach dem Geist der Romantik, der dem Wesen des Kindes besonders zugeneigt war und sich deshalb auf das volkstümliche Erzählgut besann, es sammelte und so für die Nachwelt lebendig erhielt. Die Märchensammlung der Brüder Grimm – in ihrer Erstausgabe von 1812 und 1815 noch nicht illustriert – erhielt mit der erweiterten Neuausgabe von 1819 bis 1822 zwei Kupfer und einen gestochenen Titel von Ludwig Emil Grimm (1790–1863), dem jüngeren Bruder der beiden Wissenschaftler. Von einer Illustrierung der Grimmschen *Kinder- und Hausmärchen* kann man jedoch erst von der Ausgabe von 1825 sprechen, zu der Ludwig Emil Grimm sieben Kupfer beisteuerte. Andere Märchen- und Kinderliteratur dieser Zeit wurde u.a. illustriert von Otto Speckter (1807–1871), Moritz von Schwind (1804–1871), Theodor Hosemann (1807–1875) und auch von Wilhelm von Kaulbach (1805–1874), dessen vierunddreißig Illustrationen zu Goethes *Reineke Fuchs* 1846 (Abb. 12) jedoch zu den Fabelillustrationen gehören.

Die Kinderbücher des Arztes Heinrich Hoffmann (1809–1894), besonders sein Welterfolg des *Struwwelpeters* (1847), sind beispielgebend für die Beliebtheit der Zeichenkunst eines Dilettanten. Wilhelm Buschs (1832–1908) unendlich einfallsreiche Bildergeschichten sind nicht als Kinderliteratur einzustufen, auch wenn sie gewiß von vielen

10. Engelbrecht, Martin: Der Blasbalgmacher, um 1730

11. J. N. Strixner: Tanz um die Linde, aus: v. Brentano: Gockel Hinkel und Gakeleia, 1838

12. W. von Kaulbach: König Löwe, aus: Goethe: Reinecke Fuchs

Kindern selbst heute noch gelesen oder betrachtet werden. Die heile und fromme Welt des Kindseins, so wie sie die Romantik sah, hat sich in der zweiten Hälfte des 19. Jahrhunderts mit Buschs Werk in einen Zustand recht unterschiedlicher Vertracktheiten verwandelt, bei denen auch das Böse mitspielt. Das umfangreichste Illustrationswerk der zweiten Jahrhunderthälfte schuf der Berliner Adolph Menzel (1815–1905) in einem langen, arbeitsreichen Leben. Für seine subtile Zeichenkunst brauchte er Meister des Holzstichs, die seine Inventionen in den Druck umzusetzen vermochten. Thematisch widmete sich Menzel besonders der Geschichte Preußens, wobei es ihm gelang, eine bleibende Vorstellung von der Person Friedrichs des Großen zu schaffen mit seinen Arbeiten für Kuglers Werk von 1840.

Die von Menzel als künstlerisches Mittel von hoher Qualität eingesetzte Technik des Holzstiches wurde aber auch als Reproduktionstechnik für die Massenliteratur der zweiten Jahrhunderthälfte benutzt, was zu ihrem künstlerischen Abstieg führte. Der Holzstich geriet dadurch sogar in Verruf, so daß er erst in unserer Gegenwart von namhaften Künstlern, die diese Technik selbst ausüben, wieder als ein künstlerisches Ausdrucksmittel anerkannt wird.

Als Beispiel für den Holzstich als Reproduktionsverfahren sei auf die illustrierte Wochenzeitschrift *Die Gartenlaube* verwiesen, die seit 1853 in Leipzig erschien und auf den Geschmack des deutschen Bürgertums abgesimmt war. Diese wohl langlebigste Illustrierte wechselte 1884 in einen Stuttgarter Verlag über und erschien seit 1903 bis zu ihrer letzten Nummer im September 1944 in Berlin – natürlich längst mit neuen Drucktechniken hergestellt.

Das 20. Jahrhundert

Der Impuls für das gute illustrierte Buch des 20. Jahrhunderts erwuchs aus der Reaktion gegen den allgemeinen Verfall des Buchwesens gegen Ende des 19. Jahrhunderts, der auch im Zusammenhang mit einer stilistischen Unsicherheit auf allen Gebieten der bildenden Kunst zu sehen ist. Es kam nicht von ungefähr, daß sich vor allem Architektur und Kunsthandwerk der Stilformen früherer Jahrhunderte bedienten. Auch wenn die Einzelformen von Romanik, Gotik, Renaissance und Barock teils ausgezeichnet beherrscht wurden, so fehlte doch ein eigener Formenkanon, also ein neuer Stil. Dieser entstand im Buchwesen zuerst in England, wo man sich auf die Prinzipien der Buchgestaltung eines Gutenberg und seiner ersten Nachfolger zurückbesann, indem man das Büchermachen wieder nach Art der alten Meister, also von Hand, vornahm. Die von dem gelernten Architekten und späteren Universalkünstler William Morris (1834–1896) 1890/1891 begründete *Kelmscott Press* schuf graphisch neu gestaltete Alphabete, druckte auf beste handgeschöpfte Papiere, wählte sattes Schwarz im Kontrast mit Rot als Druckfarbe. Der Satzspiegel folgte wieder geometrischen Gesetzen, und für den Buchschmuck wurden Holzschnitte von Künstlern angefertigt; auch die Einbandgestaltung paßte sich dem Inhalt des Buches an. Das Buch als Gesamtkunstwerk war geschaffen und blieb das Ziel bis in unsere Gegenwart.

In Deutschland setzte der Aufbruch im Sinne eines Willam Morris um 1900 ein. Melchior Lechter, Heinrich Vogeler und der Belgier Henry van de Velde (1863–1957) gestalteten Bücher, wobei der Leipziger Insel-Verlag als Auftraggeber kulturgeschichtlich eine bedeutende Rolle spielte. Unter Mitwirkung von Harry Graf Kessler entstand in den Jahren ab 1900 eine Ausgabe von Friedrich Nietzsches *Also sprach Zarathustra. Ein Buch für alle und keinen,* das der Insel-Verlag in einer auf 530 Exemplare begrenzten Auflage 1908 herausbrachte. Die eigens für diese Ausgabe entworfene Schrift stammte von G. Lemmen, den gesamten Buchschmuck, in Gold, Purpur und Schwarz gedruckt, hatte van de Velde entworfen (Abb. 13). Von ihm stammte auch die Gestaltung des Pergamenteinbandes.

Gleichzeitig zur Entwicklung im Norden Deutschlands war Wien ein Aufbruchszentrum für den Süden. Auch hier war es ein Architekt, dessen Universalität für alle Sparten des Kunsthandwerks neue Ideen spendete: Josef Hoffmann (1870–1956), der 1903 zusammen mit Kolo Moser und dem Kaufmann Fritz Waerndorfer die Wiener Werkstätte gründete. Diese Vereinigung von Ateliers war unter anderem auch für das Buchwesen innovatorisch tätig. Sie erteilte dem jungen, noch unbekannten Oskar Kokoschka (1886–1980), der bereits für die Wiener Werkstätte einige Postkarten entworfen hatte, den Auftrag für ein Kinderbuch. So entstand 1908 das Werk *Die träumenden Knaben* (Abb. 14), ein erstes Zeugnis für des Künstlers Doppelbegabung als Dichter und Illustrator, eine Eigenschaft, die er mit dem um eine halbe Generation älteren Ernst Barlach gemein hat. Dieses Kinderbuch – damals wenig beachtet – enthält acht farbstarke Lithographien; der Duktus der Zeichnung ist bizarr, die Komposition in der Fläche aufgebaut. Der Gesamteindruck weist bereits auf den deutschen Expressionismus hin. Der Einband der Wiener Werkstätte, den nur die nichtnumerierten Exemplare aufweisen, besteht aus naturfarbenem Leinen mit einem leichten Auftrag von Goldfarbe. In die Mitte des annähernd quadratischen Buches ist eine kleine Lithographie von Kokoschka eingesetzt. Dieses heute begehrte Schlüsselwerk der europäischen Buchillustration des 20. Jahrhunderts war kein Verkaufserfolg. Von der ohnehin geringen Auflage blieben 275 Exem-

ERSTER THEIL

ZARATHUSTRA'S VORREDE

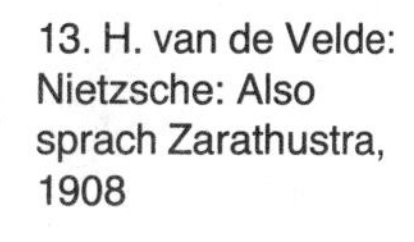

13. H. van de Velde: Nietzsche: Also sprach Zarathustra, 1908

plare liegen, die 1917 der Verlag von Kurt Wolff aufkaufte und numerierte.

Außer den gestalterischen Leistungen einzelner Verlage, die diese sowohl Prachtausgaben als auch den normalen Verlagswerken angedeihen ließen, waren und sind es noch heute die sogenannten Pressen, die beste Buchproduktion pflegen. Die Spitzenleistungen, die aus diesen Werkstätten hervorgehen, sind vollendete Gesamtkunstwerke. Sie setzen aber auch zugleich Maßstäbe für das allgemeine Buchschaffen, das dieser Vorbilder bedarf.

14. O. Kokoschka: Die träumenden Knaben, 1908

Leonie von Wilckens

DAS KLEID DES MENSCHEN UND SEIN SCHMUCK

Standesabzeichen, Pilgerkleid und modische Stilisierung

Notiz für den Leser

Im Abendland entstand erst gegen Mitte des 14. Jahrhunderts Mode in unserem Sinne. Erst seitdem wandelt sich die europäische Kleidung in verhältnismäßig kurzen Intervallen.

Die Mode mit ihrem raschen Wechsel der Art, sich zu kleiden, sich zu schmücken, sich zu frisieren, ja sich zu halten und zu bewegen, bei denjenigen, die Mode machen und mitmachen, unterliegt stets dem von den bestimmenden religiösen und sittlichen Wertvorstellungen geprägten Geist einer Zeit. Zusammen mit ihm, der trotz aller Konflikte, aller Gegensätze und kriegerischen Auseinandersetzungen die Grenzen von Herrschaftsgebieten und Ländern zu überqueren vermag, gewinnt sie zumeist internationale Gültigkeit. Diese äußert sich allerdings gewöhnlich in zahlreichen regional gebundenen Varianten.

Die Wahl der hier vorgeführten Beispiele vom Ende des 15. bis zum Ende des 18. Jahrhunderts, vom Ausgang des Mittelalters bis zur Französischen Revolution, aus dem Besitz des Germanischen Nationalmuseums in Nürnberg mag zufällig scheinen und ist doch zugleich repräsentativ. Zufällig, weil nur – nicht allein in Nürnberg, wo immerhin die Zahl gerade früher Stücke beachtlich ist – relativ wenige originale Kleidungsstücke erhalten sind. Zur Veranschaulichung der Geschichte der Mode muß man bis zum 19. Jahrhundert vor allem auf ihre zeitgenössischen Abbildungen zurückgreifen und sich auf deren Genauigkeit verlassen. Trotzdem ist die gegebene Auswahl repräsentativ, weil sie – von einem anschaulichen Begriff der modischen Entwicklung ausgehend – diese mit Beispielen aus den verschiedensten deutschen Landschaften während dreier Jahrhunderte als eine Einheit vorstellt: bei allen Unterschieden das Panorama einer Kultur.

Die Mode als Zeitspiegel und die Tracht

Stets spiegelt ein modisches Kostüm zugleich die Zeit, in der es getragen wird. Ein Herr oder eine Dame des 16. Jahrhunderts unterscheiden sich von ihren Nachfahren der folgenden Jahrhunderte nicht nur durch ihr Äußeres, durch Kleidung, Frisur, Schmuck, sondern offensichtlich noch stärker durch ihre gesamte Haltung, die Art und Weise ihres Auftretens, ihrer Rede – von ihren Vorstellungen und Interessen, ihren Hoffnungen und Wünschen ganz zu schweigen. Wenn gewisse Modeerscheinungen der Vergangenheit wiederaufgenommen werden – zum Beispiel sogenanntes Altdeutsches im frühen 19. Jahrhundert, Rokoko in dessen vierziger und fünfziger Jahren, Biedermeier um 1893 –, sind es eben doch nur Details, die man sich aneignet; die vergangene Mode läßt sich als solche nicht in spätere Zeiten übertragen.

Anders ist es bei der Tracht, dem stärker traditionsgebundenen Kleid also, das von der ländlichen Bevölkerung und in früheren Zeiten ebenso in den Städten getragen wurde mit Unterschieden von Stand zu Stand sowie bei verschiedenen Gelegenheiten. Allerdings war und ist die Tracht gleichfalls Wandlungen unterworfen, diese vollziehen sich aber langsamer und werden deshalb genauer erst aus größerer zeitlicher Distanz erkannt. Kleider machen Leute, indem sie sie schmücken, Akzente setzen, sei es nun, daß sie vorhandene Eigentümlichkeiten der Träger unterstreichen oder neue schaffen, indem sie diese herausheben, sie kennzeichnen. Das war fast zu allen Zeiten

1. Spanien, um 1571: Pilgerhut, den der Nürnberger Stephan Praun auf der Pilgerfahrt nach Santiago de Compostela getragen hat.

so, wenn zumeist auch nur bei den gehobenen Schichten, die sich einen gewissen Aufwand leisten konnten, oder – in etwas weiterem Rahmen – zu besonderen Anlässen, die derartiges geboten – wie etwa Hochzeit und Totenfeier – oder die eine außergewöhnliche Präsentation rechtfertigten.

Standesabzeichen und Pilgerkleid

Viel zuwenig ist bekannt, daß man in der europäischen Kultur Mode in unserem Sinn erst gegen Mitte des 14. Jahrhunderts erfindet. Davor lassen sich selbstverständlich gleichfalls periodische Änderungen der Kleidung feststellen, die sich indessen in größeren Intervallen bewegen. Von maßgeblicher Bedeutung ist zudem, daß vor dem 14. Jahrhundert das Kleid des Mannes sich nur geringfügig von dem der Frau abhob: Ihre Kleider trennten die Geschlechter nicht derart, wie wir es seitdem gewohnt sind (rückläufige Bewegungen in unserer Zeit vielleicht ausgenommen). Parallel zu dem damals keimenden, in Italien von Dante und Petrarca schon früh in Worte gefaßten neuen Lebensgefühl, das Schritt für Schritt die Renaissance herbeiführte, wurde modische Kleidung zu einer sich selbst und ihre Zeit charakterisierenden – verhüllenden und enthüllenden – Ausdrucksform.

Ein genauer Beobachter der einzelnen Gestalten auf spätmittelalterlichen Bildern wird manch einen wesentlichen Unterschied bei deren Kleidung finden. Mit der sich seit der Mitte des 15. Jahrhunderts stetig intensivierenden Hinwendung zum realistischen Darstellen verband sich das interessierte Augenmerk für die Differenzierungen in der Kleidung – zwischen den einzelnen Ständen, zwischen jung und alt, für die verschiedenen Gelegenheiten, von einer Gegend und Stadt zur anderen.

Da zeichnet etwa den Recht sprechenden Pilatus, dem der gefangene Christus vorgeführt wird, ein kostbarer weinroter Samtmantel aus, der mit braunem Pelz besetzt ist; der Landpfleger trägt zudem einen roten Samthut mit hochaufgestellter, seitlich geteilter Krempe und mit einer dicken Goldquaste. Ein barhäuptiger Mann im Hintergrund ist als Gerichtsschreiber mit einem roten, mit weißem Pelz verbrämten Mantel bekleidet. Von den älteren Männern in ihren meist bodenlangen, weiten, vorn durchgeknöpften Schauben (Mänteln mit Ärmeln) unterscheidet sich der Jüngling durch sein gegen 1500 kaum noch taillenlanges, gern keck über eine Schulter geworfenes umhangartiges »Mäntelchen« oder durch eine Schaube von kürzerem Schnitt.

Um sie als Orientalen zu kennzeichnen, werden Teilnehmer zum Beispiel bei Darstellungen der Kreuzigung Christi, die man damals wie alle biblischen und legendären Geschichten mit Vorliebe in der eigenen heimischen Umgebung sich vollziehen ließ, mit turbanartigen

Kopfbedeckungen und fremdartigen, meist leicht verwegen wirkenden Kleidungsdetails versehen, also gewissermaßen mit Attributen ihres Andersseins ausgestattet. Demgegenüber geben die auf den Bildern anwesenden einfachen Leute wie die Hirten bei der Anbetung des Christkindes, die Kriegsknechte der Passionsszenen, die Helferinnen bei der Geburt der Maria solche Merkmale wieder, wie man sie in ihrer Kleidung aus der eigenen Nachbarschaft kannte. Der Hirt hat an seinen geflickten, hohen, runden Filzhut einen Holzlöffel gesteckt. In die Krücke vom Wanderstab des Joseph ist ein Kopf geschnitzt als Böses abwehrendes Zeichen, als eine Form des Schutzes, die weit in heidnische Vorstellungen zurückgreift: ein Gesicht, ein Augenpaar gegen den bösen Blick.

Wallfahrende Pilger erkennt man an ihren großen, schattenspendenden Pilgerhüten, zudem führen sie gern als ihr Abzeichen – neben »Pilgerzeichen« von Wallfahrtsstätten, die sie aufgesucht haben – die Pilgermuschel, mit der sie ursprünglich Wasser schöpften, um sie später zusammen mit Miniaturformen von gedrechselten Pilgerstäben ihrer Kleidung aufzunähen.

Ein besonders reich mit Muscheln, gekreuzten Stäben und Pilgerfigürchen aus schwarzem Erdpech (Gagat) besetzter Pilgerhut aus schwarzem Filz blieb von dem Nürnberger Stephan Praun zusammen mit seinen anderen Pilgerkleidern der Wallfahrt des Jahres 1571 ins spanische Santiago de Compostela erhalten (Abb. 1). Als Kaufmann in der Hauptfaktorei des Nürnberger Familienhandelshauses in Bologna ausgebildet, hat Stephan Praun seit seinem fünfundzwanzigsten Lebensjahr ein recht unstetes, abenteuerreiches Leben geführt, weilte sowohl eine Zeitlang im Gefolge der englischen Königin Elisabeth I. als auch am Madrider Hof Philipps II., kämpfte mit dem portugiesischen König in Marokko gegen die Mauren, trat als Ritter in den Orden Jesu ein, verlor bei der Plünderung Lissabons durch die Spanier im Jahr 1580 sein Hab und Gut, pilgerte 1585 in das Heilige Land, reiste von dort nach Syrien, Kleinasien, auf die Halbinsel Sinai, durch Nordafrika, um schließlich in Rom zu sterben. Obwohl der Vater ihn enterbt hatte, holten die Brüder später seine Habseligkeiten nach Nürnberg. Hier sind bis zum Beginn des 19. Jahrhunderts »Armatura und allerlei Curiosa worunter ein Pilgrimshabit eines alten Praun« in dem berühmten Praunschen Kunstkabinett, das der Bruder Paul als eine bürgerliche Sammlung – neben den zumeist fürstlichen Kunst- und Wunderkammern der Zeit – angelegt hatte, gezeigt worden und dadurch auf uns gekommen.

Schon früh hat man Pilgerfahrten mit geschäftlichen Angelegenheiten verbunden. Künstler wanderten nach Italien, in die Niederlande

2. Christoph Weiditz: Indianerfrau, um 1529/30.

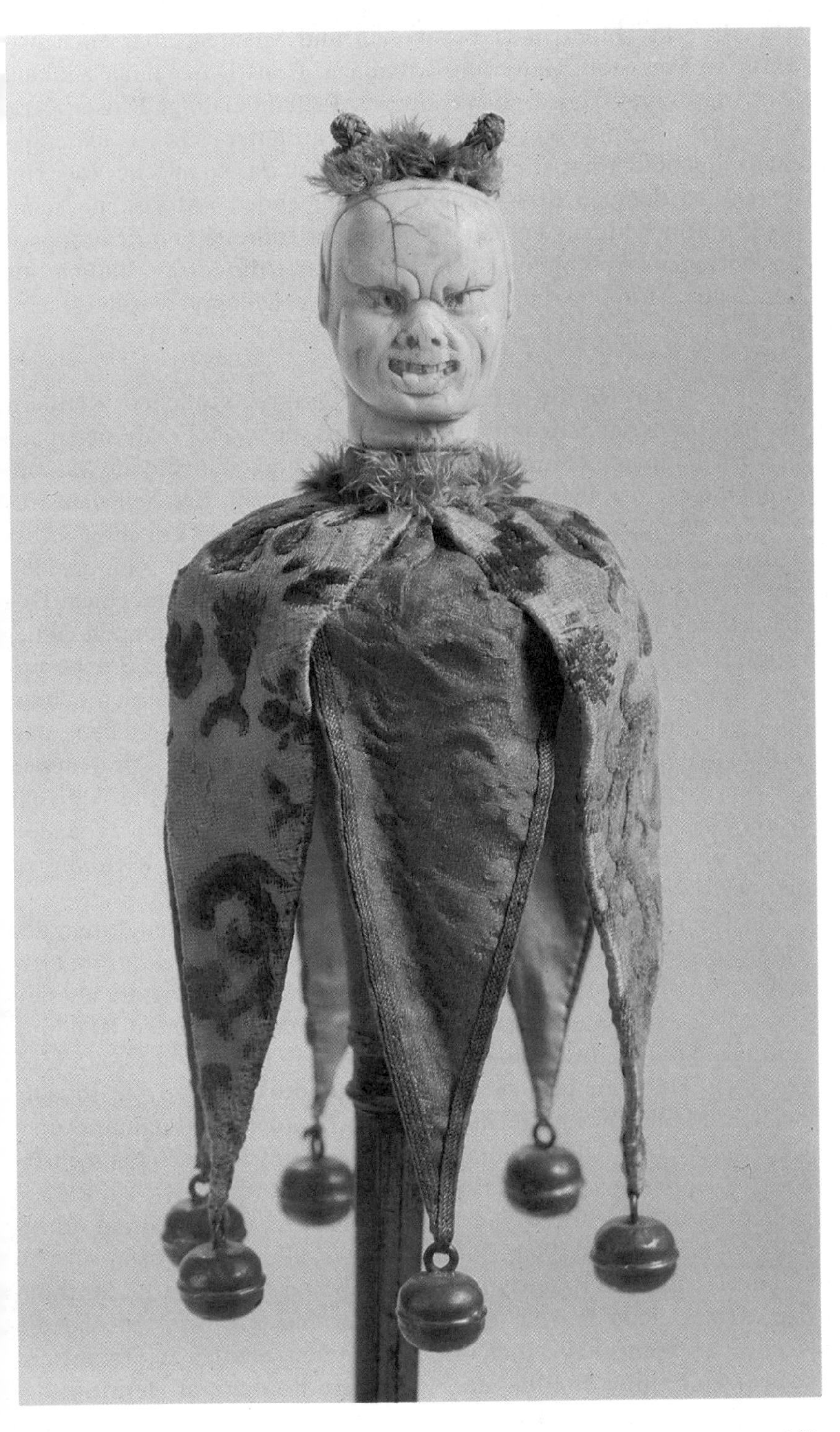

3. Deutschland (?), zweite Hälfte 16. Jahrhundert: Narrenzepter. Der Narr oder der als Narr Verkleidete führte es als das ihn auszeichnende Attribut mit sich.

wie Albrecht Dürer, nach Frankreich und Spanien, aber auch ostwärts, so Veit Stoß, Hans von Kulmbach, Hans Dürer nach Krakau. Der Augsburger Christoph Weiditz war 1529 im Gefolge Kaiser Karls V. in Spanien, von wo er die aquarellierten Blätter seines Trachtenbuches mitgebracht hat, die höchst anschaulich das spanische Volk einschließlich der von den Arabern abstammenden »Morisken« schildern; darüber hinaus enthält es einige der frühesten von Europäern geschaffenen Abbildungen von Indianern, die offensichtlich als Beute aus Mittelamerika nach Spanien verschleppt worden waren (Abb. 2).

Einfache Leute hier – fremdartige Kleidung dort

Lange Zeit wurden die einfachen Leute in ihren schlichten Kleidern nur im Zusammenhang mit biblischen und sonstigen Erzählungen auf sie einschließenden Sinn-Bildern wie den Tätigkeiten, die die Monate und Jahreszeiten charakterisieren, wiedergegeben. Erst seit dem frühen 16. Jahrhundert galt ihnen hier und da ebenso um ihrer selbst willen das darstellende Interesse. Albrecht Dürer schuf Kupferstiche von Bauern im Gespräch, auf dem Markt, beim Tanz, von einem Dudelsackpfeifer. Die Nürnberger »Kleinmeister« der folgenden Generation taten es ihm nach, wobei Tanz- und Kirchweihfeste ihre besondere Aufmerksamkeit fanden. Der besonders für die »kleinen Leute« außergewöhnlichen Anlässe – Überschwemmungen, Kometen- und andere Wundererscheinungen, Mißgeburten – nahmen sich daneben die illustrierten Flugblätter an. Bereits um 1494/95 stellte Albrecht Dürer eine vornehme Nürnbergerin und eine Venezianerin nebeneinander, um für die Nachwelt den weiten Abstand ihrer Kleidung zu demonstrieren.

Zur Deutung des seltsamen Geschehens auf den beiden Tafeln des 1518 von dem Danziger Meister Michel gemalten Diptychons im Germanischen Nationalmuseum (s. Abb. Seite 542/543) mag am ehesten eine abwägende Interpretation der sehr fein differenzierten Kleidung beitragen können. In Analogie zu den Darstellungen in einem um 1565 gemalten Trachtenbuch möchte man auf der linken Tafel in dem zweiten Mädchen von rechts – in leuchtendrotem, weißbesetztem Kleid mit weißen Überärmeln, mit hohem Kopfputz, den ein mehrfaches Perlenband ziert, auf das eine große Agraffe gesetzt ist, die zugleich das bekrönende weiße Reihergesteck hält – eine Braut erkennen; ein hauchdünner Schleier umhüllt sie, allerdings wissen wir von einem eigentlichen Brautschleier erst frühestens aus dem 17. Jahrhundert. Die gleiche Person dürfte auf der rechten Tafel ebenso die zweite von rechts sein, nun in einem weiten Mantel aus roten und schwarzen breiten Streifen, dessen vordere Kanten mit Hermelin besetzt sind; drei riesengroße goldene Agraffen zieren ihn, die beiden seitlichen mögen Wappenfiguren enthalten, die mittlere ist als Adler mit ausgebreiteten Flügeln gebildet. Der hochanstehende Mantelkragen aus Goldbrokat rahmt die über einem rechteckigen Gestell drapierte Haube, die die Verheiratete kennzeichnet. Eine gleiche Haube trägt die rechte Nachbarin, in der sich vielleicht die dritte von links des linken Bildes wiederfindet, die dann auch hier nicht ganz so prunkvoll gekleidet wäre. Aber warum trägt sie auf dem linken Bild eine fast gleiche Kopfbedeckung wie das sonst weitaus schlichter angezogene rechte Mädchen? Sind sie beide, die sich ja mit ihren Gebärden an die Braut wenden, Brautjungfern, die jedoch Standesunterschiede trennen? In Anton Möllers allerdings erst dreiundachtzig Jahre später (1601) gedrucktem Danziger Trachtenbuch begleiten sowohl die »jetzige« als auch die Braut »auf die alte Weise« zwei Brautjungfern, die indessen gleich gekleidet sind. Zudem kehren auf der rechten Tafel in grünem bzw. in dunkelweinrotem Mantel, mit breiten Blumenborten besetzt, und in bunten Kappen mit besticktem bzw. goldverziertem Rand in umgekehrter Reihenfolge die beiden Mädchen von der linken Seite der linken Tafel wieder. Offenbar fehlen dagegen die, die links Speisen aufträgt, und die rechte dort, denn die drei älteren Frauen rechts im zweiten Glied dürften links die drei am Tisch sitzenden in der gleichen Reihenfolge zeigen. Die gestreiften Pelze der rechten und der linken beschreibt Anton Möller im genannten Trachtenbuch: »Zu Dantzigk gmein die alt Matron / Im Kührschenpeltz thun einher gon / Gantz bund geschecket rund umbher / Vnd ist ein Tracht von Alters her.« Schließlich gehören die beiden Frauen im Hintergrund des rechten Bildes wohl nicht mehr zur eigentlichen Szene.

Historische Kleidung und Verkleidung

Um die Wende zum 16. Jahrhundert wurde man erstmals der Wandlungen bei der modischen Kleidung im Laufe der Jahrzehnte gewahr und begann hier und da – in Nachzeichnungen –, »alte Kleider« zu sammeln, um festzuhalten, wie die Ahnen ausgesehen hatten. Da man zunächst vor allem diese oder Vorgänger im Amt des Herrschers darstellen wollte und zugleich der zeitliche Abstand deutlich werden sollte, gab man ihren Kleidern zumindest das eine oder andere hervorstechende Attribut von der Gewandung der Vergangenheit, zum Beispiel die schweren, unterhalb der Taille sitzenden Gürtel, die bisweilen noch mit Glöckchen behängt waren, reiche Zaddelungen an Ärmeln, Rock und Kopfputz; Frauen setzte man die langen, tütenförmigen, von Schleiern umwehten sogenannten Burgunderhauben auf, Männern zog man die auf zwei Spitzen balancierenden hölzernen

4. Dresden, um 1715–20: Pulcinello. Ausschnitt aus einem von zwölf bestickten Wandbehängen mit Figuren der italienischen Komödie, Musikanten und Callotti genannten Zwergengestalten.

Überschuhe an, die auf so manchem Bild aus dem zweiten Viertel des 15. Jahrhunderts zu finden sind und sogar noch auf Bernhard Strigels Bildnis des heiligen Servatius (nach 1505) im Germanischen Nationalmuseum als Sinnbild seines Martyriums in dreifacher Ausfertigung gezeigt werden. Sie dürften den Gang recht beschwerlich gemacht haben, so daß sie ohne die kurzen, spitzen »Stelzen« bis gegen Ende des 15. Jahrhunderts in Gebrauch gewesen sind.

Am burgundischen und am Pariser Hof gehörten im 15. Jahrhundert die »Mummereien« zu den Attraktionen. Anscheinend unter burgundischem Einfluß erwachte am Hofe Kaiser Maximilians I. zusammen mit dem Interesse an alten und fremden Kostümen die

5. Christoph Amberger: Regina Honold im Hochzeitskleid, 1540.

Freude an solchen Mummereien. Da trug man die Attribute des Fremden und des Vergangenen als angefügten Aufputz, man ver-kleidete sich, so wie man das Gesicht durch eine Maske verfremdete. Mit dem fremden Kleid schlüpfte man in eine andere Gestalt, man war nicht mehr man selbst für eine Weile, vielmehr gab das Kleid an, wer man sein wollte oder sein sollte. Oft waren diese Ver-Kleidungen nur geringfügige Veränderungen oder Aufmachungen im Detail, die indessen die phantasiereiche Vorstellungsgabe der Zeitgenossen als das Ganze umfassende Verwandlungen deutete. Da brauchte der Narr nur Schellen an sein Gewand und seine meist zweizipflige Kappe zu nähen, um als solcher erkannt und distanziert zu werden.

Als Zeichen seiner Narrenfreiheit führte er den Narrenkolben, aus dem die mit dem Narrenkopf charakterisierte Marotte, das Narrenzepter, wurde. Seit dem späten 15. Jahrhundert war es das Herrschaftszeichen des Anführers der vor allem in Frankreich und den Niederlanden beliebten ausgelassenen Narrenfeste sowie das Abzeichen des Hofnarren. Bei der Marotte aus der zweiten Hälfte des 16. Jahrhunderts im Germanischen Nationalmuseum (Abb. 3) ist der Kopf aus Elfenbein geschnitzt und stellt der lange, mit Glöckchen besetzte Zipfelkragen das Narrengewand vor. Indem der Narr sich selbst im Zepter führte, bekräftigte er bildhaft seinen auf Satire und Spott beruhenden Anspruch gegenüber seiner Umwelt und seinen Zuhörern. Im späten Mittelalter besaß der Narr einen solch festen Platz im sozialen Leben, daß selbst der niedere Klerus – die Subdiakone – Narrenfeste veranstaltete in der Zeit zwischen dem Stephanstag und dem Fest der Heiligen Drei Könige. Dabei wurde das kirchliche Zeremoniell parodiert, ein Narrenbischof konnte auftreten, wie man ihm tatsächlich mit Mitra und Meßgewand innerhalb der Randzeichnungen der spätmittelalterlichen Buchmalerei begegnen kann.

Unter den typisierten Figuren der Italienischen Komödie *(commedia dell'arte)*, deren Stegreifspiele auch in Deutschland seit dem späten 17. Jahrhundert die Zuschauer anzogen, hat Pulcinello die Attribute des Narren übernommen. So tanzt er im schellenbehangenen, gezipfelten Gewand und mit einem Narrenzepter – als Partner von Violetta – auf einem von zwölf schmalen, hohen, bestickten Wandbehängen aus Dresden, die um 1715–1720 zu datieren sind (Abb. 4).

Kostbarer Schmuck sogar am Hut

Seit alters haben sich die Menschen mit Schmuck versehen, der entweder als Fibeln, Nadeln, Broschen, Schnallen zunächst bestimmte Verschlußfunktionen bei der Kleidung hatte oder mit Ketten, Ringen, Ohrringen, Armbändern von vornherein heraushebender Zierat war, der mit seiner Fülle, der Kostbarkeit des Materials, der Feinheit der Ausführung, der Pracht der Farben Reichtum und Geschmack dokumentieren konnte. Man ließ sich mit der Fülle seines Schmuckes porträtieren. Wenn uns also die Zahl und die Gewichtigkeit der Ketten, die Menge der Ringe und Anhänger auf einem Bildnis des 16. oder frühen 17. Jahrhunderts in Staunen versetzen, heißt das nicht, der – oder zumeist die – Dargestellte habe – abgesehen von den Stunden, während derer sie sich dem Maler präsentierte – je sonst alle diese Schmuckstücke zur gleichen Zeit getragen. Das Bildnis sollte sie aber vereinen und auch dafür zum Dokument werden. Dementsprechend führen Besitzverzeichnisse und Nachlaßinventare die Schmucksachen bei den Wertgegenständen und nicht etwa bei der Kleidung auf.

Die Augsburgerin Regina Honold trägt auf ihrem 1540 von Christoph Amberger gemalten Hochzeitsbild drei goldene Halsketten (Abb. 5); die oberste, am Hals anliegende besteht aus großen, zu Palmetten geformten goldenen Gliedern, an denen ein schwerer, mit bunten Edelsteinen und mit Perlen verzierter Anhänger hängt; die mittlere Kette verkürzt ein Knoten, während die untere fast bis zur Taille herabreicht. Eine mehrgliedrige Kette dient auch als Gürtel. Ringe mit gefaßten Edelsteinen schmücken die Zeigefinger beider Hände. Da Armbänder bis weit in das 19. Jahrhundert hinein meist paarweise getragen wurden, dürfte dem am linken Unterarm sichtbaren ein ebensolches am rechten entsprochen haben. Unter dem dunkelroten Barett erkennt man eine Goldhaube mit perlenbesticktem Rand.

Zum Brautschmuck einer Nürnberger Patriziertochter gehörte die Stückleinkette, die um 1530/1540 entstanden ist (Abb. 6). Als achteckige Glieder sind Achate von verschiedener Farbe, je ein Karneol, Moosachat, hellgrüner Chrysolith, Lapislazuli, Granat, Saphir, Smaragd, Malachit, Opal, Koralle, Edeltopas, Amethyst, Turmalin, Madeiratopas, Türkis, Bergkristall sowie eine geschnittene Muschelgemme gefaßt und durch Ösen mit durchstifteten Perlen verbunden. Solche Ketten, die auch als Armbänder getragen wurden, gehen auf venezianische Vorbilder des späten 15. Jahrhunderts zurück.

Eine ähnliche, noch aufwendiger gestaltete Kette trägt die heilige Agnes auf dem Bild des niederrheinischen Meisters des Bartholomäusaltars mit ihrer Verlobung an das Christkind (Abb. Seite 238). Ihr Brokatkleid, der hermelinbesetzte Schultermantel, den zwei Agraffen mit Figürchen von zum Turnier angetretenen Ritter halten, ein prächtiger, raffiniert drapierter Kopfschmuck hebt die Heilige als Prinzessin, als welche sie der Legende galt, von der ganz schlichten Gestalt der Gottesmutter ab, die nur ein Krönchen im blonden Haar trägt.

6. Nürnberg, um 1530–40: Stückleinkette.

Auch Männer haben damals Schmuckstücke angetan. Neben Ringen, langen Ketten, Knöpfen aus Edelmetall war eine Zeitlang Hutschmuck beliebt; dazu zählten Agraffen der verschiedensten Art, man befestigte aber auch Ringe am Hut oder legte um seinen »Kopf« statt eines Bandes eine goldene Kette.

Neben Schwarz leuchtende Farben

Die in der Kleidung des späten Mittelalters offenbar werdende Freude an leuchtenden bunten Farben tritt mit dem zweiten Viertel des 16. Jahrhunderts für etwa ein Jahrhundert zurück oder doch recht verhalten zutage. Indessen kleidete man sich nunmehr durchaus nicht nur in braune und schwarze Farben. Die Nürnberger Patrizierin Katharina Tucher z. B. hinterließ, als sie 1574 im Alter von dreiundvierzig Jahren starb, neben einem braunen und zwei schwarzen langen Mänteln (ärmellosen Umhängen) eine rote, eine graue, eine braune, eine dunkelbraune, eine gelbe – alle fünf aus feinem Wollstoff und mit rotem Samt verbrämt – und eine schwarze Schaube (hier offen-

7. David Brentel: Bildnis einer Dame am Virginal, 1586. Aus dem Stammbuch des Anton Weihenmayer in Lauingen.

bar: Mantelkleider), die überdies Wollfutter in teilweise anderen Farben hatten, etwa gelbes bei Braun und Schwarz, weißes bei Grau.

Auch im späteren 16. Jahrhundert trugen vornehme Herren und Damen Kleider in markanten und in hellen Farben. Doch bewirkten der strenge Schnitt, die Geschlossenheit bis zum Halse, eine gewisse Vorliebe für enge Streifung – oft durch aufgesetzte Tressen oder Borten erzielt – eine zurückhaltende Pracht, eine zeremonielle Steifheit, mit der sich die sogenannte spanische Kleidung von der vorangegangenen – trotz aller Gebundenheit gelösteren und freimütigeren, den Körper nicht derart disziplinierenden – abgesetzt hat. Reformation und Gegenreformation, die Ablösung des befreienden Lebensgefühls der Renaissance, dem die Welt gewissermaßen offengestanden war, haben auch die Kleider der Menschen verändert.

Seit der Mitte des 16. Jahrhunderts waren Stammbücher eine geschätzte Sammlungsweise von Freundschaftsbezeugungen. Deshalb kann ihr lateinischer Name »alba amicorum« (= Alben mit den Freunden) sie besser kennzeichnen als der deutsche, der leicht den nach Erklärung Suchenden in die Irre leiten mag. In Stammbüchern haben nicht nur Studenten die Freunde vereint, die ihre Verbundenheit einmal mit Widmungen, Gedichten und Unterschriften kundtaten, um zum anderen mit ihren Wappen, Bildern der Freundschaft, gemalten Landschaften und anderen Ansichten, Kostümbildern, ja auch mit eingelegten kostbaren Papieren sichtbare Andenken beizusteuern. In unserem Zusammenhang interessieren die vor allem in der Frühzeit der Stammbücher zahlreichen Kostümbilder und die bisweilen mit einem Sinnspruch verbundenen Bildnisse im zeitgenössischen Kleid.

In dem besonders inhaltsreichen und künstlerisch sehr qualitätvollen Stammbuch des Anton Weihenmayer aus dem schwäbischen Lauingen hat David Brentel (gest. 1615) neben manchem anderen Bild in goldgehöhter Malerei eine ein Virginal spielende Dame wiedergegeben (Abb. 7). Darüber stehen die lateinischen Sentenzen »Vinum et musica laetificant cor hominis« (Wein und Musik erfreuen des Menschen Herz) sowie »Post tenebras spero lucem« (Nach der Finsternis hoffe ich auf das Licht) mit der Jahreszahl 1586. Die Widmung unten ist halb auf deutsch geschrieben: Seinem lieben bruder Antonj Weyenmair Zur Ewigen gedechtnus hatt diß lassen malen Adrianus Paix A. liberalium artium studiosus fasto Mathiae (der Student der Freien Künste Adrian Paix – Bruder eines berühmten Lauinger Organisten – am Fest des heiligen Matthias, 24. Februar). Die junge Frau am Virginal, vielleicht eine Schwester der Brüder Paix, trägt einen weiten, bodenlangen, altrosa Rock, dem unten fünf schwarze Streifen aufgesetzt sind. Ihr schwarzes, taillenlanges Wams, das dem Oberkörper eng formend anliegt, hat kurze Puffärmel, unter denen die langen, weiten, weißen, am Handgelenk in einem Bündchen zusammengefaßten des Hemdes hervorkommen; das Wams zieren diagonal und radial aufgesetzte Samtstreifen, die an den Ärmeln noch mit »Knöpfen« dekoriert sind. Auf einem enggefältelten Mühlsteinkragen ruht der Kopf mit dem schmalen Gesicht und dem straff nach hinten gekämmten Haar, den ein kleines, rundes, schwarzes Barett bekrönt.

Hüte und Hauben

Dem strengen spanischen Kostüm entsprachen bei den Herren Hutformen mit hohem, rundem »Kopf«, den hier und da senkrechte Fältelung des Samt- oder Seidenbezuges beleben konnte, und mit schmalen Krempen, immerhin zumeist mit Feder- oder Juwelenschmuck bei solchen, die sich so etwas leisten konnten. Im 17. Jahrhundert wurden die Herrenhüte wieder größer mit breiten, geschweiften Krempen und nun meist aus weicherem Material hergestellt. Während Männer sich bis zur Mitte des 16. Jahrhunderts stets mit bedecktem Haupt, sei es mit Hut, Barett oder Kappe, porträtieren ließen, wird dies von da an immer weniger üblich und schließlich ganz ungewöhnlich. Nur wenn der Hut als Abzeichen seines Trägers gilt, etwa eines Ratsherrn, bleibt er diesem im Bildnis erhalten, wird aber häufig nur noch in der Hand getragen oder liegt daneben auf Stuhl oder Tisch. Allerdings war der Kopf des Mannes bei den meisten Verrichtungen inner- und außerhalb des Hauses mit einem Hut auch damals bedeckt, beim Handwerker in der Werkstatt, beim Kaufmann im Kontor, sogar vielfach bei geselligen Zusammenkünften im Hause.

Zu einem besonderen Kennzeichen der vornehmen Nürnbergerin wird im späteren 17. Jahrhundert die Flinderhaube (Abb. 8). Über ein »Gestell« aus künstlichen, mit farbigem Seidentaft bezogenen Zöpfen, wie man sie in Süddeutschland schon seit dem Ende des 16. Jahrhunderts auch als einzige Zierde des Hauptes getragen hat, wird ein aus Seidenfäden geknüpftes Netz gezogen; in dieses ist dicht bei dicht eine Vielzahl von mit feinen Drähten gestielten Flindern – kleine vergoldete Metallplättchen – eingearbeitet. Die das Gesicht üppig rahmende Flinderhaube folgte in der Form der Marderzobelhaube, mit der man sich im Winter vor der Kälte schützte. Der Tradition der städtischen Tracht entsprechend, ist diese Form durch lange Jahrzehnte fast die gleiche geblieben, sie findet sich bereits auf Bildnissen vor der Mitte des 17. Jahrhunderts. Flinder- und Marderzobelhaube wurden um 1700 mit jeweils etwa dreißig Gulden hoch bewertet.

Im übrigen kann man sich jedoch die Variationsbreite in Form,

8. Nürnberg, Ende 17. Jahrhundert: Flinderhaube. Jede Bewegung muß bei den auf Drähtchen gestielten (metallenen) Flindern einen leisen Ton ausgelöst haben.

9. Georg Martin Preisler: Eleonore Regina Stettinger geborene Straßer, 1745.

10. Georg Martin Preisler: Andreas Stettinger, 1745. Nürnberger Rotschmied.

Material und Ausführung der Frauenhauben im 17. und 18. Jahrhundert kaum groß genug vorstellen. Eleonore Regina Stettinger, geborene Straßer, Tochter eines Nürnberger Rotschmieds, trägt 1745 auf der Bildniszeichnung von Georg Martin Preisler ein schlichtes, anliegendes, in Falten gelegtes Spitzenhäubchen, das mit einem dunklen Band verziert ist (Abb. 9). Dagegen ist die gepuderte und in Locken gelegte Perücke ihres Gatten, des Kupferschmieds Andreas Stettinger, unbedeckt, im Nacken bindet die Haare eine große Schleife zusammen (Abb. 10). Das zweiteilige Kleid der Frau besteht aus einem anliegenden Oberteil mit breitem, abstehendem Schoß und aus einem weiten, gebauschten Rock; über diesen ist eine geblümte Halbschürze gelegt. Unter den mit Stickerei an den Kanten versehenen Ärmeln schauen die Spitzenmanschetten des Hemdes hervor. Ein zartes Leinentuch mit Spitzenkante bedeckt das Décolleté. Auch die Handwerkerfrau kann sich mit Halsband und Perlohrringen schmücken. Der Ehemann ist ebenso festtäglich angetan in langem Rock mit breiten, zurückgeknöpften Ärmelaufschlägen, Weste und Hemd mit Spitzenjabot und mit bestickten Ärmelbündchen. Ihre Kleider weisen das nach neunjährigem Ehestand porträtierte Paar als durchaus wohlsituierte Handwerkerfamilie aus, die auf ein gepflegtes Äußeres Wert legte.

Neue Freude am Aufputz

Wenn alte Originalkleider erhalten sind, handelt es sich – abgesehen von den wenigen, die man durch günstige Umstände, zwar meist »grabbraun«, aber doch einigermaßen unzerstört, Gräbern und Sarkophagen hat entnehmen können – entweder wie bei den schon genannten Praunschen Pilgergewändern um solche, die man als Kuriosa oder aus Pietät bewahrt hat, oder zu allermeist um sonn- und feiertägliche Gewänder. Im Gegensatz zur Arbeits- und alltäglichen Kleidung sind diese bisweilen nicht aufgetragen worden; am ehesten noch mochten sie verändert, aus modischen Gründen oder nach Jahren der Figur neu angemessen, von der gleichen Trägerin weiterverwendet werden oder sogar – dementsprechend angepaßt – nachfolgende Generationen kleiden. Ein offenbar lebhafter Altkleiderhandel sorgte im 18. Jahrhundert für den Verbrauch dessen, was die ersten Träger nicht mehr haben wollten. Heute gibt es aus dem 17. Jahrhundert nur noch wenige originale Kleidungsstücke oder Teile von Ensembles (z. B. Wämser); aus dem 18. Jahrhundert ist ihre Zahl allerdings schon beträchtlich, immerhin fast ausschließlich von festlich zu nennenden.

Mit dem mittleren 17. Jahrhundert wird die bereits durch teilweise weitgehende Schlitzungen und reichen Spitzenbesatz aufgelockerte

11. Nürnberg, um 1750–55: Brautkleid der Nürnberger Patrizierfamilie Fürer von Haimendorf.

strenge Disziplinierung des spanischen Kostüms verdrängt von volleren, ja hier und da pompösen Formen der Schnitte und oft auch der Stoffmuster, von einer neuen Freude an bunten und leuchtenden Farben, an besonderem Aufputz, anfangs etwa an dichtem, buntem Bandschleifenbesatz, sowohl bei Damen als auch bei Herren. Die barocke Mode bringt für das männliche Kostüm die Weste – zu langem Rock und Kniehosen, nachdem bis dahin das Wams das wichtigste Bekleidungsstück für den Oberkörper gewesen war. Das barocke Damenkostüm schnürt den Oberkörper fest ein bis zur schmalen Taille, um den Rock um so breiter und voller zu entfalten.

Das Danziger Diptychon von 1518 zeigt eine rotgekleidete Braut; das prächtige Hochzeitskleid der Regina Honold aus Augsburg ist 1540 ebenfalls rot mit weißen Besätzen und mit Goldstickerei. Ab und an hat es zwar zu dieser Zeit schon eine weißgekleidete fürstliche Braut gegeben, in Weiß als Zeichen der Keuschheit. Doch hat sich Weiß nur sehr langsam als Farbe des Brautkleides durchgesetzt, noch im späten 19. Jahrhundert ist die Braut mancherorts in Schwarz vor den Traualtar getreten. In England heiratete man allerdings im späten 18. Jahrhundert immer häufiger in Weiß, was dann zunächst in Norddeutschland aufgegriffen wurde, etwa in Hamburg, wo man sich nicht nur in der Mode bewußt nach englischen Gewohnheiten und englischem Geschmack richtete. Sonst scheint im 18. Jahrhundert helles Blau – als Zeichen der Treue? – eine für die Braut geschätzte Farbe gewesen zu sein.

Ein vornehmes zweiteiliges Gewand aus hellblauem, nach Rot changierendem, gemustertem Seidenmoiré hat offenbar mehreren Generationen der Nürnberger Patrizierfamilie Fürer von Haimendorf als Brautkleid gedient (Abb. 11). Sein wiederhergestellter Originalzustand weist auf die Jahre zwischen 1750 und 1755. Der vorn offene sogenannte »Mantel«, wie er mit gewissen Wandlungen fast durch das ganze 18. Jahrhundert für Fest- und Hofkleider üblich gewesen ist, wird nach der äußerst schmalen, durch eingearbeitete Stäbchen und durch Schnürung verfestigten Partie oberhalb der Taille über einem ovalen Reifrock breit über den Hüften gespannt. Seinen Rücken bestimmt eine in der Mitte durchgehende sogenannte Watteaufalte, später so benannt, weil sie zuerst aus Bildern des frühen 18. Jahrhunderts von dem französischen Maler Antoine Watteau bekannt wurde; rechts und links von der Watteaufalte ist das Kleid unterhalb der Taille mehrmals gerafft. Seine vorderen Kanten garniert eine im gleichen rotblau schimmernden Farbton gehaltene, über feinem Draht gearbeitete Blütenborte, von der zwei Streifen auch den Rock zieren. Dieser füllt den großen, dreieckigen Zwickel, den der »Mantel« vorn

12. Deutschland, um 1775: Puppe im Staatskleid

unterhalb der Taille nicht bedeckt. Auf den spitzen Ausschnitt über der Taille ist ein bestickter sogenannter Stecker gesetzt, der zugleich die Schnürung darunter verbirgt.

Um kostbares teures Seidenmaterial zu sparen, nahm man doch am liebsten, trotz aller Autarkiebestrebungen und Importbeschränkungen, französische (Lyoneser) Seiden, begnügte man sich bisweilen anstelle eines vollständigen Rockes mit einem schürzenartigen Einsatz, der nur gerade die vom Mantel nicht bedeckte Partie füllte. Die Ärmel waren üblicherweise ellenbogenlang und mit in Falten gelegten Manschetten aus dem gleichen Stoff besetzt, unter denen längere weiße Rüschen aus Spitze oder feiner Gaze hervorkamen. Das große Décolleté mochte ein Spitzeneinsatz oder ein Spitzenfichu wenigstens teilweise verbergen.

Noch bis weit in das 19. Jahrhundert hinein waren die Puppen und deren stolze Besitzerinnen, die kleinen Mädchen, wie Erwachsene gekleidet. So besteht das Weiß in Weiß gestreifte Kleid der um 1775 zu datierenden Puppe mit Wachskopf ebenso aus Mantel und Rock, die mit Falbeln aus dem gleichen Stoff verziert sind; vier Schleifen aus gestreiftem Seidenband setzen Farbtupfer. Statt eines Reifrockes stützen hier Hüftpolster die seitliche Breite (Abb. 12). Solche vornehmen Puppen des 18. Jahrhunderts besitzen nicht nur in Miniaturausgabe die Oberkleider ihrer Zeit, sie sind überdies mit der dazu notwendigen Unterwäsche, mit Leinenhemd und mehrfachen, teilweise gesteppten Halbröcken ausgestattet. Übrigens wurden im späteren 18. Jahrhundert gesteppte seidene Halbröcke auch als häusliche Oberkleidung getragen.

Der Herr war im 18. Jahrhundert mit langem Rock, Weste und Kniehosen bekleidet (Abb. 13). Bei einem solchen prächtigen Ensemble bestehen Rock und Hosen aus dunkelviolettem, feingemustertem Seidensamt; die vorderen Kanten, der hohe Kragen und die Manschetten des Rockes sind zusätzlich mit einem zierlichen Blütenmuster aus bunten Seidenfäden bestickt. Die Zeit um 1780 charakterisieren der am Hals anstehende Kragen sowie die vorn bereits oberhalb der Taille weit auseinanderstrebende Schnittform, die im Rücken schließlich nur zwei lange »Frack«-Schöße übrigläßt. Darunter wird die hüftlange, bis zur Taille geknöpfte, dann leicht auseinandergespreizte Weste aus weißem Atlas sichtbar, die mit entsprechender Blumenstickerei ausgestattet ist. Schließlich gehören das Spitzenjabot und die langen, über die Handgelenke reichenden Spitzenmanschetten des weißen Leinenhemdes dazu.

Aus der gleichen Zeit, genau aus dem Jahr 1776, stammt das Gruppenbild der großen Familie Remy in Bendorf bei Koblenz von Janua-

13. Rock und Hose eines Herrn mit zugehöriger Weste, um 1780

14. Johann Friedrich August Tischbein: Cornelia Adrienne Gräfin Bose mit ihrer Tochter, 1798.

rius Zick (Abb. S. 559). Sämtliche Herren haben das Haar, das Familienoberhaupt vorn links vermutlich als Perücke, aus der Stirn gekämmt, weiß gepudert und entweder in einen unteren Kranz von Lokken gelegt oder nach einigen seitlichen Lockenrollen hinten mit einer schwarzen Schleife gebunden. Auf dem hochgetürmten Haar der Damen sitzen zierliche Spitzenhäubchen, nur die Musikantin oben rechts trägt einen hohen dunkelbraunen Hut. Beim Vater läßt sich genau erkennen, daß nicht nur der Rock mit großen seitlichen Taschen mit aufgesetzten Klappen sowie mit vergoldeten Knöpfen versehen ist, sondern ebenso die Weste. Die Hosenbeine sind außen geknöpft und unter den Knien durch ein Strumpfband mit Schnalle befestigt. Die jüngeren Herren tragen Röcke in verschiedenen kräftigen Farben mit goldenen Besätzen. Bei mehreren Damen sind die Kanten von Jacke und Rock der zweiteiligen Kleider mit Falbeln, teilweise in einer anderen Farbe, besetzt. Bei allem hübschen Aufputz der jüngeren Frauen wirkt die Kleidung der hier zu nachmittäglichem Kaffee, zu Billardspiel und Musik versammelten zwei Generationen einer Fabrikantenfamilie durchaus nicht prunkvoll, vielmehr schlicht gefällig und bürgerlich bieder. Bei den Remys sind Geschmack und Mode am Vorabend der Französischen Revolution in das Milieu einer deutschen, behaglich situierten Familie übertragen.

Zweiundzwanzig Jahre später, 1798, malte Johann Friedrich August Tischbein die Gräfin Cornelia Adrienne Bose mit ihrer kleinen Tochter (Abb. 14). Gegenüber Januarius Zick war dieser Maler einerseits an höfischer Eleganz geschult, andererseits beeinflußt von englischer Malerei, die seit der Jahrhundertmitte Lebensnähe und lebendige Präsenz im Bildnis wiederzugeben bestrebt war. Das hochtaillierte, dann weit fallende Kleid der Gräfin wirkt allein durch das schillernde Material der Seide; der anmutigen Akzentuierung dient der wehende, lange, lavendelfarbene Schal mit feinen schwarz-gelben Randstreifen und grüngrundigen Rankenstabborten an den Enden. Keine stilisierte Frisur hält die Haare mehr in Bann: Leicht gekräuselt rahmen sie das Gesicht wie eine kleine Gloriole. Das weiße Kinderkleid hat den Schnitt des Gewandes der Mutter übernommen. Die Herrschaft der aufwendigen, gewissermaßen extrovertierten, schließlich mit Zutaten beladenen barocken Mode ist gegen Ende des 18. Jahrhunderts von einer mit zunächst schlichter Natürlichkeit abgelöst worden, die aber bald wieder neuerlichen Raffinessen und Zieraten weichen wird.

Klaus Pechstein

VON TRINKGERÄTEN und TRINKSITTEN

Von der Kindstaufe zum Kaufvertrag: Pokale als Protokolle des Ereignisses

Notiz für den Leser

Nicht nur die großen Meisterwerke der Kultur wie Dome, Gemälde und Plastiken zeugen vom Kunstsinn, von der Geisteshaltung und vom Lebensgefühl einer Epoche, sondern gerade auch die kleinen Stücke handwerklichen Fleißes. Hier nehmen nun Trinkgefäße und Pokale einen besonderen Rang ein; einmal, weil sie als täglicher Gebrauchsgegenstand in keinem Haus fehlten, andererseits, weil die handwerkliche Verarbeitung und das Material, aus dem sie geschaffen wurden, sehr viel über den sozialen Rang seines Besitzers aussagen.

Das Nationalmuseum in Nürnberg vereinigt in seiner Sammlung Stücke, die so nicht unbedingt einen repräsentativen Querschnitt wiedergeben, aber das Leben auf den oberen Stufen der Ständepyramide doch umfassend widerspiegeln. Da sind die Gastgeschenke des Rates für Kaiser, Könige, Fürsten, Bischöfe und andere hochgestellte Persönlichkeiten. Wahrhaft »fürstliche« Geschenke mußte die Bürgerschaft aufbringen, um ihre Unabhängigkeit als reichsunmittelbare Stadt zu bewahren und zu behaupten. Da waren aber auch die Auftragsarbeiten der herrschenden Ratsfamilien: das »Schlüsselfelder Schiff«, ein Tafelaufsatz für die gleichnamige Patrizierfamilie, zeugt für den Reichtum dieser neuen Klasse.

Kleinere, aber handwerklich nicht minder wertvolle Pokale, Humpen und Becher waren beliebtes Geschenkobjekt. Anlässe gab es reichlich, von der Kindstaufe über den Abschluß von Kaufverträgen, von Hochzeiten über die Einweihung neuer Häuser bis hin zu Amtsjubiläen und städtischen Festen. Und so entsteht das Bild einer Bevölkerungsschicht, die durch Handel und Gewerbe wohlhabend wurde, diesen Wohlstand aber durchaus auch zu genießen verstand. Ja, wackere und ehrenfeste Männer rühmten sich, daß »sie so gut wie nie ohne einen braven Rausch zu Bett gestiegen seien«.

Die neue Lebensfreude prägte auch die Gefäße selbst: Nichts gab es zwischen Himmel und Erde, nichts aus dem Reich der Phantasie, das nicht zugleich Motiv und Schmuck der Pokale wurde. Die strengen Kritiker der Zeit sahen darin allerdings nur Teufelswerke und Gotteslästerung.

Vielleicht war es ja nicht nur die Freude am Trunk aus einem schönen Gefäß, die diese kostbaren Kleinodien schuf, vielleicht war es auch der Wille, die Zeit, in der man lebte, zu verdrängen? Ist es nur Zufall, daß die meisten und schönsten Pokale uns aus den Zeiten der Religionskrisen, der inneren Zerrissenheit Deutschlands und den Schrecknissen des Dreißigjährigen Krieges überliefert wurden?

W. D.

Nationaltugend oder Nationallaster?

Seit den Tagen des Tacitus (um 55–120) hat es nicht an Stimmen gefehlt, die den germanischen Stämmen und später auch unseren Vorvätern, den alten Deutschen, eine übermäßig große Vorliebe für den Trunk bescheinigt haben. Tatsächlich nahm in Deutschland besonders seit dem 16./17. Jahrhundert das Trinken einen so breiten Raum im gesellschaftlichen Leben der verschiedenen Stände ein, daß sich bereits frühzeitig Stimmen regten, die gegen das starke Trinken angingen. »Man war sich in Deutschland selbst und in allen Nachbarländern darüber einig, daß der Trunk eine nationale Eigentümlichkeit aller Deutschen sei; wackere und ehrenfeste Männer rühmen sich, daß sie so gut wie nie ohne einen braven Rausch zu Bett gestiegen seien« (J. Lessing).

Das Trinken war zu einer Art ritterlichen Kampfsports geworden. Besonders die Unsitte des Zutrinkens, die erforderte, mit einem kräftigen Schluck und einem meist trivialen Trinkspruch Bescheid zu geben, hat manchen Zecher frühzeitig hinweggerafft. Nachdenkliche Sprüche auf manchem Trinkgerät melden, daß der Wein mehr als der echte Kampf Ritter und andere Leute besiege. Die Anzahl und vor allem die Größe – Gefäße von mehr als drei Litern Inhalt sind nicht selten – der überlieferten Trinkgeräte sprechen für sich.

1. Vier Pokale, 16. Jahrhundert

Die teuren Gastgeschenke

Eine einzigartige kulturgeschichtliche Quelle für diese Sitten bieten die Schenkbücher des Nürnberger Rates, die weit bis ins Mittelalter zurückreichen. Bis heute wohlverwahrt, aber unpubliziert im Nürnberger Staatsarchiv, verzeichnen sie die Geschenke des Rates an Kaiser, Könige, Fürsten, Bischöfe und andere hochgestellte Persönlichkeiten. Sie führen ganze Wagenladungen köstlicher Rhein- und Südweine und Kannen Bieres auf, die bei feierlichen Anlässen verehrt wurden. Was bei Reichstagen und anderen Gelegenheiten verzehrt und getrunken wurde, erscheint uns heute fast unglaublich. In denselben Schenkbüchern werden kostbare goldene und silbervergoldete Trinkgeschirre der besten Goldschmiede der Stadt verzeichnet, die hohe Summen verschlangen. So heißt es beispielsweise zum Jahre 1532, »als ihr Majestät [Kaiser Karl V.] auf dem Reichstag zu Regensburg war, verehrt ein hübsche Scheuern, mit einer Deck und ausgetrieben Churfürsten Bildungen wiegt 15 Mark zu 20 Gulden und 6 Gulden mit Futter und Sack facit 306 Gulden«. Viel mehr kostete das Geschenk, als Kaiser Karl V. 1541 »zum ersten Mal hierher kam«, da kostete das »vergultt Trinkgeschirr, mit einer Deck, darauf die 7 Planeten, mit ihren Effekten, künstlich geschmelzt und ausgetrieben«, samt rotem Ledersack 492 Gulden, dazu »mehr 2000 Gulden neu Nürnberg baar darin«.

Eines der Nürnberger Schenkbücher, das noch im 15. Jahrhundert angelegt worden ist, zeigt außen auf dem Ledereinband aufgemalt eine goldene Doppelscheuer, die im Text immer als »zween vergolte Kopf obeinander« oder »zween vergolte Scheuern obeinander« aufgeführt wird. Dies war das Gefäß, die Doppelscheuer, das dem Kaiser wie dem jungen König und anderen hohen Gästen bei ihrem ersten Besuch in der Stadt als Ehrengeschenk überreicht wurde.

Die Grundform dieses Pokales, der aus zwei fast gleichen Hälften besteht, ist ein gebuckeltes Gefäß in Gestalt einer Akeleiblume (Abb. 1). Diese ist in der mittelalterlichen Kunst oft als Symbol Christi anzutreffen. Daß eine solche Gefäßform, die an die Passion Christi erinnern soll, als Ehrengeschenk gewählt wurde, hängt eng zusammen mit dem geistlichen Charakter des Empfangszeremoniells, das eine lange Tradition besaß und bis zur Einführung der Reformation auf den Kaiser als Vertreter Christi angewendet wurde.

Seit der Goldenen Bulle, Kaiser Karls IV. Reichsgrundgesetz von 1356, hatte jeder deutsche König und Kaiser seinen ersten Reichstag in Nürnberg abzuhalten. Das bildete den Anlaß, daß dem Kaiser und anderen Würdenträgern über Jahrhunderte bei dieser Gelegenheit Doppelscheuern von der beschriebenen Gestalt überreicht wurden. Zwei solcher Gefäße, von 1500 und 1630, besitzt das Museum.

Dieser Sachverhalt vermag wohl zu erklären, daß eines der drei Meisterstücke der Goldschmiede, die der junge Gernmeister oder Muthgeselle nach Vorbild anzufertigen hatte, ein Pokal von Gestalt einer »Akeleyblum« war. Einerseits erhielt so der Rat für Geschenkzwecke ständig derartige Doppelpokale für seinen Silberschatz, andererseits konnten auf diese Weise auch die Tradition und die Form des gebuckelten Doppelpokales weitergereicht werden. So läßt sich diese Pokalform über einen langen Zeitraum verfolgen, wobei das frühe Auftauchen der Form in Nürnberg dafür sprechen dürfte, daß sie hier auch ihre Wurzel hat. Zwar ist der gebuckelte Pokal und der Doppelpokal auch in anderen deutschen Städten anzutreffen, etwa in Lübeck, Breslau, Leipzig, auch als Meisterstück, doch hängt das wohl vor allem damit zusammen, daß die Ehrengeschenke weit verbreitet wurden, indem ihre Eigentümer sie bei passender Gelegenheit veräußerten, sowie auch mit dem Wandern der Gesellen, die den Gefäßtypus auch außerhalb von Nürnberg ansiedelten.

Indem man, wie schon erwähnt, für Kaiser Karl V. 1541 in Nürnberg abweichend ein Trinkgefäß mit den Planetengöttern anfertigen ließ, gab man die Tradition des Doppelpokales zwar vorübergehend auf. Aber im Jahre 1573 wurden die Musterpokale für das Meisterstück mit der gotischen Grundform, nur »modernisiert« mit reichem Renaissancedekor, wieder erneuert. Davon haben sich mehrere Beispiele erhalten, zwei davon im Nationalmuseum. Bis ins 18. Jahrhundert hinein hielt man an der Grundform des Akeleipokales fest. Indessen wurde die Doppelscheuer im 16. Jahrhundert als Hochzeitsgeschenk beim Nürnberger Patriziat beliebt, wie einige Exemplare mit Wappen, Inschriften und Jahreszahlen belegen. Auch Wenzel Jamnitzer, der bedeutendste deutsche Goldschmied des 16. Jahrhunderts, fertigte einen in Nürnberg in Familienbesitz verbliebenen gebuckelten Doppelpokal für die Patrizier Tucher an. Zu Unrecht hat man lange gemeint, die erhaltenen Pokale von gotischer Form gehörten der Neogotik, also der Zeit um 1600, an – vielmehr läßt sich der Typus als durchgehende Tradition für das ganze 16. Jahrhundert Jahrfünft um Jahrfünft belegen.

Es lohnt, in dieser Betrachtung bei den Nürnberger Goldschmieden zu verweilen. Sie waren nicht nur die stärkste »Goldschmiedezunft« in Deutschland während des ganzen 16. Jahrhunderts, sondern auch die erfinderischsten und meistbeschäftigten Meister überhaupt. Und es waren nicht nur die zahlreichen Aufträge, die sie von auswärts erhielten, die ihnen zu einem so großen Ansehen verhalfen. Die Formen der Trinkgefäße in der Reichsstadt selbst verraten viel von einer allgemein kultivierten Lebensart und von einem hohen

2. Schlüsselfelder Schiff

3. Apfelpokal, Holzschuherpokal und Pfinzingschale

Kunstsinn des Patriziats, aus dessen Besitz die besten in Nürnberg verbliebenen Stücke stammen.

Die patrizische Stadtkultur ist neben der streng eingehaltenen Handwerksordnung wohl eine der wichtigsten Voraussetzungen für das Gedeihen dieses wichtigen Gewerkes. Einmal bestimmten Vertreter des in Nürnberg an zwei Dutzend Familien gebundenen Patriziats im Rat die Ehrengeschenke, die aus dem städtischen Ratssilberschatz genommen wurden, vor allem bestellten sie selbst für besondere Gelegenheiten kostbare denkwürdige und kunstvoll gestaltete Goldschmiedearbeiten bei den führenden Meistern. Fast ausnahmslos handelt es sich um silberne, seltener goldene Trinkgefäße.

Ein Silberschiff als Trinkpokal

Ein Hauptstück, entstanden an der Wende eines Zeitalters, gegen 1503, ist das berühmte *Schlüsselfelder Schiff*, als dessen Meister der Goldschmied Albrecht Dürer d. Ä., der Vater des bekannten Künstlers, angenommen werden darf (Abb. 2). Die Gesamthöhe des aus Silber getriebenen, zum Teil vergoldeten Kunstwerkes beträgt 80 Zentimeter. Der Tafelaufsatz zeigt, getragen von einem fischschwänzigen Meerwesen, ein zeitgenössisches Kauffahrteischiff, das in vielen Detailformen von der Besatzung bis zur Takelage eine getreue Nachbildung eines wirklichen Schiffes ist. Die zugrunde liegende Idee – das Schiff, dem als Behältnis die irdischen, vergänglichen Güter anvertraut sind – leitet sich als Typus von den mittelalterlichen Devotionalien ab. So wie das Werk vor uns steht, ist es den Nürnberger Fernhandelsleuten Sinnbild für die Wechselfälle des Lebens ebenso wie für die ständigen Gefährdungen der irdischen Güter, insbesondere zur See, die ebenso leicht zerrinnen konnten wie die Flüssigkeit, die man in das Gefäß einfüllte. Seine wirkliche Bestimmung, von der aber nicht so häufiger Gebrauch gemacht wurde, ist die eines Trinkgefäßes.

Dieser Umstand wird durch eine in Berlin erhaltene Nachzeichnung dieses Kunstwerkes aus dem ausgehenden 16. Jahrhundert deutlich, auf der vermerkt ist: »Das silbern verguldt schiff wigt 26 Marck, wann man das Obertheil herabhebt, so ist das Underthail ein Trinckgeschirr, darein gehet zwo mass geträncks.« Daß ein solches Trinkgerät wie das Schlüsselfelder Schiff häusliches Schaubild irdischen Glückes (und selbst Vermögensanlage) ebenso sein kann wie Votivbild in einer Kirche, beweist das etwas kleinere, weniger subtil ausgeführte, aber sonst weitgehend übereinstimmende Nürnberger Gegenstück im Kirchenschatz von San Antonio in Padua. Behutsam ging man bereits in alter Zeit mit den kostbaren silbernen und goldenen Gefäßen um und hüllte sie in sorgsam angepaßte Futterale. So ist das Lederfutteral für das Schiff der Familie Schlüsselfelder ein Kunstwerk eigener Art, das zudem die Jahreszahl 1503 zeigt und damit einen unmittelbaren Hinweis auf die Entstehungszeit dieser bedeutenden Goldschmiedearbeit gibt.

Es ist wohl kein Zufall, daß gerade in Nürnberg die Veredelung der Form des Trinkgefäßes, sein strenger Aufbau wie seine vielfältige künstlerische Ausprägung im 16. Jahrhundert stärker als an anderen Plätzen in dieser Zeit stattfanden. Viele Gefäßtypen waren schon im Mittelalter vorhanden, die wir heute nur noch in Renaissanceausformungen kennen. Durch das Wirken Albrecht Dürers, der ja in einer Goldschmiedewerkstatt aufgewachsen war und als Goldschmiedelehrling gelernt hatte, dürfte aber einerseits durch dessen Entwürfe für Goldschmiede ein wichtiger Schritt von den spätgotischen Gefäßtypen zum Renaissancetypus Nürnberger Prägung getan worden sein, andererseits setzt mit den Entwürfen Dürers eine lange theoretische Diskussion über Formen von Gefäßen und Geräten im Kunsthandwerk in Gestalt von Ornamentstichen ein. Leider sind von Dürers Entwürfen für Goldschmiede allzu wenige erhalten; die wenigen aber lassen seine nachhaltige Einwirkung erkennen. Fast das ganze 16. Jahrhundert steht in der Dürernachfolge gerade bei den Vorlageblättern, die überall im Reiche verbreitet, nachgestochen und verwendet wurden. Einen speziellen Nachklang von Dürers naturalistischen Bemühungen um die Gestaltung der Goldschmiedegefäße spürt man im *Apfelpokal* des Nationalmuseums, der möglicherweise noch zu Dürers Lebzeiten entstanden ist (Abb. 3). Für das Weiterwirken dieser Gattung – der Pokal in Form einer Frucht setzte sich wohl von Nürnberg aus auch in anderen Städten durch – zeugt der birnenförmige, nun schon mit Renaissancezierat ganz überhäufte Pokal mit dem patrizischen Imhoffwappen.

Diese naturalistische Komponente in der Goldschmiedekunst ist aber nur eine Seite. Gefäße von klassisch strengem Aufbau mit stabilerer tektonischer Form, von antikischem Geist, wie man ihn verstand, erfüllt, sind für Nürnberg – wie für Dürers Wirken – charakteristischer. Zu ihnen darf man, gewissermaßen als Vorstufe, den Akeleipokal und seinen Abkömmling, den gebuckelten Doppelpokal, zählen.

Ganz vom Renaissancegeist erfüllt, vermag ein goldenes Gefäß wie der *Pfinzingpokal* des Nationalmuseums mit seiner klaren, überschaubaren Gestalt von ausgewogenem Umriß, seinem Reichtum edler Ziertechniken und einer Reihe von ideellen Bezügen stärker als andere Werke eine zutreffende Vorstellung von den künstlerischen Bestrebungen der deutschen Renaissance zu geben. Entstanden als Ge-

4. Jamnitzerschale, Tetzelpokal, Hahnenpokal, Nautiluspokal

dächtnispokal für Melchior Pfinzing (1481–1535), der aus alter Patrizierfamilie stammte, Propst an St. Sebald in Nürnberg und in Mainz war und Geheimsekretär Kaiser Maximilians I. wurde, enthält er dessen und seiner drei Brüder wohlgeformte Medaillenbildnisse (Abb. 3). Eine in bunten Farben geschmelzte Inschrift – natürlich nach Humanistenart in Latein – weist auf den rechten Genuß des Weines hin und warnt nachdrücklich vor übermäßigem Trinken. Das mit einer flachen Trinkschale nach Art einer italienischen Tazza versehene Gefäß unterstreicht auch in der Beschränkung des Formates diese Worte.

Dieser humanistisch-klassischen Richtung der Nürnberger Kunst, die dieser zwischen 1534 und 1536 entstandene Pokal mit seinen harmonisch ausgewogenen Proportionen vertritt, steht eine völlig entgegengesetzte gegenüber, die scheinbar keine Regeln kennt und dem Goldschmied bildnerisch-plastische Fähigkeiten abverlangt. Dieser Typus wird im Museum durch das Beispiel des *Holzschuherpokales* vertreten. Das am Fuß angebrachte Wappen der patrizischen Nürnberger Familie Holzschuher gab diesem wie einem weiteren Pokal des Germanischen Museums von Hans Lencker, dem bedeutenden Nürnberger Goldschmied, seinen Namen. Wohl ist der ausführende Goldschmied Melchior Baier d. Ä. derselbe wie bei der Pfinzingschale, aber das Modell stammt hier von dem Bildschnitzer Peter Flötner (um 1485 bis 1546), dessen ausschweifender Phantasie das wilde Treiben auf den Szenen der Kokosnußreliefs wie der Figürchen auf dem Fuße des Pokales entsprungen ist. Bacchantisches Treiben ausgelassenster Lebensfreude vermittelt geradezu ein Gegenbild zu dem Anliegen der Pfinzingschale.

Der Dualismus der Richtungen, von dem man hier sprechen darf, läßt sich freilich keineswegs immer so deutlich aufzeigen wie bei diesen beiden Werken, die noch in der ersten Hälfte des 16. Jahrhunderts entstanden sind. Solche herausragenden Pokale hat es freilich auch in der folgenden Zeit in Nürnberg immer wieder gegeben, und charakteristisch ist, daß sie als Vorbilder für andere Meister und bescheidenere Arbeiten mustergültig wurden. Davon zeugt die große Fülle von Bechern, Humpen und Pokalen in allen Varianten, wie wir sie heute noch in zahlreichen Beispielen des 16. Jahrhunderts in vielen Sammlungen antreffen.

Fünfundzwanzig Becher ineinander

Allein am Beispiel des Bechers ließe sich schon aufzeigen, wie viele Möglichkeiten der künstlerischen Gestaltung und Verzierung diese Gefäßform erlaubt: Man denke allein an die verschiedenen Spielarten des Häufebechers, der sich turmartig aufbauen läßt oder der – wie es zumindest Entwurfzeichnungen demonstrieren – so eingerichtet ist, daß ein großer Becher mit Deckel fünfundzwanzig kleinere, jeweils eingepaßte Gefäße in sich aufnimmt: Dazu kommen die verschiedenen Goldschmiedeziertechniken: Treib-, Gravier- und Ätztechnik, die entweder allein oder kombiniert verwendet werden und so eine große Variationsbreite wie vielfältige künstlerische Gestaltungsmöglichkeiten erlauben.

Für so spezielle Aufträge wie den ausgefallenen Bechersatz mit fünfundzwanzig ineinander einfügbaren Bechern, der bei einem Nürnberger Goldschmied von einem Braunschweiger Herzog bestellt worden war, waren die Nürnberger Meister wie kaum andere bestens vorbereitet, und sie haben, wovon noch heute die aus den fürstlichen Kunstkammern hervorgegangenen Museen Zeugnis geben, den Kaiser, Bischöfe und die meisten Fürstenhöfe wie beispielsweise den kursächsischen beliefert. Im Grünen Gewölbe in Dresden wie in den Silberkammern in Kassel, München oder Stuttgart, aber auch im Ausland wie etwa in der Rüstkammer des Moskauer Kreml finden wir silberne Nürnberger Trinkgefäße des 16. Jahrhunderts: Becher in jeder Gestalt, Scherzgefäße und Pokale – oft riesigen Ausmaßes – an exponierter Stelle.

Für die Geschichte der Nürnberger Goldschmiedekunst der Blütezeit von etwa 1530 bis 1630 fehlt bisher noch eine befriedigende Übersicht. Die Ursachen dafür sind wohl in erster Linie die Überfülle und die Verbreitung des reichhaltigen Materials auf viele öffentliche und private Sammlungen. Allein die Zahl der von den besten Meistern hergestellten Trinkgefäße für das Nürnberger Patriziat bietet schon in der kleinen Auswahl, wie sie das Nationalmuseum zeigt, eine bemerkenswerte Übersicht über die Fülle der künstlerischen Möglichkeiten.

Eine überaus beliebte Form der Scherzgefäße des 16. und 17. Jahrhunderts bilden die Sturzbecher – Gefäße, die man in einem Zuge auszutrinken hatte, um sie dann mit der Öffnung nach unten auf den Tisch stellen zu können (Abb. 4). Die beiden Becher mit dem Wappen der Nürnberger Patrizier Tetzel sind sehr originell gebildet, die ausgefallene Bekrönung, zwei Katzen, verdanken sie dem Wappen der Besitzer. Das Wappentier ist lebendig aufgefaßt und scheint jeden, der diese Becher anfaßt, anzufauchen. Im Gegensatz dazu sind der ornamentale Dekor und die eingeätzte Inschrift nur zu verstehen, wenn man die Becher zum Einschenken oder Trinken umdreht. Diese beiden Sturzbecher stammen von Hans Petzolt (1551–1633), einem der führenden Meister seiner Zeit. Von ihm stammt auch das Trinkgefäß in Gestalt eines Hahnes. Das Tier – zum Trinken wird sein Kopf

5. Vier Pokale, Silber vergoldet

6. Überreichung des Willkomms, Miniatur aus dem Willkommbuch von Kirchensittenbach, 1593

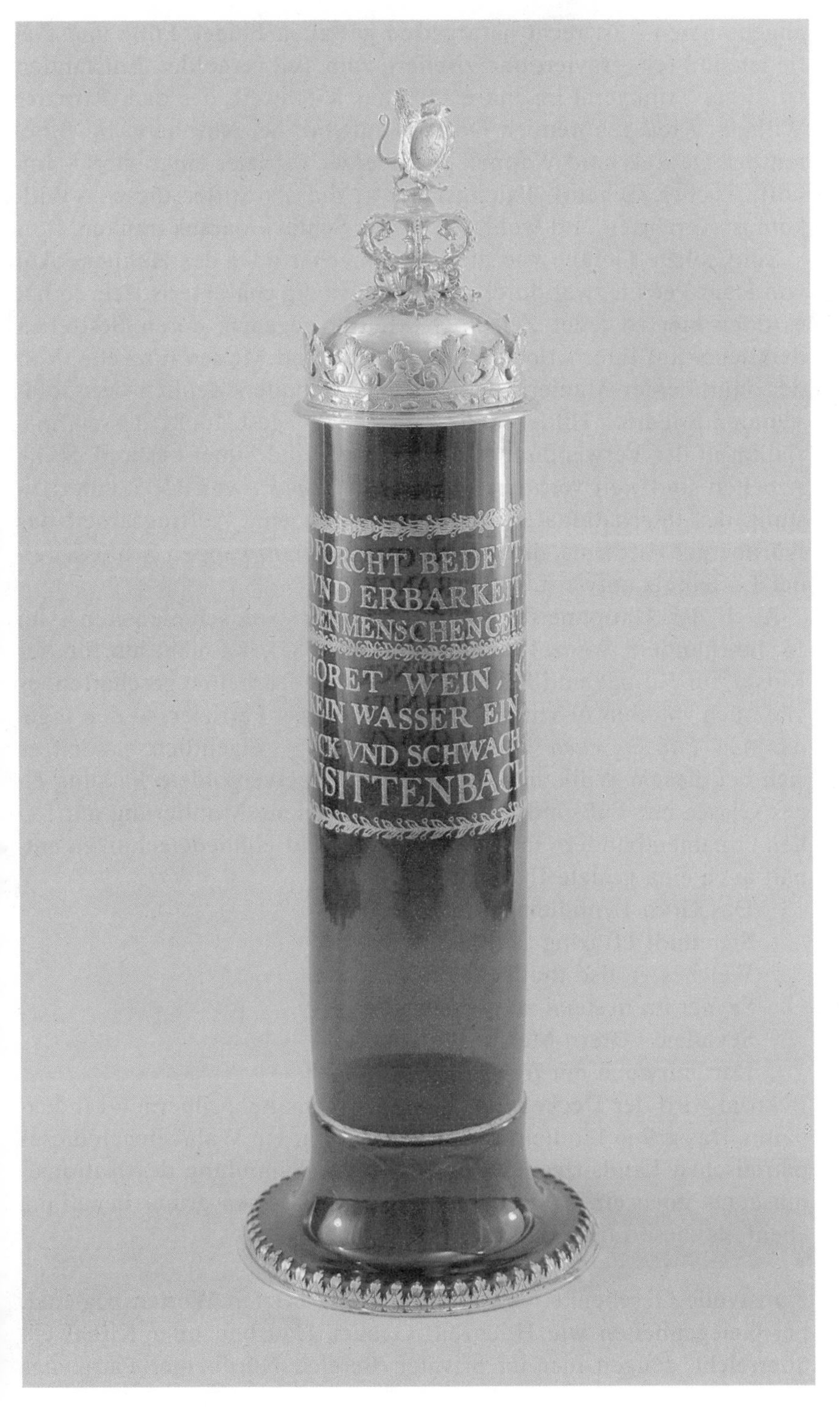

7. Willkomm von Kirchensittenbach

abgenommen – ist recht naturgetreu gestaltet. Flügel, Füße und Gefieder sind fein graviert und ziseliert, zum Teil vergoldet. Entstanden ist dieses Trinkgerät im Jahre 1599 zur Kirchweih des dem Patrizier Wilhelm Kreß gehörenden Dorfes Kraftshof bei Nürnberg. Im Inneren des Deckels sind Wappen Nürnberger Patrizier eingraviert – Imhoff, Tucher, Scheurl, Paumgärtner –, die als Stifter diesen »Willkomm« verehrten und wohl den ersten Schluck daraus tranken.

Sind solche Gefäße wie die Katzenbecher oder der Hahnenpokal von Hans Petzolt zwar durchaus für Nürnberg charakteristisch, so hat es doch hier zu jeder Zeit auch Meister gegeben, deren Bestreben deutlicher auf internationale Strömungen und Moden hinzielte. Von den Nürnberger Manieristen zeigt dies besonders deulich der Goldschmied Friedrich Hildebrand (Meister 1580, gest. 1608), dessen Spezialität in der Verwendung von Perlmutter und Silber bestand. Seine Arbeiten sind weit verbreitet. Sein *Nautiluspokal* von 1595, eine Leistung des internationalen Manierismus, ist eine Auftragsarbeit des Nürnberger Patriziats, die im Innern das Allianzwappen Schlüsselfelder-Löffelholz aufweist.

Auch der Hauptmeister der Nürnberger Goldschmiedekunst im 16. Jahrhundert, Wenzel Jamnitzer (1508–1585), hat nicht nur für vier Kaiser, für Könige und Fürsten Goldschmiedearbeiten geschaffen, es gibt auch von ihm Arbeiten für die Nürnberger Patrizier, so den sogenannten *Pfinzingschen Walzenpokal* (Abb. 5). Eigentlich handelt es sich bei diesem Willkomm nur um eine silbervergoldete Fassung eines Glases mit Fuß und Deckel. Die vornehme Montierung mit feinen Ornamentbändern in verschiedenen Goldschmiedetechniken enthält auch eine geätzte Inschrift:

Das Grün Lynndlein zu Henffendfeld
Sigmundt Pfinzing es also gefellt.
Welches er also thut schennckhen
Seyner im bestenn zu gedennckhen
Seynnem vettern Martin Pfintzing,
Darumb auch mit frewden aussdrinckh.

Bekrönt wird der Deckel von einem grüngemalten, silbernen Lindenbaum. Das grüne Lindlein zu Henfenfeld war ein Wahrzeichen dieses patrizischen Landsitzes, und es gibt in der Sammlung des Nationalmuseums noch einen kugeligen Glaspokal, dessen grüne Bemalung ebenfalls diese Linde darstellen soll.

Der »Willkomm«: Gruß, Pokal und Buch

Kunstvolle Geschenke, von artigen, wohlgesetzten Worten begleitet, bei Gelegenheiten wie Hochzeit, Geburt, Hausbau oder Kirchweih überreicht, zeugen hier im privaten Bereich Nürnberger Patriziates von ausgeprägter städtischer Lebenskultur, dem ausschweifender Lebenswandel fremd war.

Daß die Nürnberger Patrizier dem Zutrinken mit einem Willkomm bei festlichem Anlaß keineswegs abhold waren, zeigt der gläserne *Willkomm* des Jobst Friedrich Tetzel von Kirchensittenbach. Ursprünglich ein gläserner Pokal, erhielt das Gefäß – nachdem sein Deckel zersprungen war – einen von einem Goldschmied nachgearbeiteten zweiten Deckel. Zu diesem Pokal gehört ein Willkommbuch in einem Ledereinband von 1593. Sehr ausführlich wird hier geschildert, wie ein solcher Willkomm inauguriert und benutzt worden ist:

Nachdem der Ehrnuest und Weiß
Herr Jobst Friderich Tetzel mit fleis
Allhie zu Kirchensittenbach
Bey gsunden Leib fein Allgemach
Dies Haus wieshie vor Augen stat
Von neuem Aufgebauet hat ...
Haben sein Errnuest ohn schaden
Von Nürnberg heraus geladen
Ettliche gutte Herrn unnd Freund
Die Allwillig erschienen seind
Haben mit Ihn pracht ein grüen glaß
wie hiersteht abgemahlet das
Unnd solches gemelltem Herrn frum
Verehrt zu einem Willkum.

Wir hören weiter, daß jeder, der heraus nach Kirchensittenbach »zu gutter Freundschafft« kommt, den Pokal ausleeren soll. Dazu hat der Stadtbaumeister Wolf Jacob Stromer ein Buch verehrt, in das alle Herren, die bei Herrn Tetzel gewesen sind und den Pokal ausgetrunken haben, ihren Namen schreiben sollen. Die Fülle der Eintragungen mit illustren Namen Nürnberger Geschlechter verzeichnet auch manchen munteren Trinkspruch: »Dieweil der Wein das Hertz erfreuwt / That Ich den Wilkhumb zweie bescheidt. Jacob Pömer.« Und ähnlich: »Paulus Scheurl trankh den Wilkom aus / hatt die Nachtt darvon einen guetten Rausch.« (Abb. 6 und 7)

Die hübsche Miniatur, die sich im Willkommbuch befindet, zeigt die Herren und eine Dame bei der Übergabe des grünen Glaspokals am 20. September 1596. Es ist dies ein seltener und bemerkenswerter Einblick, der uns hier gewährt wird: Wie die Gesellschaft bei Tafel versammelt ist bei Früchten und Wein, im Vordergrund steht ein großes kupfernes Kühlbecken für die Weinflaschen. Jeder hat vor sich einen silbernen Becher stehen, jeder einen von anderer Gestalt. Daß nun hier ein gläserner Pokal, kein silberner überreicht wird, ist wohl ein Zufall. In der Widmungsinschrift des Willkommbuches heißt es dazu fast entschuldigend, man habe einen gläsernen Pokal gewählt, weil: »der Herr an Silbergeschmeid / mehr Überfluß als Mangel leid.«

Trinkgeschirr – vom Teufel erdacht

Auch dieses ist nicht nur für Nürnberg allein charakteristisch: Die Fülle der verschiedenen Trinkgefäßtypen und -formen, die man nebeneinander gebrauchte. Während man im 16. Jahrhundert in Italien, zumindest an den Fürstenhöfen, bereits daranging, alle Einzelformen der Tafeldekoration, Speiseservice, Trinkgefäße und Eßbestecke vereinheitlicht auszubilden, hat man in Deutschland und in den anderen nördlichen Ländern immer noch vor allem dem Trinkgefäß und seiner möglichst kuriosen, seltsamen oder scherzhaften Ausgestaltung den Vorzug gegeben. Die Entwicklung einer umfassenden und vereinheitlichten »Tafelzier« in Deutschland hat dagegen kaum vor dem Ende des 17. Jahrhunderts stattgefunden.

Natürlich hat es schon im 16. Jahrhundert nicht an Stimmen gegen solchen »Mißbrauch« gefehlt, die sich keineswegs allein gegen das übermäßige Trinken, besonders das Zutrinken, wandten, sondern auch die Trinkgefäße selbst nicht schonten:

> »Heutigen Tages trinken die Weltkinder und Trinkhelden aus Schiffen, Windmühlen, Laternen, Sackpfeifen, Schreibzeugen,

8. Drei Gläser, Emailmalerei

9. Zwei geschnittene Gläser

> Büchsen, Stiefeln, Krummhörnern, Weintrauben, Gockelhähnen, Affen, Pfauen, Mönchen, Pfaffen, Nonnen, Bären, Löwen, Bauern, Hirschen, Schweinen, Käuzen, Schwänen, Straußen, Elendfüßen und anderen ungewöhnlichen Trinkgeschirren, die der Teufel erdacht hat mit großem Mißfallen Gottes im Himmel.«

Daß dies keine vereinzelte Stimme gewesen ist, beweist eine ähnliche Klage (Matenesius, de ritu bibendi, 1611):

> »Es gibt kein Tier, kein Fluß- oder Seetier von noch so monströser Gestalt, daß man nicht ihre Formen als Lockmittel zum Trinken benutzt (Abb. 4). So zeigen Gefäße die Fratzen von Narren, andere die Köpfe von Füchsen und Bären, noch andere die Form von Drachen, Meerbarben, Muränen; wieder andere stellen Tänzer, Affen und geschwänzte Meerkatzen vor. . . Bisweilen schifft, fliegt, schwimmt, fährt oder reitet Bacchus. Mitunter sind sie Automaten und spazieren von selbst auf den Tafeln, manche sind fußlos und werden ohne Absetzen ausgetruncken.«

All diese Gefäße zum Trinken aus den verschiedensten Materialien, in Silber, auch in Zinn und aus Glas, hat es gegeben und gibt es zum Teil heute noch. Es ist aber falsch, in ihnen wie die zeitgenössischen Stimmen »Teufelswerk« zu sehen, das nur der Verführung zum Trinken diente. Wie bei einzelnen Beispielen zu sehen war, entsprang manche Gefäßform vielmehr einer kunstsinnigen, fröhlichen Lebensart, die zu einem geformten Abbild führte. Daß man mit Witz und Kunstverstand Feste feierte, Denkwürdiges in einem Erinnerungsmal kunstvoll und von gediegener künstlerischer Arbeit festhielt, dafür gibt es vielmehr Hunderte von Beispielen in vielen deutschen Städten, man denke allein an die Pokale des Lüneburger Ratssilbers. Darin erscheinen ebenso viele Erinnerungsmale historischer Begebenheiten wie private Stiftungen.

Wenn ein Auftrag wie der eines Patengeschenkes an einen Meister wie den Nürnberger Goldschmied und Bildner Christoph Jamnitzer (1563–1618), Enkel des berühmten Wenzel Jamnitzer, gelangte, so konnte über dem Erinnerungsmal ein Kunstwerk höchsten Ranges, wenn auch in kleinem Format, entstehen (Abb. 4). Form und Fabel eines solchen Pokals mit der Geschichte des Milon von Kroton zeugen von hohem Sinn, Gestaltung und Ausführung – mit Verwendung verschiedener Goldschmiedetechniken nebeneinander –, zeigen den genialen Künstler, der als Goldschmied ebenso virtuos wie als Bildhauer zu Werke geht. Als Patengeschenk ist die Vorstellung des Milon, des mehrfachen antiken Olympiasiegers, gleichsam als Musterbeispiel der Beharrlichkeit gewählt: Er trug ein Kalb Tag für Tag auf dem Rücken, bis es zum Stier geworden war. Die prächtige Gestalt mit dem Stier auf dem Rücken bildet den Griff einer geschweiften Trinkschale, die ihrerseits die modernsten Ornamente und Zierformen zeigt. Eine geätzte, sehr ausführliche Inschrift auf der Fußplatte meldet:

> »Den 21. Juli 1616. Jahrs, ¼ vor 7, der kleinen Uhr vormittag, wurd dem Edlen Festen Fürsichtigen und Weisen Herrn Jacob Starcken von Reckenhoff des Älteren, geheimen Rats und Loßungsherrn, ein Sohn, Hans Jacob genannt, geboren, und von Herrn Ernst Haller von Hallerstein aus der christlichen Tauf erhoben. Der verehrt seinem lieben Paten zu christlichem Angedenken dies Trinkgeschirrlein mit Wünschung langen Lebens zeitlicher und ewiger Wohlfahrt Amen.«

Mit der Figur des beharrlichen Athleten und seiner Kraft ist zugleich auf den Namen des Täuflings aus dem Patriziergeschlecht der Starcks angespielt.

Ein solches Werk wie diese kleine Kredenzschale mit Milon von Kroton des Christoph Jamnitzer zeigt den Stand der Goldschmiedekunst in Deutschland und in Nürnberg – kurz vor Ausbruch des Dreißigjährigen Krieges – auf einer Höhe, die nicht so bald wieder erreicht werden sollte. Was an Trinkgerät in Nürnberg für patrizische Familien noch entstand, gab sich fortan bescheidener; wenn auch nicht ohne kunsthandwerklichen Ehrgeiz, davon zeugt eine Reihe von großen und kleineren silbervergoldeten Bechern in Herren- und Damenformaten, die Wappen, Jahreszahlen und nicht selten Inschriften tragen.

Meisterstücke in Glas und Email, Elfenbein und Steinzeug

Bisher wurden vorwiegend Trinkgeräte aus Silber vorgestellt, zudem vor allem aus einem gesellschaftlich tonangebenden Kreise, dem der Nürnberger Patrizier, aus dem Kunstwerke erhalten sind, die oft eine genaue historische und künstlerische Bestimmung erlauben. Demgegenüber steht eine unübersehbare Menge von Trinkgeräten aus anderen Werkstoffen, deren exakte Herkunftsbestimmung oft schwierig ist.

Große emaillierte Wappengläser des frühen 16. Jahrhunderts stammen aus Venedig oder sind nördlich der Alpen auf »Façon de Venise« zunächst von Arbeitern aus Murano, dann auch von heimischen Kräften hergestellt worden. Die führenden Vertreter der süddeutschen Reichsstädte, Augsburg, Ulm und Nürnberg, haben frühzeitig ihren Bedarf an Majolikageschirr und Venezianer Gläsern aufgrund ihrer Handelsbeziehungen seit dem Ende des 15. Jahrhunderts in Italien selbst gedeckt. Der Bestand an solchen Arbeiten des Kunsthandwerks ist gerade in den Sammlungen des Nationalmu-

10. Dresdner Jagdpokal, 18. Jahrhundert

11. Danziger Pokal

seums recht groß, und es ist in diesem Zusammenhang darauf hinzuweisen, daß durch die importierten italienischen Handelsgüter die heimische Produktion, zum Beispiel an Nürnberger Fayencen des 16. Jahrhunderts, angeregt und entwickelt wurde.

Sieht man einmal von der Herstellung der deutschen Formgläser ab, die vielgestaltig, weit verbreitet, aber bisher weitgehend unlokalisierbar im Museum reich vertreten sind, so soll noch eine große Gruppe von Emailgläsern (hohe Paßgläser und große zylindrische Stangen) wenigstens in ein paar Einzelbeispielen erwähnt werden, die vielleicht auf einen besonderen Zweck der Verwendung schließen läßt, der bisher nicht erwähnt wurde: In einer früheren Zeit, die Kaufverträge oft noch nicht schriftlich fixierte, wurden Käufe durch einen Trunk aus gemeinsamem Gefäß besiegelt, durch den Weinkauf oder Leikauf. Ebenso waren Schützenpreise oft Trinkgefäße oder Pokale, die – wie noch heute nach dem Schluß sportlicher Wettbewerbe – zu gemeinsamem Trunk verwendet werden.

Möglicherweise dienten so die sogenannten *Ochsenkopfgläser*, jene prächtigen Glashumpen böhmischer oder fränkischer Herkunft mit farbiger Bemalung, die einen Berg, eben den Ochsenkopf (Fichtelgebirge), mit den ihm entspringenden vier Flüssen abbilden, dem Kaufabschluß der großen Viehhändler (Abb. 8). Auffällig ist, daß viele Stücke eine Jahreszahl tragen, mitunter allerdings kommen auch andere Darstellungen, Namen, Wappen usw. hinzu.

Die beliebteste Gruppe großer Gläser mit Bemalung waren die *Reichsadlerhumpen* mit den Quaternionenwappen, den »Gliedern« des Reiches auf den Adlerflügeln; daneben waren die Humpen mit dem Kaiser und den sieben Kurfürsten sehr verbreitet; sie sind mit mehreren Beispielen in den Sammlungen des Museums vertreten.

Im Laufe des 17. Jahrhunderts ist der Emailhumpen in den verschiedenen deutschen Landschaften mit unterschiedlichen Themen und Darstellungen das stattlichste und am weitesten verbreitete Trinkgefäß, es erscheint als repräsentatives, unentbehrliches Utensil altdeutscher Mannbarkeit, das im 19. Jahrhundert bezeichnenderweise als Wahrzeichen alten Brauchtums oft gefälscht wird. Von diesen deutschen Emailgläsern des 16. bis 18. Jahrhunderts verfügt das Nationalmuseum über eine stattliche Auswahl, wiewohl Nürnberg selbst an dieser Erzeugung in früherer Zeit keinen Anteil hatte.

Zwei andere Formen der deutschen Glasveredelung nahmen aber von Nürnberg aus ihren Ausgang im 17. Jahrhundert. Es sind dies die Schwarzlotmalerei, die Johann Schaper auf die Hohlgläser übertrug, und der Glasschnitt, den Georg Schwanhardt d. Ä. in Nürnberg einführte (Abb. 9). Dünnwandige und zylindrische Gefäße auf drei

Knopffüßen, mitunter mit einem Deckel versehen, wurden von beiden Künstlern verziert.

J. Schaper (1621–1670) entwickelte eine sehr subtile Landschaftsdarstellung, indem er die Radiertechnik zusätzlich zur Schwarzlotmalerei anwendete. Er hat mit dieser Technik, die er zudem mit einer feinen Abstufung der Brauntöne gebraucht, nicht nur den von ihm dekorierten Stücken den Gattungsnamen *Schapergläser* gegeben. Diese neue Technik hat Schaper später auch auf Fayencekrügen angewendet.

Georg Schwanhardt d. Ä. (1601–1667), der in Prag bei Caspar Lehmann lernte und nach Nürnberg ein Privileg für die Glasschneidekunst von Kaiser Rudolf II. mitbrachte, hat mit feinen ornamentalen Dekoren, in die er Embleme einfügte, begonnen. Mit seiner Familie, voran seinem Sohn Heinrich Schwanhardt, der als erster auch Gläser geätzt hat und wegen seiner schönen Kalligrapheninschriften auf Gläsern berühmt war, hat er dem Glasschnitt in Deutschland zu seinem frühesten Ruhm verholfen. Bereits im 17. Jahrhundert ist in Nürnberg neben den Schwanhardts eine Reihe von Glasschneidern aufgetreten, die den künstlerischen Themenkreis des Glasschnitts und seine technischen Möglichkeiten erweiterten; der letzte namhafte Meister in Nürnberg im 18. Jahrhundert war Anton Wilhelm Mäuerl.

Weder die frühen Schwanhardt- noch die Schapergläser waren indes Trinkgläser im eigentlichen Sinn: Es waren Schaubilder mit chronikalischem Aspekt, die überwiegend für die Nürnberger Patrizier geschaffen waren, um deren aristokratisches Leben, ihre Eheschließungen und Schloßbauten mit den entsprechenden Allianzwappen und Landsitzen, Kindstaufen und andere denkwürdige Ereignisse festzuhalten.

Es konnten bei dem kurzen Rundgang durch das Nationalmuseum nicht alle wichtigen Typen des Trinkgefäßes vorgestellt werden. Einige wie etwa Pokale der Augsburger Goldschmiede sind auch nicht so repräsentiert wie ihre Nürnberger Gegenstücke. Andere können nur am Rande erwähnt werden: so die Elfenbeinpokale, die Serpentingefäße, die Steinzeughumpen aus dem Rheinland und aus Sachsen, vor allem aber die Fayencewalzenkrüge, die aber zumeist – so vielseitig die süddeutschen Manufakturen mit Hunderten von Beispielen vertreten sind – sich im Typus, wenn auch nicht im äußeren Gewande, gleichen.

Von den herausragenden Trinkgefäßen der Barockzeit sollen zum Schluß wenigstens drei beschrieben werden, die, wenn sie auch sehr unterschiedlichen Bereichen entstammen, als Einzelbeispiele das Leben der gehobenen Klasse im 18. Jahrhundert illustrieren.

Einen fürstlichen barocken Jagdpokal *par excellence* stellt das stattliche silbervergoldete Gefäß mit der Darstellung einer Hirschjagd auf dem Deckel dar, der von einem Eichbaum bekrönt wird (Abb. 10). Die *Cuppa* zeigt rundum reliefierte Jagdszenen. Auch den Griff bildet eine starke Eiche. Der Pokal ist für den in seiner Jugendzeit leidenschaftlich der Jagd ergebenen Kurprinzen Friedrich August von Sachsen, den späteren König von Polen, um 1720 von einem Goldschmied aus der Werkstatt des Johann Melchior Dinglinger (1664–1731) oder eines seiner Brüder gearbeitet worden. Den Pokal schmückt und bestimmt das kurprinzliche Monogramm FA, das mehrfach angebracht ist: dagegen fehlen die Goldschmiedemarken, die dem Hofgoldschmied in der Regel erlassen waren. Das Thema, die Gestaltung, nicht zuletzt das beträchtliche Ausmaß von 50 Zentimetern Höhe bei fast 7 Pfund Gesamtgewicht sprechen unverkennbar für sich. Jeder sieht sofort die Sphäre, in der ein solches »Kleinod« angesiedelt ist.

Ein Breslauer Gedächtnispokal soll stellvertretend für eine ganze Reihe weiterer prächtiger im Museum befindlicher Becher, Humpen und Pokale aus den ehemals deutschen Ostgebieten stehen, die eine Fülle eigenständiger und bemerkenswerter Trinkgeräte nicht erst in der Barockzeit hervorgebracht haben. Der im Jahre 1763 entstandene Breslauer Pokal war eine Auftragsarbeit zum Gedenken an das fünfzigjährige Amtsjubiläum des bedeutenden protestantischen Theologen Johann Friedrich Burg (1689–1766) aus Schlesien. Der Meister, Carl Gottfried Haase (1723–1796), hatte dieses von den Amtsbrüdern des schlesischen »Bischofs« verehrte Gefäß zwar in den ihm geläufigen Formen des Rokoko geschaffen, aber mit einem reichen theologischen Programm und langen Inschriften versehen.

Auf dem Fuß, aufgebaut aus durchbrochenen Rocaillen und Weintrauben, dem Symbol des Blutes Christi, sitzen zwei Männer als Personifikationen des Alten und Neuen Testaments am Quell des Glaubens. Sie tragen die Cuppa des Gefäßes, auf der Kartuschen Darstellungen und Inschriften enthalten. Ein Quellbrunnen trägt die Inschrift: EXVNDAT AETERNITATI, das auf eine Bibelstelle folgenden Inhalts zu beziehen ist: »Das Wasser, das ich ihm geben werde, das in das ewige Leben quillt.« Die andere Inschrift führt Stifter und den Zweck der Stiftung vor. Den Deckel bekrönt eine weibliche Gestalt mit dem Christusmonogramm auf ihrer Brust.

Neben seiner qualitätvollen, originellen Gestaltung, seinen personellen, theologischen und historischen Bezügen erinnert dieser Gedächtnispokal vor allem auch an eine Goldschmiedegilde, die hervorragende Meister und Werke hervorgebracht hat.

Mit der jüngsten großartigen Erwerbung eines repräsentativen Trinkgerätes, einem Danziger Deckelpokal aus dem Jahre 1756 von Christian Warmbier (1725–1761), läßt sich ein Schlußpunkt in der Entwicklung vom Renaissancepokal zum Rokokopokal abschließend aufzeigen. Nicht mehr ist – wie in der Renaissance – der Umriß ausgewogen oder zum Ausgleich gebracht, sondern äußerst scharf akzentuiert. Gemildert wird dieser Eindruck durch den feinen Rocailledekor Berlin-Potsdamer Prägung und durch das Spiel glatter und reliefierter Oberflächengestaltung. Der Griff des Pokals zeigt die jugendliche Gestalt des personifizierten Sommers; möglicherweise waren ursprünglich vier verwandte Pokale mit den übrigen Jahreszeiten vorhanden. Die gediegene Arbeit, der feine Dekor und die dichte Vergoldung innen und außen lassen das Stück mit dem bekrönenden Doppeladler als repräsentative Auftragsarbeit erscheinen. Möglicherweise handelt es sich um ein »Gesandtengeschenk«, wie sie zum Beispiel vom schwedischen an den russischen Hof gelangt sind.

Klaus Pechstein

ZEUGNISSE ALTEN HANDWERKSLEBENS UND ALTER HANDWERKSKUNST

Die Zünfte: Kartelle und Gewerkschaften zugleich

Notiz für den Leser

In dem 1698 erschienen Buch »Abbild- und Beschreibung der Gemein-Nützlichen Haupt-Stände« werden 212 Berufe vorgestellt: vom Regenten bis zum Totengräber; nur gut zwei Dutzend davon sind nicht handwerklicher Art und entziehen sich so der Organisation und Kontrolle durch die Zünfte.

Was ist das: eine Zunft? Der Begriff, der um 1100 erstmalig auftaucht, bezeichnet zunächst den freiwilligen Zusammenschluß von Handwerkern eines Gewerbes samt ihren Familien zur Sicherung der wirtschaftlichen Existenz und zur Pflege eines religiös gefärbten Arbeits-, Verbands- und Feierbrauchtums. Zunächst standen die Zünfte noch jedem Handwerker offen. Mit zunehmender Arbeitsteilung und Einengung des wirtschaftlichen Spielraumes werden sie jedoch immer mehr zu kartellartigen Gebilden. Nicht der Zunft angehörige Handwerker (»Bönhasen«, »Pfuscher«) bleiben ohne Arbeit und Brot. Die Aufnahme aber unterliegt strengen Regeln (Herkunft, Leumund, Vermögen) und Ausbildungsbestimmungen (Lehr- und Wanderzeit, Gesellenprobe und Meisterstück). Der »Zunftzwang« regelt darüber hinaus die Zuteilung der Materialien, die Arbeitszeit und die Preise. Zugleich nimmt sie in vielen Städten (denn die Zünfte sind in erster Linie eine städtische Bewegung) Einfluß auf die politischen Entscheidungsprozesse und hilft bei der militärischen Verteidigung der Stadtmauern.

Daß trotz dieser strengen Reglementierung, die, als Notwendigkeit entstanden, zunehmend als Hemmnis für neue Entwicklungen begriffen wird, dem einzelnen Handwerker Möglichkeiten blieben, kreativ und phantasiereich zu sein, künstlerisches Vermögen in seinen Werkstücken umzusetzen, beweisen die Exponate im Nationalmuseum. Insbesonders Gegenstände der Metallkunst, sei es mit den Werkstoffen Gold und Zinn oder seien es solche aus Messing und Eisenblech, zeugen von der hohen Kunst der Nürnberger Schule, die für weite Teile Deutschlands stilbildend wurde.

Als das anfangs erwähnte Buch erschien, war die Welt der Zünfte bereits am Zerfallen. Gesellenaufstände wenden sich gegen die deutlichsten Mißstände. Handwerksordnungen der Territorien und des Reiches (1731) versuchen, diese Bewegung aufzufangen. Vergeblich: Die Gewerbefreiheit des beginnenden 19. Jahrhunderts setzt dem Zunftwesen ein Ende. Ein entscheidender Faktor, der etwa achthundert Jahre lang das Wirtschaftsleben in Mitteleuropa prägte, hatte sich überlebt.

W. D.

Wirtschaftsgeschichte ist Zunftgeschichte

In jedem Gemeinwesen, in Stadt und Land, bildete das Handwerk von alters her einen ganz unentbehrlichen Bestandteil des Lebens. Es war in Wirtschaft, Handel und jeglichem sozialen Geschehen fest eingebaut. Wie vielschichtig und bedeutend das alte Handwerk für die Gesellschaft war, läßt sich noch heute daran erkennen, daß sich sehr verschiedenartige Wissenschaften, wie die allgemeine Wirtschafts- und Sozialgeschichte, die Soziologie, Volkskunde, Geschichte, Kunstgeschichte und Technikgeschichte, mit ihm befassen.

Den wirtschaftlichen und sozialen Verband, zu dem sich die Handwerke seit dem hohen Mittelalter überall in den Städten zusammenschlossen, um marktwirtschaftliche und politische Ziele durchzusetzen, nennt man »Zunft«. Aber die Bräuche, Privilegien und Gewohnheiten des alten deutschen Handwerkslebens werden eigentlich mit dem Wort »Zunftwesen« nur ungenügend umschrieben, zumal die politische Verfassung der Zünfte, Gilden oder Ämter von Stadt zu Stadt unterschiedlich eingerichtet oder aufgebaut war. In vielen Städten hatten die Handwerker seit dem späten Mittelalter teil am Stadtregiment, oder es war ihnen wie beispielsweise 1368 den Augsburger Handwerkern gelungen, die Regierung fest in ihre Hand zu nehmen.

Man kann aber nicht sagen, daß die erreichte politische Stellung der Handwerker immer gleichrangig war mit ihrer wirtschaftlichen, gewerblichen oder kunsthandwerklichen Bedeutung. Der Wert und die bleibende Bedeutung des deutschen Handwerks beruhen nicht auf der oft gepriesenen alten »Zunftherrlichkeit«, die sich zuletzt nur zu einem überflüssigen Zopf starrer Regeln entwickelte, nicht in seinen mühsam ausgebildeten Handwerksordnungen und der damit verbundenen strengen Disziplin, sondern allein in seinen kunstvoll gestalteten Erzeugnissen.

Das Beispiel der Reichsstadt Nürnberg, in der das Handwerk von einem patrizischen Rat über das »Rugamt« geleitet wurde, zeigt am besten, wie Zunftverfassung verboten und »zünftisches Wesen« unterdrückt werden konnten und dennoch über Jahrhunderte ein mustergültiges Handwerkswesen – beispielhaft nachzuweisen an den metallverarbeitenden Berufen – blühte, wie es das sonst in solcher Vielfalt und Spezialisierung nirgendwo gegeben hat.

Die Vielschichtigkeit der deutschen Handwerksgeschichte wird durch zahlreiche örtliche Besonderheiten und individuelle Ausprägungen ebenso charakterisiert wie durch weit übergreifende Beziehungen und Verbindungen, die die einzelnen Handwerke – wie zum Beispiel die Steinmetzen in den überregionalen Bauhütten oder die Kupferschmiede in den regionalen Bünden der Kesselschmiede –

miteinander unterhielten. Aber auch in den meisten anderen Berufen erscheint daher eine isolierte Betrachtung der Handwerke in den Städten unzureichend, denn die großen Städte wie Köln, Lübeck, Straßburg, Nürnberg besaßen schon frühzeitig eine starke Anziehungskraft für viele fremde Handwerker, und es entstand häufig ein Austausch zwischen ihnen. So stellen das Gesellenwandern und der ständige Zuzug von auswärtigen Kräften in die Städte bedeutsame Vorgänge dar, deren Wichtigkeit zwar seit langem erkannt, aber wie manches andere Kapitel der Handwerksgeschichte im ganzen noch unzureichend untersucht ist.

Zunftladen, Sargschilde, Trinkgefäße

Eine zusammenfassende Handwerksgeschichte, die allen wichtigen Ordnungen, Zeugnissen, der Vielfalt der örtlichen Besonderheiten und regionalen Entwicklungen gerecht wird, gibt es noch nicht und bleibt Forderung an die Geschichtswissenschaft. Der Stand der Erforschung der einzelnen Handwerke in den deutschen, skandinavischen und osteuropäischen Städten mit deutschem Handwerksleben ist noch nicht erschöpfend vorangetrieben, obwohl zahlreiche Ansätze seit längerer Zeit vorliegen. Eine Voraussetzung wäre, daß man überall die wichtigsten Zeugnisse des alten Handwerkslebens, auch die zerstreuten, systematischer sammelte. Hier sollen nur die wichtigsten Gruppen der überlieferten Zeugnisse genannt werden.

An erster Stelle stehen die schriftlichen Quellen des Handwerks und der meist städtischen Behörden. Dahin gehören vor allem die Handwerksordnungen, die Meister- und Gesellenbücher. Selbstzeugnisse schriftlicher Art von Handwerksmeistern setzen in breiterem Umfange erst im 18. Jahrhundert ein. Eine eigene Gruppe bilden die Handwerksaltertümer dinglicher Art; dazu gehört eine Reihe interessanter und aufschlußreicher Objekte wie Herbergszeichen, Stubenschilder, Zunftzeichen mit Handwerksemblemen. Die eigentlichen »Utensilien« – wie Zunftladen und -truhen samt Inhalt und Flügelladen mit Mustern von Meisterstücken, mit Meisterstücken selbst, mit Geldbüchsen, Merkzeichentafeln, Zunftzeptern, Sarg- und Bahrtuchschilden – spiegeln in vielfältiger Form das Handwerksleben mit berechtigtem Stolz wider. Nicht zu vergessen sind die zahlreichen Trinkgefäße, die in Zinn, Glas, Fayence als »Schleifkannen«, Willkommhumpen oder Krüge in den Trinkstuben und Herbergen bei den wichtigsten Gelegenheiten des Handwerkslebens benutzt wurden. Wesentlich weniger günstig ist die Überlieferung bei der Gruppe der Werkzeuge (Abb. 1). Das alte Werkzeug hatte sich meist verbraucht, und seine Anschauung gewinnen wir zumeist durch bildliche Darstellungen des 16. bis 18. Jahrhunderts.

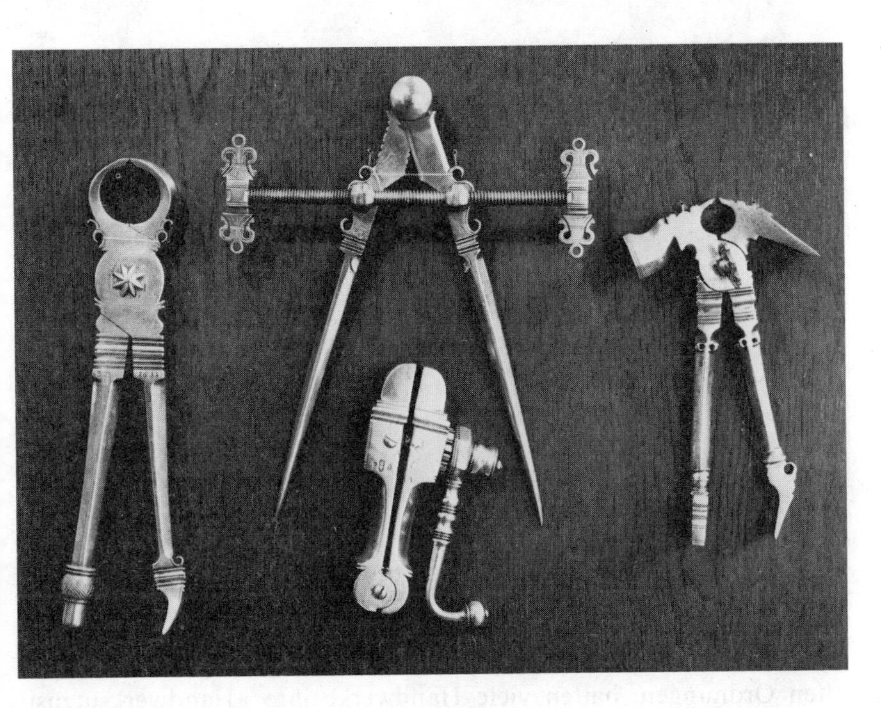

1. Werkzeuge

Die interessanteste Gruppe sind die Erzeugnisse. Die erhaltenen Produkte in den verschiedensten Materialien, wie sie in den Museen gezeigt werden, bestimmen das Bild und das Urteil über das alte Handwerk wesentlich stärker als überlieferte Produktionszahlen etwa über die massenhafte Erzeugung von Messerklingen, mit denen sich die Wirtschaftsstatistik auseinandersetzt, und dergleichen. Von kunstgeschichtlicher Seite ist bisher zumeist naheliegenderweise bei der Untersuchung stärkeres Gewicht auf die alten Handwerke der metallverarbeitenden und künstlerisch gestaltenden Berufe gelegt worden: wie Goldschmiede, Zinngießer, Bronzegießer sowie die mit ihnen zusammenarbeitenden Ätzmaler und Gravierer.

Als ein eigenes Gebiet sind meist die Handwerksberufe des Baugewerbes, der Zimmerleute und der Steinmetzen behandelt und dargestellt worden. Ebenso haben die Handwerksberufe der Schreiner, Tischler, auch der Büttner anhand der zahlreichen überlieferten Arbeiten vom edelsten Prunkmöbel bis zum bescheidenen Faß eine stärkere Beachtung gefunden als andere. Von manchen Handwerken, besonders denen des Nahrungs- und Bekleidungsgewerbes, sind oft nur sehr wenige, meist indirekte Zeugnisse erhalten, die daran erinnern, daß das Material insgesamt recht zufällig überliefert ist.

Bis zur Einführung der Gewerbefreiheit in den meisten deutschen Ländern im Jahre 1868, also bis zu dem Zeitpunkt der Aufhebung der

2. Zunftlade

alten Ordnungen, hatten viele Handwerke ihre »Handwerksutensilien« in meist hölzernen, mehr oder weniger kunsthandwerklich gestalteten Truhen aufbewahrt: ihre Privilegien und Meisterlisten (Abb. 2).

In Nürnberg waren die wichtigsten Unterlagen die Handwerksordnungen, die der Rat dem einzelnen Handwerk individuell verordnete. Dazu kamen die Meisterbücher, Gesellenordnungen sowie Geldbüchsen. Diese schriftlichen Zeugnisse sind in die Archive gewandert, während Laden, Büchsen, Truhen in der Zunftabteilung des Nationalmuseums dem Publikum vorgestellt werden. So folgten die Nürnberger Zinngießergesellen dem Beispiel ihrer Meister, und gleich anderen Handwerkern vermachten sie ihre »unnötig gewordenen Utensilien« dem Museum (Abb. 3).

Leider ist das nur in wenigen Fällen geschehen. Bei anderen Gewerken, etwa bei den für die Kenntnis der Nürnberger Handwerkskunst so wichtigen Goldschmieden, wurde das Innungsvermögen 1868 auf einer Auktion versteigert, und die Gegenstände wurden weit verstreut. Dieser bedauernswerte Vorgang macht heute eine Darstellung der Geschichte der Goldschmiedekunst in Nürnberg für das 16. bis 18. Jahrhundert beinahe unmöglich. Ohne die vollständige Kenntnis der »Merkzeichentafeln«, in die jeder Meister sein Zeichen zu schlagen hatte, lassen sich immer noch viele Werke der Goldschmiedekunst nicht genau bestimmen.

3. Zunftlade und -geräte der Flaschner

Stellvertretend auch für andere Gewerbe und zugleich als kurzer Überblick über den gewöhnlichen Inhalt einer Handwerks- oder Zunftlade soll im folgenden das Verzeichnis des Innungsvermögens der Nürnberger Goldschmiede aus dem Jahre 1821 auszugsweise vorgestellt werden: Schon die Aufzählung charakterisiert typische Handwerksgepflogenheiten und -bräuche.

»Verzeichnis der sämtlichen zur Innungslade der Gold-, Silber- und Pariser Drahtarbeiter gehörigen Effekten:

1. 1 große hölzerne versperrte, innen mit Blech beschlagene Kiste.
2. Zwey kleinere dergl. hölzerne Kisten (oder Laden).
3. Die sämtlichen hierzu gehörigen Schlüsseln.
4. Ein Paar Buch-gedruckte Zettel, die Pflichten der Lehrlinge enthaltend.
5. Einige alte Meister Verzeichnisse auf Pergament zum Sitzen in den Kirchen (Allmosen-Stuhl).
6. Einen Lehrbrief – recht sauber auf Pergament geschrieben nebst daran hängendem Siegel.
7. Zwey auf Pergament geschriebene Noten oder Choral Bücher zum heil. Eligius gehörig.
8. Das Original des heil. Eligius vom Jahr 1183 in lateinischer Sprache sehr zierlich auf Pergament geschrieben.
9. Die vorzüglich gelungene Uebersetzung des heil. Eligius von den hiesigen Goldarbeiter Herrn Johann Samuel Vigitill.
10. Der Originalbrief Dr. Martin Luthers vom Jahre 1525.
11. Eine Tafel – (in einen hölzernen Schieb-Kästchen befindlich) – auf welcher die sämmtl. Rathsfreunde der Gold-, Silber- und Draht-Arbeiter auf Pergament verzeichnet sind.
12. Eine alte Schachtel, worinnen 22 Kupfer-Plättchen und 13 Kupfer-Nadeln mit den Namen und Zeichen der Meister; dann 2 messingene und plattirte Kuppel-Verzierungen, eine Wage nebst Gewichtchen zu Gold-Münzen, einige Abdrücke und 2 Beutel befindlich sind.
13. Zwey bemahlte blechene Büchsen und
14. eine messinge Büchse zu Geld-Aufbewahrung.
15. Zwey alte Lehrjungen-Bücher.
16. Drey alte Einschreib-Bücher zu den Meisterstücken.
17. Ein altes, aber nicht unwichtiges Meister-Buch.
18. Zwey alte Straf- oder sogenannte Busbücher.
19. Drey alte Umgang-Bücher (die Gold- und Silber-Prob-Sammlungen enthaltend.).
20. Sechs alte Rechnungsbücher.

21. Drey Goldschmidts-Ordnungen (Gesetze) in einen vormals grünen Sack.
22. Das Gold- und Silber-Arbeiter-Rechnungsbuch mit No. 3 signirt.
23. Ein altes Einnahm- und Ausgabe-Buch No. 4.
24. Ein Umgang-Buch No. 5.
25. Ein Lehrlings-Buch in Quart. No. 6.
26. Ein langes schmales Lehrlings-Buch.
27. Ein Buch die Verleihung der Meisterstücke betreffend No. 7.
28. Ein dergleichen wie die Vorgeher an- und abkommen No. 8.
29. Einschreibbuch zu den Meisterstücken No. 9.
30. Ein Buch das Aufweisen oder vorzeigen der Meisterstücke No. 10.
31. Ein Zeit-Arbeiters-Buch No. 11.
32. Ein Stiftungs-Buch No. 12.
33. Ein Briefe- und Skripturen-Buch No. 13.
34. Ein Strafbuch No. 14.
35. Raths-Verlässe und Berechnung der Krätzmühle No. 15.
36. Register über die älteren Skripturen No. 16.
37. Register über die Vertheilung der Buntzen zur ältern Controlle No. 17.
38. Ein Buch Formalitäten bey den Meisterwerden, auch die Annahme der Poliererinen enthaltend No. 18.
39. Ein Buch die Vorgeher-Wahl betreffend No. 21.
40. Journal über die ganze Profession (ein dickleibiger Foliant) No. 22.
41. Alte Acten-Fascil. Nr. I–LII ...
42. Vier Protokoll-Bücher.«

(43. bis 100. beziehen sich auf Archivalien des 19. Jahrhunderts.) Sehr wenig davon hat sich erhalten: nur der Silberpokal, zwei Siegel, das Buch mit den Porträts der Vorgeher, also der geschworenen Meister, die die Einhaltung der Handwerksordnung gegenüber dem Rat zu kontrollieren hatten. Diese schriftlichen Unterlagen, wie sie ähnlich von den einzelnen Handwerken oder Zünften in den verschiedenen Städten geführt wurden, bilden für die Kenntnis der einzelnen Handwerke die wichtigsten Grundlagen. Während die Laden jeweils den geschworenen Meistern der einzelnen Handwerke überantwortet waren, gingen im städtischen »Rugamt«, der seit dem 15. Jahrhundert in Nürnberg existierenden Aufsichtsbehörde für das Handwerk, die dort hinterlegten Handswerksordnungen und Meisterzeichentafeln bei dem Übergang Nürnbergs an Bayern 1809 ebenfalls verloren.

Die lange Aufzählung der Archivalien in den aufgelösten Nürnber-

4. Lade der Steinmetzen: Turmbau zu Babel

ger Goldschmiedeladen zeigt, was für ein umfangreiches Material das Handwerk über Jahrhunderte einst zusammengebracht und lange in Ehren gehalten hatte. Ähnlich umfangreich dürften andere Handwerke und Zünfte anderswo bis ins 19. Jahrhundert in ähnlicher Weise ihr »Zunftvermögen« zusammengehalten haben.

Im Falle der Nürnberger Goldschmiede ist es besonders bedauerlich, daß die Handwerksmaterialien nicht nur zerstreut und so der Forschung schwer zugänglich wurden, sondern daß manches davon anderenorts zugrunde ging (wie z. B. die Meisterbücher der Goldschmiede in der Kunstbibliothek Berlin).

Oft hilft nur der Zufall: Marc Rosenberg hat in seinem Werk über die »Goldschmiede-Merkzeichen« eine handschriftliche, leider aber nicht ganz vollständige Liste der Goldschmiedemarken aus der Zeit zwischen 1540 und 1630 überliefert. So konnte immerhin ein wesentlicher Teil der Arbeiten der etwa 650 Nürnberger Goldschmiede anhand ihrer Marken identifiziert und bestimmt werden. Insgesamt schätzt man, daß zwischen 40000 bis 60000 Stücke, von denen möglicherweise noch ein Drittel erhalten ist, zwischen 1500 und 1820 in der alten Reichsstadt gearbeitet wurden.

Es ist kein Zufall, daß auf der Titelseite des Buches mit den Porträts der Geschworenen der Nürnberger Goldschmiede der heilige Eligius erscheint, der Patron der Goldschmiede, in einer Ehrenpforte stehend, zu seinen Füßen alle erdenklichen Werkzeuge des Goldschmiedes wie Hämmer, Feilen, Schmelzofen, Waagen, Anken, Zangen, Punzen. In seiner erhobenen Rechten hält er eine Probiernadel, die er auf einem dunklen Probierstein, mit der man die gute, wahre Silberlegierung von der schlechten, falschen, erprobt und trennt, abgezogen hat. Als Motto steht darunter der erhabene Spruch: Gott und der Gemein.

Alt wie die Arche Noah

Ehrwürdigkeit und Alter der »Profession« spielen im Handwerksleben eine wichtige Rolle. Auf den Flügelladen, die in den Herbergen

5. Urteil des Paris (Modelabdruck)

die Meister- und Zechstuben der Handwerker schmückten, zeigten die der Nürnberger Zimmerleute und der Steinmetzen gewissermaßen in Konkurrenz das hohe Alter ihrer Berufe an: Während die Steinmetzen und Maurer auf den biblischen Bau des Turmes von Babel hinweisen konnten, belegten die Zimmerleute gleich mit zwei Darstellungen – dem Bau der Arche Noah und der Heiligen Familie mit Josef in der Zimmermannswerkstatt – das ehrwürdige Alter ihres Berufes (Abb. 4).

Der Wettstreit um das Alter der Berufe ist wohl genauso alt wie der oft bildlich dargestellte Streit um den Vorrang der einzelnen Handwerke. Aufschlußreich erscheint in diesem Zusammenhang, daß man Vorbilder suchte und fand, denen es nachzustreben galt.

Besonders für das Nürnberger Handwerksleben ist dies ein hervorstechender, charakteristischer Zug: Jedes Handwerk hatte nicht allein seinen Patron, sondern auch noch eine ideale Leitfigur – man denke nur an die bekanntesten Persönlichkeiten: Peter Vischer, Adam Kraft, Albrecht Dürer, Peter Henlein, Wenzel Jamnitzer, Hans Sachs. Dem entsprach, daß in den einzelnen Gewerken die Handwerksregeln Muster für das Meisterstück verlangten, Handhaben für Qualitätskontrollen, genaue Bestimmungen über die Beschaffenheit der Werkstücke (Abb. 5).

Auch ein theoretischer Zweig des Handwerks entwickelte sich in Nürnberg im 16. Jahrhundert stärker als anderswo: die Ornamentvorlage, der Ornamentstich – das sind Vorlegeblätter für die Aufgaben der verschiedensten Gewerbe; sie fand auch von hier aus ihre größte Verbreitung noch bis ins frühe 18. Jahrhundert. Nicht nur bei den Goldschmieden fragte man aus anderen Städten in Nürnberg an, wie es mit dem Meisterwerden und dem Meisterstück dort gehalten werde; die Regeln und Vorschriften der Nürnberger »Zünfte« wirkten prägend für die Handwerksbräuche in vielen Teilen Mitteleuropas. So übernahmen allenthalben die Zinngießer die sogenannte Nürnberger Probe als »Reichsprobe«, das heißt die garantierte Legierung von zehn Teilen Zinn auf ein Teil Blei für die Speise- und Trinkgeräte nach Nürnberger Vorbild.

Andererseits hat man sich anderswo sicher gewundert, daß man in Nürnberg lange vor dem Reichsabschied über die Handwerke von 1731 nicht nur uneheliche Kinder, sondern sogar Findelkinder zu den Handwerken als Lehrjungen zuließ.

Gesellen müssen »geschliffen« werden.

In der reichhaltigen Zinnsammlung des Museums sind Geräte aus vielen deutschen Landschaften zusammengetragen. Man sieht hier, wie wichtig das Handwerk des Zinngießers noch bis in die zweite

Hälfte des 18. Jahrhunderts gewesen ist. Besonders in den Zunfthäusern und in den Handwerksherbergen der Meister und Gesellen waren die großen »Schleifkannen«, Prunkstücke, mit denen die Gesellen und jungen Meister »geschliffen« oder vom »Bierpfaffen«, einem alten Gesellen oder Meister, mit Necknamen und Trinksprüchen »getauft«, also traktiert wurden.

Die stattlichen, aber unhandlichen Gefäße gehören in den Zeremonienkreis der Handwerksgepflogenheiten, die sich besonders starr im 17. und 18. Jahrhundert herausgebildet hatten (Abb. 6).

Einige dieser weitschweifigen, umständlichen Handwerksbräuche veröffentlichte 1708 Fridericus Frisius unter dem langatmigen, aber aufschlußreichen Titel: *Der vornehmsten Künstler und Handwercker Ceremonial-Politica, in welcher nicht allein dasjenige, was bey dem Auffdingen, Loßsprechen und Meisterwerden nach denen Articuls-Briefen unterschiedener Oerter von langer Zeit her in ihren Innungen und Zünfften observieret worden sonder auch diejenigen lächerlichen und bißweilen bedencklichen Actus wie auch Examina bey dem Gesellenmachen ordentlich durch Fragen und Antwort vorstellen . . .*

Der Handwerksbrauch des »Schleifens« und die dazugehörenden Kannen erinnern auch daran, daß es den Gesellen keineswegs leichtgemacht werden sollte – besonders, wenn sie keine Meistersöhne, sondern Zugewanderte waren –, die Mittel für das Meisterstück und die mit der neu errungenen Würde verbundenen Festlichkeiten für die Handwerksgenossen aufzubringen.

Eine weitverbreitete Gattung des zunftmäßigen Trinkgerätes war der »Willkomm«, der meist die Gestalt eines Deckelpokals besitzt. Dieser wurde den wandernden Gesellen mit einem Trunk gereicht; an manchem dieser Gefäße haben die Gesellen später eine Münze, einen Münzabguß oder ein Erinnerungstäfelchen mit ihren Namen angebracht.

Obwohl manche der Trinkgefäßformen des Handwerks offensichtlich – wie gerade bei den Willkommpokalen des 17. und 18. Jahrhunderts – durch das Weitergeben des Typus auf der Wanderschaft der Gesellen eine große Verbreitung fanden, gibt es doch auch eine ganze Reihe regional ausgeprägter Formen wie das norddeutsche »Rörken«, ein kleines röhrenförmiges Deckelgefäß, dem in Süddeutschland etwa ein breiter Deckelhumpen entsprach.

Trotz seiner besonderen, von der anderer Städte vielfach abweichenden Handwerksverfassung wurde das Handwerksbrauchtum in Nürnberg in vielen Fällen wie sonst im Reich gehandhabt: Das zeigt zum Beispiel die Sitte, dem toten Handwerksgenossen bei der Bestattung auf das Bahrtuch meistens zwei Sargschilde, die mit den jeweili-

6. Zwei Zunftkannen

gen Handwerksemblemen oder -erzeugnissen geschmückt waren, anzuheften: Die Breslauer Drechsler, die Straßburger Buchbinder und Futteralmacher hielten es genau wie ihre Nürnberger Handwerksfreunde, wenn dabei auch die künstlerischen Mittel und der Materialaufwand ganz unterschiedlich ausfielen.

Neben vielen derartigen Gemeinsamkeiten läßt sich aber doch eine Reihe von Besonderheiten der Nürnberger Handwerke feststellen, die einzigartig und oft nur für diese Stadt bezeugt sind. Hierher gehört vor allem die künstlerische Verarbeitung des Messings, das als Hausgerät (Leuchter, Mörser, Zapfen, Bügeleisen, Feuerspritze und Wärmepfannen) Verwendung und Verbreitung bei den »Rotschmieden«, den Messinggießern, fand. Von den zahlreichen ebenfalls Messing verarbeitenden Gewerben wie Fingerhutern, Gürtlern, Schellenmachern, Beckenschlagern kann hier nicht weiter die Rede sein.

Zu den Nürnberger Rotschmieden gehörten auch Erzgießer wie die berühmten Vertreter der Familien Vischer, Labenwolf und Wurzelbauer, die riesige Brunnen und Bildwerke gossen, die im ganzen Heiligen Römischen Reich, in Polen und Italien verbreitet waren.

Eine Nürnberger Spezialität sind ihre großen Grabdenkmäler, die als Messingepitaphien die Grabstätten vieler Großer noch heute zieren. In Nürnberg selbst kann man auf den Friedhöfen St. Johannis und St. Rochus und wiederum im Nationalmuseum die vielen Hunderte von kleineren Epitaphien betrachten, die vom 15. Jahrhundert bis zum Ende der alten Reichsstadt und darüber hinaus ausgeführt wurden. So stellt das zweiteilige Epitaph für Wenzel Jamnitzer von 1585 mit seinem Bildnis sowie einer Auferstehungstafel nicht nur ein Gedächtnisbild für diesen berühmtesten deutschen Goldschmied dar, sondern ist auch als künstlerische Leistung eines Rotschmiedes eine bemerkenswerte Arbeit (Abb. 7).

Stadtflaschner und Mundartdichter

Es entspräche kaum der handwerklichen Vielfalt und Leistungsfähigkeit der altdeutschen Metallhandwerke, wenn man nicht auch an andere Berufe mit weniger edlem Material und geringeren kunsthandwerklichen Ansprüchen erinnerte, so etwa an die Arbeiten der Kupferschmiede. Sie haben in früheren Zeiten einen großen Bedarf an Kannen, Zubern, Wannen, Bütten, Backformen und Fischkesseln decken müssen und versahen ihre Arbeiten darüber hinaus oft mit großartigen Reliefdekoren. Den Werkstattbetrieb einer Kupferschmiede schildert sehr anschaulich ein Stubenzeichen der Kupferschmiedherberge, das W.M. Kelsch 1723 als Meisterstück ausarbeitete. Die Rückseite dieses Stubenzeichens zeigt die markantesten Nürnberger Kupferschmiederzeugnisse. Leider ein ganz vereinzeltes

7. Bronzeepitaph von Wenzel Jamnitzer

Werk! Denn die Kupferschmiede stellten sich sonst nicht auf ihren Arbeiten namentlich vor; die Handwerksordnung verlangte von ihnen keine Merkzeichen. Da auch Jahreszahlen selten erscheinen, lassen sich die meisten Arbeiten dieses Handwerks – nicht allein in Nürnberg – nur annähernd bestimmen und nicht immer sicher lokalisieren.

Arbeiten aus bescheidenerem, billigerem und anfälligerem Werkstoff stellten auch die Nürnberger Flaschner oder Flaschenschmiede her. Diese Handwerker benutzten als Werkstoff verzinntes Eisenblech, das es in verschiedenen Qualitätsstufen gab und das erheblich billiger war als Zinn. Schon in dem illuminierten Nürnberger *Hausbuch der Mendelschen Zwölfbrüderstiftung* aus dem 15. Jahrhundert wird unter den ersten Handwerkern, die in das Stiftungshaus aufgenommen wurden, wenn sie krank waren oder nicht mehr arbeiten konnten, ein Flaschner dargestellt, wie er eine solche Flasche schmiedet. Diese kugelrunden geschmiedeten Flaschen mit dünnem Röhrenhals waren die verbreitetsten Gefäße, von denen sich nur noch sehr wenige erhalten haben, die aber ursprünglich als Massenware hergestellt worden sind. Im Laufe des 17. Jahrhunderts hat man das Material zu sehr differenzierten Gegenständen verarbeitet. So schreibt die Handwerksordnung von 1677 vor, daß der »Gernmeister«, also der Geselle, der Meister werden wollte, folgende Stücke arbeitete:

> »Erstlich aus zwei Korn Eisen drei Flaschen, nämlich eine Trinkflasche, eine Becherflasche und eine Speisflasche, deren jede ungefährlich bei zehn Maß hält und daß in die letztere als Speisflaschen die gewöhnlichen Einsätze gemacht werden. Ferner soll er auch aus zweien Korn Eisens ein Stützen (Kanne) machen, gleichfalls bei zehn Maß Inhalts.«

Die Identifizierung dieser Meisterstücke, von denen sich einige in verschiedenen Sammlungen bisher unter abenteuerlichen Benennungen befanden, gelang mit Hilfe der Miniaturnachbildungen auf der Flügellade dieses Handwerks im Nationalmuseum. Eine vollständig erhaltene Flasche mit Einsätzen scheint jedoch nicht mehr vorhanden zu sein.

Sehr umfangreich war das Programm, das die Flaschner herstellten: Schüsseln, Salzfässer, Waagschalen, Salatsiebe, Mehlkübel, Milchseiher, Kochlöffel, Feuerzeuge, Reibeisen, Tiegel und Pfannen, Trichter, Füllstutzen, Weinheber, Büchsen, Stall- und Wandleuchter. Bei gut erhaltenen Objekten dürfte sich der Nachweis Nürnberger Herkunft noch erbringen lassen, weil die Handwerksordnung eine recht originelle Weise der Markierung vorsah: Es sind dies die sogenannten Meisternägel, deren breite Köpfe irgendein Symbol oder Zeichen – wie Fisch oder Halbmond – zeigten. Eine Reihe dieser Meisternägel mit den dazugehörenden Namen sind auf der Innenseite der Handwerkstruhe erhalten geblieben.

Die Küchen- und Hausgeräte der Flaschner aus verzinntem Eisenblech kamen noch im 18. Jahrhundert außer Gebrauch. Das Handwerk wandte sich nun einem neuen Werkstoff, dem Messingblech, zu. Gleichzeitig empfiehlt nun der Rat dem Handwerk, daß als Meisterstück nicht mehr etwas so Aufwendiges wie bisher, sondern etwas »Nützlicheres, weniger Kostbares und Verkäuflicheres, als nämlich ein Feldservice, Wandleuchter oder dergleichen« hergestellt werden sollte. Auch dieses Handwerk hat – wie die Schuster im 16. Jahrhundert in Hans Sachs – eine markante Persönlichkeit besessen, die über den engeren Fachbereich weit bekannt geworden ist, den Stadtflaschner und Mundartdichter Johann Konrad Grübel.

Von den zahlreichen Handwerken und besonderen Erscheinungen des deutschen und Nürnberger Handwerkslebens konnten hier nur wenige besprochen werden. Manche haben nur für ihre eigene Zeit eine Bedeutung gehabt, einige haben mit bleibenden Werken zum Ruhm ihrer Stadt beigetragen. Es soll aber noch nachdrücklich darauf hingewiesen werden, daß viele von ihnen, wie beispielsweise die Zirkelschmiede mit ihren erstaunlich fein gearbeiteten Präzisionsinstrumenten, als Vorgänger für die spätere Feinmechanik, auch die Grundlagen und Voraussetzungen für unsere heutige Technik mitentwickelt haben.

Johannes Willers

HANDFEUERWAFFEN – EINE »BRENZLIGE« ZUFALLSENTDECKUNG MACHT GESCHICHTE

Von der chinesischen Pulverrakete zum vielschüssigen Gewehr

Notiz für den Leser

Längere Friedensepochen wie nach den Napoleonischen Kriegen sind – leider – die Ausnahme in der Geschichte Mitteleuropas. Bei allen unterschiedlichen Motiven, die zum Entstehen von Konflikten führten, und bei allen wechselnden Koalitionen der Kombattanten bleiben zwei Entwicklungsstränge doch stets konstant: Einmal: Die Zivilbevölkerung wird zunehmend Opfer des militärischen Geschehens, und zum anderen: Die Waffen werden immer »effektiver«, das heißt, man kann mehr Menschen in immer kürzerer Zeit töten.

Nicht am Anfang, aber als wesentlicher Faktor dieser Entwicklung steht die Erfindung der Handfeuerwaffen durch die Anwendung der Explosionswirkung des Schwarzpulvers auf Geschosse (um 1300). Die älteste datierbare Waffe dieser Art, die sich erhalten hat, befindet sich im Nürnberger Nationalmuseum: ein achteckiges Bronzerohr, das 1399 bei der Eroberung der Raubritterburg Tannenberg (bei Darmstadt) Verwendung fand.

Waffentechnisch hatten diese ersten Vorläufer aller heutigen Gewehre und Pistolen zwei gravierende Fehler: die mangelhafte Zielgenauigkeit und die langwierige Arbeit des Nachladens. Durch die Hinzufügung von Visieren und die Entwicklung neuer Zündvorrichtungen wurden diese Probleme gelöst; durch die Erfindung mehrschüssiger Gewehre und Kombinationswaffen wurde die Kriegführung dann bis zu einem neuen »Höhepunkt« rationalisiert.

Waffen fanden aber nicht nur in Kriegszeiten Verwendung. Radschloß und Schnappschloß stehen am Beginn der Jagd mit Handfeuerwaffen. Auf diesem Gebiet, entkleidet von der rein funktionalen Aufgabe der Kriegswaffen, entwikkelten sich die kunsthandwerklich schönsten Exemplare dieser Gattung.

Durchaus militärischen Charakter als Bürgerheere hatten die Schützengesellschaften, die Vorläufer unserer heutigen Schützenvereine, die sich aber sehr schnell zu Zentren des gesellschaftlichen Lebens im städtischen Bürgertum entwickelten.

Schon 1517 verbot Kaiser Maximilian die Herstellung von Handfeuerwaffen mit Radschloß – einer von vielen Versuchen, eine waffentechnische Neuerung aufzuhalten – vergeblich: wie fast alle solche Bemühungen bis heute. W. D.

Der Streit um die historische Waffenkunde

Die wissenschaftliche Beschäftigung mit historischen Waffen ist heute in der Bundesrepublik Deutschland nicht problemlos möglich. Unter den vielschichtigen Gründen dafür sind zum einen eine unreflektierte Antipathie und zum anderen ideologische Motive erkennbar. Dabei wird allerdings meist übersehen, daß Waffengeschichte heute – zumindest bei uns – nicht als Glorifizierung von Waffentaten, sondern als Darstellung von außerordentlich geschichtsbeeinflussenden Objekten und Situationen betrieben wird. Es ist eine Binsenweisheit, die aber leider immer wieder betont werden muß, daß ein Waffenschmied mit seinen Produkten mehr auf den Ablauf der Geschichte eingewirkt hat als beispielsweise Albrecht Dürer mit all seinen Bildern. Unter diesen negativen Bedingungen ist es erfreulich, daß im Germanischen Nationalmuseum ein guter Teil der Waffensammlung (etwa bis zu einer Zeitgrenze von 1800) gezeigt werden kann.

Bereits in der Gründungszeit des Museums waren Waffen unter den Sammlungsgegenständen zu finden. Im Verlauf des 19. Jahrhunderts kamen weitere Stücke hinzu. Besonders Direktor August von Essenwein, der sich persönlich sehr für die historische Waffenkunde interessierte, erweiterte die Sammlung speziell um Feuerwaffen ganz erheblich. Essenwein war es dabei nicht um Prunkwaffen zu tun, wie sie in vielen fürstlichen Rüstkammern zu finden sind oder wie sie von Privatleuten nach rein ästhetischen Gesichtspunkten gesammelt wurden und werden. Ihm ging es um die Waffe, die Schlachten entscheiden und damit Geschichte gestalten half. Essenwein erkannte ganz richtig, daß bei einer Waffe primär die Funktion und Herstellungstechnik und erst sekundär die Verzierung zu würdigen sind. Das große Interesse an Feuerwaffen verstärkte sich durch den Sieg Deutschlands über Frankreich von 1870/1871 noch erheblich. Mehrere deutsche Fürsten schenkten dem Museum Waffen, besonders Feuerwaffen älterer, aber auch ganz neuer Typen. Es war deshalb in dieser Zeit möglich, im Museum die Entwicklung dieses Waffentyps von seinen ersten Anfängen bis in die damalige Gegenwart zu verfolgen.

Zu Beginn unseres Jahrhunderts wurde für die Waffensammlung des Museums schließlich eine bombastische neugotische Halle erbaut, ganz in der Absicht, eine Ruhmeshalle deutscher Waffen zu schaffen. Nach dem Ersten Weltkrieg, als man die Fragwürdigkeit solcher Präsentation erkannt hatte, wurden die Waffen aus dieser Halle herausgenommen und anderweitig ausgestellt. Heute ist die Waffensammlung des Museums, darunter die wichtigsten Handfeuerwaffen, in einem modernen sachlichen Raum ausgestellt, der den

Blick auf die Objekte selbst lenkt. Die Waffenhalle mit ihren hohen Maßwerkfenstern und massiven Gewölben – aber hohlem Pathos – gehört gottlob der Vergangenheit an.

Die brisante Mischung aus Salpeter, Schwefel und Holzkohle

Eines der großen ungeklärten Probleme der Waffenkunde ist die Erfindung des Schwarzpulvers und die Frühzeit der Feuerwaffe. Sicher scheint lediglich zu sein, daß im späten 13. oder frühen 14. Jahrhundert das Schwarzpulver erfunden wurde.

In China ist die Mischung aus Salpeter, Schwefel und Holzkohle wohl schon früher bekannt gewesen. Allerdings fällt dabei auf, daß man das Pulver dort fast nur für Raketen und Brandsätze benutzte. Nach dem bisherigen Kenntnisstand ist die direkte Explosivwirkung einer verdämmten Pulverladung in China nicht zum Schießen verwendet worden. Es ist deshalb durchaus wahrscheinlich, daß das Schwarzpulver im Abendland unabhängig von China erfunden und gleichzeitig seine Möglichkeit zum Schleudern eines Geschosses erkannt wurde. Bei Belagerungen spielten nämlich hier seit der Antike bestimmte Brandsätze aus Chemikalien eine große Rolle. In einigen dieser Rezepte, die uns bekannt sind, ist nur von Salpeter und Schwefel die Rede. In anderen hingegen wird gestoßene Holzkohle als Glutträger benützt. Man kann sich gut vorstellen, daß irgendein Kriegsmann beim Mischen dieser Brandsätze auch einmal die brisante Mischung aus Salpeter, Schwefel und Holzkohle herstellte und zum Abbrennen brachte. Eine starke Stichflamme war wohl die Folge davon.

Von einer eigentlichen Erfindung der Feuerwaffe konnte allerdings erst gesprochen werden, als man entdeckte, daß eine verdämmte Pulverladung in der Lage war, ein Geschoß in eine bestimmbare Richtung zu schleudern. Ob dies zuerst über ein flaschenförmiges, waagerecht liegendes Metallgefäß geschah, das Pfeile verschoß, oder über ein Metall- oder starkes Holzgefäß, das Stein- oder Metallbrocken verschoß, ist trotz scharfsinnigster Hypothesen – jedenfalls bisher – nicht beweisbar. Klar ist jedenfalls, daß die Zielgenauigkeit der ersten Schüsse mit Pulverwaffen sehr zu wünschen übrigließ. Erst im zweiten Jahrhundert der Existenz von Pulverwaffen wurden Ergebnisse erzielt, die jene der altbekannten Schußwaffen ohne Pulverantrieb annähernd erreichten.

Hier sei ein kurzer Rückblick auf die Schußwaffe mit physikalischem Antrieb eingeschaltet. Dem Aufkommen der Feuerwaffe wird oft der Untergang des Rittertums zugeschrieben, da die Ritter als gepanzerte Reiter durch die Feuerwaffen so verletzbar geworden seien, daß sie ihre militärische Bedeutung verloren hätten. Dies ist nur teilweise richtig. Die Ritter waren ursprünglich schnelle, leichtgepanzerte Reiter, die dem Fußvolk weit überlegen waren. Seit dem hohen Mittelalter aber konnten sie durch die Armbrust eines einfachen Kriegers getötet werden, noch bevor sie diesem gefährlich wurden.

Die enorme Durchschlagskraft der verschossenen Bolzen (etwa der eines Infanteriegewehrs des 19. Jahrhunderts entsprechend) erzwang immer stärkere Körperpanzerungen, die schließlich mit dem den Körper allseitig umgebenden Plattenpanzer den Reiter so schwer machten, daß er die kräftigsten verfügbaren Pferde reiten mußte. Dadurch wiederum wurde er so langsam, daß er von einem einfachen Fußsoldaten sogar mit Stangenwaffen angreifbar wurde. Erst in dieser Phase aber traten die Feuerwaffen auf. Die gegen den einzelnen Reiter zu richtende Handfeuerwaffe war zu ungenau, um wirksam in größerer Masse eingesetzt zu werden, aber, wie es einmal formuliert wurde, der letzte starke Panzer des Ritters, seine Burg, konnte mit der schweren Feuerwaffe, dem Geschütz, zerstört werden. Damit verlor das Rittertum seine letzte militärische und politische Macht. Nahezu ein Symbol für diese Entwicklung ist das Ende des Ritteraufstandes im Jahre 1523, als der Anführer der Bewegung, der Ritter Franz von Sikkingen, in seiner Burg Landstuhl bei Kaiserslautern im Endkampf an den Folgen eines Artillerietreffers starb.

Die älteste datierbare Handfeuerwaffe der Welt: das Bronzerohr W 2034

Die älteste datierbare Handfeuerwaffe der Welt, das Bronzerohr W 2034 des Germanischen Nationalmuseums (Abb. 1), wurde ebenfalls bei einer Belagerung benutzt. Nachdem der Ritter Hartmud von Cronenberg jahrelang von seiner Burg Tannenberg (bei Darmstadt) aus Frankfurter Bürger, vorzugsweise Kaufleute, überfallen, ausgeraubt und viele getötet hatte, entschloß sich König Wenzel im Bunde mit der betroffenen Stadt, dem Spuk ein Ende zu bereiten. Im Jahre 1399 wurde die Burg mit überwältigender Übermacht eingeschlossen und belagert.

Schwere Geschütze wurden über in den Wald geschlagene Schneisen mit Seilwinden die steilen Abhänge hinaufgezogen und in Stellung gebracht. Auch schwere Fliehkraftwurfgeschütze nahmen den Beschuß auf. Gekämpft wurde mit größter Erbitterung. Als schließlich die Kapitulation unumgänglich war, sind alle überlebenden Burginsassen verwundet gewesen. Die Burg Tannenberg wurde nie wieder aufgebaut. Als sie 1848 ausgegraben wurde, fand sich in einer Zisterne unter dem Trümmerschutt der Belagerung ein achteckiges Bronzerohr, das sich bei näherer Untersuchung als eine »Handbüchse« herausstellte. Dieses Rohr von 32 Zentimetern Länge und einem Kaliber von etwa 1,43 Zentimeter ist die älteste bekannte datierbare (vor 1399) Handfeuerwaffe der Welt. Eine Tülle am hinteren Ende des Laufes hielt den Schaft, einen langen Holzstab, fest.

Wenn wir heute noch die Holzteile am Gewehr als »Schaft« bezeichnen, so kommt dies von jener frühen Form, als ein Holzstab, eben ein Schaft (wie Lanzenschaft, Fahnenschaft), die Feuerwaffe hielt. Diese einfache frühe Waffe hatte noch keine Zündvorrichtung. Ein auf das Zündloch an der Laufoberseite geschüttetes Pulverhäufchen mußte von Hand durch den Schützen oder einen Helfer mit brennender Lunte gezündet werden.

Von einer gezielten Weiterentwicklung der einfachen Handfeuerwaffe kann nicht gesprochen werden. Statt dessen tritt uns eine kaum überschaubare Vielfalt entgegen, die von der Handfeuerwaffe bis zum leichten Geschütz reicht. Die schmiedeeiserne Stangenbüchse W 2443 aus der ersten Hälfte des 15. Jahrhunderts ist ein gutes Beispiel dafür (Abb. 1). Sie trägt als Schaft einen angeschmiedeten Eisenstiel, die Gestalt des relativ kurzen Laufes jedoch ist die Miniaturausgabe eines schweren Geschützes mit kurzer Pulverkammer und kurzem Lauf. Neu ist hierbei allerdings, daß an der Laufunterseite ein eiserner Haken angeschmiedet wurde. Er diente dazu, vor eine Mauer oder auf ein Stützgestell gehakt, den Rückstoß beim Schuß aufzufangen. Der einzelne Schütze konnte dadurch Waffen mit überstarkem Rückstoß handhaben, den er nicht mit seinem eigenen Körper hätte auffangen können.

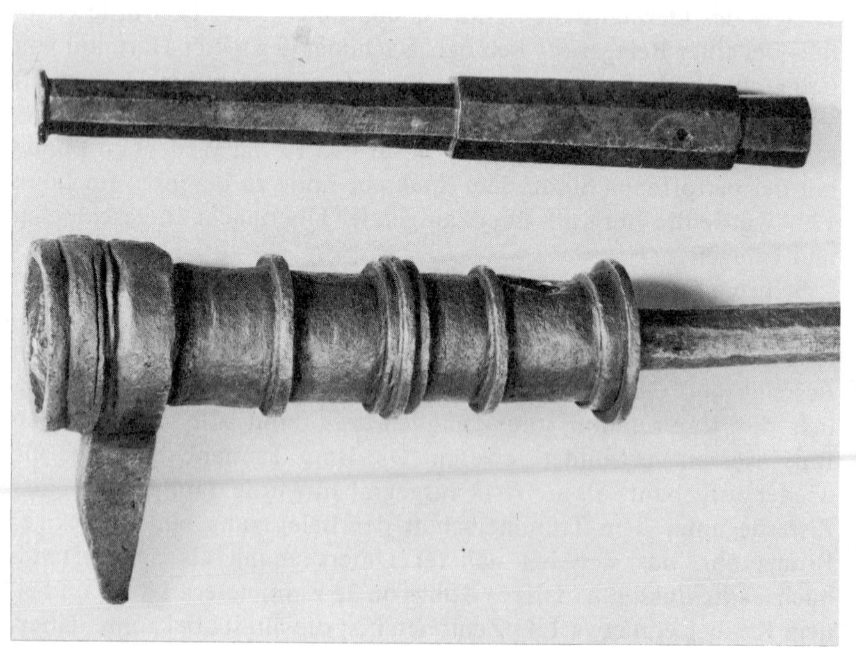

1. Tannenbergbüchse und Stielbüchse (W 2034, 2443)

Diese »Hakenbüchsen«, wie sie bald genannt wurden, waren die gebräuchlichsten Handfeuerwaffen des 15. und frühen 16. Jahrhunderts. Es gab sie in der Größe von Gewehren bis hin zu leichten Geschützen. Ein typischer Vertreter der Hakenbüchse ist die Waffe W 2294 aus dem frühen 16. Jahrhundert, deren Lauf aus Bronze gegossen wurde (Abb. 2). Sie trägt ein Luntenschnappschloß, das mit dem Daumen ausgelöst wurde, wodurch der unter Federspannung stehende Hahn in die Pfanne schlug. Dieser Schloßtyp hatte sich aus dem einfachen Luntenschloß entwickelt, bei dem ein rechts vom Lauf drehbar im Schaft gelagerter, von einer Feder in Ruhestellung gehaltener Hahn über eine Abzugsstange auf die seitliche Pulverpfanne gedrückt werden mußte. Zwischen die Lippen des Hahnes war eine Lunte eingeklemmt, die am vorderen Ende brannte und das Pulver in der Pfanne entzündete (somit war ein zweiter Feuerschütze überflüssig). Die Stichflamme des Abbrandes schlug durch das Zündloch und brachte damit die Hauptladung zur Explosion, die wiederum die Kugel aus dem Lauf trieb.

Die Feuerwaffe wurde seit dem frühen 15. Jahrhundert auch bei Schützengesellschaften als Wettkampfwaffe benutzt, obschon ihre Treffgenauigkeit zunächst relativ gering gewesen sein muß. Dennoch breitete sich die Waffe schnell aus. Im ersten Markgrafenkrieg, den die Reichsstadt Nürnberg mit den Markgrafen von Brandenburg, ihren Nachbarn in Ansbach, 1449/1450 führte, wurde erstmals erwähnt, daß die Zahl der eingesetzten Handfeuerwaffen in der zweiten Kriegshälfte die der Armbrüste überstieg. Die Schäfte der Handfeuerwaffen wurden der menschlichen Anatomie allmählich angepaßt, der gerade Holz- oder Metallstiel verschwand und machte einem leicht abgeknickten Kolben Platz, der ein Visieren über die Laufoberfläche erleichterte. Durch die Verlegung des Zündlochs und der Pfanne an die rechte Laufseite wurde zudem der Visierweg über die Laufmündung freigeräumt. Die Treffgenauigkeit verbesserte sich.

Wundbehandlung mit kochendem Öl

In den Kriegen des späten 15. und frühen 16. Jahrhunderts wurden die Handfeuerwaffen, besonders die Gewehre, bereits ausgiebig eingesetzt. Die Folgen müssen entsetzlich gewesen sein. Die aus Weichblei bestehende Kugel wurde mit dem Ladestock fest in den Lauf gerammt und verlor dadurch ihre Rundung. Beim Auftreffen auf einen menschlichen Körper plattete sich die weiche Kugel sofort ab und erzielte den berüchtigten, später so genannten »Dum-dum-Effekt«. Selbst Streifschüsse konnten zum Verlust von Gliedern führen.

Gleichwohl versuchten die Feldschere ihr Bestes bei der Behandlung der Wunden. Sie entwickelten besondere Kanülen, die in den

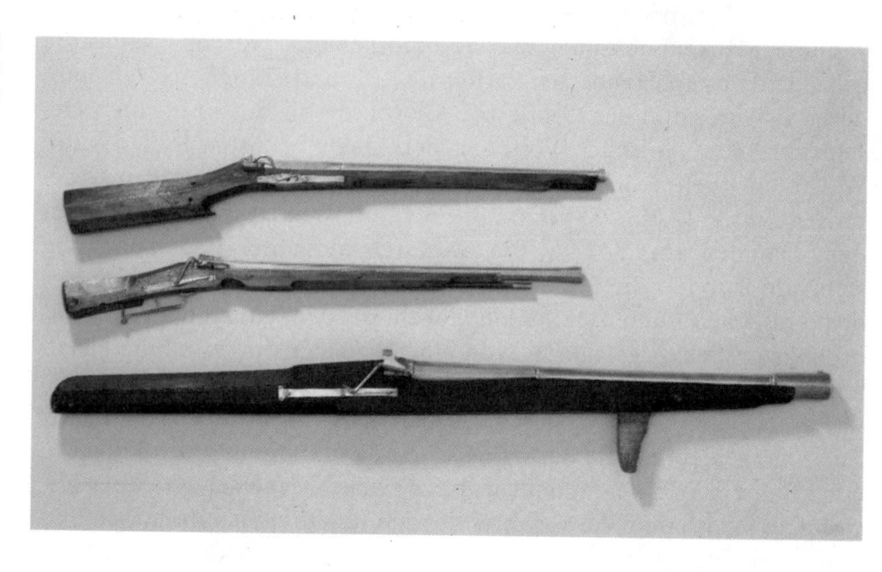

2. Basler-, Mörl- und Hakenbüchse (W 492, 493, 2294)

Schußkanal eingeführt wurden und durch deren Höhlung Bohrer zu den Kugeln bzw. den Bleimassen geschoben wurden, um diese anzubohren und somit herauszuziehen. Die medizinhistorische Sammlung des Germanischen Nationalmuseums besitzt verschiedene Geräte dieser Art. Aus Angst vor Vergiftungen und Entzündungen durch den mitgerissenen Pulverschleim und das Blei füllte man die Schußkanäle anfangs mit kochendem Öl. Erst als einem französischen Feldarzt in Oberitalien das Behandlungsöl ausgegangen war, mußte man feststellen, daß die scheinbar unglücklichen, nicht behandelten Söldner ihre Verletzungen in größerer Zahl überlebten als die mit der Ölprozedur behandelten.

Das Material des Laufes war bis in die erste Hälfte des 16. Jahrhunderts vorwiegend Bronze bzw. Messing gewesen; erst im zweiten Viertel des 16. Jahrhunderts setzte sich Schmiedeeisen bzw. gestähltes Eisen durch. Einen guten Eindruck eines Gewehres mit Messinglauf vermittelt die Waffe W 492, die auf dem Lauf den Bischofsstab, das Wappen der Stadt Basel, trägt (Abb. 2). Die um 1500 entstandene Waffe, deren zerstörtes Kolbenende etwas zu lang rekonstruiert wurde, hat ein Luntenschnappschloß, wobei als eine Art Sicherung die Pulverpfanne mit einem verschiebbaren Deckel versehen ist.

Einige Jahrzehnte später, wohl am Ende der 1530er Jahre, wurde in Nürnberg von dem Büchsenschmied Hans Mörl, dessen Monogramm und Marke (einen Mohrenkopf als redendes Wappen) sie trägt, die Büchse W 493 angefertigt (Abb. 2). Auch sie hat ein Luntenschnappschloß, ihr Lauf jedoch ist aus Eisen geschmiedet. Auf der Laufoberseite trägt sie ein röhrenförmiges Visier, das auf Höhe des Luntenhahnes steht und das verhindern sollte, daß die Wärmeabstrahlung der glühenden Lunte ein exaktes Zielen stören konnte. Der Lauf trägt neben der Meistermarke Mörls auch die Nürnberger Beschußmarke.

In der Reichsstadt war nämlich am 26. Februar 1537 – erstmalig auf der Welt – ein amtlicher Probebeschuß neu gefertigter Handfeuerwaffen eingeführt worden. Als Zeichen der bestandenen Probe wurde das Stadtwappen auf den Lauf geschlagen. Beanstandete Läufe zerstörte man – ein sehr wirksames Druckmittel zur Erreichung von Qualitätsarbeit. Ende 1537 wurde zusätzlich ein bestimmtes Kaliber für die zu prüfenden Gewehre vorgeschrieben und, was noch wichtiger ist, eine genaue Norm (fünf Schraubenwindungen) für die Schwanzschraube, die den Lauf nach hinten abschließt und den vollen Schußdruck aushalten muß, damit der Schuß nicht, wie wir noch heute sagen, nach hinten losging. Die Vorschrift für diese Schraube ist die älteste Industrienorm der Technikgeschichte. Es ist bemerkenswert, daß solche Ansätze zur Normierung bei Feuerwaffen bereits in der Mitte des 15. Jahrhunderts zu beobachten sind, als man, allerdings zunächst ohne größeren Erfolg, versuchte, die Kalibergröße der Büchsen zu vereinheitlichen. Im 17. Jahrhundert vereitelten die Wirren des Dreißigjährigen Kriegs eine Normierung der Feuerwaffen, durch die auch Einzelteile bei Beschädigungen austauschbar geworden wären. Erst im 18. und dann besonders im 19. Jahrhundert gelang dieser Schritt. Die Einführung von technischen Normen im zivilen Bereich ist mit Sicherheit auf diese Vorarbeit zurückzuführen.

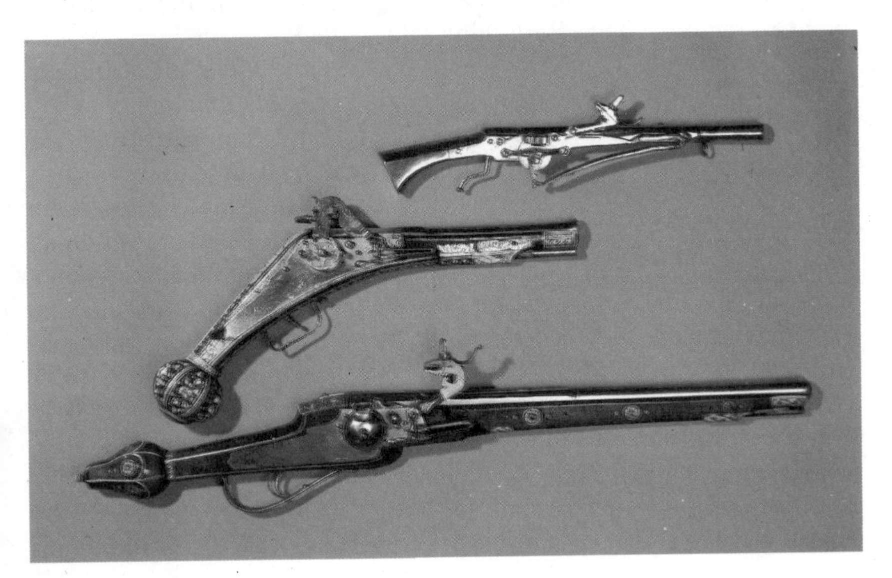

3. Radschloßpistolen (W 2035, 2785, 458)

Der Alptraum Kaiser Maximilians

Das frühe 16. Jahrhundert sah eine weitere höchst bedeutsame Entwicklung der Feuerwaffe, nämlich die Erfindung des Radschlosses. Bei ihm wurden aus einem im Hahn festgeklemmten Stück Schwefelkies durch die Drehung eines geriffelten Stahlrades (wie noch heute beim Taschenfeuerzeug) Funken geschlagen. Das Rad war um eine Achse drehbar gelagert, an der exzentrisch eine Kette (ganz ähnlich einer Fahrradkette) befestigt war, deren anderes Ende von einer Feder gehalten wurde. Beim Aufziehen des Rades mit einem Vierkantschlüssel spannte sich die Feder, da die Kette sich um die Achse wikkelte, bis ein Stift im Rad einrastete, der beim Abdrücken wieder herausgezogen wurde und das Rad somit in schneller Rotation ablaufen ließ. Die Herstellung dieses Mechanismus erforderte ein außerordentliches Maß an Präzision und Materialkenntnis.

Wo das Radschloß erfunden wurde, ist ungewiß. Viele Hinweise sprechen jedoch für Nürnberg. So ungeklärt die Erfindung auch ist, so auffällig ist die Reaktion des Kaisers Maximilian auf die Verbesserung der Feuerwaffen gewesen. Er verbot nämlich 1517 strikt die Herstellung und das Führen von Handfeuerwaffen mit Radschlössern, da diese besonders heimtückisch seien. Bei Luntenschlössern könne man die Gefahr nämlich riechen, wenn jemand eine brennende Lunte an der feuerbereiten Büche mit sich führe (es roch »brenzlig«). Bei Radschloßwaffen könne man aber nichts feststellen, wodurch dies eine ideale Waffe für Kriminelle oder Attentäter sei. Es ist deprimierend für uns, am Ende des 20. Jahrhunderts zu sehen, wie wenig dieses Verbot einer gefährlichen Waffe nützte (vorher war schon einmal im 12. Jahrhundert die Armbrust – sogar auf einem Konzil – geächtet worden). Im 16. Jahrhundert verbreitete sich das Radschloß sehr schnell.

Ein ganz frühes Exemplar dieser Waffe, nahezu die Idealform des Alptraums von Kaiser Maximilian, besitzt das Nationalmuseum mit der Pistole W 2035 (Länge 40 Zentimeter, Kal. 1,2 Zentimeter) (Abb. 3). Man konnte die vermutlich in Süddeutschland ganz aus Eisen hergestellte kurze Waffe in der Tat leicht unter dem Mantel oder in der Tasche tragen und mit ihrem recht archaisch aussehenden Radschloß ohne Vorwarnung einen Schuß abgeben. Pistolen mit Radschloßzündung wurden im 16. Jahrhundert sowohl im militärischen als auch im privaten Bereich, hier besonders als Verteidigungswaffen für Kaufleute (wie wahrscheinlich Waffe W 2785), viel benützt (Abb. 3). Der erste belegbare Selbstmord mit einer Faustfeuerwaffe wurde 1558 in Nürnberg mit einer Pistole dieses Typs verübt. Wie sehr die Glaubenskriege auch auf die Waffen einwirkten, zeigt sich bei der doppelläufigen sächsischen Radschloßpistole W 1610, deren Läufe die Inschrift tragen »si deus pro nos quis contra nobis« (Wenn Gott mit uns ist, wer kann dann gegen uns sein?). Die kräftigen kugelförmigen Kolben der Pistolen dieses Typs sollten die Waffen vermutlich nach dem Schuß als Schlagwaffen verwendbar machen, denn nach dem Abfeuern war die Pistole eine Zeitlang – bis das Nachladen abgeschlossen war – nicht kampfbereit.

Waren bis in den Anfang des 16. Jahrhunderts alle Läufe innen glatt gewesen, so treten seit den 1530er Jahren Läufe mit »Zügen« auf. Dies sind schraubenförmig ins Laufinnere gefräste Rillen. Durch sie wurde die Bleikugel, die mit dem Ladestock in den Lauf gepreßt und zusätzlich in eingefettete Lappen gewickelt war, beim Schuß in eine Drehbewegung parallel zur Flugbahn versetzt, die ihren Flug – wie bei einem Kreiselkompaß – stabilisierte. Die Treffgenauigkeit der Handfeuerwaffen stieg dadurch erneut außerordentlich an. Im militärischen Bereich wurde diese Erfindung zunächst nicht sofort verwendet, da außer den hohen Herstellungskosten die größere Treffsicherheit um den Preis einer starken Verlangsamung der Schußfolge wegen des jetzt notwendigen sorgfältigeren Ladens erkauft werden mußte.

Musketen, Karabiner, Pistolen

Die religiösen Spannungen im alten Heiligen Römischen Reich Deutscher Nation entluden sich im Dreißigjährigen Krieg explosionsartig. Unter dem Deckmantel der Religion wirkten bei vielen Beteiligten aber auch alte Streitigkeiten und persönliche Machtansprüche als Triebfeder mit. Von diesem Krieg und seinen Leiden, auch den realen Wirkungen der Waffen, besitzen wir im berühmten *Simplicius Simplicissimus* von Grimmelshausen ein erschütterndes Dokument aus der Feder eines Zeitgenossen. Die anfangs noch gutorganisierten Armeen verfielen moralisch und organisatorisch, je länger der Krieg dauerte.

Das Fußvolk war anfänglich meist noch mit Spießen bewaffnet, daneben mit dem Degen, große Teile aber auch mit schweren Handfeuerwaffen, die beim Schuß auf spezielle mitgeführte Stützgabeln aufgelegt werden mußten. Da der Landsknechtsjargon den brummenden Flug einer Bleikugel mit dem einer Fliege (spanisch »mosca«) verglich, entstand für diese Waffen der Name Muskete. Seinen Pulvervorrat trug der Musketier in einer großen Pulverflasche; in Holzfläschchen, die von einem ledernen Bandelier, das quer über den Oberkörper lief, herabhingen, trug er abgemessene Pulverladungen für jeweils einen Schuß. Die linke Hand hielt die brennende Lunte, die in den Hahn geklemmt werden mußte. In Feuerbereitschaft steckte sich der Schütze eine Handvoll Bleikugeln in den Mund, um sie schneller parat zu haben. Die Dämmpfropfen aber, die er auf das Pulver preßte, bevor die Kugel aufgesetzt wurde, und die aus allerhand altem unbrauchbarem Papier bestanden, steckte er griffbereit unter das Band seines breiten Hutes. Und so benutzen wir also noch heute den Landsknechtsjargon des Dreißigjährigen Krieges, wenn wir einem Bekannten beispielsweise empfehlen, sich bestimmte Investmentpapiere doch »an den Hut zu stecken«.

Damals erreichte der Gewehrkolben auch jene Grundform, die heute noch gebräuchlich ist. Das Bild mit den Luntenschloßmusketen zeigt auch einen Radschloßkarabiner. Der war die leichte Feuerwaffe für den Reiter. Um die Hände im Notfall für Pferd und Degen freizuhalten, trug der Reiter ein breites ledernes Bandelier, an dem ein freilaufender »Karabinerhaken« hing, der wiederum das Gewehr trug. Der Schütze konnte seine Waffe so nicht verlieren. Diese Tragweise ist vermutlich über den islamischen Balkan nach Westeuropa gekommen, denn das Wort Karabiner leitet sich vom arabischen Wort »karab« für Feuerwaffe ab. Der Karabinerhaken wird heute auch im zivilen Bereich noch so benannt, und die italienischen Carabinieri tragen ihren Namen also noch aus jener Zeit, als ihre Vorgänger zu einer berittenen Schützeneinheit gehörten.

Im 17. Jahrhundert wurde das in der ersten Hälfte des 16. Jahrhunderts erfundene Schnappschloß zum Steinschloß weiterentwickelt. Beim Schnappschloß reibt nicht mehr ein Rad den zündenden Funken, sondern ein Stück Stein im niederfallenden Hahn schlägt ihn. Eine frühe Entwicklungsstufe dieser Schloßform besitzt das Museum mit dem Gewehr W 411 (Abb. 4), bei dem die Schlagfläche noch konvex gewölbt ist wie das Rad beim Radschloß. Die Einführung des Steinschlosses in die Armeen des 18. Jahrhunderts bedeutete eine Erhöhung der Feuerkraft, da die Handhabung der glimmenden Lunten

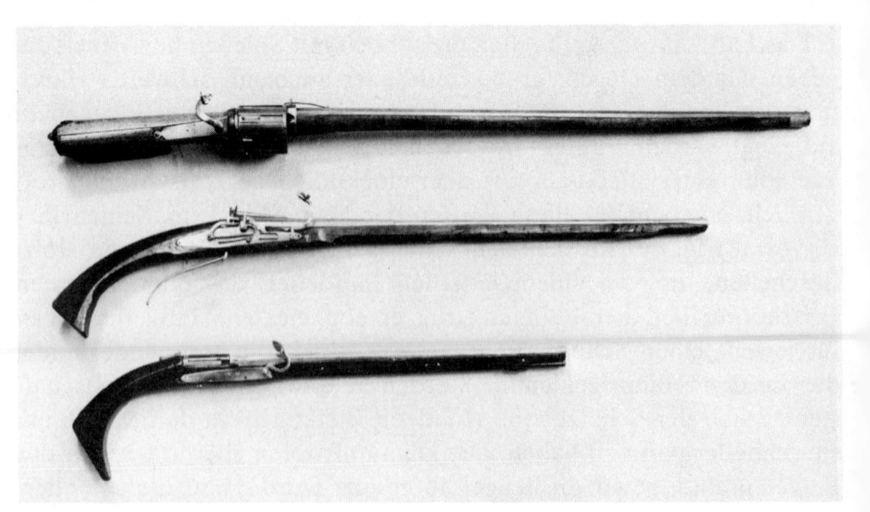

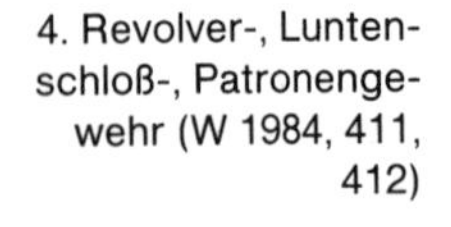

4. Revolver-, Luntenschloß-, Patronengewehr (W 1984, 411, 412)

am Luntenschloß doch relativ umständlich und unsicher (besonders bei feuchter Witterung) war.

Die Schützen wurden nun in den Armeen des 18. Jahrhunderts dichtgedrängt in Reihen hintereinander aufgestellt, wobei jeweils eine Reihe feuerte, die anderen aber luden; so konnte die Feuergeschwindigkeit eines Bataillons ganz erheblich gesteigert werden, obschon die Treffer aufs Ziel einer solchen Salve minimal waren. Scharnhorst gab an, daß auf 150 Schritt jede zweite Kugel das gegnerische Bataillon traf, auf 300 Schritt jede siebte, auf 400 Schritt aber nur jede fünfzehnte Kugel – und auch das nur, wenn gezielt geschossen wurde. Dies geschah aber meist nicht, ja war teilweise sogar ausdrücklich verboten, da durch das Zielen wertvolle Zeit verlorenging.

Die Salven auf den Schlachtfeldern des 18. Jahrhunderts erzeugten derart dicke Pulverdampfwolken, daß die Feldherren ihre Soldaten nur noch schlecht erkennen konnten. Die teils grellbunten Uniformen waren also funktional notwendig, um halbwegs einen Überblick über das Geschehen auf dem Schlachtfeld behalten zu können. Die Offiziere, die die Bataillone führten, gaben, was bei den komplizierten Manövern durchaus notwendig war, mit einer langen Stangenwaffe, dem Sponton, optische Einsatzbefehle. Die Militärmusik, die ja Nachrichtencharakter hatte, da sie durch den Rhythmus die Geschwindigkeit von Vorrücken oder Rückzug und durch ihre Signale bestimmte Befehle der Kommandierenden übermittelte, bediente sich bei der Leitung der Musiker des gleichen Prinzips. Der Tambourmajor trägt seinen Stab und gibt mit ihm seinen Spielleuten Zeichen, heute wie vor Jahrhunderten, als dies noch einen funktionalen Sinn hatte.

Die Flinte des Musketiers, der Karabiner und die Pistolen des Reiters waren relativ schmucklose Arsenalwaffen, die Pistolenpaare des berittenen Offiziers hingegen je nach Stellung oder finanziellem Vermögen des Trägers in verschiedenen Graden reich verziert. Aus der Vielzahl solcher Pistolen der Waffensammlung des Germanischen Nationalmuseums sei hier nur eine der beiden Pistolen herausgegriffen, die nach Angabe des Vorbesitzers der preußische Freiheitsheld Major von Schill bei seinem letzten Ritt getragen haben soll. Sie ist, was für den Franzosenhasser Schill etwas verwunderlich ist, eine französische Arbeit, beweist damit aber die Berechtigung des ironischen Satzes von Goethe: »Kein Deutscher mag den Franzmann leiden, doch seine Weine trinkt er gern.«

Ist das Pistolenpaar Schills zurückhaltend, aber sehr geschmackvoll mit Eisenschnitt verziert, so zeigen die Pistolen, die der nachmalige bayerische König Maximilian Joseph als französischer Artillerieoffizier getragen hatte, einen dem fürstlichen Stand des Trägers entsprechenden Prunk. Die Läufe tragen neben der originalen Bläuung vergoldete Gravuren, und die eleganten Nußbaumschäfte sind mit reichreliefierten, massiv silbernen Beschlägen versehen. Gerade dieses Pistolenpaar zeigt, welche Rolle als Objekte des Sozialprestiges Handfeuerwaffen spielten. Feuerwaffen waren zum Rangabzeichen für hohe Offiziere geworden, mit ihnen wurde genausowenig gekämpft wie mit den deutschen Offiziersdolchen des Zweiten Weltkriegs.

Mehrschüssige Waffen und Kombinationswaffen

Es ist ein bedeutender Nachteil der Vorderladerhandfeuerwaffe, daß nach Abgabe des Schusses eine bestimmte Zeit für das Nachladen benötigt wird, während der der Schütze nahezu wehrlos ist. Schon im 15. Jahrhundert versuchte man deshalb, durch Bündelung von Läufen die Feuergeschwindigkeit zu steigern. Bei der Artillerie nannte man solche Waffen wegen ihres Aussehens »Orgeln« oder auch zynisch, aber treffend »Totenorgeln«. Sehr oft montierte man die Läufe parallel zur Achse auf die Außenseite eines drehbaren Zylinders. Da diese Waffen sehr schwer und unhandlich waren und im Grunde nur der hintere Laufteil, die »Kammer« mit Ladung und Zündloch, abgetrennt sein mußte, der Vorderlauf aber allein stehen konnte, wurde das Trommelgewehr erfunden.

Das Trommelgewehr des Nationalmuseums (W 1984; Länge 1,67 Meter) aus der zweiten Hälfte des 16. Jahrhunderts ist mit einem zweiten, ebenfalls aus Nürnberger Produktion stammenden (heute in London) das älteste erhaltene Beispiel dieser Rationalisierung des Schießens. Die Zündung geschah über den Luntenhahn, die Trommel mußte bei jedem der acht möglichen Schüsse von Hand weitergedreht werden, bis eine Feder in eine Aussparung einrastete und somit die Ladung einfach, aber genau vor dem Lauf justierte. Schiebedeckel über den einzelnen Zündlöchern verhinderten ein Überspringen der Zündflamme.

Dieser Waffentyp des Revolvers wurde allerdings erst im 19. Jahrhundert durch den Engländer Adams und besonders den Amerikaner Colt so weit verbessert, daß eine gebrauchsfähige, schnell schießende Waffe entstand. In vielen Filmen der Gattung »Western« spielen diese Waffen eine tragende und – durchschlagende – Rolle. Dabei erlauben sich Waffenkenner manchmal den Spaß, bei den Schüssen mitzuzählen und das Wunder zu erleben, daß ein umzingelter Westernheld aus einem sechsschüssigen Vorderladerrevolver ohne Nachladepause (etwa fünf Minuten) zehn bis fünfzehn Schüsse abfeuert.

Ein anderer Weg, die Abstände zwischen den Schüssen zu verkürzen, bestand darin, den hinteren Laufteil, die Kammer, abnehmbar zu machen und mehrere geladene Kammern mit Pulver und Kugel nacheinander an den Lauf zu stecken und abzufeuern. Bei Geschützen wurde dies ebenfalls schon im 15. Jahrhundert angewandt.

Eine Weiterentwicklung ist die Methode, nicht die ganze Kammer abnehmbar zu machen, sondern nur ein relativ dünnwandiges geladenes Kammerteil mit Zündloch und Pfanne hinten in den Lauf zu schieben und abzufeuern. War das Trommelgewehr der Vorläufer des Revolvers, dann ist dies der Vorläufer der Patronenmunition. Auch von jener Entwicklung besitzt die Waffensammlung des Museums ein gutes Belegstück in dem Gewehr W 412 (Abb. 4). Der Nachteil all dieser frühen Hinterladerfeuerwaffen ist die technische Unmöglichkeit gewesen, die Kammer gasdicht an den Lauf schließen zu können. Austretende Pulverdämpfe belästigten den Schützen schwer, oft dürfte auch bei Schäden an der Verriegelung des Laufes der »Schuß nach hinten losgegangen« sein und den Schützen getötet haben. Erst im 19. Jahrhundert wurden alle Probleme mittels neu erfundener Fabrikationsmöglichkeiten gelöst.

Die »Patronen« des 16. Jahrhunderts, die in besonderen Behältern wie dem von 1602 (W 2686) am Gürtel getragen wurden, konnten zum Schießen nicht direkt in den Lauf geschoben werden (Abb. 5). Es waren vielmehr in Papier abgepackte Pulverladungen mit eingebundener Bleikugel. Der Soldat mußte das Kugelteil in den Mund nehmen und die Patrone aufreißen, das Pulver in den Lauf schütten, das Papier nachstopfen, darauf die Kugel mit dem Ladestock in die Tiefe

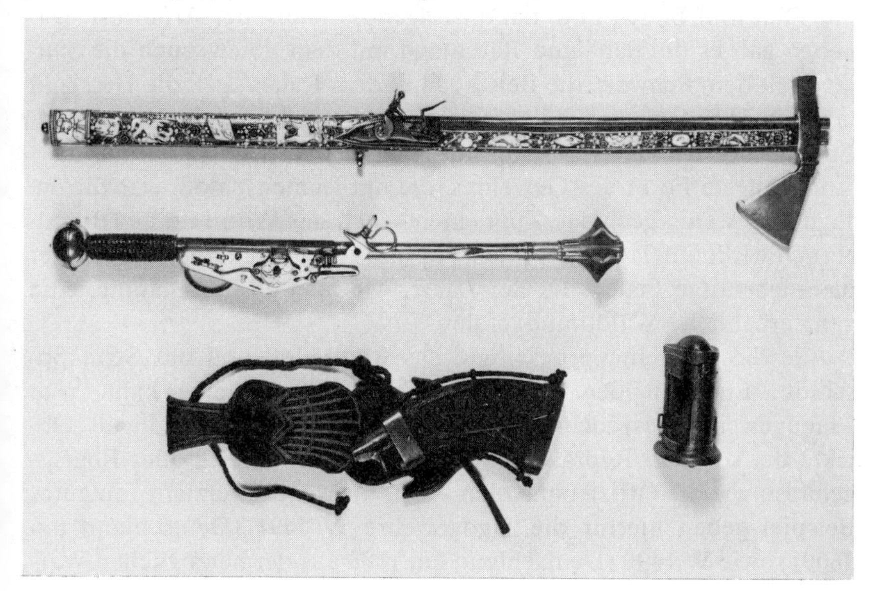

5. Streithacken, Streitkolben, sog. »Hangsel« und Patronenbüchse (W 457, 1455, 2686, 2689)

des Laufs stoßen. Aus diesem Grund waren Männer nach Verlust der vorderen Schneidezähne nicht mehr kriegstauglich.

Einen weiteren Weg, die Wehrlosigkeit des Schützen zu überbrükken, beschritt man mit dem Versuch, Kombinationswaffen herzustellen, die primär wie Nichtfeuerwaffen aussahen. Dadurch konnte der Träger im Kampf einen Überraschungsvorteil erlangen. Solche Waffen konnten Streitkolben (im 16. Jahrhundert meist Rangabzeichen militärischer Führer), Kampfbeile, Helmbarden und Spieße, ja sogar Schilde, Schwerter und Dolche sein. In oder an ihnen wurden Schußvorrichtungen eingebaut, mit denen meistens – wenn überhaupt – nur sehr schlecht gezielt werden konnte. Ganz typische Vertreter dieser Gattung sind der Streitkolben W 1455 aus der zweiten Hälfte des 16. Jahrhunderts und die Streithacke W 457 vom Anfang des 18. Jahrhunderts (Abb. 5).

Daß ähnlich skurrile Einfälle auf dem Gebiet hinterhältigen Mordens leider auch heute noch realisiert werden, wurde erschreckend deutlich, als vor einigen Jahren Geheimdienstmorde und -mordversuche bekannt wurden, bei denen die Waffe, ein als Regenschirm getarnter Schußapparat, vergiftete Kugeln schoß.

Die Jagd: »der Krieg des Menschen gegen die Natur«

Wenn wir heute an Jagd denken, fällt sofort assoziativ der Begriff Gewehr ein. Daß dies früher ganz anders war, zeigt ein kurzer Blick auf die Geschichte dieses Zeitvertreibs, der einst zu den Privilegien des Adels gehörte.

Die älteste Jagdart mit Schußwaffen im Mittelalter war wohl die mit Pfeil und Bogen und, darauf folgend, die mit der Armbrust. Daneben gab es die Sau- und Bärenjagd mit dem Spieß, auch die Saujagd mit dem Schwert, die Beizjagd mit dem Raubvogel, die Hetzjagd mit den Hunden, wobei das gejagte Tier (meistens ein Hirsch) am Ende seiner Leiden vom Jäger mit einer Blankwaffe getötet wurde.

Die älteste Form des Gewehres, die mit Luntenschloß, war für die Jagd sehr wenig geeignet. Zum einen »roch das Wild Lunte« (Brandgeruch wirkt auf Tiere besonders alarmierend), zum anderen bedeutet das »lebendige Feuer« an der Lunte, wie man es 1552 nannte, eine ganz erhebliche Waldbrandgefahr.

Alle diese Nachteile beseitigte das Radschloß und das Schnappschloß. Erst seit der Erfindung dieser Zündsysteme kann vom »Jagdgewehr« gesprochen werden. Gemäß ihrer Funktion als Objekte der sozialen Repräsentation sind Jagdgewehre in aller Regel – genauso wie die Offizierspistolen – sehr aufwendig verziert. Ein gutes Beispiel geben hierfür die Jagdgewehre W 1491 (Deutschland um 1600) sowie W 1490 (Deutschland um 1588 aus der herzoglichen Waffenkammer in Schloß Neuburg an der Donau) (Abb. 6). Die äußerst feingliedrigen, überdies gravierten Beineinlagen in den Nußbaumschäften sind ein Indikator für die Rolle dieser Schußwaffen. Wenige Jahre später wandelte sich der Geschmack, und die Schäfte wurden mit reliefierten Ornamenten verziert. Durch das Radschloßgewehr W 2860 und das Pulverhorn W 3150, die 1594 als Geschenke des Landgrafen Georg Ludwig zu Leuchtenberg an den Nürnberger Patrizier Christoph Kress kamen, werden wir darauf hingewiesen, daß ursprünglich zu jedem Gewehr das passende Zubehör vorhanden war (Abb. 7). Als Beispiele für die Qualität selbst dieser kleinen Gegenstände stehen die Pulverflaschen und Radschloßspanner (mit denen das Radschloß aufgezogen werden mußte).

Weit spannt sich der Bogen der Thematik der Darstellungen auf den Pulverbehältern. Besonders interessant ist dabei das Pulverhorn W 3011, auf dem allegorisch die Jagd als der Krieg des Menschen gegen die Natur, vertreten durch die Tiere, dargestellt wird. Ganz reali-

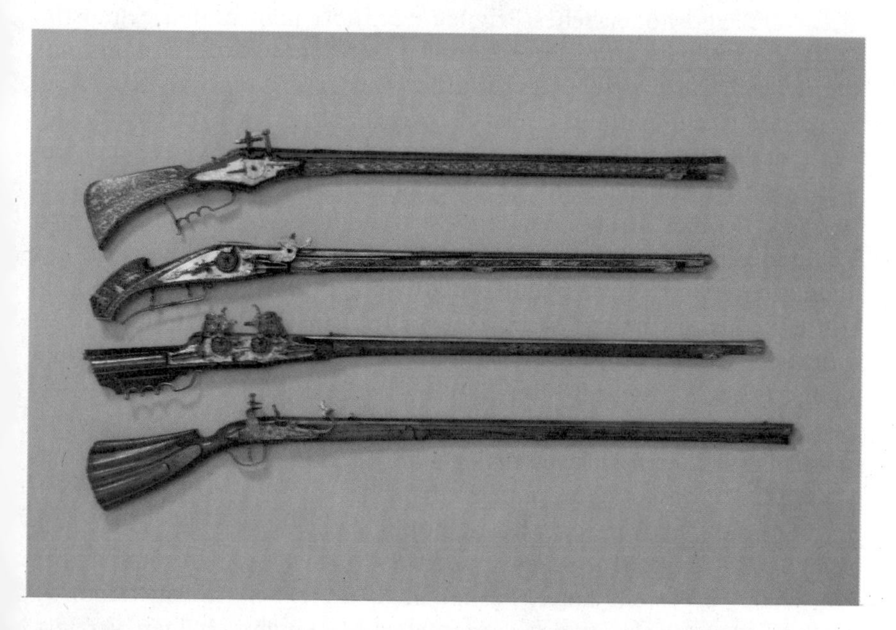

6. Jagdgewehre (W 1491, 1490, 143, 665)

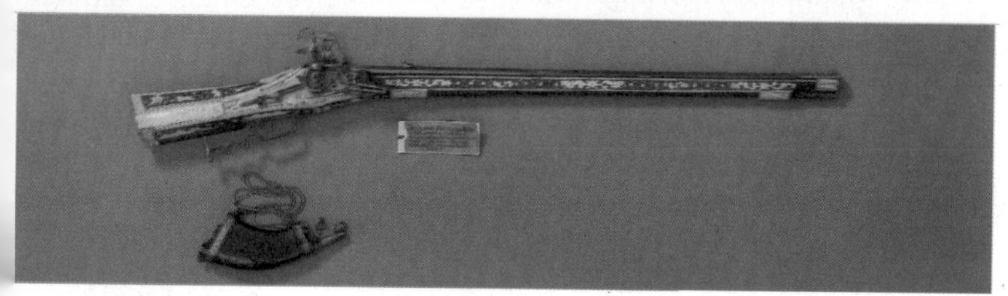

7. Radschloßgewehr, Pulverhorn (W 2860, 3150)

stisch dagegen ist die Verzierung der schlichten, aber eindrucksvoll aus Elfenbein gedrechselten Flasche, in deren Mitte eine Medaille auf die gescheiterte türkische Belagerung von Wien (1683) eingelassen ist.

Außer für die Jagd auf Hirsch und Sau benutzte man Feuerwaffen auch für die auf fliegende Vögel. Solche Vogeljagdgewehre sind sofort an ihren zierlichen Dimensionen und kleinen Kalibern zu erkennen. Auffallend und in vielen Sammlungen zu finden, so auch in der des Nationalmuseums, ist ein Typ, der in Nürnberg hergestellt wurde und bei dem als Charakteristikum der Schaft mit Ebenholz furniert und mit gravierten Perlmuttintarsien verziert ist (W 1494) (Abb. 8). Ebenso leicht an Form und Kaliber erkennbar sind die »Tschinken« aus Teschen in Schlesien, zierliche, kleinkalibrige Gewehre mit archaisch anmutenden Radschlössern und teilweise etwas naiv aussehenden gravierten Intarsien in Bein, auch in Perlmutter (W 1496) (Abb. 8).

Da die Jagd hoheitliches Privileg war, übte man in den begünstigten Familien bereits in der Kinderzeit mit der Jagdwaffe, damit aus dem Knaben ein guter Jäger wurde. Das interessanteste Kindergewehr des Nationalmuseums ist die Jagdbüchse des Kronprinzen Joseph, des späteren Kaisers Joseph II († 668). Das relativ schlichte Gewehrchen ist um die Mitte des 18. Jahrhunderts in Wien hergestellt worden. Daß zu den bei der Jagd verwendeten Feuerwaffen oft auch Pistolen gehörten, belegt eine Garnitur (im gleichen Stil verziert) aus Jagdbüchse und Pistolenpaar (W 3075/76), die in der ersten Hälfte des 18. Jahrhunderts in Würzburg von Johann Jakob Behr angefertigt worden ist. Das Museum erwarb sie aus dem ehemals kurfürstlich sächsischen Jagdschloß Ettersberg bei Weimar (Abb. 9).

Neben dem »französischen« Schaft, auf dem der moderne Gewehrschaft beruht, hielt sich bis ins 18. Jahrhundert der sogenannte deutsche Schaft, dessen Querschnitt dreieckig war. Die außerordentlich schöne und reichverzierte Radschloßbüchse W 2555, die der Büchsenmacher Leopold Becher in der Mitte des 18. Jahrhunderts in Karlsbad hergestellt hatte, besitzt noch diese Schaftform (Abb. 9). Das Nußbaumholz ist mit vergoldeten Messingbeschlägen verziert, und der originalgebläute Lauf trägt eine Widmungsinschrift, nach der die Büchse ein Geschenk des Konvents an den Abt Alexander (1744–1756) des Klosters Waldsassen (Oberpfalz) gewesen ist. Auch ein Mann des Glaubens konnte also durchaus von der Jagdleidenschaft gepackt werden, nur ein Franziskanermönch dürfte er kaum gewesen sein.

Die Prunkliebe bei Jagdwaffen zeigt sich in der Sammlung letztma-

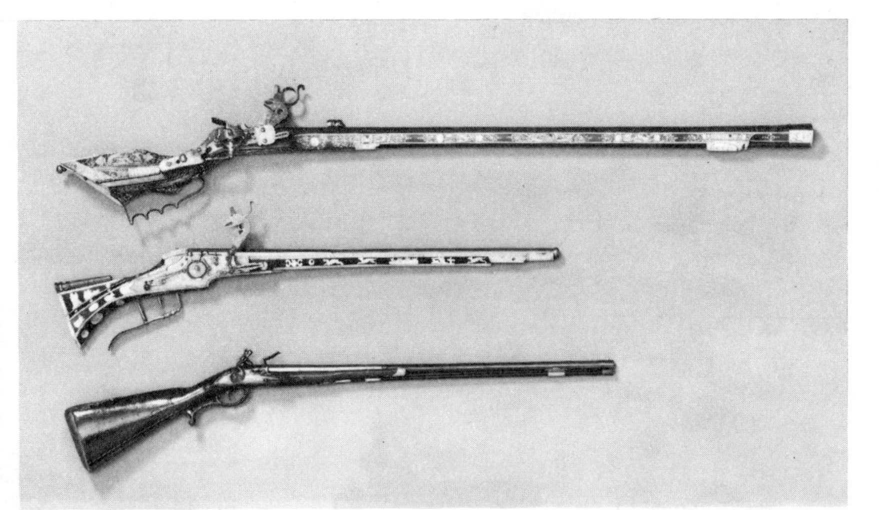

8. Tschinke, Vogelflinte, Kindergewehr des Kronprinzen Joseph, des späteren Kaisers Joseph II. (W 1496, 1494, 3286)

lig an drei Flinten der Mitte bzw. der zweiten Hälfte des 19. Jahrhunderts. Es ist dies eine Zündnadelflinte, bei der neben der sorgfältigen Gravur der Metallteile der unsichtbar im Inneren liegende komplizierte Zündmechanismus die Bedeutung der Waffe ergab. Zwei Zentralfeuerflinten (W 2637/38), die der Liegnitzer Büchsenmacher Alexander Bartsch 1878 gefertigt hatte, bestechen durch die brillante Qualität ihrer Damaststahlläufe und die feinen Eisenschnittverzierungen (Abb. 10).

Diese letzten drei Waffen sind Beispiele dafür, daß vom 19. Jahrhundert an die Qualität der Feuerwaffen vorwiegend in ihrer technischen Verarbeitung oder in der Raffinesse der Zündmechanismen besteht. Der Stil der Verzierungen wird gewissermaßen beim Historismus eingefroren und bis in die Gegenwart durchgehalten. Jagdgewehre, deren Verzierungen der zeitgenössischen Kunst, zum Beispiel Jugendstil, Art deco oder Expressionismus, entsprechen, sind ungewöhnlich selten. Die alte Einheit von technischer und künstlerischer Qualität ist heute bei Jagdwaffen nahezu vollständig verloren.

Vom Bürgerheer zum Schützenverein

Wann zum erstenmal Feuerschützen mit ihren Waffen unter friedlichen Wettkampfbedingungen auf ein Ziel schossen, ist unbekannt. In Nürnberg jedenfalls stammen die ersten Nachrichten darüber aus dem Jahre 1498. Man würde die damals genannte Gruppe junger Bürger völlig falsch einschätzen, hielte man sie für einen »Sportverein« im heutigen Sinn. Diese Gesellschaften dienten vielmehr – wie alle Schützengesellschaften jener Zeit – der Übung der Bürger an Kriegswaffen und damit letztlich der Verteidigungsbereitschaft der Stadt.

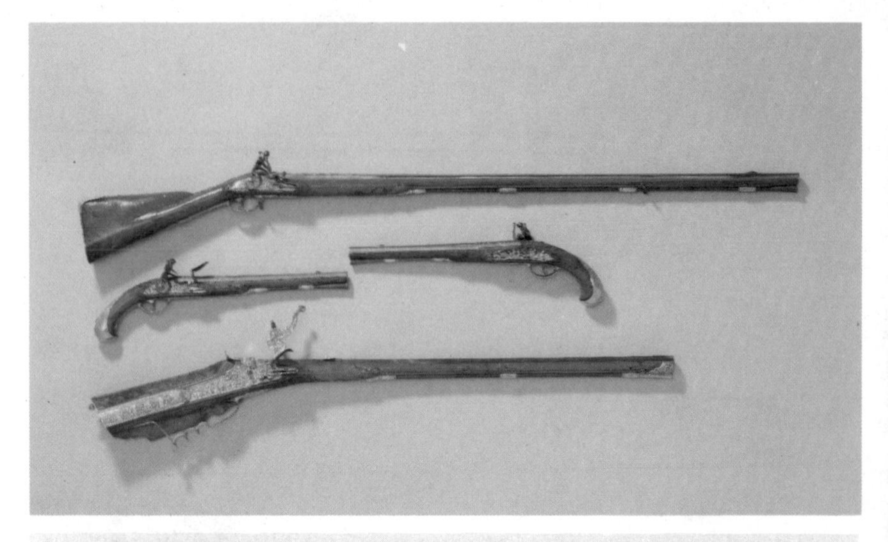

9. Jagdgewehre u. Pistolen (W 3075, 3076, 2555)

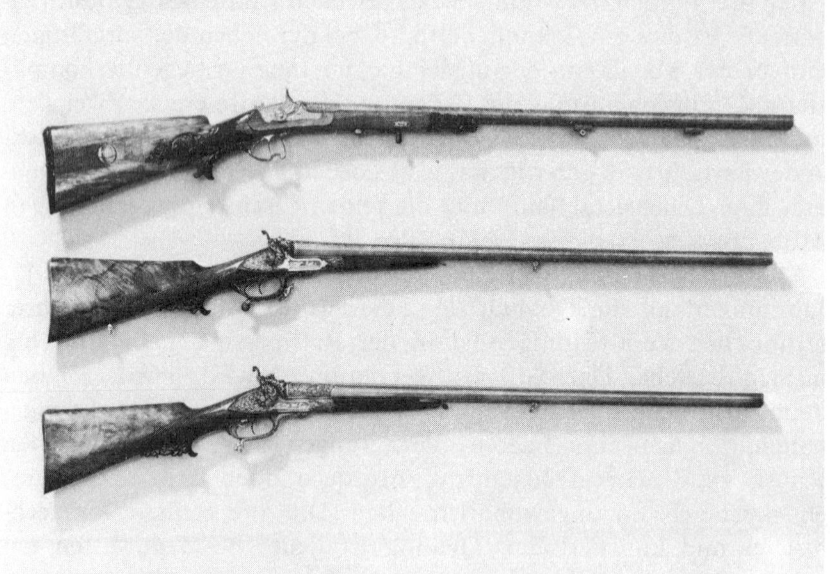

10. Zündnadelflinte, Zentralfeuerflinten (W 2638, 2637)

Schon sehr schnell ist der, wie wir heute sagen würden, »hohe Freizeitwert« solcher Gesellschaften erkannt worden, und sie erhielten daher regen Zulauf. Dabei wurde eine gewisse soziale Auslese getroffen, denn nicht jeder Bürger konnte die immerhin nicht billigen Zutaten wie Pulver und Kugeln bezahlen. Ein eigenes Gewehr benötigte er zwar nicht unbedingt, er konnte sich für das Schießen eines von der Gesellschaft leihen, dafür mußte er aber auch wieder eine Gebühr entrichten. Unter diesen Bedingungen verwundert es nicht, wenn die

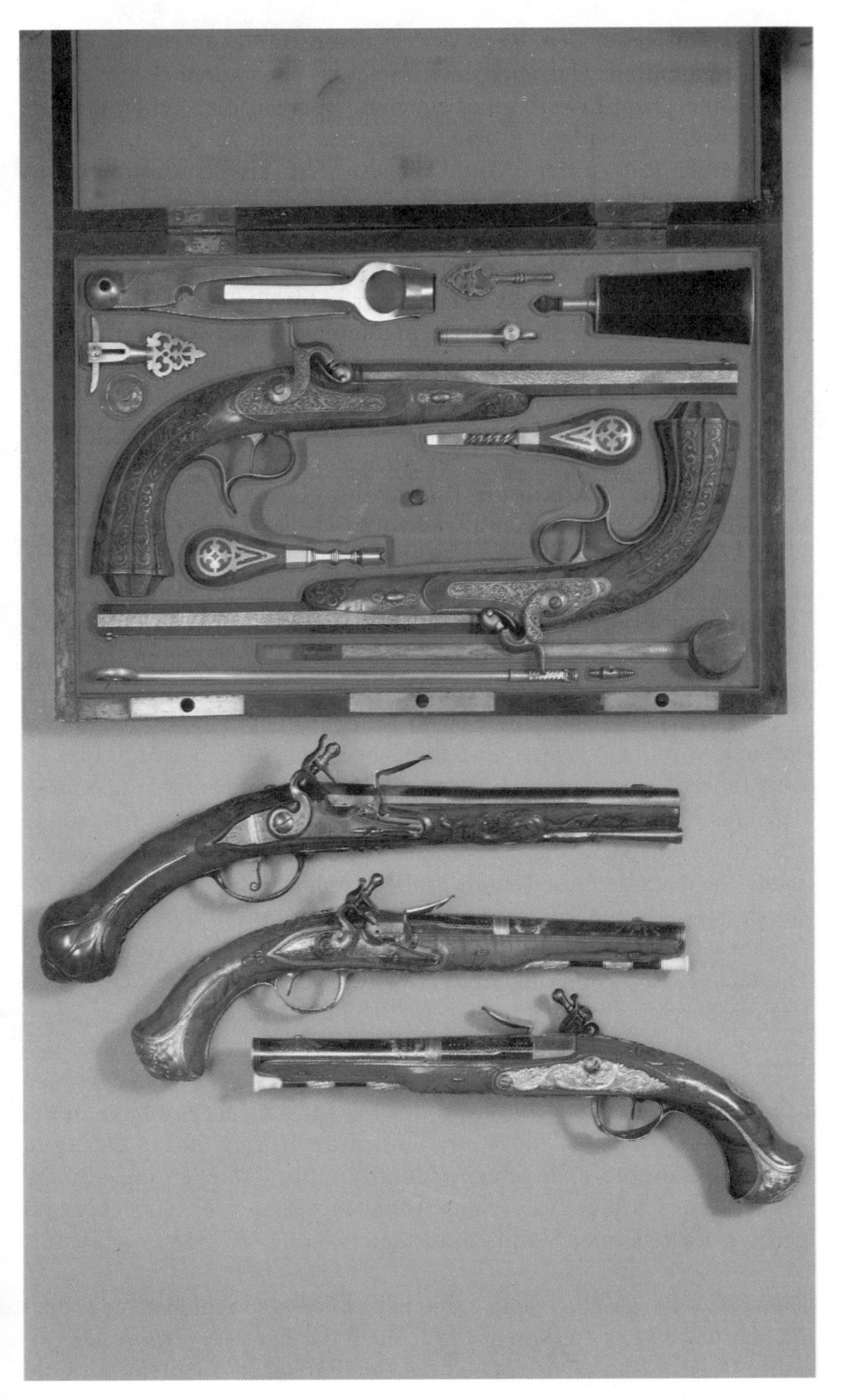

11. Kasten mit Scheibenpistolenpaar König Ludwigs II. von Bayern, Pistole des Majors Schill, Pistolenpaar des späteren Königs Max Joseph von Bayern (W 3280, 3290, 395)

Schützen meist aus dem Kreis der reicheren Handwerker und des Patriziats stammten. Um aber auch ärmeren, aber guten Schützen die Möglichkeit zum Erwerb einer eigenen Feuerwaffe zu geben und um dadurch die Verteidigungsbereitschaft der Stadt zu heben, griff der Nürnberger Rat zu dem Mittel, Feuerwaffen als Schützenpreise zu stiften. Auf diesem Weg gelangten beispielsweise im Jahre 1500 887 Handfeuerwaffen an die Bevölkerung.

Die verwendeten Waffen waren ursprünglich normale Kriegswaffen. Da diese aber trotz aller Bestrebungen bis vielleicht auf das Kaliber relativ unterschiedlich waren, mußten bestimmte Vorschriften für die bei Wettbewerben zugelassenen Büchsen verkündet werden, um eine gewisse Chancengleichheit der Schützen zu ermöglichen. Meist beschränkten sie sich auf Konstruktionsvorschriften für die Schäfte im Bereich des Schlosses und des Abzugs bzw. des Vorderschafts, wo der Schütze die Waffe in die Hand nahm. Der Kolben selbst durfte den Körper des Schützen nirgendwo berühren. Jeder heutige Sportschütze weiß, welch unerhörte Erschwernis des Schießens dies bedeutete. Die unter solch harten Bedingungen trainierten Schützen schlugen aber im Krieg an der Wange an bzw. legten ihre Waffen zusätzlich auf. Die Zielsicherheit dieser Bürgerschützeneinheiten im Krieg muß ganz außerordentlich gewesen sein.

Die bereits erwähnte Büchse von Hans Mörl stammt mit einiger Sicherheit von der Nürnberger Schützengesellschaft. Es würde hier zu weit führen, eine Geschichte des deutschen Schießsports zu schreiben; aus der Entwicklung seit dem 16. Jahrhundert seien nur einige Punkte herausgegriffen. So brachte die Erfindung des gezogenen Laufs für manche Gesellschaft große Probleme, die man dadurch löste, daß jeweils nur Schützen mit glatten oder nur mit dem besser treffenden gezogenen Lauf gemeinsam in einem Wettbewerb schossen. Die technischen Neuerungen der Waffen wurden jeweils vom militärischen Bereich übernommen, wenn auch mit einiger zeitlicher Verzögerung.

Die Schießfreude der Schützenbrüder muß ganz erheblich gewesen sein. Es gibt Schützenordnungen des 16. und 17. Jahrhunderts, in denen verboten war, auf die Wetterfahnen der Türme und in Stadttore sowie in Gartentore zu schießen, und die das Schießen auf Hunde, Katzen und Geflügel sowie das Abhalten privater Wettschießen außerhalb zugelassener Stände untersagten.

Die Seuche der Pistolenduelle

Zum Gewehr gesellte sich beim »sportlichen« Schießen seit dem 17. Jahrhundert in stärkerem Maße auch die Faustfeuerwaffe, die Pistole. Diese Übung hatte neben dem militärischen auch einen wenig schönen zivilen Grund, nämlich die seuchenartig aufkommenden Pistolenduelle, die im 18. und 19. Jahrhundert einen traurigen Höhepunkt erreichten. Prominente Männer fielen ihnen zum Opfer wie beispielsweise Ferdinand Lassalle, einer der Mitbegründer der deutschen Sozialdemokratie, der im Duell um eine Gräfin starb.

Ein besonders schönes Paar Scheibenpistolen, mit denen man im Gegensatz zu Duellpistolen auf Zielscheiben schoß, enthält jener Kasten mit dem Paar Perkussionspistolen (mit allem Lade- und Reinigungszubehör), die der Regensburger Büchsenmacher J. Adam Kuchenreuther für den später in geistige Umnachtung gefallenen König Ludwig II. von Bayern fertigte. Als das Geschenk des Königs an einen seiner Pagen gelangte der Kasten später von diesem an das Nationalmuseum (Abb. 11).

Scheibenpistolen wurden stets paarweise verwendet, um Haltefehler beim ersten Schuß gleich mit einem zweiten Schuß verbessern zu können, ohne die lange Nachladeprozedur einschalten zu müssen. Man erkennt sie in aller Regel an den gezogenen Läufen im Gegensatz zu Duellpistolen, die glatte Läufe hatten, um auch einem ungeübten Schützen eine gewisse Chance zu geben.

Im 19. Jahrhundert erhielt das deutsche Schützenwesen während der Befreiungskriege gegen Napoleon und während der Revolution 1848/1849 militant politische Züge. Auch aus jener Epoche besitzt das Nationalmuseum interessante Gewehre und Pistolen, deren spätere Ausstellung geplant ist.

»Den Finger am Drücker haben«

Die Entwicklung der Handfeuerwaffen hat im Umgangsdeutsch unserer Tage eine Reihe von Spuren hinterlassen – ohne daß wir uns derren bewußt sind.

Erwähnt wurde schon die Redewendung von »etwas an den Hut stecken«, weitere Beispiele gibt es genug. So hat heute ein Mensch mit besonderen Fähigkeiten »etwas auf der Pfanne«, was früher bedeutete, daß er Pulver drauf hatte, um sofort schießen zu können, also um beim Schuß den Hahn auf die Pfanne schnappen zu lassen und somit seinen Kontrahenten »in die Pfanne hauen« oder »abschießen« zu können. Er mußte seinen Gegner allerdings erst »anvisieren« bzw. »aufs Korn nehmen«, dies ist das Visierkorn über der Laufmündung, nicht jenes Korn, in das der Mutlose seine Flinte wirft. Bei einer Auseinandersetzung darf man »sein Pulver nicht verschießen«, auch wenn die Angelegenheit »brenzlig« riecht – eben wie bei einer Luntenschloßwaffe. Und man muß sehr aufpassen, daß dabei der »Schuß nicht nach hinten losgeht«. Man kann heute – ohne Feuerwaffen – durchaus den »Finger am Drücker haben« oder auch

»am Drücker sitzen«. Mit einer passenden Bemerkung kann man noch immer »ins Schwarze treffen« oder wie einst die Büchsenschützen des 16. Jahrhunderts, bei denen im Zentrum der Schießscheibe ein leicht eingedrückter Nagel saß, der durch den Schußtreffer eingeschlagen wurde, »den Nagel auf den Kopf treffen«.

Wie die Handfeuerwaffen, so haben auch alle anderen Waffenarten ihre Spuren in der heutigen Sprache hinterlassen. Es wäre wissenschaftlich deshalb durchaus lohnenswert, auch für diese Bereiche »eine Lanze zu brechen«.

John Henry van der Meer

HISTORISCHE MUSIKINSTRUMENTE

Vom mittelalterlichen Instrumentarium
zum heutigen Symphonieorchester

Notiz für den Leser

Über Ursprung und Alter der Musik ist wenig mit Sicherheit auszusagen. Wissenschaftliche Theorien darüber sind ebenso zahlreich wie in der Antike mythologische Berichte über die Erfindung der Musik oder gewisser Musikinstrumente durch Jubal, Pan oder Mercurius. Es steht aber außer Zweifel, daß das Musizieren mit – anfänglich primitiven – Musikinstrumenten zu einem verhältnismäßig späten Zeitpunkt der Menschheitsgeschichte eingesetzt hat. Noch heutzutage kennen zum Beispiel die Wedda auf Sri Lanka und gewisse patagonische Stämme nicht nur keine Musikinstrumente, sondern sie machen nicht einmal rhythmische Bewegungen. Das nächste Stadium bestand darin, daß der Rhythmus durch das Stampfen auf den Boden, das Klatschen in die Hände, auf Bauch, Brust, Beine oder Gesäß markiert wurde. Erst danach entstehen, noch in der Altsteinzeit, Musikinstrumente.

Aus der Antike und dem Mittelalter sind nur wenige Instrumente erhalten, was an der Vergänglichkeit des Materials, aus dem sie gemacht waren (meistens Holz), liegt. So ist man für die Kenntnis der Musikinstrumente aus diesen Perioden auf ikonographische und literarische Belege angewiesen. Sie zeigen an, was auch aus den zahlreicher werdenden erhaltenen Instrumenten vom 16. Jahrhundert an hervorgeht, nämlich daß die Instrumente eine sehr starke Entwicklung durchgemacht haben, weiterhin daß gewisse Instrumente oder Instrumentengruppen zum Teil verschwinden oder in eine untergeordnete Rolle zurückgedrängt werden, schließlich daß ursprünglich nebensächliche Instrumente in den Vordergrund gelangen oder gar die Musik weitgehend bestimmen.

Die Entwicklung hat mehrere Gründe, die nicht alle ästhetischer Art sind. Die Betrachtung der Musik als ästhetisches Objekt ist zuerst in den orientalischen und antiken Hochkulturen, also verhältnismäßig spät, belegt. Davor spielten magische, religiöse, soziale und ähnliche Momente eine bestimmende Rolle.

Natürlich wird die Entwicklung der Musikinstrumente zum Teil durch neue Arbeitstechniken bestimmt. Sodann ist der Raum, in dem die Musik ausgeführt werden soll, für die Wahl und Entwicklung der Musikinstrumente bestimmend: »Leise« Musik für die Kammer, »laute« Musik für größere Räume und Freiluftaufführung. Als ästhetische Momente die Musik bestimmten, haben auch diese zur Entwicklung der Musikinstrumente beigetragen. Viele heute noch verwendeten Musikinstrumente haben ihren Ursprung im Orient, so auch die im Mittelalter beliebten Rhythmusinstrumente. Es war eine ästhetische Auffassung, die bewirkte, daß diese im 16. Jahrhundert zum Teil verschwanden, zum Teil in eine untergeordnete Rolle zurückgedrängt wurden. So hat die europäische Musik sich auf Melodieinstrumente (vor allem Streichinstrumente) und Akkordinstrumente (zum Beispiel Tasteninstrumente) spezialisiert. Diese Spezialisierung Europas ist völlig anders als die zum Beispiel in Südostasien, wo eine Spezialisierung auf Schlaginstrumente zu beobachten ist. Ein weiteres ästhetisches Element ist die für Europa typische Pendelbewegung zwischen Spalt- und Schmelzklang, die bis heute andauert.

»Leise« Musik für die Kammer und »laute« für die Freiluft

Wie die Musik in den verschiedenen Perioden des Mittelalters anderen konventionellen Gesetzen als die heutige unterworfen war und daher auch anders klang, so sind auch die Instrumente und die instrumentalen Zusammenstellungen von den heutigen verschieden.

So wurden bis um 1600 keine Klangmassen gehört wie die, die beispielsweise von einem heutigen Symphonieorchester erzeugt werden. Außerdem war die Variationsbreite der Instrumente größer: Es wurden Klangwerkzeuge verwendet, die später außer Gebrauch gerieten, zu Volksinstrumenten wurden oder nicht mehr regelmäßig gespielt wurden. Weiterhin gab es noch keine Instrumentenfamilien, das heißt gleichartige Instrumente verschiedener Größe und Tonhöhe, wie es etwa die Instrumente unseres Streichorchesters sind (Violinen, Bratschen, Violoncelli und Kontrabässe). Zu erwähnen ist auch, daß das Streichen nicht die Rolle spielte, die es von etwa 1600 an innehat. Den Kern unseres Symphonieorchesters bilden ja die Streicher. Streichinstrumente kommen zwar im Mittelalter vor, aber keineswegs als Ensemblekern. Die mittelalterliche Musik stand der vorder- und mittelorientalischen insoweit nahe, als Schlaginstrumente eine wichtige Rolle spielten, das rhythmische Element also mehr im Vordergrund stand.

Schließlich sei darauf hingewiesen, daß es eine Instrumentationslehre in unserem Sinne nicht gab: Man nahm die Instrumente, die eine einstimmige oder die jeweiligen Stimmen einer mehrstimmigen Komposition ausführen konnten. Das heißt wieder nicht, daß die Besetzungen völlig willkürlich waren. Man unterschied zwischen »leiser« Musik für die Kammer und »lauter« Musik für die Freiluft. Diese Unterscheidung läuft teilweise unterschwellig durch die ganze Musikgeschichte: Auch wir haben unsere Streichquartette und Harmonieorchester.

Ein Brüsseler Bildteppich mit einer musizierenden Gesellschaft um 1500 (Abb. 1) zeigt die meisten erwähnten Merkmale. In einer kleinen Spielergruppe betätigen vier Personen ihre Instrumente. Sie lassen einen Rebec, eine Harfe, ein Hackbrett und eine Laute erklingen, verschiedenartige Instrumente also, unter denen sich nur ein Streichinstrument, der Rebec, befindet. Zwischen zwei Zupfinstrumentenspielern sitzt eine Dame, die ein Saiteninstrument schlägt, das Hackbrett.

Schlaginstrument Hackbrett

Der Bildteppich steht zeitlich an der Schwelle zwischen zwei musikästhetischen Vorstellungen. Bis dahin spielten Klangwerkzeuge wie Becken, Triangel, kleine Pauken und Trommeln eine wichtige Rolle zur Markierung des Rhythmus. Um 1500 verringerte sich »schlagartig« die Bedeutung der Rhythmusinstrumente: Die Musik hatte nun-

1. Teppich mit musizierender Gesellschaft, um 1500

mehr ihre Schwerpunkte in der Melodie, in der Kombination von Melodien (Polyphonie) und im Zusammenklang. Ein letzter Rest der mittelalterlichen Schlaginstrumente ist das abgebildete Hackbrett, das übrigens an erster Stelle nicht Rhythmus-, sondern Melodieinstrument war. Die Tatsache, daß das Instrument geschlagen statt gezupft wird, mag auch dazu beigetragen haben, daß es noch im 16. Jahrhundert zum Volksinstrument wurde (Luscinius 1536: »instrumentum ignobile«) und somit in der vornehmen Gesellschaft, wie auf dem Bildteppich dargestellt, verpönt war.

Die Laute Von den gespielten Instrumenten wurde die Laute bis zur Mitte des 18. Jahrhunderts weiter verwendet, während die Harfe nach einer Periode geringerer Beliebtheit erst dann wieder zur Blüte gelangte, obwohl sie auch heute noch kein fester Bestandteil des Symphonieorchesters ist. Die von den vier Instrumentalisten auf dem Brüsseler Bildteppich gespielten Instrumente haben einen leisen, zarten Klang, gehören also zur leisen Musik. Das gleiche gilt neben den beiden nur gehaltenen, nicht gespielten Lauten für den stillen Zinken, den der Spieler ganz rechts in der Hand hat. Der Pommer, den der Jüngling

zwischen der Rebec- und der Harfenspielerin hält, ist dagegen ein Instrument der lauten Musik. Es ist möglich, daß er im Ensemble zur Hervorhebung der Hauptstimme, die in dieser Zeit meistens nicht die Oberstimme, sondern der Tenor war, Verwendung fand.

Die europäische Harfe

Merkwürdigerweise sind nur die wenigsten im europäischen Mittelalter verwendeten Instrumente auf unserem Kontinent entstanden. Von allen auf dem Brüsseler Bildteppich gezeigten Instrumenten ist allein die Harfe in dieser Form europäisch. Gewiß hatte in den vorder- und mittelorientalischen Hochkulturen die Harfe eine wichtige Stelle inne, und die Griechen übernahmen das Instrument. Diese orientalischen und antiken Harfen hatten aber nur zwei Seiten, während in Europa das Dreieck konstruktiv geschlossen wurde. Die ältesten Darstellungen von Harfen dieser Art sind irisch und datieren aus dem 9. und 10. Jahrhundert, doch haben wahrscheinlich die Kelten die Harfe schon sehr viel früher gespielt.

Die abgebildete schlanke Harfe ist eine Vorstufe zur Harfe mit gotischem Umriß mit zwei »Nasen«, eine am Hals in der Nähe des Korpus und eine als Fortsetzung der Stange (Abb. 2). Wie zu sehen, sind die Saiten im Korpus nicht wie heute mit gedrechselten Knöpfen befestigt, sondern mit Holzhaken, gegen welche die Saiten beim Spiel schnarren. Offensichtlich wollte man der Harfe diesen schnarrenden, etwas nasalen Klang geben, der auch für die Entwicklung der Doppelrohrblattinstrumente im späten 15. und 16. Jahrhundert typisch ist.

Die gleiche Disposition der Harfe findet sich auf dem 1520 von Ambrosius Holbein gemalten Porträt des Schweizer Humanisten Johannes Zimmermann (Xylotectus) (Abb. auf S. 546). Zugleich läßt das Bild erkennen, daß die Harfe damals nicht unbedingt ein Fraueninstrument war. Erst aus der zweiten Hälfte des 18. Jahrhunderts datiert das Übergewicht der Damen unter denjenigen, welche die Harfe erklingen lassen.

Die Instrumente kamen aus dem Orient

Alle anderen auf dem Brüsseler Bildteppich dargestellten Instrumente sind typologisch orientalischen Ursprungs. Zunächst das Hackbrett: Es handelt sich um ein einfaches Saiteninstrument (einfach, weil es baulich nur aus einem Korpus besteht und zum Beispiel keinen Hals hat) in der islamischen Kastenbauart, das heißt aus Boden, Zargen und Decke zusammengesetzt, mit darüber gespannten Saiten, die manchmal gezupft, bisweilen auch mit Schlegeln geschlagen werden. Bis auf den heutigen Tag gibt es diese Instrumente im Areal der islamischen Kultur. In Ägypten wird der Qanun mit einem rechtwinklig trapezförmigen Korpus gezupft, im Iran der Santir mit einem symmetrisch trapezförmigen Korpus geschlagen. »Santir« ist übrigens vom griechischen »psaltérion« abgeleitet. Beide Formen gelangten über das arabisierte Spanien (wie ein Psalterium 1104 am Kirchenportal von Santiago de Compostela belegt) nach Europa und kommen hier neben verschiedenen Varianten im Mittelalter vor, wobei die Trapezform den Sieg davongetragen hat. Gezupft wird das Instrument als Psalterium, geschlagen als Hackbrett bezeichnet. Von den beiden Spielarten blieb in Europa nur das Schlagen in Gebrauch. Das Hackbrett auf dem Brüsseler Bildteppich zeigt eine Formvariante des Korpus: Dieser ist rechteckig mit abgeschrägten Ecken. In der Trapezform lebt das Hackbrett nach einer kurzen Zwischenphase als salonfähiges Instrument (Abb. 3) heute noch unter anderem in der Volksmusik der Schweiz, Bayerns und Österreichs weiter.

Auch die Laute mit mittellangem Hals und zurückgebogenem Wirbelkasten kommt aus dem Orient. Noch heute findet man sie dort in zwei Abarten: die arabische und die chinesische. Die Araber nennen das Instrument noch 'ud, mit dem bestimmten Artikel: al 'ud. Die arabische Spielart gelangte wohl auch über Spanien und Frankreich mit dem Namen nach Europa: »al 'ud« wurde auf spanisch zu

»laúd«, auf französisch zu »luth«, während das Spätmittelhochdeutsche die Bezeichnung »lûte« kannte. Die Wichtigkeit dieses Zupfinstrumentes im späten Mittelalter und vollends in der Renaissance geht schon aus der Tatsache hervor, daß auf dem Brüsseler Bildteppich gleich drei Lauten dargestellt sind. Im Mittelalter wurde die Laute meistens für die Ausführung einer einzelnen Stimme im Ensemble gespielt, die dann mit einem Plektrum gezupft wurde. Auf dem Teppich ist die Spielart nicht ausdrücklich zu erkennen, aber aus dem Ensemble läßt sich schließen, daß die Laute wohl nur eine Stimme aus einer mehrstimmigen Komposition ausführt und daher wahrscheinlich mit einem Plektrum gespielt wurde. Im 16. Jahrhundert wurde die Laute zu einem der beliebtesten Soloinstrumente. Man spielte darauf mehrstimmig und zupfte sie aus diesem Grunde mit den Fingern ohne Plektrum. Diese Spielart blieb auch während der Barockzeit erhalten (Abb. 4), bis die Laute um 1750 immer mehr aus der Musikpraxis verschwand.

Der Rebec

Der Rebec auf dem Brüsseler Bildteppich wird gestrichen. Schon diese Spielart ist orientalisch: Sie kommt aus Zentralasien und hat über Byzanz (10. Jahrhundert) und vielleicht auch über Spanien (katalanische Buchmalerei des 11. Jahrhunderts) erst nach der Jahrtausendwende Westeuropa erreicht.

Der Instrumententyp des Rebecs ist wie sein Name arabischer Herkunft. Im islamischen Nordwestafrika wird noch heute der Rabab gestrichen, ein Instrument mit ausgehöhltem, birnenförmigem Korpus, der in den Hals ohne Absatz übergeht, mit etwas eingezogenen Flanken, aufgespannter Hautdecke, zurückgeknicktem Hals mit seitenständigen Wirbeln und ein bis zwei Saiten. Über Spanien drang der Rebec nach Europa, wo das Instrument einem ebenfalls arabischen Zupfinstrument, dem Qopuz, dadurch angeglichen wurde, daß die Flankeneinziehung aufgegeben und der Wirbelkasten sichelförmig wurde. Die Zahl der Saiten beträgt zwei bis drei; auf dem Brüsseler Bildteppich besitzt der Rebec drei Saiten. Er erlebte im 16. Jahrhundert eine kurze Blüte, wurde dann aber immer mehr von der inzwischen geschaffenen Viola da Gamba und Viola da Braccio, die vom Rebec übrigens den gebogenen Wirbelkasten mit den seitenständigen Wirbeln übernommen hatten, verdrängt. 1628 und 1634 muß in Paris der Lieutenant civil verfügen, daß in den »cabarets« und »mauvaix lieux« nur der Rebec gespielt werden dürfe. Er lebt nach der ersten Hälfte des 17. Jahrhunderts noch als gelegentlich drei-, meistens aber viersaitige, bootförmige Tanzmeistergeige fort, mit der die »Maîtres de danse« zum Tanz aufspielten (Abb. 5).

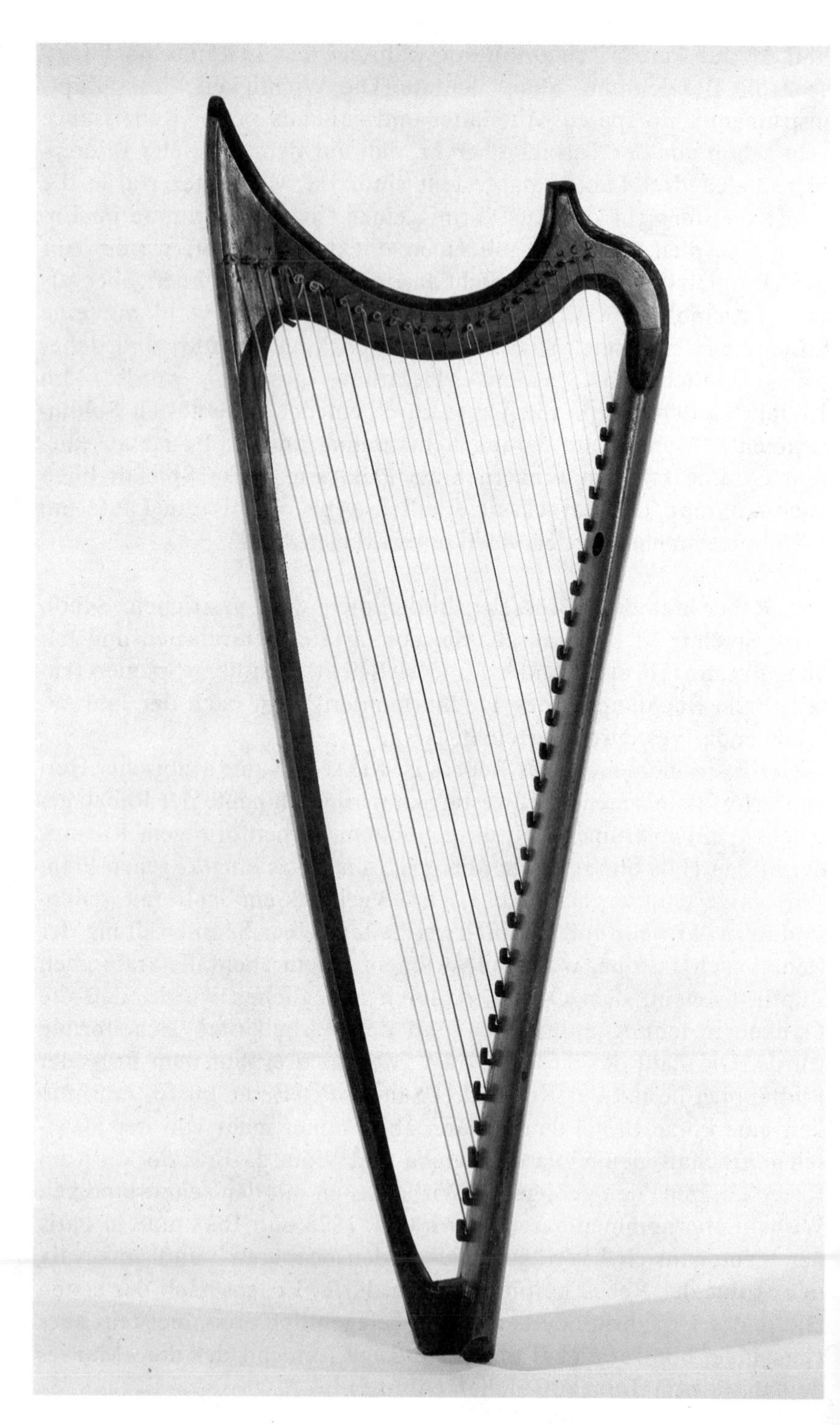

2. Harfe gotischer Form, Anfang 16. Jahrhundert

3. Hackbrett, A. Berti, Cortona 1727

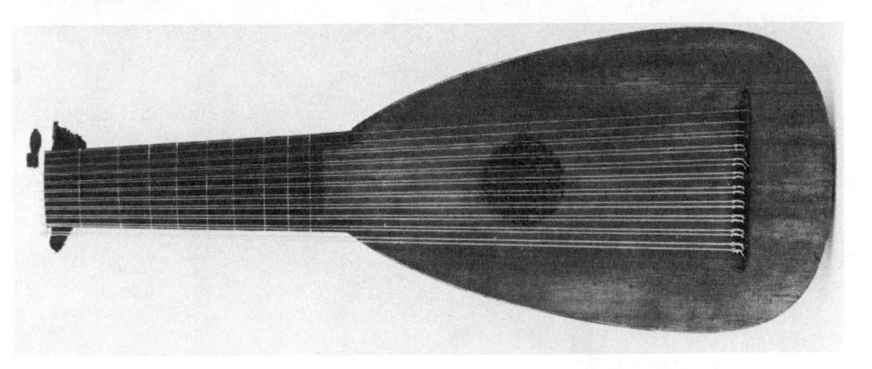

4. Laute, J. B. Weigert, Linz 1720

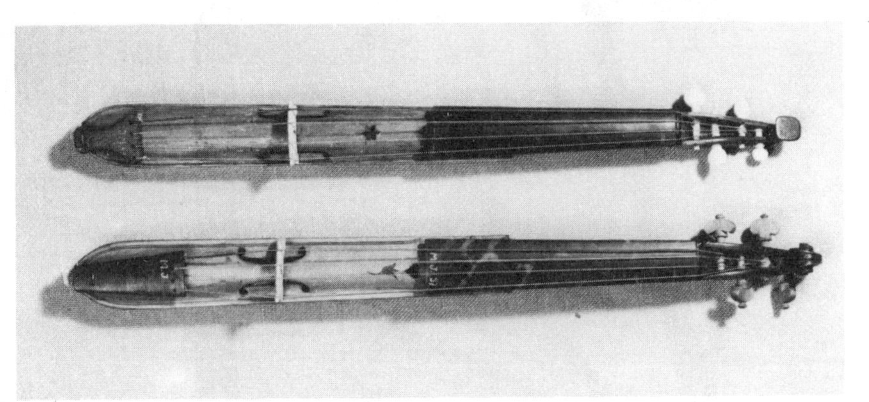

5. Zwei Tanzmeistergeigen, G. Aman, Augsburg 1699; G. Wörle, Augsburg 1674

Krummer Zink, gerader Zink, stiller Zink

Vielleicht über Byzanz hat der Zink uns erreicht. Es handelt sich dabei um einen Zwitter zwischen einem Horn und einem Holzblasinstrument. Ausgangspunkt war das Horn, und zwar ein Tierhorn, in das nach Art der Holzblasinstrumente Grifflöcher gebohrt wurden. So ist das Instrument im sassanidischen Persien belegt.

Im europäischen Mittelalter existierte eine weiterentwickelte Form. Die Röhre war nur bei kostbaren Stücken aus Elfenbein, also aus einem tierischen Material wie dem eines Horns im buchstäblichen

Sinne, sonst wurde der Typ dadurch den Holzblasinstrumenten weiter angeglichen, indem er aus Holz angefertigt wurde. Das Archetypische des Hornes wurde durch die meistens gebogene Form (»krummer Zink«) zum Ausdruck gebracht. Verständlicherweise implizierte das eine etwas absonderliche Art der Herstellung. Zwei Holzstücke wurden in der gewünschten gebogenen Form ausgearbeitet, danach wurde der Rohrverlauf ausgehöhlt, schließlich wurden die Hälften aneinandergeleimt. Um das Instrument winddicht zu machen, umwickelte man es mit (meist schwarzem) Leder. In das hornförmige Instrument bohrte man nach Art der Holzblasinstrumente sieben Grifflö-

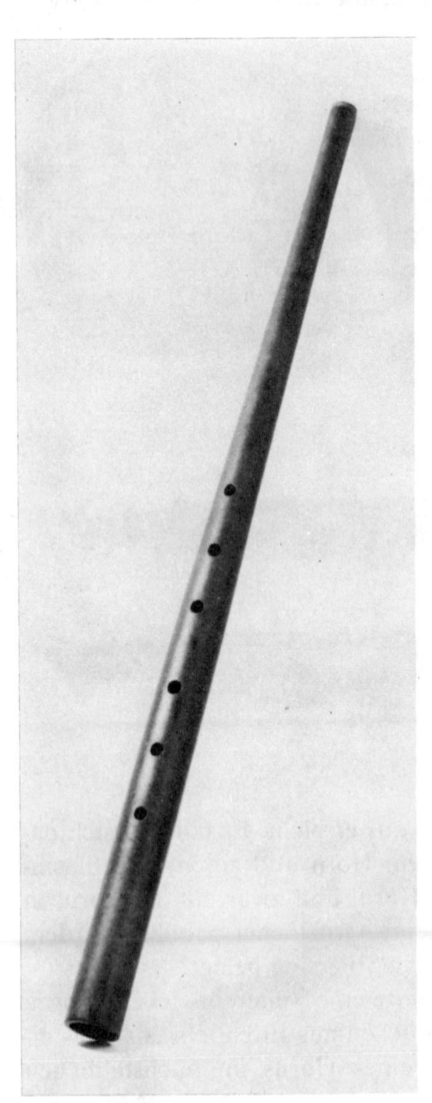

6. Stiller Zink, Venedig, um 1600

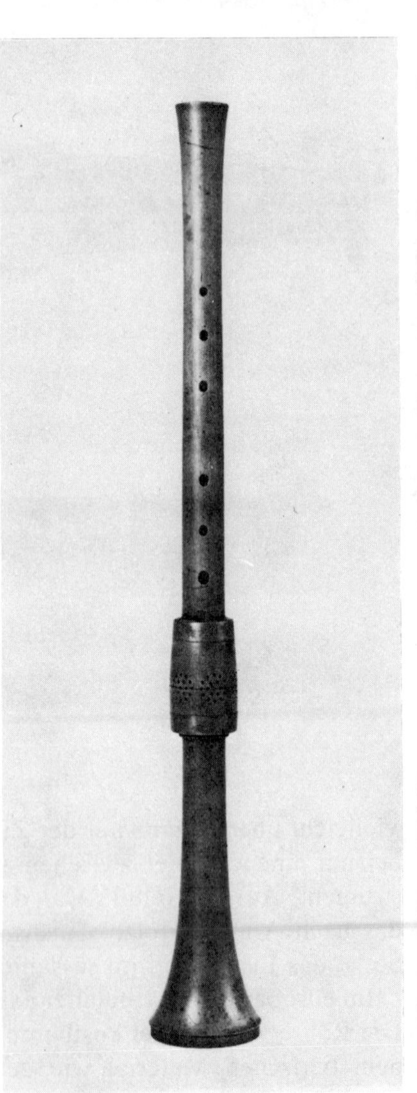

7. Altpommer, H. Schnitzer, Nürnberg, 16. Jh.

cher, aber man blies es mit einem Kesselmundstück, etwa dem der Trompete ähnlich. Doch war das Mundstück hier aus Elfenbein oder Horn. Dieser krumme Zink mit seinem ziemlich rauhen Ton gehörte der lauten Musik an.

Ab und an kam es zu einer weiteren Annäherung an die Holzblasinstrumente, indem die krumme Form aufgegeben wurde, die Röhre also gerade war, so daß das Instrument durch Drechseln und Bohren hergestellt werden konnte. Der einzige Unterschied zwischen einem solchen »geraden Zinken« und einem Holzblasinstrument bestand darin, daß der Zink noch immer mit einem Kesselmundstück geblasen wurde. Eine Abart des geraden Zinken ist der »stille Zink«, bei dem das nun trichterförmige Mundstück in die Röhre selbst eingedrechselt wird. Wie der Name besagt, hatte ein solcher stiller Zink (Abb. 6) einen milderen Klang; er gehörte der leisen Musik an. Ein stiller Zink ist auf dem Brüsseler Bildteppich dargestellt.

Die Schalmei gelangte gleichfalls von den Arabern nach Europa, diesmal wahrscheinlich auf dem Wege über Sizilien. Ursprungsland war Persien, wo die Araber sie übernahmen und nach Nordindien, über den ganzen Mittleren und Vorderen Orient nach Nordafrika bis über die Sahara und schließlich auch nach Sizilien brachten. Die Araber hatten zwei Bezeichnungen für das Instrument: Zurna (aus dem Persischen) oder Zamr. Zurna heißt noch heute eine Schalmei des arabischen Typs, der mit der großen Trommel in der mazedonischen Volksmusik geblasen wird, während im heutigen neugriechischen Sprachgebrauch »Zournás« die Nachfolgerin der Schalmei, die Oboe, bezeichnet.

Schalmeien und Pommer

Der Anblasmechanismus bei der Schalmei und ähnlichen Instrumenten besteht aus einem aufgesteckten Doppelrohrblatt: Zwei Lamellen aus der Pflanze *Arundo donax* werden genau aufeinandergepaßt und unten zu einem kreisrunden Kanal zusammengebunden, so daß das »Rohr« in die Instrumentenröhre gesteckt werden kann. Durch eine flache, linsenförmige Spalte oben wird die Blasluft hindurchgezwängt. Die Spalte wird abwechselnd geschlossen und geöffnet und auf diese Weise die Luft in longitudinale Schwingungen versetzt. Im Mittelalter klemmte der Spieler das »Rohr« nicht wie der heutige Oboist zwischen die Lippen, sondern er steckte es in die Mundhöhle, die dadurch ganz auf orientalische Art zur Windkammer wurde. Nebenbei sei bemerkt, daß der Schritt von einem solchen Instrument zur Sackpfeife nicht mehr weit ist: Die Mundhöhle braucht grundsätzlich nur durch einen Luftsack ersetzt zu werden. Diese Spielart der Schalmei beschränkte die Möglichkeiten des Überblasens, und der Tonumfang des Instrumentes ist denn auch wesentlich geringer als der der heutigen Oboen. Der Klang war – schon durch die Anblasart – scharf und durchdringend, so daß die Schalmei ohne Vorbehalt der lauten Musik zuzuordnen ist.

Bereits im 15. Jahrhundert setzte die typisch europäische, im Orient nicht anzutreffende Eigenart der Familienbildung bei der Schalmei ein: Neben der ursprünglichen hohen wurden auch größere, tiefere Instrumente gebaut. Diese tiefen Mitglieder der Familie bezeichnet man als Pommer oder Bomhart (aus dem Romanischen; spanisch Bombarda). Eine wesentliche Rolle bei der Entwicklung der tiefen Pommer hat die in Nürnberg ansässige Holzblasinstrumentenmacherfamilie Schnitzer gespielt, vor allem Sigmund Schnitzer (gest. 1557). Wahrscheinlich baute dessen Bruder Hans Schnitzer (gest. 1565) den hier abgebildeten Altpommer (Abb. 7).

Spaltklang gegen Schmelzklang

Der Brüsseler Bildteppich zeigt noch eine Musizierart des Mittelalters: Bei einer mehrstimmigen Komposition werden die einzelnen Stimmen in unterschiedlichen Klangfarben besetzt. Das klangliche Ergebnis nennt man Spaltklang. Das menschliche Ohr ist bekanntlich ein wenig entwickeltes Organ, da der Mensch die Welt primär mit den Augen und mit dem Tastsinn erfaßt. So sind viele musikalische Ausdrücke (hoch, tief, kurz, lang, Klangfarbe, schwer, leicht, scharf, stumpf, schneidend, Bewegung, Motiv, Tonleiter, Intervall, Umkehrung, Krebsgang, Fuge, Rhythmus = Fluß, Metrum = Maß und viele mehr) als Analoga den visuellen oder taktilen Erlebnissen entnommen. Zu diesen nicht primär musikalischen Ausdrücken gehört auch »Spaltklang« sowie sein Gegensatz »Schmelzklang«.

Im 16. Jahrhundert entsteht als eine völlig unterschiedliche Klangästhetik die des Schmelzklangs. Man ist immer mehr bestrebt, eine mehrstimmige Komposition so auszuführen, daß primär nicht die einzelnen Stimmen, die Polyphonie, sondern der Gesamtklang, die Harmonie, ins Bewußtsein kommt. Kurz vor der Jahrhundertmitte wird zum erstenmal auch eine Definiton der beiden wichtigsten Akkorde, des Dur- und des Molldreiklangs, gegeben. Um es wieder visuell – diesmal nach der Notenschrift orientiert – auszudrücken, das horizontale Hören wird allmählich vom vertikalen ersetzt.

Man kann das 16. Jahrhundert als »musikalische Renaissance« betrachten, obwohl der Ausdruck nicht viel besagt. Die Periodisierung der Musik nach kunstgeschichtlichen und literarischen Kategorien stützt sich auf sehr vage Analogien, da die Gesetzlichkeiten des musikalischen Materials ganz andere sind als die der bildenden Kunst oder der Sprache.

Wenn man aber von einer musikalischen Renaissance sprechen will, so ist ihr Hauptmerkmal der Schmelzklang. Gewisse Instrumente, die sich darin schwerlich integrieren ließen wie Hackbrett und Rebec, gerieten allmählich außer Gebrauch; manche der verbleibenden Instrumente, wie Blockflöte, Querflöte, Schalmei, Posaune, wurden zu ganzen Familien ausgebaut, wodurch eine Einheitlichkeit des Klanges gewährleistet werden konnte.

Schmelzklang durch Familienbildung im 16. Jahrhundert

Neue Streichinstrumententypen entstanden, vor allem die Viole da Gamba und die Viole da Braccio, die ebenso zu Familien ausgebaut wurden. Die Viola-da-Braccio-Familie hat sich bis heute halten können; zu ihr gehören die jetzt noch üblichen Streichinstrumente. Die Doppelrohrblattinstrumente wurden stark differenziert. Ihre Varianten baute man wiederum zu Familien aus. Davon ist das heutige Fagott übriggeblieben. Zum erstenmal fing man an, ganze Kompositionen auf Tasteninstrumenten und auf Zupfinstrumenten - vor allem der Laute, in Spanien auch der Gitarre und der Harfe - auszuführen; so entstand die frühe Klavier- und Lautenliteratur.

Die folgende Periode, die sich durch die Jahreszahlen 1600 und 1750 eingrenzen läßt, wird manchmal als musikalischer Barock bezeichnet; dagegen ist nichts einzuwenden, solange man sich der Tatsache bewußt bleibt, daß die Analogie zur bildenden Kunst nur vage ist. Diese Epoche gipfelt in Johann Sebastian Bach und Georg Friedrich Händel.

8. G. Platzer: Konzert, 1740

Generalbaß und Konzertieren

Die Geschichte der europäischen Kultur kann man nicht als eine kontinuierliche Entwicklung darstellen, wie es die Evolutionisten gern wahrhaben möchten. Nicht nur sind unerwartete Sprünge zu beobachten, sondern es gibt in mancherlei Hinsicht Pendelbewegungen zwischen Extremen, bis zu einem gewissen Punkt auch im Klanglichen. Während des musikalischen Barocks schwingt das Pendel teilweise wieder in die Richtung des Spaltklanges. Im Unterschied zum mittelalterlichen Spaltklang wird allerdings das im 16. Jahrhundert entstandene vertikale, harmonische Hören jetzt nicht abgelöst, sondern es ist fast immer als klanglicher Hintergrund zugegen. Diesen bildet der sogenannte Generalbaß *(Basso continuo)*: Eine Baßstimme, die die tiefsten Stimmen der jeweiligen Harmonie enthält, wird meistens auf einem Streichinstrument gestrichen oder auf einem Blasinstrument geblasen, auch wird diese Stimme auf einem Akkordinstrument – Orgel, Kielklavier, Laute, Harfe – improvisierend harmonisch ausgearbeitet und dazu in wachsendem Ausmaß mit Ziffern über den Noten versehen (»bezifferter Baß«), welche die zu wählende Harmonie bezeichnen. Manchmal ergibt den klanglichen Hintergrund auch der Generalbaß mit dem Streichorchester, da ja die Familie der Viole da Braccio den Übergang zum Barock überlebt hat.

Der barocke Spaltklang besteht aus zwei Elementen: dem Solo und dem Konzertieren. Schon um 1600 fing man an, eine vokale oder instrumentale Solostimme durch den Generalbaß zu »begleiten«, denn in der Frühzeit des Barocks kann erstmals von einer (untergeordneten) Begleitung die Rede sein. Diese Musizierart begegnet zunächst im vokalen Bereich in den ersten Florentiner Opern von 1597 bis 1600. Bald wird sie auf das instrumentale Musizieren übertragen, und ab 1617 entstehen die ersten Sonaten (buchstäblich = Spielstücke im Gegensatz zur Kantate = Gesangstück). Das Konzertieren (von concertare = wetteifern) kommt zustande durch die Gegenüberstellung mehrerer Klangkörper, die gleichberechtigt sein können oder nicht. Man kann zwei oder mehr Orchestergruppen oder Solostimmen einander gegenüberstellen; erinnert sei an das dritte und das sechste Brandenburgische Konzert oder an das geteilte Orchester in der Matthäuspassion von Johann Sebastian Bach. Weiterhin kann man zwei oder mehr gegensätzliche Solostimmen konzertieren lassen. In diesen Fällen sind die konzertierenden Gruppen gleichberechtigt.

Etwas anderes ist es, wenn eine Solistengruppe dem vollständigen Streicherkörper gegenübergestellt wird – bei der instrumentalen Musik spricht man dann vom *Concerto grosso* – oder wenn dies mit einem einzigen Solisten geschieht, wobei das Solokonzert entsteht. Diese heute fast einzige Form des Konzertes ist als letzte entstanden:

9. Streichquartett, 1786–1805, M. L. Widhalm, Nürnberg

10. Querflöte, F. G. A. Kirst, Potsdam, um 1790

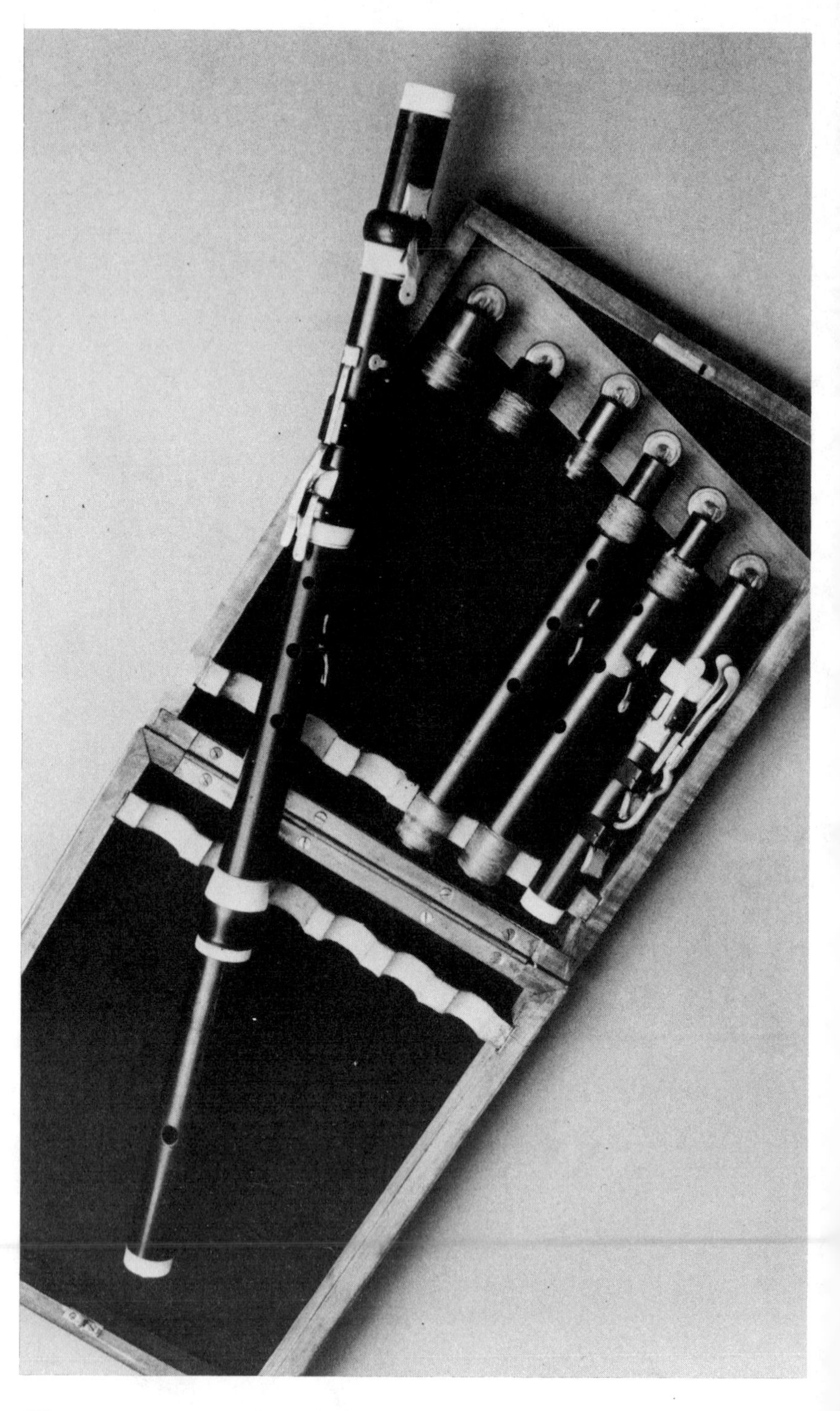

11. J. Kupetzky: Der Flötenspieler

erst am Ende des 17. Jahrhunderts. Bei allen genannten Formen des Konzertierens bildet der Generalbaß den harmonischen Hintergrund.

Auf dem um 1740 gemalten Bild von Georg Platzer (Abb. 8) mit einer musizierenden höfischen Gesellschaft finden wir die zweite Form des Konzertierens. Der Generalbaß wird von einem Violoncello gestrichen und von einem Cembalo sowie einer großen Laute akkordisch ausgearbeitet. Eine Dame singt, konzertierend treten eine Violine und eine Querflöte solistisch hinzu; sie warten offensichtlich auf ihren Ritornelleinsatz. Die beiden Streichinstrumente haben von denen der heutigen etwas abweichende Teile, was vor allem bei der Violine zu erkennen ist. Ihr Hals ist kürzer, dicker und gerader, das Griffbrett kürzer, der noch etwas nach außen »gebogene« Bogen hat einen schlanken spitzen Kopf (Abb. 9). Die Querflöte ist vierteilig, hat aber eine weit einfachere Applikatur als die heutige Flöte, indem sie nur eine Klappe besitzt (Abb. 10). Eine etwas abweichende Querflöte dieser Art spielt der Querflötenbläser von Johann Kupetzky (Abb. 11). Die Laute auf dem Bild von Platzer ist aufwendiger gestaltet als die oben besprochene. Sie hat zwei Wirbelkästen; im unteren sind Saiten befestigt, die auf dem Griffbrett abgegriffen werden; daneben liegen tiefe Saiten, die nur leer gespielt werden und wegen ihrer größeren schwingenden Länge in einem über dem ersten angebrachten Wirbelkasten befestigt sind. Wenn die beiden Wirbelkästen wie hier weit auseinanderliegen, spricht man auch von Chitarrone.

Während Platzer diese Instrumente und ihre Spieler richtig dargestellt hat, ist das Cembalo seitenverkehrt geraten: Die lange Wand sollte zur linken Hand der Spielerin sein. Beim Cembalo (Abb. 12) liegen die Saiten waagerecht in der Verlängerung der Richtung der Tastenhebel, also die längsten an der Baßseite links, sie werden beim Spielen gezupft. Eine Variation der Dynamik (der Tonstärke) ist beim Spiel nur in besonderen Fällen möglich, so daß auf dem Cembalo mit »gefühlvoller« Tongebung nicht musiziert werden kann. Deswegen wurde es in der zweiten Jahrhunderthälfte, als sich Empfindsamkeit sowie Sturm und Drang ausbreiteten, allmählich durch andersartige Saitenklaviere ersetzt.

Rückkehr zum Schmelzklang in der zweiten Hälfte des 18. Jahrhunderts

Der schon in der ersten Hälfte des 18. Jahrhunderts im Ansatz vorhandene, sich nach dem Tode Bachs und Händels in verschiedenen Spielarten durchsetzende Stilwandel führte zu der musikgeschichtlichen Periode, die man wieder mit einer fremden Terminologie die klassisch-romantische nennt. Klassik oder Klassizismus im Sinne der bildenden Kunst kann es in der Tonkunst nicht geben, da über die Musik der Antike – im Gegensatz zu ihrer Skulptur, Architektur und Literatur – nahezu nichts bekannt ist.

Eher lassen sich Beziehungen zwischen romantischer Musik und Literatur finden, war doch die Musik des 19. Jahrhunderts manchmal dichterisch beeinflußt: Man denke nur an das deutsche Lied und an die »mélodie française«, an Wagners Griff zum Gesamtkunstwerk, an die symphonischen Dichtungen von Liszt, Franck und Richard Strauss, an die »Verliedung« mancher Symphonien Mahlers und an die programmatischen Klavierstücke von Schumann und Liszt.

12. Cembalo, Chr. Vater, Hannover 1738

Jedoch stand die Musik des 19. Jahrhunderts nicht völlig im Banne der Literatur, ist doch zumindest ein Teil der Opern in absolut musikalischen Formen verankert. Es gibt nicht nur nicht literarisch gebundene Symphonien, Solokonzerte und Kammermusik, sondern sogar einteilige Klavierstücke, deren Gesetzlichkeit im musikalischen Ablauf liegt, etwa bei Chopin, Brahms und Fauré.

Grundsätzlich ist dies eine Periode des Schmelzklanges. Charakteristisch ist das Symphonieorchester, aus dem schillernd Einzelklangfarben hervorgehoben werden können und das trotzdem ein einheitlicher Klangkörper bleibt. Daß der Schmelzklang der Ästhetik der Epoche entspricht, machen auch die kammermusikalischen Besetzungen deutlich. Die wichtigste war das Streichquartett, daneben findet man Streichtrio, -quintett, -sextett, ja sogar -oktett.

Wenn ein weiteres Instrument hinzugefügt wird, so ist es meistens das Klavier. Sonaten für Violine oder Violoncello und Klavier, Klaviertrios, -quartette und -quintette entstehen, bei deren Kompositionsart nicht ein Gegensatz, sondern eine Gleichwertigkeit der Stimmen angestrebt wird.

Zu Beginn der »klassischen« Periode wurde das Cembalo noch gespielt, doch ersetzte man es in der zweiten Hälfte des 18. Jahrhunderts mehr und mehr durch das Pianoforte, dessen Saiten durch Hämmer angeschlagen werden. Im 19. Jahrhundert ist das Pianoforte praktisch das einzige Saitenklavier. Der Anschlag durch Hämmer ergab den Vorteil, daß der Spieler durch unterschiedlichen Anschlag verschiedene dynamische (Stärke-)Nuancierungen hervorrufen konnte, was den Anforderungen der Romantik voll entsprach.

Eine sehr leise, aber dynamisch nuancierbare Saitenklavierart genoß noch in der Zeit der Empfindsamkeit und des Sturm und Drangs hohes Ansehen: das Klavichord (Abb. 14). Auf dem Gemälde von Januarius Zick mit der Familie Remy aus dem Jahre 1776 (Abb. auf S. 559) findet sich eine musizierende Gruppe. Eine Dame hält ein Notenblatt, von dem wohl gesungen werden soll. Vier Herren musizieren als Streichquartett, wobei die Instrumente und die Streichbögen noch nicht den heute verwendeten gleichen. Eine andere Dame spielt ein Saitenklavier, offenbar ein Klavichord. Man wäre geneigt anzunehmen, hier würde in der Besetzung eines Klavierquintetts musiziert, hätte nicht das Klavichord einen so zarten Klang, daß man sich kaum vorstellen kann, wie es gegen ein Streichquartett ankäme. So muß ungewiß bleiben, ob es sich um ein realistisch dargestelltes oder nur um ein symbolisch gemeintes Ensemble handelt.

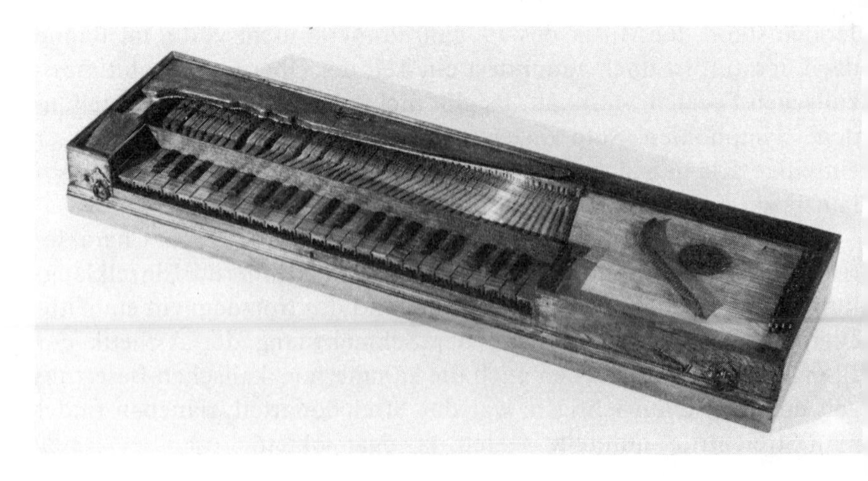
13. Gebundenes Klavichord, Deutschland, 17. Jh.

Bernward Deneke

VOM LEBEN UND WOHNEN IM ALTEN BAUERNHAUS

Über Feuerstellen und Stuben

Notiz für den Leser

Erst als die eigenständige Welt der ländlichen Kultur gegen Mitte des 19. Jahrhunderts im Zeichen neuer Werkstoffe und Fertigungswesen, vor allem aber aufgrund des sich verdichtenden Verkehrsnetzes und neuer Arten der Bedarfsdeckung zugrunde ging, begann deren wissenschaftliche Erforschung durch die Volkskunde. Und man entdeckte dabei, daß hier Modelle des Wohnens, Lebens und Wirtschaftens zu Ende gingen, die mit manchen ihrer Wurzeln bis in die europäische Vorzeit hineinreichten.

Die bäuerliche Familie, Gesinde und Vieh – oft im gleichen Raum lebend – bildeten weitgehend autarke Einheiten, die jene Sachen, die sie nicht selbst herstellen konnten, im Tausch, später im Handel erwarben. Leben hieß zugleich arbeiten, und Zeit zum Erholen gab es nur an den Sonntagen. So ist es auch nicht verwunderlich, daß die Gegenstände des Haushalts dem Nützlichkeitsprinzip untergeordnet waren und Kunst immer zugleich Brauchkunst war, wie dies die traditionellen Geschenke im Zeichen von Verlobung und Heirat oder auch die Ausstattungsgewohnheiten bei den Hochzeiten zeigen. Erst in jahrhundertelanger Entwicklung besserte und differenzierte sich die Wohnkultur, vornehmlich durch die Aufnahme der Stube in das Bauernhaus. Ihre zentralen Bereiche waren der Ofen und in Süddeutschland auch die Tischdecke.Hier, wo die Familie gemeinsam speiste, wurde auch gebetet und in der Bibel gelesen. Kruzifix und Heiligenbild in Gegenden mit katholischer Bevölkerung, Gesang- und Andachtsbücher bei Protestanten fanden im »Herrgottswinkel« ihren Platz und führten zur Entwicklung eines wichtigen Zweiges der bäuerlichen Kultur: der religiösen Volkskunst, die in dafür spezialisierten Werkstätten hergestellt und auf Märkten vertrieben wurde. Die Entwicklung der alten dörflichen Kultur verlief nicht isoliert von der städtischen Lebensweise, die seit ihrer Ausformung im Spätmittelalter, bedingt durch ihre besonderen Qualitäten, immer wieder auf das Land hinüberwirkte. Wiederholt vollzogen sich Näherungsprozesse, was die Nachahmung aufwendiger Dekore, etwa von Furnieren, Intarsien, Architekturformen beim Mobiliar, ebenso aber die Veränderungen ländlicher Kleidung unter dem Einfluß des Modekostüms offenkundig machen. Solche Angleichung an städtische Ausstattungsgepflogenheiten führten, mitbedingt durch günstige wirtschaftliche Konstellationen im späten 18. und frühen 19. Jahrhundert, nochmals zu einer Blütezeit dörflichen Sachguts, seit der Mitte des 19. Jahrhunderts dann aber auch zu einer gänzlichen Anpassung.

Das Nationalmuseum in Nürnberg belegt all diese Entwicklungsstufen durch eine große Vielfalt dinglicher Zeugnisse.

W. D.

Das niederdeutsche Hallenhaus

Innerhalb der vielgestaltigen europäischen Bauernhauslandschaften haben sich bis in die nahe Vergangenheit Bauformen erhalten, die modellhaft altertümliche Weisen des Wohnens und Wirtschaftens veranschaulichen. Zu diesen Anlagen gehört das niederdeutsche Hallenhaus, das einst, als die überlieferten ländlichen Haustypen mit den Stämmen der deutschen Frühzeit in Verbindung gebracht wurden, Niedersachsenhaus oder schlicht Sachsenhaus hieß und von der niederländischen Nordseeküste bis zur Danziger Bucht, von Westfalen bis nach Schleswig-Holstein verbreitet ist. Als Einhaus vereinigt die Anlage unter dem langgestreckten Dach alle Funktionsbereiche ländlicher Lebensführung und Ökonomie, die Stallungen für das Vieh, die seitlich der großen als Arbeitsstätte genutzten Halle, der Diele, liegen, den Speicherraum für die Ernte auf dem Dachboden, endlich den Trakt, der dem Wohnen und dem häuslichen Wirtschaften diente, den Herdraum mit der offenen Feuerstelle in der Mitte und daran anschließend eine Reihe von Kammern mit der Stube. Ursprünglich war

1. Herdraum (Flett) eines niederdeutschen Hallenhauses. Balkenwerk und Ausstattung Kreise Diepholz/Vechta, Niedersachsen, 18. Jahrhundert

der Herdraum, das Flett, nicht durch eine Zwischenwand von der Diele abgetrennt, so daß der wichtigste Aufenthaltsraum der Bewohner eng mit den übrigen Funktionsbereichen des Gebäudes verschränkt blieb (Abb. 1). Schon im 17. und 18. Jahrhundert galt dieses enge Zusammenwohnen zwischen den Menschen und dem Großvieh als altertümlich. Während die Kritik bezweifelte, ob in diesen Hallenhäusern überhaupt humanes Leben sich entfalten konnte, ließ sich aus der Perspektive ländlicher Wirtschaftsführung zugunsten der Anlage argumentieren. Mit dem Osnabrücker Staatsmann Justus Möser (1720–1794) schilderte ein Repräsentant konservativer Aufklärung ihre Vorzüge eindringlich aus dem Blickwinkel des geläufigen Pflichtenkreises der Hausfrau unter der Überschrift »Die Häuser des Landmannes im Osnabrückischen sind in ihrem Plan die besten«:

> »Die Frage, ob die hiesigen Hausleute ihre Wohnungen nicht bequemer einrichten könnten, ist oft aufgeworfen worden. Diejenigen, welche solche zu entscheiden haben, mögen nachfolgende Vortheile der hiesigen Bauart nicht aus der Acht lassen. Der Heerd ist fast in der Mitte des Hauses, und so angelegt, daß die Frau, welche bei demselben sitzt, zu gleicher Zeit Alles übersehen kann. Ein so großer und bequemer Gesichtspunkt ist in keiner andern Art von Gebäuden. Ohne von ihrem Stuhle aufzustehen, übersieht die Wirthin zu gleicher Zeit drei Thüren, dankt denen, die herein kommen, heißt solche bei sich niedersetzen, behält ihre Kinder und Gesinde, ihre Pferde und Kühe im Auge, hütet Keller, Boden und Kammer, spinnet immerfort und kocht dabei. Ihre Schlafstelle ist hinter diesem Feuer, und sie behält aus derselben eben diese große Aussicht, sieht ihr Gesinde zur Arbeit aufstehen und sich niederlegen, das Feuer anbrennen und verlöschen, und alle Thüren auf- und zugehen, hört ihr Vieh fressen, die Weberin schlagen, und beobachtet wiederum Keller, Boden und Kammer. Wenn sie im Kindbette liegt, kann sie noch einen Theil dieser häuslichen Pflichten aus dieser ihrer Schlafstelle wahrnehmen.«

Sehr pointiert ist in diesem Beitrag aus dem Jahre 1767 die Überschaubarkeit des Besitzes, die ständige Übersicht über Menschen, Tiere, Gegenstände unter der Arbeit an der zentral gelegenen Feuerstelle im Flett zur Geltung gebracht. Darüber ist anderes vernachlässigt, durchgehend nämlich waren die beschriebenen Gebäude Rauchhäuser. Sie besaßen keinen Schornstein. Der Rauch des offenen Herdes breitete sich in den einzelnen Raumzonen aus und zog zum Teil durch das mit Stroh oder Reet gedeckte Dach ab. Entsprechend vermerken manche Berichte eine recht beträchtliche Unsauberkeit –

Menschen, Kleider, Leinenzeug, Speisen und auch das Futter für das Vieh sollen wie geräuchert gewirkt haben –, die Luft war stickig und auch die Gefährdung der Augen offenkundig. Aber es läßt sich vermuten, daß all diese Nachteile ökonomisch begründet sind; die Wärme der Feuerstelle, die indessen, gemessen an der Weiträumigkeit der großen Gebäude, nicht überall sonderlich intensiv war, und der Rauch trugen dazu bei, daß die auf dem Dachboden lagernde Ernte trocknete und konserviert wurde, auch wird der Rauch günstig auf die Erhaltung des Holzgerüstes der Bauwerke eingewirkt haben. All dies kennzeichnet Lebensverhältnisse, bei denen der Komfort des Wohnens, das individuelle Verlangen nach Behaglichkeit zurückzutreten hatte gegenüber wirtschaftlichen Erwägungen, die auf eine Sicherung der Erträge abzielten.

Im Mittelpunkt die Feuerstelle

Daneben dürften andere Faktoren diese Bewahrung altertümlicher Wohnformen beeinflußt haben, nicht zuletzt auch die Gewohnheit, daß die Bewohner der Hofstätte des Abends sich am Herd bei hellodernden Flammen versammelten, um miteinander zu reden, um Erfahrungen auszutauschen, vielleicht auch, um sich durch Sagen, Anekdoten oder Schwänke, wie sie von den Sammlern volkstümlichen Erzählguts aufgeschrieben worden sind, zu unterhalten. Zugleich aber war das Herdfeuer auch die Lichtquelle bei abendlichen Arbeiten, beim Verspinnen von Flachs und Wolle, beim Stricken und Reparieren von Werkzeugen. Wenn so jedes Mitglied des Haushalts auch des Abends einer Beschäftigung nachging, genügte dies den Vorstellungen der Bewohner, die dem Bedürfnis nach Ruhe und Müßiggang wenig abgewinnen konnten. Eine eigentliche Freizeit gab es vordem für die Handwerker wie auch für die bäuerliche Familie nicht. Die nach und nach reichlicher bemessene Erholungszeit sollte sich erst herausbilden, als im Verlaufe des 19. Jahrhunderts die enge Verbindung zwischen privater Haushaltung und Arbeitsstätte – wie sie städtischen Gewerben und agrarischer Tätigkeit früher eigen war – sich auflöste.

Um die offene, immer erdnahe Feuerstelle funktionsfähig zu halten, bedurfte es einer Anzahl zumeist aus Eisen gefertigter Gerätschaften. Das älteste, wie Ausgrabungen zeigen, schon in der Vorzeit geläufige Ausstattungsstück ist der Feuerbock, der dazu benutzt wurde, das Brennmaterial – Holzscheite oder auch Torfstücke – schräg aufzulegen, damit die Luft Zugang hat. Zeitlich viel später ist die Feuerstülpe im Umkreise des Herdes im niederdeutschen Hause gebräuchlich. Das korbartige Gehäuse diente der Sicherung der Feuersglut und wurde nicht selten durch obrigkeitliche Bestimmungen gefordert, die dann auch, wie eine Lüneburger Verordnung des Jahres 1618, seinen Hauptzweck angeben: »Gleicher Gestalt ist das Feuer allenthalben des Abends, wenn man schlafen geht, mit eisernen oder blechernen Türen, Stülpen, Deckeln oder Steinen dahin besten Fleißes zu verwahren, so daß die Katzen sich daran oder in die warme Asche nicht legen, sich entzünden und das Feuer in Stroh, Heu oder sonstwo auf die Böden tragen mögen.« Um die wohlverwahrte Glut des Morgens neu zu entfachen, war das Blasrohr oder der Blasebalg unentbehrlich; wie so häufig bei den schlichten Dingen alltäglicher Verwendungen hat sich selten der einfache, ständiger Abnutzung ausgesetzte Blasebalg aus Holz mit dem Lederbalg erhalten, zumeist geblieben sind die reicher ausgestalteten, bemalten oder mit Messing beschlagenen Stücke, die wohl mehr zur Zierde der Feuerstätte als zum Gebrauch entstanden sind. Schließlich gehörte zur offenen Feuerstelle der Kesselhaken, an dem die Töpfe über dem Herd aufgehängt wurden. In vielen Landschaften waren diese Haken wie schon in der Antike mit Ketten versehen, während in Nordwestdeutschland seit dem späten Mittelalter der sogenannte *Sägehal*, der mit dem gezahnten Blatt, der Führungsschiene, dem Sperrhaken zur höheren oder niedrigeren Einstellung von Topf oder Kessel über dem Feuer eingerichtet ist, üblich wurde. Ganz erstaunlich ist die frühe technische Vollkommenheit des wohl zumeist durch den Dorfschmied gefertigten Sägehals; sie ließ sich dann – vermutlich um die Mitte des 19. Jahrhunderts – nochmals weiter entwickeln, indem nunmehr ein Zahnrad mit Kurbelantrieb die Verwendung erleichterte.

Das Material, vorwiegend Eisen, verlieh dem Herdgerät, zu dem noch die Rösten zur Fleischbereitung zu zählen sind, eine besondere Stellung im Haushalt in Zeiten, in denen der Hausrat wie auch die Werkzeuge bäuerlicher Wirtschaft ganz überwiegend aus Holz gefertigt waren. Die ihnen durch die materielle Substanz eigentümliche Wertigkeit wurde durch die Verbindung zum Feuer und zur Feuerstelle als dem Mittelpunkt des Hallenbaues noch gesteigert; wenn die Herdstätte Inbegriff der Haushaltung war, das Anzünden des Feuers die Besitznahme des Hauses, das Auslöschen die Auflösung der Hausgemeinschaft anzeigte, so konnte sich solche Bedeutung des Feuers auch auf die Gerätschaften, die am Herde benützt wurden, übertragen. Durch seine Altertümlichkeit wurde vor allem der Kesselhaken in Brauchhandlungen einbezogen; formelhaft deuten Wendungen (wie, französisch: prendre la crémaillère, deutsch: den Kesselhaken aufhängen) auf die Eröffnung des Hausstandes. Aus der Lüneburger Heide ist überliefert, daß Erblasser und Erbe, Vater und Sohn, bei der Hofübergabe den *Feuerhal* berührten oder daß der

Bauer bei der Dingung von Knechten und Mägden den Mietpfennig als das Zeichen getroffener Vereinbarungen in den Kesselhaken legte und die Münze dort entnehmen ließ. Ebenso wird berichtet, daß der Landmann bei Feuersbrünsten Sorge trug, daß der Kesselhaken als Urkunde des Besitzrechtes am Hause gerettet wurde.

Am Ende der Bank saß der Pferdejunge

Im Flett verband sich die bäuerliche Familie mit dem Gesinde in der Gemeinsamkeit des Arbeitens und im Zusammenleben zu einem festen Sozialgebilde mit eigenen Verhaltensnormen, die in der alteuropäischen Ökonomik ihre schriftliche Ausformung in der Lehre vom »ganzen Hause« gefunden hatten. Diese Lehre vom Hause und von der Haushaltung, die ihre Wurzeln in der Antike hat, umfaßte in der vom 16. bis zum 18. Jahrhundert reichenden literarischen Gattung der zumeist dickleibigen Hausväterbücher die Gesamtheit der zwischenmenschlichen Verhältnisse, die Kenntnisse, Fertigkeiten und die Tätigkeiten innerhalb der agrarischen Gesellschaftsform. Sie behandelt die Pflichten des Hausherrn und der Hausfrau, die Erziehung und das Verhalten der Kinder und der Jugendlichen, schließlich auch die Stellung und die Aufgaben des Gesindes.

Solche an patriarchalischen Modellen orientierte Hausordnung mit der ihr eigentümlichen Hierarchie wird besonders sinnfällig in der überlieferten Verteilung der Sitzplätze bei den Mahlzeiten, die im niederdeutschen Hallenhaus in einem der beiden Seitenarme des Fletts, dem einen der Unterschläge, eingenommen wurde. Hier war zufolge von Nachrichten aus Westfalen die Sonderstellung des Hausvaters dadurch hervorgehoben, daß er mit der Schmalseite des langgestreckten Tisches gewissermaßen den Ehrenplatz einnahm; an den Längsseiten saßen, nach Geschlechtern streng getrennt, die Bewohner des Hauses, gemäß ihrer Stellung geordnet; auf der Bank auf der einen Seite hatten der Großknecht, die Kleinknechte, der Schäfer und die Pferdejungen ihren Platz, ihnen gegenüber saßen die Hausmutter, dann die Großmagd und die Kleinmägde. Mitunter waren die Kinder gemäß ihren Aufgaben und Funktionen auf dem Hofe unter das Gesinde plaziert.

Deutlich wird an dieser Ordnung, die sich im Verlaufe des 19. Jahrhunderts durch die Trennung der bäuerlichen Familie von dem Gesinde auflöste, vornehmlich auch das Fehlen der Sphäre der Privatheit, der Intimität, der gefühlsmäßigen Bindung, wie sie die bürgerliche Familie in der Zeit nach 1800 charakterisierte. Ebenso aufschlußreich ist diese Sitzordnung für die Stellung der Kinder, die schon in frühen Jahren gänzlich in den harten Arbeitsalltag einbezogen wurden und demgemäß nicht in einem eigenen, ihrer Altersstufe entsprechenden Lebenskreis, beim Spielen und beim wohlorganisierten Unterricht, sich entfalten konnten.

Gute Stube und Herrgottswinkel

Weit behaglicher als in dem schwer aufheizbaren, zugigen Flett war der Aufenthalt in den Stuben, die im Verlaufe einer jahrhundertelangen Entwicklung in den Bauernhäusern üblich wurden (Abb. 2). Die

2. Stube. Vertäfelung Eiche, Intarsien Bein, Mooreiche. Herzhorn, Kr. Steinburg, Schleswig-Holstein, um 1790

3. Hinterglasbilder mit Herz-Jesu- und Herz-Marien-Darstellungen, Oberammergau, Oberbayern, um 1830, H. 19,4, Br. 15 cm

4. Kruzifix, Fichte, farbig gefaßt, H. 53, Br. 23 cm. Oberammergau, um Mitte 19. Jahrhundert

Geschichte dieses Raumes mit den ihm eigentümlichen Qualitäten des rauchfreien und warmen Wohnens hat sich bisher nicht hinreichend aufhellen lassen. Auch wenn die Forschung in Fragen der zeitlichen Aufnahme der Stube in das Bauernhaus nach und nach zu sehr differenzierten Ergebnissen gekommen ist, spricht doch vieles dafür, daß diese im Hochmittelalter zuerst in Oberdeutschland häufiger wurde und von dort langsam nach dem Norden sich ausbreitete, bis sie dann um die Wende zur Neuzeit auch in das Hallenhaus einbezogen wurde. Jedenfalls aber gibt es deutliche Hinweise darauf, daß im alpinen Bereich manche Stube erst sekundär in das ältere Gebäude eingefügt ist, sie erscheint in Südtirol gänzlich unabhängig vom Holz- und Mauerwerk der Gebäude als in der Art des Blockbaus abgezimmerter Kasten – gewissermaßen als Haus im Hause – oder ist in der Schweiz manchmal mit einer eigenen Bau-Inschrift versehen.

Hauptausstattungsstück der Stube war zunächst der nach dem Hinterladerprinzip von außerhalb des Raumes beheizte und dort mit einem Rauchabzug versehene Ofen, der aufgemauert, später dann zumeist aus Kacheln oder aus gußeisernen Platten zusammengesetzt war. Während die Kacheln in ländlichen Bereichen wohl zumeist recht schlicht gehalten waren, gelangten mit den gußeisernen Öfen in manchen Gegenden zahlreiche religiöse Bildmotive in die vordem nicht sonderlich bilderreichen Wohnräume. Wenn so der eiserne Ofen zum Bildträger wurde, mag dies abhängig sein von dem Produktionsverfahren, also der Herstellung aus den von Formstechern oder Bildschnitzern bearbeiteten Modeln in den Gießereien, zugleich aber kennzeichnet diese Dekoration auch wiederum die Bedeutung, die der Heizung beigelegt worden ist.

In der oberdeutschen Stube bildete sich ein immer wiederholtes Muster in der Anordnung der Raumausstattung heraus; nach diesem stand der Tisch in der Regel in der Ecke, die diagonal gegenüber dem Ofen lag. Auf Tisch und Tischwinkel gingen Wertigkeiten über, die in ursprünglicheren Formen der Häuslichkeit an die offene Feuerstelle gebunden waren. Häufig gehörte der Tisch zum unveräußerlichen Bestand der Wohnung, und wenn es – beim Tode des Eigentümers – nach allgemeiner Gepflogenheit notwendig wurde, die Besitztümer zu verzeichnen und zu bewerten, begann die Kommission ihre Tätigkeit gewöhnlich in diesem zentralen Bereich. Als im Jahre 1773 in Lam, Landkreis Kötzting im Bayerischen Wald, das Vermögen des verstorbenen Halbbauern Jakob Billers aufgeschrieben wurde, leiteten die Schätzleute ihre Aufstellung damit ein, daß sie in der Stube ein Kruzifix, zwei auf Glas gemalte Bilder, ein Wandkästel, einen ahornen Tisch mit Schubladen, die zugehörigen sechs Sessel notierten und sich dann der Fülle des übrigen Hausrats in der Stube, in der Kammer, auf dem Boden, im Flur, aber ebenso auch den Tieren in den Stallungen, den Gerätschaften in Stadel und Schupfen widmeten.

Wenn das Protokoll zuerst das Kruzifix und die beiden Hinterglastafeln erwähnt, erinnert es an die Rolle des Tischwinkels als Bezirk frommer Andacht, in dem die bäuerliche Familie sich zum Tischgebet, das der Mahlzeit voranging, versammelte (Abb. 3 und 4). Sinnfällig wird diese Bedeutung in der Ausstattung als Herrgottswinkel, der, wie wir durch vergleichende Untersuchungen wissen, bei vielen Völkern üblichen häuslichen Kultecke. Im evangelischen Traditionsmilieu waren hier auf einem Wandbrett die Bibel, auch Gesang- und Andachtsbücher untergebracht, in Gegenden mit katholischer Bevölkerung wurden um das Kruzifix in meist anspruchsloser, eher zufälliger Gruppierung religiöse Darstellungen, Drucke und die in dem zitierten Inventar erwähnten Hinterglasbilder, mitunter auch kleinplastische Bildwerke angeordnet. In manchen Gebieten Süddeutschlands war es Brauch, den Herrgottswinkel entsprechend dem Ablauf des Kirchenjahres mit wechselnden figürlichen Darstellungen auszugestalten, etwa mit dem ersten Menschenpaar sowie der Weihnachtskrippe zum Christfest, der Darstellung des Jesusknaben im Tempel, der Hochzeit zu Kana, mit den Szenen der Passion in der Karwoche oder dem Heiland der Auferstehung zur Osterzeit. An der Versorgung des Hauses mit diesen Bildern hatten hausgewerbliche Herstellungen hervorragenden Anteil, die Werkstätten der Hinterglasmalerei, die in der Art des zu Augsburg blühenden Kunst- und Gewerbefleißes an kleineren Orten malerhandwerklich arbeiteten oder im Umkreise der Glashütten fernab von den Städten die Kenntnisse der Spezialisten in der Bemalung von Glaswaren abwandelten und fortführten, dann die Schnitzer, die sich in waldreichen Gegenden der Alpenländer, vor allem in Oberammergau, in Berchtesgaden, in Gröden in Südtirol konzentrierten. Ein ausgedehntes Verlagssystem, der Hausierhandel, Messen und Märkte erschlossen diesen Hausgewerben ihre Absatzgebiete, wobei ständige Nähe zu den Bedürfnissen der Kunden das Angebot prägte. So schufen die Herrgottsschnitzer in Oberammergau, ganz wie ihr Name sagt, Kruzifixe der mannigfachsten Art und Zweckbestimmung. In ihren Werkstätten entstanden nicht nur die Wandkreuze für den Tischwinkel und die Kammern, die zu Hunderten und Tausenden gefertigten Reliquienkreuze, deren Balken kleine Heiltümer einschlossen, sondern auch die »Stallherrn«, ganz einfach gearbeitete Schnitzwerke für die Stallungen, um das Vieh vor allem Unglück, vor bösen Geistern und Hexen zu schützen.

Die besondere Wertigkeit der Stube, der ihr eigene Charakter des

Feiertäglichen, ihre Rolle als Kulturraum dürften sich indessen zumeist nicht rein ausgeprägt haben. Vielfach überschnitten sich in diesen Räumen Grundfunktionen der Häuslichkeit, das Essen, das Schlafen, das Wohnen, mit wirtschaftsbezogenen Nutzungen. Wie auch bei manchen städtischen Handwerkszweigen in Zeiten, in denen Arbeitswelt und Wohnstätte noch identisch waren, wurde die Stube für gewerbliche Tätigkeiten oder auch für die Güterproduktion für den eigenen Bedarf verwendet. So stellte im Böhmerwald hier der Kleinhäusler die Gerätschaften auf, deren er sich bei der Erzeugung der sogenannten Waldwaren, der hölzernen Rechen, der Schaufeln, Heugabeln, Tröge und Schüsseln, bediente. Alte Fotos haben manchmal, auch wenn Skepsis gegenüber der unmittelbaren Realitätshaltigkeit dieser Bildquellen geboten ist, doch wohl etwas von der Atmosphäre in diesen Räumen, die Stube und Werkstatt zugleich waren, eingefangen. Da ist etwa in der engen Stube des Böhmerwälder Holzschuhmachers der Tisch in die Ecke unterhalb des mit dem Kreuz und einigen Öldrucken ausgestatteten Herrgottswinkels gerückt, um Platz zu schaffen für die wuchtigen Holzblöcke zur Zurichtung des Materials, für die Werkbank, für halbfertige und fertige Schuhe, schließlich für die reichlichen Abfälle. Die Frauen und Kinder der Haushaltungen, die, älteren Gepflogenheiten des Posierens für den Fotografen folgend, auch im Bilde erscheinen sollten, fanden nur mit Mühe noch einen Platz in der Nähe des Ofens.

Fast gleiche Verhältnisse dürften sich ergeben haben, wo die Bevölkerung mit einem anderen zentralen Bereich agrarischer Güterherstellung, der Textilbereitung, beschäftigt war. Sehr drastisch hat ein um die Wohlfahrt seiner Landsleute besorgter Arzt in Ravensberg in Westfalen schon im Jahre 1793 die wenig günstigen Situationen in der Spinnstube, auf die so oft, die alten Zustände romantisch verklärend, Rückschau gehalten worden ist, geschildert:

> »Die enge Stube ist von Menschen, Vieh und Hausrat vollgepfropft. Die männlichen Personen dampfen unaufhörlich stinkenden Tabak, oft auch die Weiber. Der Ofen ist bis zum Rothglühen eingeheizt. Die Tranlampe verbreitet einen schwachen Schimmer und einen dicken, stinkenden Rauch. Dazu die Ausdünstung der vielen Menschen. Kaum kann die schwarze Höhle in Kalkutta fürchterlicher sein als solch eine Spinnstube im Winter.«

Lampen und Leuchten, kaum Kerzen

Aus solchen Berichten über die Alltagskultur der Vergangenheit haben ganz besonders die Mitteilungen über die Beleuchtung immer wieder Aufmerksamkeit auf sich gezogen, weil hier die Veränderungen in den Lebensformen breiterer Bevölkerungsschichten als Ergebnis naturwissenschaftlich-technischen Fortschritts seit 1900 unmittelbar deutlich wurden. Das Bauernhaus bot eine ergiebige Gelegenheit für solche Betrachtungen, waren doch hier die seit alters geläufigen Lichtquellen bis an die Schwelle des 20. Jahrhunderts und wohl auch darüber hinaus noch gebräuchlich. So hing am großen Wendebaum des Hallenhauses die Kienleuchte, eine offene eiserne Laterne für den Kienspan, der aus dem mit Harz gesättigten Holz der Kiefer gewonnen wurde. Der stark qualmende Span gab dem Flett die geringe Helle, mit der man sich bei den täglichen Arbeiten vor Sonnenaufgang und des Abends, wie etwa beim Füttern des Viehs, begnügen

5. Öllampen. Messing, H. 20 cm. Schleswig, 1. Hälfte 19. Jahrh., Steinzeug, H. 17,3 cm. Niederrhein, Ende 18. Jahrh.

mußte; auch wenn in den dunkleren, abgelegenen Teilen des Hauses etwas zu besorgen war, führte man wohl diesen Span mit. Daneben gab es die Öllampen der mannigfachsten Ausprägung (Abb. 5). In schlichter Beschaffenheit handelte es sich um kleine, eiserne Schalen, bei deren Verwendung man einen oder auch mehrere (baum)wollene Dochte über den Rand legte und als Brennstoff ölhaltige Fette, darunter auch Fischtran, nahm. Diese Lampen, die in Niederdeutschland Krüsel hießen, hingen an Haken aus Holz oder Eisen, die recht genau den schon beschriebenen Kesselhaken nachgebildet waren, also nach Bedarf höher oder niedriger eingestellt werden konnten. Ein weiterer allgemein verbreiteter Lampentyp waren die mittels Ölen betriebenen Standleuchten aus Eisen, Zinn, Messing, dann in Gegenden mit speziellen Tonvorkommen auch aus Steinzeug; sie erwiesen sich, weil sie umhergetragen werden konnten und, bedingt durch den hohlen Schaft bei zinnernen und messingnen Stücken, zur Sicherheit sich auch in einem Dorn befestigen ließen, als besonders praktisch. Zudem waren die zinnernen Leuchten im 18. Jahrhundert recht häufig nebenbei zu einem Zeitmeßgerät fortentwickelt worden, sie erhielten dann ein gläsernes, birnenförmiges Ölgefäß und einen Streifen, dessen Skala die Stunden anzeigte, so daß über die verbrauchte Menge an Brennstoff die ungefähre Uhrzeit ablesbar wurde. Wenn man den Chronisten der alten Volkskultur, etwa den Aufzeichnungen von Wilhelm Bomann (1848–1926) über das ländliche Sachgut in der Lüneburger Heide folgt, war in den Bauernhäusern im Vergleich zur Nutzung von Kienspänen und Ölen für Beleuchtungszwecke die Kerze viel seltener. Sie gehörte, wohl in Anlehnung an kirchlichen Lichterbrauch, vor allem der festlichen Sphäre von Taufe, Hochzeit und Totenfeier zu.

Neben dem Eisen und dem für Lampen und Leuchter genutzten Zinn wurde vor allem das Messing als Material für die Gerätschaften im Umkreise von Feuer und Licht bevorzugt. Aus diesem Werkstoff, bekanntlich eine Kupfer-Zink-Legierung, waren oft auch die zusätzlichen Heizquellen, die man in den feuchten, schwer erwärmbaren Wohnungen immer wieder benötigte (Abb. 6). Sehr gebräuchlich waren die als durchbrochenes Messinggehäuse gestalteten Fußwärmer mit einem Keramiktopf, in dem Holzkohle brannte. Ebenso geschätzt waren die Bettwärmer. Man schob sie an ihrem langen Stiel des Abends vor dem Schlafengehen unter das klamme Bettzeug, um es vorzuwärmen. Zumeist hingen diese Bettwärmer mit ihren kunstreich verzierten Deckeln in den norddeutschen Küstengebieten in der Ofennähe an der Wand. Neben dem praktischen Nutzen dürfte das wie Gold blinkende Metall des Geräts dazu beigetragen haben, den

6. Feuerkieke (Stövchen). Messing, getrieben, graviert, durchbrochen. H. 15,5, Br. 19 cm. Schleswig, datiert 1735

feiertäglichen Charakter der mit Holzvertäfelungen und blau-weißen Fliesen verkleideten Stuben zu steigern. Die mehr oder minder bescheidenen Ansätze zu einer Ästhetisierung, die diese Metallgegenstände auch in recht dürftige Wohnungen hineinbrachten, sind übrigens der Aufmerksamkeit der Reiseschriftsteller nicht entgangen. Als um 1800 der Theologe und Historiker Johann Gottfried Hoche (1762–1836) über das von Hochmooren umschlossene Saterland in Oldenburg berichtete, hielt er es für besonders anmerkenswert, daß die blankgescheuerten Schüsseln aus Zinn und Steingut, die er auf den Borden beim Feuer sah, die Häuser sehr schmückten.

Kleinkinder waren oft lästig

Es wurde schon davon berichtet, daß die ländliche Stube häufig nicht ausschließlich dem Wohnen bei Tage diente, sondern auch zum Schlafen bestimmt war. Dementsprechend stand dann hier eine Bettstelle, üblicherweise ein Baldachin- oder Himmelbett, das mit Vorhängen ausgestattet war. Mit den Stuben verbunden und über diese zugänglich waren auch die in Norddeutschland verbreiteten wandfesten Schlafstätten, die Durks oder Butzen, deren von schlicht zubereiteten Brettern umschlossenes Gehäuse zum Wohnraume hin durch Vorhänge oder durch Schiebetüren abgeteilt war. Mitunter war ein solcher Alkoven im niederdeutschen Hallenhaus zum Herdraum hin gelegen oder nach dorthin mit Fenstern versehen, so daß tatsächlich – ganz gemäß den schon zitierten Vorstellungen von Justus Möser – die rastlos wirkende Hausfrau auch im Kindbett ihren Pflichten, den Hof und das hier tätige Gesinde ständig unter Aufsicht zu halten, nachkommen konnte.

Wiederum waren es – wie bei der Schilderung der Spinnstube im Ravensbergischen – die Ärzte, die diesen bis in die zweite Hälfte des 19. Jahrhunderts hinein gebräuchlichen Schlafstätten ihre kritische Aufmerksamkeit widmeten und zum Beispiel unter dem Gesichtspunkt von Luftzufuhr und Lüftung Bedenken vorbrachten. Zu deutlich standen die altgewohnten Bettgehäuse im Widerspruch zu Auffassungen, die dank des medizinischen Wissens über den gesunden Schlaf – der berühmte Christoph Wilhelm Hufeland (1762–1836) ist mit seiner Abhandlung *Der Schlaf und das Schlafzimmer in Beziehung auf die Gesundheit* von 1803 vor allem zu nennen – langsam zum Allgemeingut hygienischen Verhaltens wurden. Überhaupt wird man bei einer umfassenden Betrachtung über die Veränderung der Sachkultur in der näheren Vergangenheit die Hygienisierungen der Lebensformen zu beachten haben. Da ist etwa die alte, in musealer Darstellung des Wohnens der Vergangenheit als ein Zeugnis geburtenstarker Generationen und getreulicher Zuwendung zum Kleinkind hochgeschätzte Wiege. Der in der Zeit um 1800 mit den Verhältnissen auf dem Lande befaßte Arzt sah das alles etwas anders; er fürchtete für den kleinen Erdenbürger, dem man, wie schon erwähnt, kaum Anrecht auf die kindsgemäßen Lebenskonditionen zuerkannte. So ist in Notizen über die medizinischen Verhältnisse in Scheßlitz bei Bamberg berichtet:

> »Am verderblichsten ist die ländliche Sitte ..., die Kinder durch unmäßiges Schaukeln in den Schlaf zu zwingen, durch Schwingen und Schütteln, durch Hin- und Herzerren der Wiege und durch lautes Singen, Methoden, die eher geeignet sind ..., Dummheit und Idiotie zu bewirken.«

Kleinkinder waren für die hart arbeitende Bevölkerung nur allzuoft lästig. Es wurde versucht, sie mit allerlei Mitteln, so auch durch das Wiegen, zu beruhigen, um sie, wie es der Alltag erforderte, allein lassen zu können. Auch ergaben sich, was vor allem der bedeutende französische Historiker Philippe Ariès zeigte, aufgrund der demographischen Bedingungen bis in das 19. Jahrhundert heute fremd anmutende Einstellungen zu dieser Lebensphase: Man erblickte im Kleinkind keine vollständige menschliche Persönlichkeit, und seine Überlebenschancen wurden bei der hohen Sterblichkeit als so gering bewertet, daß es nicht verlohnte, eine feste Bindung der Zuneigung und des Mitleids einzugehen.

Wie die wenig gesunden Bettgehäuse im niederdeutschen Bauernhaus waren auch andere Einrichtungsteile fest mit dem Gebäude verbunden, dazu gehören die Wand- und Ofenbänke, auch wohl Tische, dann die vielfach unter den Bänken installierten Hühnerverschläge, die nochmals daran erinnern, daß Gegebenheiten des Wirtschaftens weit in den Wohnbereich hineinwirkten. In niederdeutschen Stuben waren mitunter im 18. Jahrhundert die Schränke und selbst die Sekretäre in die Vertäfelung einbezogen. Diese Einbindung der Schrankmöbel und Betten in die Wände der Stuben hatte den Vorteil, den durch den Ofen aufzuheizenden Raum zu mindern. Auf diese Weise sind in der Anlage des Wohnraums Gegebenheiten berücksichtigt, die zu den zentralen Themen in den volkswirtschaftlichen Erörterungen des 18. Jahrhunderts gehörten.

Energiesparen 1789

Damals war eine erste Energiekrise, bedingt durch die Minderung des wichtigsten Brennmaterials, des Holzes, allgemein bewußt geworden. Über Jahrhunderte hin hatte der Mensch die unerschöpflich scheinenden Waldungen ausgebeutet und das Holz vielfältiger Nutzung zugeführt, für die Herstellung von Haushaltsgegenständen, beim Haus- und Schiffsbau, bei der Fertigung von Arbeitsgeräten aller Art, insbesondere auch als Brennstoff bei der Güterproduktion, bei der Erzeugung von Glas, von irdenem Geschirr, vor allem in der Eisenindustrie. Nun aber zeichnen sich die Grenzen in den naturgegebenen Vorräten des Rohstoffs deutlicher ab und mannigfaltige Vorschläge, wie dieser Verknappung des Holzes – in der der Nationalökonom Werner Sombart (1863–1941) im Rückblick ein Indiz für die Gefährdungen des Kapitalismus sah – zu begegnen sei, werden gemacht. So benennt die vielbändige *Oeconomische Encyklopädie oder allgemeines System der Staats- Stadt- Haus- und Landwirthschaft* von Johann Georg Krünitz im Jahre 1789 Punkt für Punkt die Faktoren, die diesen Mangel bewirkten, und knüpft daran die Forderung nach einer besseren Staatsaufsicht beim Schutze der Umwelt:

> »Endlich muß die hohe Landespolizey alle unnöthige und überflüßige Holzconsumtion durch kluge Maßregeln zu verhindern suchen, wenn sie einen allzu hohen und schädlichen Holzpreis, und einen künftigen Holzmangel selbst, verhüten will. In vielen holzreichen Gegenden glaubt man, daß das Holz kein Ende neh-

men könne, und es scheint, als wenn man sich mit allem Fleiß bestrebete, solches auf eine recht liederliche Art zu verschwenden, anstatt daß man sich durch die Beyspiele so vieler andern Gegenden, welche jetzt der Holzmangel drückt, zu einer wirthschaftlichen Holzsparkunst sollte bewegen lassen, und bedenken, daß man alsdann zu sparen anfangen müsse, wenn noch Holz genug in den Waldungen vorhanden ist, keineswegs aber so lange damit verziehen, bis sich der Holzmangel einfindet.«

Von der Möbelherstellung

In ähnlicher Weise wie die wandfesten Einrichtungsgegenstände waren auch andere Möbel von der Beschaffenheit des Hauses bestimmt. Da gab es etwa die Truhenformen, deren Bauweise ganz darauf abzielte, den kostbaren Inhalt, die Kleider, das Leinenzeug, den Silberschmuck, wohl auch die Familienurkunden, vor der Feuchtigkeit des Bodens zu schützen. Der Kasten ruhte dann, wie häufig in Süddeutschland, in Österreich und der Schweiz, auf einem separat gearbeiteten Sockel, den Verlängerungen der Seitenwände oder auf frontalen Stollen. Es ist diesem letzten Typus, der für Haushaltungen in Westfalen, Niedersachsen und Schleswig-Holstein bis in das 19. Jahrhundert hergestellt wurde, eigentümlich, daß er aus den Wandbrettern mit horizontalem Verlauf der Faser und aus Bohlen oder Stollen

7. Truhe. Eiche, beschnitzt. H. 104, Br. (Mitte) 165, T. (Mitte) 76 cm. Vierlande bei Hamburg, um 1700

mit vertikalem Faserverlauf durch Vernutungen und Zapfen zusammengefügt ist (Abb. 7). Diese Art des Verbundes von Holzwerk gleicht dem Fachwerk der Häuser; somit erinnern die oft wuchtigen Möbel daran, daß einst der Zimmermann einen recht erheblichen Anteil an der Fertigung der häuslichen Einrichtungen hatte und manchmal Fortentwicklungen sowie Differenzierungen in der Ausgestaltung des Hausrats abhängig sein konnten von zunehmender Spezialisierung der in den Dörfern und Kleinstädten ansässigen Handwerker.

Während also über lange Zeit hin die Zimmerleute und die Drechsler die Möbel fertigten, zeichnete sich bei ländlichem Sachgut seit dem 17. Jahrhundert die Tätigkeit der Tischler oder Schreiner deutlicher ab; nunmehr sind die Kastenmöbel an den Ecken durch eine Zinkung zusammengesetzt, die Wandungen werden nicht länger von vollen Brettern gebildet, sondern gliedern sich häufiger in ein Rahmenwerk mit den eingefügten dünneren Füllungsbrettern (vgl. Abb. 8). Damit sind Voraussetzungen geschaffen für eine stärkere Hinwendung zur städtisch-bürgerlichen Wohnkultur, die seit ihrer Entfaltung im späten Mittelalter immer mehr auf das Land hinüberwirkte. Dementsprechend fanden dort neue Möbeltypen, die jetzt meist schreinermäßig gearbeitet sind, Aufnahme in die Haushaltungen. Zwar behielt die Truhe bis in das 18. Jahrhundert ihre besondere Geltung als Bewahrmöbel, doch wurden nun auch Schränke für Kleider und Wäsche gebräuchlich (Abb. 9). Mitunter läßt sich recht genau verfolgen, wie die von städtischen Handwerkern entwickelten Formen die Erzeugnisse beeinflußten. Beispiele bieten Norddeutschland mit dem Übergang vom mehrgeschossigen Fassadenschrank zum zweitürigen Kleiderschrank als Ausstrahlung von Formen, die in den Hansestädten seit etwa 1670 bezeugt sind, oder Süddeutschland durch den Wandel der Umrißlinie der ursprünglich kubisch angelegten Möbel durch Hineinnahme von Stilelementen des Barock und des Rokoko. In der Regel wurden auf das Land nur Vereinfachungen der städtischen Einrichtungsgegenstände übernommen. Um die Auszier der Möbel den durchweg schlichter entfalteten Fertigkeiten der landsässigen Handwerker und der geringeren Kaufkraft der Dorfbewohner anzupassen, wurden die aufwendigen Dekore in einfachere Techniken umgesetzt, indem man etwa die Intarsien, die Furniere und selbst Architekturformen durch Farben wiedergab. Deutlich wird dies etwa an den Truhen mit dem aufgemalten Tor-Turm-Motiv (Abb. 8), wie sie im Umkreise von Miesbach in Oberbayern seit dem Anfang des 17. Jahrhunderts entstanden sind, denn gleiche Architekturen schmückten in der süddeutschen Renaissance als Einlagen auch die Einrichtungsgegenstände des Adels und des Bürgertums.

8. Truhe. Fichte, bemalt. H. 86,5, Br. 156, T. 63 cm. Umkreis Miesbach, Oberbayern, dat. 1667

Diese Nachahmungen bildeten eine der Grundlagen für die im 17., vor allem aber im 18. Jahrhundert aufblühende Möbelmalerei mit ihrem breiten Spektrum an Gestaltungsmöglichkeiten. Deutlich äußert sich solche Erweiterung geläufiger Zierweisen im katholischen Traditionsmilieu, weil dort in manchen Gegenden die Möbel nunmehr mit den vielfältigen Zeichen und Bildern des Volksglaubens geschmückt wurden, wie etwa dem Motiv der heiligen Herzen von Jesus und Maria, mit den vielbewährten Schutzheiligen, manchmal auch mit den Namenspatronen der Auftraggeber. Nicht zuletzt bezeugt diese fromme Bilderwelt, daß die ländlichen Handwerker, aber auch hausindustriell tätige Produzenten dem Lebenskreis und der Mentalität ihrer Kunden eng verbunden waren. Sie kannten deren religiöse Bedürfnisse, wußten aber ebenso von Verhaltensformen, bei denen Repräsentation eine gewichtige Rolle spielte.

Für gewöhnlich lag im ländlichen Lebenskreise ziemlich genau fest, wie der Hausrat zusammengesetzt und beschaffen war. Von beträchtlichem Einfluß auf die Einrichtungsweisen war vor allem das Aussteuergut, das bei den Hochzeiten in die Haushaltungen eingebracht wurde. Hier gab es, wenn auch mit sozialen Abstufungen, auf den Dörfern Regeln über die angemessene, der wirtschaftlichen Situation der Höfe geziemende Mitgift, die sich als recht stabil erwiesen, jedoch in Einzelheiten immer wieder den sich wandelnden Bedürfnissen angepaßt wurden. So läßt sich manchmal durch Vergleiche der schriftlichen Eheverabredungen in etwa festlegen, wann im Wechsel der Generationen einzelne Möbeltypen in den Häusern hei-

9. Schrank. Fichte, bemalt. H. 169,5, Br. 110, T. 44 cm. Tölz, Oberbayern, datiert 1818

10. Der Kammerwagen Aquarellierte Kreidelithographie. Darstellung mit Schrift. H. 20,4, Br. 36,6 cm. Egerland, um 1820.

misch wurden, Kleiderschränke, Anrichten zur Aufbewahrung und zur Schaustellung des Geschirrs aus Ton und Metallen, Kommoden.

Das Prestigeverlangen kleinstädtischer und dörflicher Bevölkerung äußerte sich besonders in der Gepflogenheit, die Aussteuer öffentlich vorzuführen. Möbel, Geräte, darunter das die Obliegenheiten der zukünftigen Hausfrau kennzeichnende Spinnrad, Kleidungen, Bettzeug, der Vorrat an Leinwand und Flachs wurden in festlichem Aufzug, dem sogenannten Kammerwagen- oder Kistenwagenfahren, in das gemeinsame Heim von Braut und Bräutigam überbracht (Abb. 10). All dies Sachgut erscheint, wenn auch nur kurzfristig, einbezogen in eine Brauchtumshandlung, die seine Steigerung und Überhöhung mitbedingte.

Manches Stück aus dem Hochzeitsgut behielt diesen Charakter des Feiertäglichen in der neubegründeten Haushaltung auch weiterhin bei (Abb. 12), denn neben den aufwendig geschmückten Gegenständen waren häufig, gewissermaßen in einer Verdoppelung eines Teils der häuslichen Dingwelt, schlichte Geräte gleicher Zweckbestimmung vorhanden, die im Alltag benutzt wurden. Da gab es etwa neben dem mit Schnitzwerk reich verzierten Mangelholz die einfache Ausführung für den Gebrauch beim Glätten der Wäsche oder neben den ornamentierten Schüsseln, die als Ziergeschirr auf den Borden und Anrichten standen (Abb. 13), die nur wenig oder überhaupt nicht dekorierte Irdenware für den Gebrauch bei den Mahlzeiten und beim Wirtschaften in der Küche.

Zugleich aber vollzog sich die Fortentwicklung des Wohnkomforts im Rahmen wirtschaftlicher Gesamtkonstellationen. Insbesondere die günstigen Agrarkonjunkturen des 18. Jahrhunderts haben zahlreiche Neuerungen gefördert und Angleichungsprozesse an städtisch-bürgerliche Lebensformen ausgelöst. Diese wirkten auf Nahrungsgewohnheiten, auf die Kleidung und den Hausrat in gleicher Weise, ohne indessen die Eigenständigkeit der ländlichen Sachkultur gänzlich aufzuheben. Ein einschneidender Wandel vollzog sich erst später, gegen Mitte des 19. Jahrhunderts, im Zeichen der neuen Werkstoffe und Fertigungsweisen, der Übergänge zur maschinellen Produktion, vor allem aber aufgrund des sich verdichtenden Verkehrsnetzes und den damit zusammenhängenden Änderungen in der Art der Bedarfsdeckung.

»Volkskunst« als Thema von Weltausstellungen

Während so in den Jahrzehnten um die Mitte des 19. Jahrhunderts das alte Sachgut des Dorfes weithin modernen Produktionen zu weichen begann, wandte sich alsbald ein allgemeines Interesse der überkommenen Ausstattung ländlicher Bevölkerung zu. Die dahinschwindenden Trachten und Textilien, die abgelegten filigranernen Silberschmuckstücke, die nicht mehr benutzten Holzgeräte mit ihrem geschnitzten oder gemalten Zierat, aber auch schlichte Tonwaren rückten in das Blickfeld eines Publikums, das sich mit Gegenständen einrichtete und umgab, die in ihren Formen und Dekoren von den Stilen der Vergangenheit, von einer erneuerten Renaissance, von Nachahmungen des Barocks und Rokokos, geprägt waren.

So glaubte man in der Zeit des Historismus etwa zwischen 1860 und 1900 in gar manchen Besitztümern der Landbewohner Zeugnissen des Fortwirkens der hochgeschätzten künstlerischen Fertigkeiten einer weiter zurückliegenden Vergangenheit zu begegnen. Zugleich aber wurde, bedingt durch das Vordringen der maschinell hergestellten Ausstattungsstücke in die Privatsphäre der Haushaltungen für Generationen, die sich mit den Lebensbedingungen des Industriezeitalters schwer abfinden konnten, die überlieferte Handarbeit nostalgisch-retrospektiv mit neuen Werten besetzt. Schließlich erhielten diese ruralen Altertümer Qualitäten des Vorbildhaften zugesprochen; man pries im Zeichen einer beträchtlichen Orientierungslosigkeit im kunsthandwerklichen Design in den Zeitschriften der Jahre um 1870 ihre aus der Zweckbestimmung entwickelten Formen, ebenso aber auch die Bindung der Zierweisen an den jeweils spezifischen Charakter der Werkstoffe, der angewandten Techniken wie an die Funktion der Geräte.

Allmählich wurden die schönen Dinge der dörflichen Kultur unter dem problematischen Begriff der Volkskunst zusammengefaßt. Diese in ihren Merkmalen nur schwer faßbare »Volkskunst« ließ sich dann,

11. Prunkhandtuch. Leinen mit Wollstikkerei. Ausschnitt, H. 122, Br. 51 cm. Viöl über Husum, Kr. Nordfriesland, 1. Hälfte 19. Jahrh.

12. Zwei Schüsseln. Irdenware. Durchmesser 28,3 und 29,5 cm, Hessen, dat. 1783, 1790

indem ihre Verschränkung mit historischen und sozioökonomischen Situationen vernachlässigt wurde, unter ganz verschiedenen Gesichtspunkten für aktuelle Zwecke in Anspruch nehmen. So etwa unter Verhältnissen eines exzessiven Gebrauchs von Dekoren, wie er im späteren 19. Jahrhundert üblich war, für Reformbestrebungen auf dem Gebiete der angewandten Kunst, in national stimulierten Zeiten als Grundlage für die Entfaltung einer eigenständigen, gewissermaßen vaterländischen Ausgestaltung der öffentlichen und häuslichen Umwelt, schließlich, um 1900, für Konzepte, die darauf abzielten, den Arbeitern und Kleinbürgern ein ihren kargen finanziellen Mitteln und ihrer Mentalität entsprechendes Heim zu entwerfen.

Vor allem von den frühen Weltausstellungen mit der ihnen eigentümlichen Verflechtung von industriellem Wettbewerb und der Selbstdarstellung des Nationalen gingen wichtige Impulse für die Entdeckung und Aufwertung der materiellen Kultur des alten Dorfes aus. Als bahnbrechend darf die »Exposition universelle« in Paris 1867, auf der einzelne Länder Gegenstände überlieferter Herstellungen vorführten, angesehen werden. Einige Jahre später, auf der Weltausstellung in Wien 1873, konnte der Besucher nicht nur eine eigens eingerichtete in ihrer Zusammensetzung etwas diffuse Abteilung mit Erzeugnissen traditionell-volkstümlicher Beschaffenheit betrachten, sondern auch in einem ethnographischen Dorfe spazierengehen und dort Haustypen und Wohnformen verschiedener Gebiete, aus Siebenbürgen, der Slowakei, aus Kroatien, Rumänien, Rußland, Schweden, Vorarlberg und aus den Tauernlandschaften, näher kennenlernen. Anlagen, wie dies Dorf im Prater zu Wien 1873, sind auf späteren Ausstellungen noch öfters wiederholt worden. Sie luden immer auch zu einer vergleichenden Betrachtung ein, und allmählich gewann man aufgrund der sich verdichtenden Nachforschungen klarere Einsichten in die Formenvielfalt ländlicher Haustypen und deren Verbreitungszonen. In verkürzter Darbietung fanden die Ergebnisse solcher Untersuchungen Eingang in die Schausammlungen der bestehenden Museen, die verkleinerte Nachbildungen von bäuerlichen Gehöften anschafften und Stuben sowie Stubeneinrichtungen erwarben, einbauten, aufstellten, um auf diese Weise Überblicke über die Ausprägungen der eben erschlossenen Hauslandschaften zu geben.

Solchen musealen Zeitströmungen folgend, hat auch das Nationalmuseum um die Jahrhundertwende Einrichtungen und Einzelstücke erworben, die dazu dienen können, Eindrücke vom Leben und Wohnen im alten Bauernhause zu vermitteln. Damals wurden die neu eingerichteten Stuben, wie allgemein, mit nur drei geschlossenen Wänden und einer zum Betrachter hin offenen Seite aufgestellt. Ihre bühnenartige Präsentation hält auf Distanz zum Besucher und verwehrt ihm einen unmittelbaren Raumeindruck. Aber diese Weise der Darbietung macht bewußt, daß die musealen Stuben und ihre Ausstattungen hinausgenommen sind aus den Zusammenhängen gelebten Lebens. Sie erinnert so auch an die Schwierigkeiten, sich vergangenen Lebensweisen zu nähern und sie zu erklären.

Ludwig Veit

DIE IMHOFF. HANDELSHERREN UND MÄZENE DES AUSGEHENDEN MITTELALTERS UND DER BEGINNENDEN NEUZEIT

Archivalien, Münzen, Medaillen und Rechenpfennige

Notiz für den Leser

Die moderne Handelsgeschichte beginnt um 1500 in einer Periode neuer weltwirtschaftlicher Verflechtungen und Abhängigkeiten, in der die Zeit der regional autarken Selbstversorgung zu Ende ging. Neue Märkte forderten neue Absatzwege, neue Bedürfnisse entstanden aufgrund neuer Angebote.

Die ganze damals bekannte Welt war in diesen Prozeß einbezogen. Der Norden Europas lieferte Fische, Pelze, Wachs und Honig. Edelmetalle, vor allem Silber und Kupfer, sowie Metallwaren vielfältiger Art und Erzeugnisse des Kunsthandwerks kamen aus der Mitte und dem Westen des Kontinents, der Süden trug mit Luxuswaren und Spezereien aus dem fernen Orient zum Handel bei. Das neu entdeckte Amerika hat als Rohstofflieferant und Absatzmarkt dem Großhandel neue Dimensionen aufgezwungen und ihn veranlaßt, sich vom Süden nach dem Westen zu orientieren.

Frühzeitig entstanden Handelsplätze überregionaler Bedeutung: An die Seite der oberitalienischen Städte, allen voran Venedig und Genua, und der Hanse im Norden Europas traten nun Handelshäuser aus dem oberdeutschen Raum, aus Ravensburg, Augsburg und Nürnberg. Die bedeutendsten von ihnen, die Fugger und Welser, sind heute noch so bekannt wie die Rockefeller, Vanderbilt und Carnegie der industriellen Revolution oder die Saud in unseren Tagen.

Neben diesen Handelsgiganten gab es Familienunternehmen mit vergleichsweise riesigen Umsätzen und beträchtlichem wirtschaftlichen Einfluß. Die Imhoff aus Nürnberg sind ein markantes Beispiel dafür. An ihnen, deren Handelsbeziehungen von Spanien bis nach Rußland und von Skandinavien bis nach Sizilien und dem Vorderen Orient reichten, läßt sich aber auch ein typisches Moment dieses dem Uradel entstammenden neuen Geldadels, der Sitten und Gewohnheiten des aussterbenden Ritterstandes bereitwillig übernahm, demonstrieren. Der Kaufmann war zugleich politisch engagierter Bürger seiner Stadt und Förderer von Kunst und Kultur. Die von den Imhoff gestifteten Kirchen und Grabmonumente, Skulpturen und Altartafeln, die Gemälde, Holzschnitte und Kupferstiche mit ihren Porträts, erlesene Gedenkmünzen und Porträtmedaillen sowie kostbares Hausgerät zeugen vom gehobenen Lebensstil und großzügigen Mäzenatentum dieser Nürnberger Familie.

Vom Uradel zum Großkaufmann

In der ersten Hälfte des 14. Jahrhunderts ließ sich ein Zweig der aus einem bischöflich-augsburgischen bzw. königlich-staufischen Ministerialengeschlecht stammenden und zunächst in der Donauebene um Lauingen, Gundremmingen und Gundelfingen ansässigen Familie Imhoff in Nürnberg nieder.

Als erster ist Konrad Imhoff hier ansässig, Sohn des Hans Imhoff und der Anna Gundelfingerin. Er erwarb 1340 das Nürnberger Bürgerrecht, nachdem er eine Tochter des Großkaufmanns Hermann Groß geheiratet hatte. Durch diese Heirat wurde dem Nürnberger Zweig der Imhoff der Zugang zu den bedeutenden Nürnberger Familien und damit auch zum Stadtregiment ermöglicht.

Seit 1376 sind die Imhoff im Fernhandel zu belegen so wie andere Nürnberger Familien, die zumeist als königliche Ministerialen um Nürnberg im Bereich des staufischen Reichsgutkomplexes oder als Ministerialen der Bischöfe von Bamberg und Würzburg wirkten. Der Fernhandel der Imhoffs erstreckte sich im 15. und 16. Jahrhundert über die ganze, dem europäischen Kaufmann damals zugängliche Welt.

Sie handelten mit Edelmetallen und waren maßgeblich beteiligt an der Erschließung der Silbergruben im Harz und im Erzgebirge. Sie machten Geldgeschäfte mit Kaiser und Königen. Ihr Reichtum ermöglichte ihnen hochherzige Stiftungen in Kirchen und Klöstern und befähigte sie zu einem großzügigen Mäzenatentum für Kunst und Wissenschaft.

Die Geschicke dieses Handelshauses verschaffen Gelegenheit zur Erörterung geschichtlicher Zusammenhänge im weitesten Sinn, vor allem wirtschaftgeschichtlicher Probleme. Man lernt dabei eine Reihe aufschlußreicher, wertvoller Museumsobjekte kennen, zunächst Archivalien, deren dauernde öffentliche Darbietung sich aus konservatorischen Gründen verbietet, Urkunden jedweder Art mit kostbaren Siegeln, darunter Wappenbriefe, Handelsverträge, Vermögensinventare, Aufträge für Künstler und Handelskorrespondenz über ganz Europa hinweg. Sie alle werden im Familienarchiv der Imhoff verwahrt, das als Depositum im Nationalmuseum betreut wird, eines der bedeutendsten Archive für die Erforschung der Wirtschaftsgeschichte des zu behandelnden Zeitraumes.

Die Geschichte des Handelshauses gibt uns die Möglichkeit, erlesene Medaillen vorzuführen, die in dem gegen 25 000 Medaillen enthaltenden Münz- und Medaillenkabinett verwahrt werden. Nürnberg war neben Augsburg das Zentrum der Renaissancemedaille; das städtische Bürgertum, allen voran das Patriziat, hat Wesentliches zur Rezeption dieser in Italien entstandenen neuen Kunstform beigetragen.

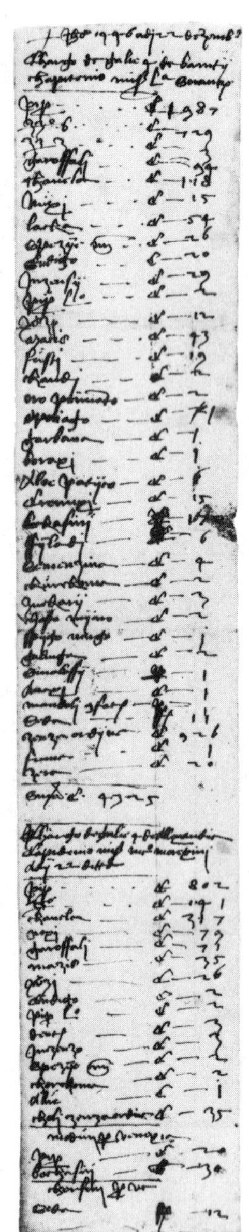

1. Schiffsladeliste 1446, Venedig, für Gewürzschiffe aus Beirut und Alexandria

Wir lernen das Geld- und Münzwesen in entscheidenden Phasen kennen, dann bei der Besprechung kaufmännischer Techniken die Rechenpfennige, die für eine dem arithmetischen Rechnen vorausgehende Rechnungsart Verwendung fanden und einen bedeutenden Exportartikel Nürnbergs repräsentierten. Das Münzkabinett mit seinen etwa 70000 Münzen enthält reiches Material zu diesen Problemen.

Die Imhoff sind bereits seit 1380 in Venedig, dem Hauptumschlagplatz der damaligen Welt nachweisbar. Konrad Imhoff hatte von Jörg Mendel und dessen Bruder 1442 »eine halbe Kammer« im Fondaco dei Tedeschi gekauft, ein deutlicher Hinweis auf die Ausweitung des Handels mit Italien und damit dem Vorderen Orient.

Die Produkte, die das Handelshaus anbot, waren unterschiedlichster Art: Von der Ostsee holten die Imhoff Fische, aus dem Deutschordensland und aus Rußland Pelzwerk, Wachs und Honig, Spezereien und Seide aus dem Orient. Sie vertrieben die vielfältigen Erzeugnisse Nürnberger Handwerkskunst nach dem Süden und Südwesten, nach Italien, Südfrankreich und Spanien. Von Venedig stammt eine Schiffsladeliste für zwei Gewürzschiffe (Galeonen) aus Beirut und Alexandria von 1446, wohl die früheste erhaltene Schiffsladeliste (Abb. 1). Sie wurde für Hans Imhoff aufgezeichnet und zeigt, wie die Faktorei der Firma im Fondaco sich anschickte, den Gewürzmarkt zu kontrollieren. Sie interessierte sich dabei für Gewürze jedweder Art, wie sie in der Liste verzeichnet sind, Pfeffer (piper), Zimt (chanela), Muskatnuß (nuxi), Ingwer (zenzero), Gewürznelken (garoffali); auch für Arzneien und Farben wie Wurmkraut, Borax, Aloe, Sandelholz, Indigo und schließlich für Seidenstoffe (seda) aus Indien.

Der Handel mit Spezereien war eine der Domänen des Handelshauses. Von besonderer Bedeutung wurde hierbei der Safranhandel in Unteritalien, in dessen Zentrum Aquila (Adler) in den Abruzzen die Imhoff eine eigene Faktorei eingerichtet hatten. Zahlreiche archivalische Belege bezeugen dies, so vor allem eine Zahlungsaufforderung Kaiser Karls V. an die Stadt Aquila von 1531, ein Darlehen an die Imhoff zurückzuzahlen und den geschuldeten Safran zu liefern. Mit weiteren Faktoreien in Mailand, Genua, Neapel und Messina war ein dichtes Handelsnetz über ganz Italien gespannt. Selbst Erzeugnisse des Kunsthandwerks wie Majoliken aus Venedig und Fayencen aus Faenza (Abb. 2), erlesene Gläser aus den damals schon berühmten Glasbläsereien in Murano gehörten zu den Handelswaren. Über Venedig kamen auch Waren ungewöhnlicher Art wie Straußeneier, Nautilusmuscheln und Kokosnußschalen nach Nürnberg, die von Goldschmieden gefaßt und damit zu kostbarem Hausgerät verarbeitet wurden (Abb. 3).

2. Majolikaschüssel, Venedig, wohl 1518, mit Allianzwappen Imhoff-Schlauderspacher

3. Zu Löffel verarbeitete Muschelschale, Nürnberg, 1. Hälfte des 16. Jh.
Am Ende des silbervergoldeten Stiels Wappenschild der Holzschuher von Nürnberg mit dem Imhoffschen »Seelöwen« als Wappenhalter

Der Mittelpunkt des Imhoffschen Fernhandels in Frankreich war Lyon, das seit dem ausgehenden 15. Jahrhundert die ursprünglich bedeutenderen Genfer Messen überflügelt hatte.

Finanziers von Königen

Die Nürnberger Handelsherren haben schon im 13. und 14. Jahrhundert mit dem Kaiser, mit Fürsten und Bischöfen Geldgeschäfte gemacht. Doch waren sie dabei vorsichtig und zurückhaltend, auch als das Finanzieren, wie man es nannte, durch den Geldbedarf der Habsburger und anderer europäischer Höfe außerordentlich zunahm und den Fuggern und Welsern zu ihrem sagenhaften Reichtum verhalf.

Die Imhoff betrieben ihre Geldgeschäfte anfänglich noch in weiser Mäßigung, die besonders den alten Endres (I.) Imhoff (1491–1579) auszeichnete. Doch die jüngeren Teilhaber seiner Gesellschaft drängten bald auf vermehrte vorteilhafte Unterbringung ihrer Kapitalien, so zur Teilnahme an den französischen Kronanleihen und den spanisch-niederländischen Rentmeisterbriefen. Dazu hatte sie nicht zuletzt der mit der Familie verschwägerte, aus Nürnberg stammende Jean Kleeberger in Lyon (um 1486 bis 1546) animiert, der große Finanzmann der Könige Frankreichs, eine der merkwürdigsten Gestalten der deutschen Finanziers des 16. Jahrhunderts (Abb. 4).

Aus einer nichtpatrizischen Nürnberger Familie entsprossen, war er in jungen Jahren im Handelshause Imhoff tätig, und zwar vorzugsweise in der Faktorei Lyon, wo er 1525 eine eigene Firma gründete. Er leistete der französischen Regierung politische und finanzielle Hilfe, indem er das Kapital der oberdeutschen Kaufleute für die Anleihen der Krone Frankreichs in ausgiebiger Weise nutzbar machte. Dabei spielte er mit seinen Landsleuten wie die Katze mit der Maus. Auch die Imhoffsche Handelsgesellschaft, mit der er sich nach dem Tode seiner ersten Frau (gest. 1530), einer Tochter Willibald Pirckheimers, Witwe des Hans Imhoff (gest. 1526), verfeindet hatte, investierte, wenn auch widerstrebend, beträchtliches Kapital, was zur Folge hatte, daß sie durch den französischen Staatsbankrott 1557 nicht weniger als 45 000 Livres verlor. Eine Schuldurkunde des französischen Königs vom 1. März 1564 gegenüber Sebastian und Hieronymus Imhoff beläuft sich auf 25 300 Sonnenkronen. Der spanische Staatsbankrott schließlich brachte einen Verlust von nicht weniger als 34 000 Carolusgulden.

Das waren beträchtliche, an die Substanz gehende Einbußen, doch zeigte sich die Handelsgesellschaft, deren Geschäftsvermögen damals gegen 100 000 Gulden betrug, finanzkräftig genug, um diese Verluste zu verschmerzen, während eine ganze Reihe von Nürnberger und Augsburger Firmen den Bankrott anmelden mußte.

4. Jean Kleeberger, Porträtmedaille, Nürnberg 1526 Bleiguß (nach dem Berliner Steinmodell), 36 : 30 mm

Das Lissaboner Gewürzmonopol

Von Lyon aus waren die Imhoff in das Innere Frankreichs bis nach La Rochelle an der Atlantikküste und hinüber über die Pyrenäen nach Spanien vorgestoßen, wo ihr Faktor in Zaragoza unter anderem spanischen Safran und Korallen aufkaufte und Nürnberger Metallwaren vertrieb.

Ein neuer Aufschwung kam durch die Entdeckung des Seeweges nach Ostindien im Jahre 1498. Die Portugiesen kauften nun unter Umgehung des Vorderen Orients in Indien selbst ein. Lissabon wurde zum gefährlichen Konkurrenten Venedigs und Genuas. Nun verlagerte sich der Nürnberger Handel mehr und mehr nach dem Westen.

Auch die Imhoff richteten in Lissabon eine Faktorei ein. Im Jahre

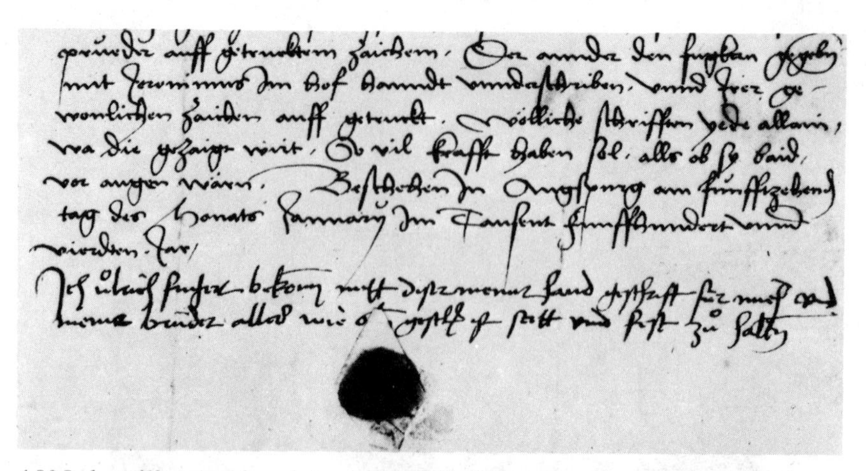

5. Verpflichtung der Fugger vom 5. Januar 1504 zur Lieferung von 4000 Mark Silber an die Imhoff. Ausschnitt mit eigenhändiger Unterschrift Ulrich Fuggers sowie Siegel mit Handelsmarke

1505 beteiligten sie sich mit 3000 Cruzados zusammen mit den Hirschvogel von Nürnberg, einigen Augsburger Handelshäusern und finanzkräftigen Italienern an einer Handelsexpedition nach Indien. Ulrich Imhoff machte die Reise mit. Doch wurden der Indienhandel und die Gewürzausfuhr schließlich portugiesisches Kronmonopol, wobei es die Imhoff, die zu dieser Zeit bereits in Safran, Pfeffer und Alaun gewagte Spekulationen trieben, verstanden, sich die Gewürzausfuhr aus Lissabon für einige Zeit monopolartig zu sichern. Im Imhoff-Archiv liegt heute noch die Kopie einer Anklageschrift des kaiserlichen Fiskals Dr. Marth gegen die Handelsgesellschaft Peter Imhoff von 1522. Sie besagt, daß Peter Imhoff mit dem König von Portugal einen Vertrag abgeschlossen hatte, wonach dieser »in etlichen kommenden Jahren niemandem als den Imhoff von seinem indischen Pfeffer, Ingwer und Spezereien verkaufen« wolle.

Schließlich wurde Antwerpen als Eingangstor für die indischen Spezereien von Bedeutung. In der Imhoffschen Faktorei dortselbst wurden umfängliche Warengeschäfte abgesprochen und riskante Geldanleihen für die portugiesische und spanische Krone vermittelt.

Der Handel mit Metallen erhielt mit der Entwicklung der Feuerwaffen für die Nürnberger größere Bedeutung. Sie beschränkten sich dabei nicht auf Ein- und Verkauf, sondern beteiligten sich am Bergbau und an der Verhüttung der Erze.

Montanindustrielle

Als um die Mitte des 15. Jahrhunderts die neue Technik des Metallscheidens, das Saigern, bekannt wurde, wobei man das Silber mit Hilfe von Blei aus den silberhaltigen Kupfererzen zog, stiegen die Nürnberger Handelsherren in großem Umfang in das schnell wachsende und äußerst gewinnreiche Geschäft ein und wurden im modernen Sinn Montanindustrielle (Abb. 5). Sie hatten schon vorher Eisenhämmer im Pegnitztal betrieben, jetzt folgten Saigerhütten und Kupferhämmer im zentralen Gebiet des Kupfervorkommens in Deutschland, im Mansfeldischen.

Nürnberger Kaufleute sicherten sich seit den achtziger Jahren des 15. Jahrhunderts den sächsischen »Silberkauf«, das heißt das Alleinhandelsrecht für dieses Edelmetall. 1479 besaßen Kunz Imhoff und Heinrich Wolff etliche Kuxen (Anteile) des Silberbergwerkes am Schneeberg im Erzgebirge. Im Mansfelder Bergbau erwarben die Nürnberger Monopolrechte auf Kupfer, ebenso im böhmischen Kuttenberg. Sie versuchten, die Nachfolge der Fugger auf dem ungarischen Kupfermarkt anzutreten. In Tirol waren sie an den Bergwerken Taufers, Kössen und Kitzbühel entscheidend beteiligt, während Schwaz den Augsburgern vorbehalten blieb. Sie kontrollierten das böhmische Quecksilber und hatten die Hand im Spiel bei der Eröffnung der ungarischen Quecksilbergruben.

Wie sehr sie den Fuggern glichen, zeigt der Plan des genialen Spekulanten Christoph Fürer von 1524, an der Silbererzeugung interessierte deutsche Fürsten in einem Silbersyndikat zusammenzuschließen (Abb. 6). Dieses Syndikat hätte den Silberpreis festsetzen und damit das ganze deutsche Münzwesen beeinflussen können, das sich eben anschickte, im Guldengroschen eine dem Goldgulden entsprechende wertbeständige Großsilbermünze zu schaffen.

Die ersten Aktiengesellschaften

War noch um die Mitte des 14. Jahrhunderts der Handel von einzelnen Familien oder nur von einem Familienangehörigen ausgeübt worden, so änderten sich mit der Ausweitung der Handelsbeziehun-

6. Christoph Fürer, Porträtmedaille, Nürnberg 1526 Bronzeguß, 39 mm

gen und dem dadurch bedingten größeren Risiko diese Verhältnisse grundlegend. Es wurden nun Handelsgesellschaften mit großem Kapital gegründet. Diese Handelsgesellschaften – seit 1381 ist eine eigene Handelsgesellschaft der Imhoff belegt – hatten zunächst den Charakter von Familiengemeinschaften.

Im 15. Jahrhundert kommt es zu einer Annäherung an das Aktienprinzip in der offenen Handelsgesellschaft. Einzelne Gesellschaften hatten nun auch eine größere Zahl von Teilhabern, die nicht zur Familie gehörten, man suchte schließlich auch Leute, die Geld auf Gewinn und Verlust einbrachten, »doch für sich selbst die Hantierung der Gesellschaft nit pflegen«.

Es wurden auch Gesellschaften für bestimmte Unternehmungen gegründet. Erinnert sei an die Ostindienfahrt von italienischen, augsburgischen und nürnbergischen Kaufleuten. Häufig taten sich mehrere Firmen für die Ausbeutung von Bergwerken zusammen.

Das Kapital der Imhoffschen Handelsgesellschaft betrug 1540 gegen 100000 Gulden. Demgegenüber stand die riesige Kapitalkraft der großen Augsburger Firmen, der Fugger und Welser, auch der Nürnberger Welser, deren Geschäftskapital sich in ihrer besten Zeit auf 300000 Gulden belief.

Allenthalben wurden den Kaufleuten Waren der verschiedensten Art angeboten. An jedem Handelsplatz gab es andere Maße und Gewichte, andere Preise, außerordentlich viele verschiedene Münzsorten, Verordnungen und Vorschriften der zuständigen Obrigkeit, die es zu beachten galt, wenn man nicht das Risiko von großen Verlusten in Kauf nehmen und nicht fortwährend wegen Übertretung geltender Verordnungen zur Rechenschaft gezogen werden wollte. Schon die Handelslehrlinge wies man an, ihre Beobachtungen und Erfahrungen schriftlich zu fixieren. Solche Aufzeichnungen hatte offenbar jeder Kaufmann stets zur Hand. Wir finden darin ausführliche Notizen »von Gewicht und Kaufmannschaft« etwa in Genua, Brügge, Barcelona, Krakau, für den Handelsweg auf der Donau, Aufstellungen über Münzen, Maße und Gewichte, Warenpreise und Zölle. Um die Mitte des 16. Jahrhunderts erschienen schließlich solche »Taschenbücher« auch im Druck (Abb. 7).

Gulden und Dukaten, Groschen und Schillinge, Pfennige und Heller

Verschaffen wir uns hier einen kurzen Überblick über das Münzwesen der Zeit. Das vergleichsweise einfache Münzsystem des hohen Mittelalters mit seinen Standardgrößen – Pfennig, Schilling bzw. Groschen (= 12 Pfennig), Pfund bzw. Goldgulden (= 240 Pfennig) – wurde seit dem 14. Jahrhundert von einer zeitlich und örtlich fast unüberschaubaren Vielfalt abgelöst. Eine Unzahl von Münzen, verschie-

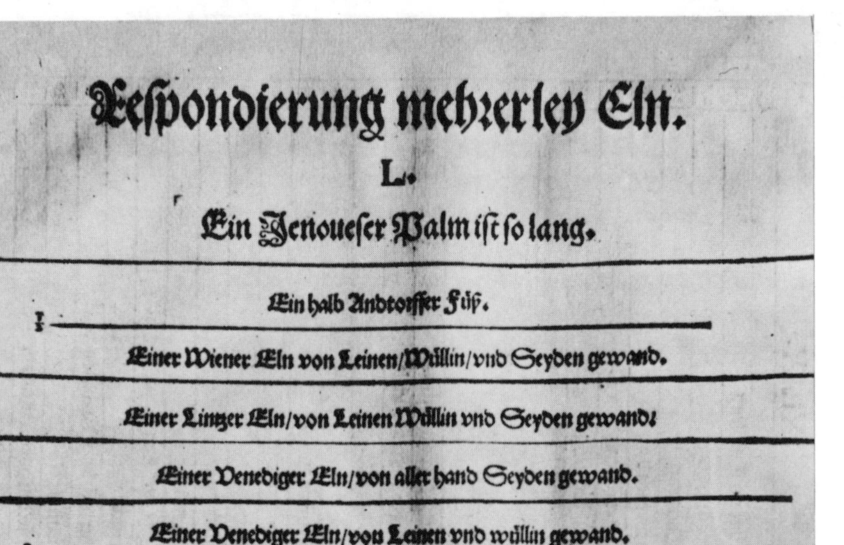
Respondierung mehrerley Eln.

L.

Ein Jenoueser Palm ist so lang.

Ein halb Andtorffer Füß.

Einer Wiener Eln von Leinen/Wüllin/vnd Seyden gewand.

Einer Lintzer Eln/von Leinen Wüllin vnd Seyden gewand.

Einer Venediger Eln/von aller hand Seyden gewand.

Einer Venediger Eln/von Leinen vnd wüllin gewand.

Einer Augspurger Leinwat eln.

Einer Augspurger wüllin Eln.

7. »Respondierung mehrerley Eln«; aus dem 1558 in Nürnberg erschienenen »Handel-Buch« von Lorenz Meder

den hinsichtlich ihres Metalls, Feingehalts und ihrer Benennung, kursierte an den großen Handelsplätzen. »Zu Genua gilt ein welscher Gulden 15 Schillinge Pfennige und ein ungarischer weniger 3 Pfennig«, notierte der Nürnberger Kaufmann Ulman Stromer um 1410. In Lyon kaufte man um 1500 mit Franken, Groschen, Blanken, Schillingen und Pfennigen.

Hauptsächlich wurde hier mit sogenannten Sonnenschilden bezahlt, einer großen Goldmünze mit einer Sonne über dem Lilienschild, die einen Franken bzw. ein Pfund repräsentierten, doch liefen in Lyon auch Gulden und Dukaten aus Deutschland, Ungarn, Spanien und Italien um (Abb. 8).

Die Hauptmünze, nach der in Antwerpen gerechnet wurde, war der flämische Groschen. 1515 entsprachen der Rheinische Gulden 56 flämischen Groschen, der ungarische Dukat 78 Groschen, andere Dukaten 75 Groschen. 20 Nürnberger Schillinge gingen auf den Rheinischen Gulden, sie kamen also 56 flämischen Groschen gleich. 10 Groschen waren 3 Schillinge 7 Heller Nürnberger Münze wert (Abb. 9).

Auch in Deutschland liefen die verschiedensten Nominale um, Heller (halber Pfennig), Pfennige, Kreuzer und Witten (je 4 Pfennig), Groschen, Schillinge und Batzen (16 Pfennig), schließlich Guldengroschen und Taler, auf deren Entstehung hier kurz eingegangen sei.

8. Bildlegende S. 515

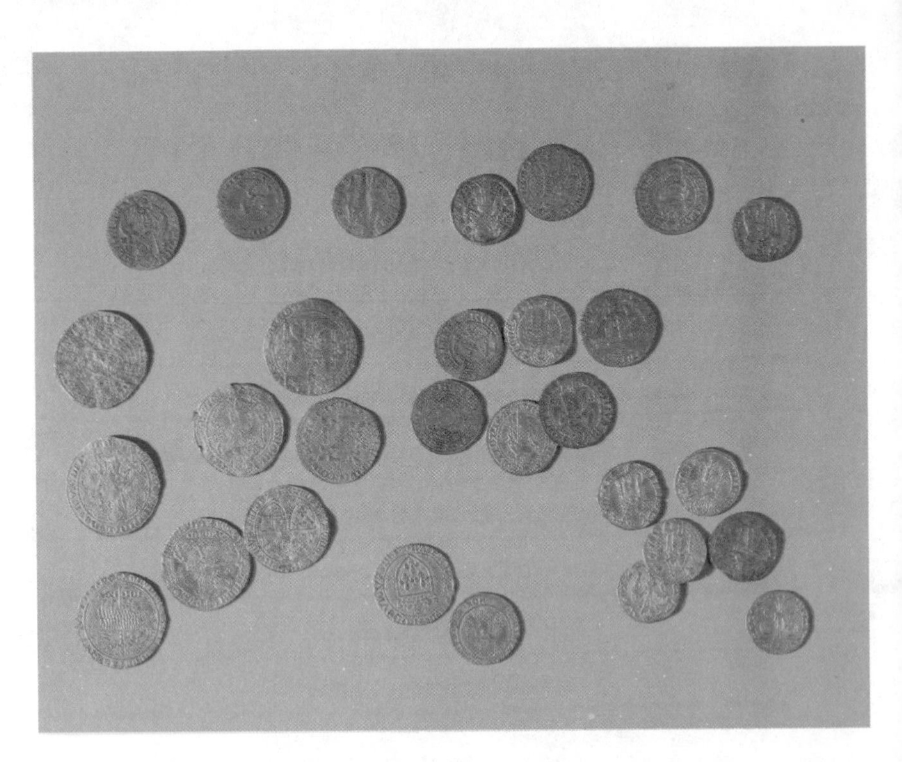

9. Bildlegende S. 515

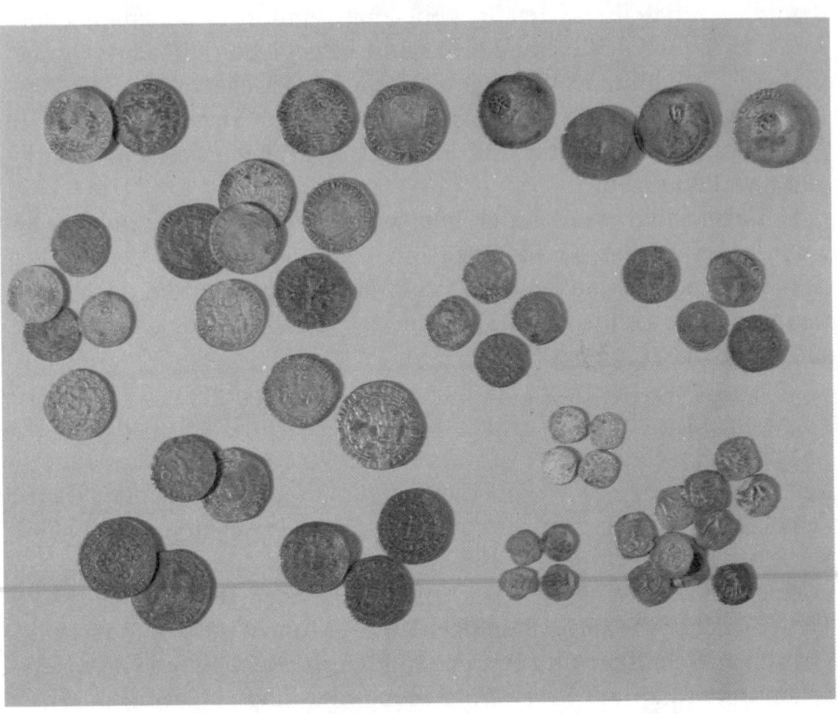

10. Bildlegende unten auf dieser Seite

8. Gulden und Dukaten
Links oben: Fiorino d'oro von Florenz (vor 1239), das Urtyp des Goldguldens, und Nachahmungen u.a. von Ungarn, Böhmen, Mainz und Köln (14. Jh.) sowie Goldgulden von Nürnberg, Nördlingen, Frankfurt, Salzburg und Bayern (15./16. Jh. (Mitte links)
Links unten: Zecchine von Venedig, der Urtyp des Dukatens; rechts anschließend Dukatengepräge von Ungarn, Württemberg, Breslau u.a.
Mitte oben: Florin Carolus von Antwerpen und Sonnenkrone von Frankreich (1. Hälfte des 16. Jh.)
Rechts außen: Französische und flandrische Goldmünzen des 14.–16. Jh.: u.a. Salut d'or, Cavalier d'or, Lion d'or, Angelot (größerer Durchmesser)

9. Pfennige, Heller, Groschen, Schillinge, Sterlinge, Witten und Kreuzer
Links oben: Händleinspfennige von Schwäbisch Hall (13. Jh.), Nürnberger Pfennige und Heller (15. Jh.)
Oben Mitte und rechts: Turnosgroschen, Prager Groschen und Meißner Groschen – nach unten zu anschließend: Groschen und Schillinge (14./15. Jh.) u.a. von Flandern, Aachen, Dortmund, Brandenburg, Deutschorden und Sachsen; dann Halbschillinge (vor 1390)
Links Mitte: Vierergruppe mit Grossi Aquilini von Padua und Pisa (13. Jh.), Tiroler Adlergroschen und Etschkreuzer (13./14. Jh.); rechts daneben Vierergruppe mit Sterling, Witten aus dem Bereich der Hanse und einem schlesischen Quartensis (14. Jh.)
Links unten: Prager Groschen mit Gegenstempel (1. Hälfte des 15. Jh.); rechts unten: Batzen der Burggrafschaft Nürnberg, 1532 und 1535

10. Testoni (Kopfstücke), Guldener, Taler
Rechts oben: Testoni bzw. Kopfstücke u.a. von Bern (um 1470), Montferrat (vor 1518), Frankreich 1576
Links oben: Guldener (1486) und Halbguldener (1484) von Tirol, darunter zwei »Joachimsthaler« (nach 1519) und Nürnberger Guldener von 1528; rechts davon: Gruppe von Guldenern und Talern 1. Hälfte des 16. Jh. u.a. Hamburg (Mark 1506), Hessen 1502, Klappmützentaler von Sachsen (nach 1505), Georgstaler von Mansfeld 1522, Pfalz 1525, Württemberg 1507, Nottaler Danzig 1577, Danieltaler Jever 1567
Links Sechsergruppe u.a. mit Zürich, Leuchtenberg, Würzburg, Donauwörth, Aachen und Augsburg
Rechts unten: Löser zu 3 Talern von Braunschweig 1585 und Dreifachtaler von Mecklenburg 1612

Seit der Mitte des 15. Jahrhunderts hatte sich ein empfindlicher Mangel an Gold bemerkbar gemacht. Da überdies die Ausbeute der Silberbergwerke durch Einführung neuer Verfahren gesteigert werden konnte, der Silbergroschen aber dem Großhandel nicht mehr genügte, prägten schon in der zweiten Hälfte des 15. Jahrhunderts einzelne Münzherren, wie Erzherzog Sigismund der Münzreiche von Tirol seit 1484 und die Landgrafen von Hessen seit 1501, das Äquivalent des Rheinischen Guldens in Gestalt eines »silbernen Groschens« von bisher nicht geläufiger Größe, der zugleich ein Pfund Pfennige repräsentierte.

Natürlich gelang es nicht sofort, die neue Münze einzubürgern. Erst als die sächsischen Kurfürsten seit 1507 ihre »Groschen für einen Gulden«, die Grafen Schlick im böhmischen Joachimsthal am Südhang des Erzgebirges seit 1519 die »Joachimsthaler« in erheblichen Mengen ausgaben, da hatte die neue Geldsorte den endgültigen Sieg davongetragen (Abb. 10). Zunächst als Joachimsthaler, dann als Taler ging sie in alle Welt, sie faßten in Rußland Fuß als Jefimok (= Joachim), in Italien als Tallero, in den Vereinigten Staaten schließlich als Dollar.

Die Wende zur Neuzeit bringt eine Neuorganisation des Geld- und Münzwesens vom Reich her. In den Reichsmünzordnungen des 16. Jahrhunderts werden einheitliche Grundsätze für Größe, Gewicht und Feingehalt, ja sogar für das Münzbild festgelegt (Abb. 11).

11. Reichsmünzordnung von Eßlingen 1524, Einblattdruck (unterer Teil) mit Unterschrift und Siegel sowie »Zirkel« der neuen Münzen

Besinnen wir uns nun kurz auf die Usancen im Zahlungsverkehr, auch auf die ursprünglichste Tätigkeit im Rahmen des Geldwesens, das Zählen und Rechnen, und schließlich auf das die Menschen zu allen Zeiten mit gleicher Intensität beschäftigende Problem der Kaufkraft des Geldes. Bis zum 15. Jahrhundert bezahlte man bei Großeinkäufen vor allem mit Silberbarren. Großsilbermünzen, zunächst Groschen und Schillinge, schließlich aber auch Silbertaler und vor allem seit dem 14. Jahrhundert auch in Deutschland geprägte Goldmünzen in Gestalt von Gulden und Dukaten lösten schließlich im Laufe des 15. Jahrhunderts den Barrenverkehr ab. Die ursprüngliche Gepflogenheit, jede Ware sofort zu bezahlen, konnte jedoch bei steigendem Geldumlauf und Ausweitung der Handelsbeziehungen nicht mehr beibehalten werden.

Wechselgeschäfte und Bankhäuser

Die Abwicklung von Geschäften auf der Basis von später zu begleichenden Rechnungen wurde seit dem Ende des 14. Jahrhunderts die Regel. Man verpflichtete sich, an einem vereinbarten künftigen Termin zu zahlen, dazu wurden vor allem größere kirchliche Feste ausgewählt, namentlich aber die Zeiten der großen Warenmessen, die Fa-

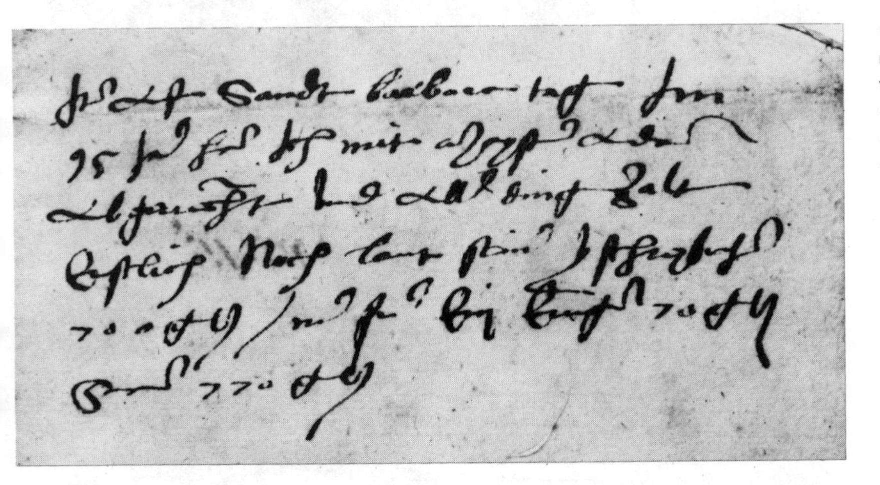

12. Wechselbrief über 400 Dukaten vom 24. Januar 1505, die Franz und Hans Paumgartner dem Jobst Haller zu Nürnberg geliehen hatten

13. Münzbuch (Ausschnitt) mit Feingehaltsangaben für Taler der Reichstadt Schwäbisch-Hall, 1545

14. Goldwaage des Hans Harsdörfer

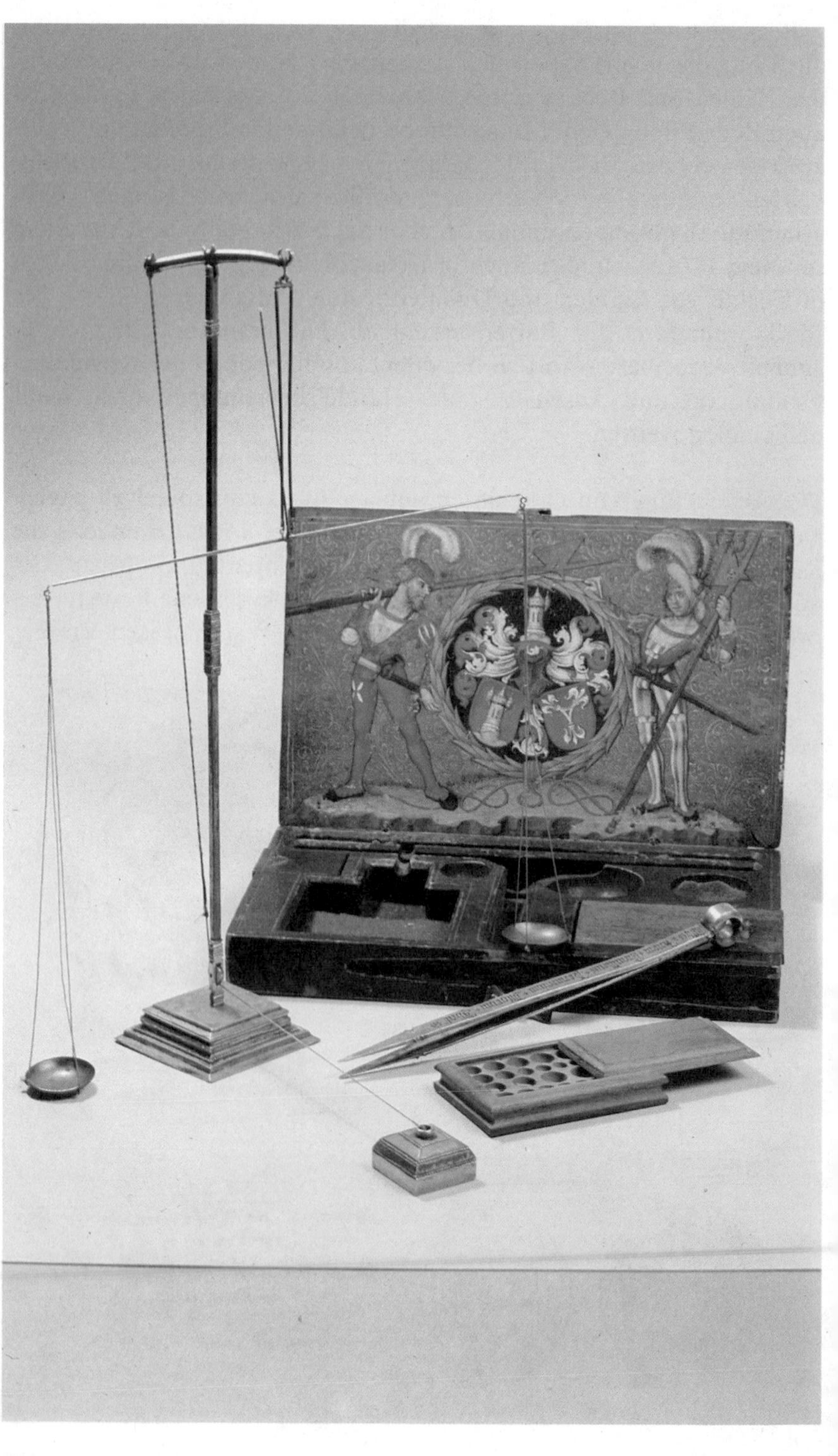

stenmesse und die Herbstmesse. Als Sicherstellungen wurden Schuldbriefe abgefaßt, Bürgen gestellt, Pfänder gesetzt. Grundlage dieses Verfahrens ist ein außerordentliches Vertrauen, doch waren die Einbringung und die Bezahlung der Schulden dem Kaufmann nicht immer leicht, zumal Bargeldsendungen durch Boten bei der Unsicherheit der Wege ein großes Risiko in sich bargen. Man gebrauchte deshalb den Überkauf, eine Art Wechselgeschäft (Abb. 12). Hatte der Schuldner am Wohnort des Gläubigers Schuldansprüche an andere Kaufleute, so konnte er diese zur Zahlung der eigenen Schuld verpflichten oder seinem Gläubiger den eigenen Anspruch übertragen. Der damit aufkommende Wechselbrief diente demnach von Haus aus weniger dem Kreditgeschäft als vielmehr der Umgehung der Kosten und Gefahren eines Bargeldtransportes und auch des verlustreichen Umwechselns der vielen allenthalben kursierenden Geldsorten.

Schließlich übernahmen die an den Welthandelsplätzen errichteten Banken den bargeldlosen Zahlungsverkehr, die den Geldwechsler weitgehend ablösten, der seit dem Altertum mit Münzen gehandelt, sie eingeschätzt, getauscht und vermittelt hat. Sein Standort war an den großen Handelsplätzen der Welt, auf den bedeutenden Messen, wo Geld aus aller Welt zusammenströmte – Münzen von unterschiedlichem Wert, Gewicht, Feingehalt, untergewichtige und beschnittene, gefälschte und verfälschte. Er half dem einfachen Mann, sich in diesem Wirrwarr zurechtzufinden, er schützte ihn vor Schwindel und Betrug und sammelte dabei selbst ein Vermögen (Abb. 13).

Die komplizierten Geldverhältnisse, vor allem aber die untergewichtig ausgeprägten oder im Gewicht mechanisch verringerten Goldmünzen führten zur Entwicklung von besonderen Münzwaagen. Sie wurden von Goldschmieden hergestellt. Der Nürnberger Montanindustrielle Hans Harsdörfer, von 1496–1499 oberster Münzmeister der Könige von Böhmen, hat uns ein besonders fein gearbeitetes Stück hinterlassen (Abb. 14).

Beim Einkauf und Verkauf, beim Wiegen und Messen und im Zahlungsverkehr war das Rechnen ebenso notwendig wie heute. Bis weit in das 16. Jahrhundert hinein verwandte man im »Rechnen auf der Linie« eine einfache und anschauliche Rechenmethode. Demgegenüber setzte sich das arithmetische Rechnen, das »Rechnen auf Feder«, nur langsam durch. Notwendig dazu waren Rechen- oder Zähltische, auch Rechen- oder Zähltücher sowie Rechenpfennige, münzähnliche Marken mit den unterschiedlichsten Darstellungen, religiösen und profanen, die zu entsprechenden Benennungen führten: Jesuspfennige, Marienpfennige, Markuspfennige, Venuspfennige, Wappenpfennige, Reichsapfelpfennige.

Den Umgang mit diesen Rechenmethoden vermittelte den jungen Kaufleuten der Rechenmeister, der zugleich auch Schreibmeister war. Berühmt waren die Schreib- und Rechenschulen Nürnbergs.

Die Kaufkraft des Geldes damals: ein Herbsthuhn für 5 Pfennig

Ein Wertvergleich mit früheren Geldsorten hinsichtlich ihrer Kaufkraft läßt sich nur bedingt durchführen, da die Wirtschaftsverhältnisse der einzelnen Epochen sehr verschieden gestaltet sind. Wir erhalten völlig voneinander abweichende Ergebnisse, wenn wir die Kaufkraft für bestimmte Lebensmittel, Dienstleistungen oder Gebrauchsgeräte ermitteln. Gleichwohl können die Vergleiche von Münzwerten und Preisen einen lebendigen Eindruck von der Kaufkraft des Geldes früherer Zeiten liefern:

Eine Verordnung des Nürnberger Rats aus der Zeit um 1370/1380 legt folgende Preise fest: Ein Pfund Wachs 16 Haller (Pfennig), ein Eimer Kraut 6 Haller, ein Pfund Pfeffer 4 Schilling (= 48 Pfennig), ein Pfund Ingwer 3 Schilling, ein Pfund Safran ½ Pfund (= 120 Pfennig), ein Weihnachtskäse und ein Fastnachthuhn je 4 Haller, ein Osterkäse, ein Pfingstkäse und ein Herbsthuhn je 2 Haller, eine gemästete Gans 1 Schilling, eine ungemästete 6 Haller, also die Hälfte.

In der ersten Hälfte des 15. Jahrhunderts ist für Lebensmittel ein beträchtlicher Preisanstieg zu verzeichnen. 1417 kostet ein Käse 4 Pfennig, 1426 6 Pfennig, 1443 7 Pfennig, 1465 ein Herbsthuhn 5 Pfennig, ein Fastnachthuhn 10 Pfennig; um 1450 ein Kilogramm Brot etwa 2 Pfennig; um 1470 ein Pfund Zucker 60 Pfennig, ein Pfund Zwiebeln 22 Pfennig, ein Pfund Butter 8 Pfennig.

Der Lohntarif für die Bauhandwerker des Stadtbauamts Nürnberg von 1452 bis 1461 setzt folgende Tagessätze fest: für einen Meister im Sommer 20 bis 26 Pfennig, im Winter 18 bis 22 Pfennig; für einen Gesellen im Sommer 18 bis 20 Pfennig, im Winter 14 bis 16 Pfennig; für einen Handlanger im Sommer 10 bis 12 Pfennig, im Winter 9 bis 10 Pfennig. Ein Dachdeckermeister verdiente um 1470 täglich 28 Pfennig, ein Maurer 24 Pfennig, dessen Knecht 17 Pfennig. Der Monatslohn für eine Magd betrug 1 Pfund und 16 Pfennig (= 256 Pfennig).

Zum Vergleich einige Beispiele für Grundstückspreise: 6½ Tagwerk Wiese und ein kleines Äckerlein 1476 30 Gulden (= 30 Pfund, das Pfund zu 240 Pfennig); 8 Morgen Feld und 1 Tagwerk Wiese 1497 15 Gulden; eine Mühle zu Henfenfeld 1534 226 Gulden und 3 Pfund und 18 Pfennig; 13¼ Morgen Holz 135 Gulden; 3½ Morgen Feld 23 Gulden. Preise für Häuser in der Stadt sind vielfach belegt, doch finden sich selten Anhaltspunkte für Größe und Ausstattung und damit für einen Vergleich mit heutigen Preisen. Um 1500 liegen sie in Nürnberg zwischen 200 und 700 Gulden.

15. Waagrelief von Adam Kraft (1497) mit den beiden Stadtwappen

Albrecht Dürer erwirbt 1509 sein Haus, das in seinem alten Baubestand heute noch vorhanden ist, um 250 Gulden, doch nur das Erbrecht (Nutzungsrecht), das Eigentum daran löst er 1526 zusätzlich mit 216 Gulden ab. Er bezog übrigens für die beiden bekannten Kaiserbildnisse 1513 vom Nürnberger Rat 85 Gulden, 1 Pfund, 10 Schilling, wahrhaft ein bescheidener Lohn im Vergleich zu den Preisen renommierter Künstler von heute.

Stadtregiment und Großkaufleute

Die Bedeutung der Imhoff innerhalb ihrer Vaterstadt fußte auf dem im Fernhandel erworbenen Reichtum. Sie zählten zu den ratsfähigen Geschlechtern. Mitglieder der Familie waren seit dem 15. Jahrhundert zu jeder Zeit im Kleinen oder Inneren Rat vertreten, einem Gre-

16. Päpstliche Indulgenz für Hans Imhoff (vor 1513); sog. Sola-Signatura-Urkunde mit eigenhändiger Kardinalsunterschrift. Pergament

17. Italienische Fayence mit Imhoff-Wappen, um 1550

mium von Großkaufleuten. Sie stellten Bürgermeister, sie waren als Losunger oberste Steuerbeamte des Gemeinwesens, sie standen als Kriegsherren an der Spitze des städtischen Aufgebots und gingen als Gesandte zu den Reichstagen, an die Höfe des Kaisers, fremder Könige und Fürsten. Geschäft und Politik waren eng miteinander verwoben (Abb. 15).

Endres Imhoff (1491–1579), eine der bedeutendsten Persönlichkeiten in Wirtschaft und Politik der Reichsstadt, hatte 1554 durch seine Beziehungen zu den Welthandelsplätzen Frankfurt, Leipzig, Venedig, Lyon und Antwerpen dem Nürnberger Rat ein Darlehen von 110000 Gulden vermittelt. Er wirkte sechsundfünfzig Jahre im Inneren Rat, war Inhaber vieler Ämter, so fünfunddreißig Jahre lang Losunger, damit einer der beiden obersten Steuerbeamten. König Ferdinand und König Maximilian II. zeichneten ihn durch goldene Ketten mit anhängenden »Gnadenpfennigen« aus.

Die großen Handelsfamilien waren die Träger des kulturellen Lebens in der Stadt: Sie ließen sich prächtige Häuser errichten, Kaiser und Fürsten stiegen bei ihnen ab. Der König von Schottland führe kein solches Haus wie mancher vornehme Nürnberger Bürger, deren Häuser Königspalästen glichen und deren Gold- und Silbergerät alles andere an Pracht übertreffe, äußerte Enea Silvio Piccolomini.

Mit dem wachsenden Wohlstand steigerten sich Lebenshaltung, Luxus- und Kunstbedürfnis. Sie statteten ihre Wohnungen mit orientalischen Teppichen aus, mit Gläsern und Fayencen aus Italien, die sie mit ihren Wappen hatten versehen lassen (Abb. 17), mit Bildteppichen aus Brüssel und Limoger Email aus Frankreich. Sie gingen in kostbarem Gewand einher, in Samt und Seide und reichverbrämten Pelzschauben.

Fromme Stiftungen

Die Sorge für ihr und ihrer Familien Seelenheil veranlaßte sie zu vielen frommen Stiftungen. Sie beteiligten sich an der Errichtung und Erweiterung der Nürnberger Pfarrkirchen. Sie erwarben päpstliche Privilegien, die unter anderem die Feier von Gottesdiensten im eigenen Hause und Dispens von Fastengeboten gewährten (Abb 16).

Hans Imhoff (1419–1499) ist der Auftraggeber für das von Adam Kraft gestaltete berühmte Sakramentshäuschen in St. Lorenz. Der Vertrag mit dem Bildhauer über »ein schön wolgemacht kunstlich und werklich sacrament hauß in steinwerk« vom 5. April 1493 wird als kostbares Vermächtnis der Familie noch heute im Imhoff-Archiv verwahrt, dazu eine der eigenhändigen Kostenrechnungen des Bildhauers (Abb. 18).

Nach seinem Vermögensinventar von 1499 hatte Hans Imhoff in

18. Abrechnung des Adam Kraft für das Sakramentshäuschen in St. Lorenz, 1493, 1495 (Ausschnitte)

die Handelsgesellschaft 28669 Gulden eingebracht und hinterließ insgesamt 49888 Gulden in bar, Silbergeschirr im Wert von 1264 Gulden sowie liegende Güter im Wert von 39437 Gulden. Er war Oberherr von dreiundfünfzig Nürnberger Wohnhäusern und Gewerbebetrieben.

Konrad Imhoff (1463–1519) stiftete mit der 1521 geweihten Kapelle am Rochusfriedhof die Grablege der Familie, ein architektonisches Meisterwerk des Stadtbaumeisters Paulus Beheim an der Schwelle zwischen Gotik und Renaissance, zu dessen Ausstattung

19./20. Endres Imhoff und Ursula Imhoff, geb. Schlauderspacher, von Hans Schwarz (wohl zur Hochzeit 1518). Bronze 57 mm

Albrecht Dürer und seine Schüler Wolf Traut und Hans von Kulmbach sowie der Glasmaler Veit Hirsvogel herangezogen worden waren.

Porträtmedaillen

Auf den vielen für Kirchen gestifteten Skulpturen und Tafelbildern erscheinen zunächst nur die Wappen der Handelsherren oder diese selbst als kleine Stifterfiguren, Ausdruck frommer Sorge um das Seelenheil, doch auch bereits eines neuen Selbstverständnisses und Selbstbewußtseins, das schließlich Ende des 15. Jahrhunderts zu den ersten Porträtaufträgen in Form von Gemälden und bald auch von Porträtmedaillen führte. Durch Albrecht Dürer sind die markanten Köpfe der Holzschuher, Tucher, Landauer, Muffel, Imhoff und Kleeberger auf uns gekommen. Eine Reihe von Nürnberger Kaufleuten ließ sich von den Medailleuren Hans Schwarz und Matthes Gebel modellieren, und sie wurden so zu Initiatoren und Förderern der Renaissancemedaille in Deutschland, die vor der Mitte des 14. Jahrhunderts in Italien entstanden war und bei uns nur zögernd zu Anfang des 16. Jahrhunderts Eingang fand.

Zwei der schönsten Porträtmedaillen aus den Anfängen der deuschen Medaillenkunst zeigen Mitglieder der Familie Imhoff, und zwar den jungen Endres und seine Frau Ursula, eine geborene Schlaudersbacher (1501–1525), möglicherweise eine Auftragsarbeit zur Hochzeit des jungen Paares 1518 (Abb. 19 und 20). Das Altersbildnis des Endres kennen wir von einer Porträtmedaille des Valentin Maler, von der auch das kostbare, nachträglich kolorierte Wachsmodell erhalten ist (Abb. 21 und 22).

21. Endres Imhoff, Porträtmedaille, 1569, von Valentin Maler. Silberguß, vergoldet. 58,5 mm

22. Endres Imhoff, Porträtmedaille, 1569, von Valentin Maler. Wachsmodell auf Schiefer. 65 mm

Das Erbe Dürers und Pirckheimers

Eine der ungewöhnlichsten Medaillen der deutschen Renaissance gab 1521 die Stadt Nürnberg in Auftrag, eine Ehrenmedaille für Kaiser Karl V., für die Albrecht Dürer die Visierung (zeichnerische Entwürfe) geliefert und Willibald Pirckheimer das reiche Wappenprogramm entworfen hatte (Abb. 24). Sie bedeutet einen in der Folge nicht wieder erreichten Höhepunkt deutscher Medaillenkunst.

Albrecht Dürer und Willibald Pirckheimer sind von den Kindern des 1526 verstorbenen Hans Imhoff, den Töchtern Felizitas Tucher und Sabina Harsdorfer sowie den Söhnen Hieronymus und Willibald, beerbt worden. Obwohl das Vermögen der Söhne, die den Großhandel ihrer Eltern und Großeltern fortgeführt hatten, durch die ungeheuren Verluste anläßlich des französischen und spanischen Staatsbankrotts beträchtlich in Mitleidenschaft gezogen worden war, pflegten sie das reiche künstlerische, geistige und kulturelle Erbe Dürers und Pirckheimers aufs sorgfältigste, das sich schließlich in den Händen des Willibald (1519–1580) konzentrierte (Abb. 23).

Willibald war ein bedeutender Kenner von Antiquitäten. Die Großen seiner Zeit stiegen bei ihm ab. Als Kunstgutachter und Berater wurde er selbst von Herzog Albrecht V. von Bayern herangezogen. Sein Vermögensinventar von 1573 bzw. 1580 ist gerade jetzt wieder von aktuellem Interesse, zumal es das im Museum verwahrte derzeit diskutierte Tafelgemälde aufführt, das Dürers Mutter darstellen und von Dürers Hand stammen soll.

Obwohl Willibald das Erbe als ein unveräußerliches Familienvermögen (Fideikommiß) deklariert hatte, konnte dies doch den Verkauf der »Kunstkammer« durch seine Söhne und Enkel nicht verhindern. Willibald (II.) Imhoff (1548–1595), der als kaiserlicher Kommissär in Siebenbürgen in enger Verbindung mit Kaiser Rudolf II. stand, hatte 1588 seine Mutter zum Verkauf der Dürer-Werke bestimmt; so kam damals das heute in Wien verwahrte Kleeberger-Porträt an den Kaiser. Damit war der wertvollste Teil der Kunstkammer in fremde Hände gelangt. Ein Teil der Zeichnungen bildet heute den Grundstock der Albertina in Wien. Auch bei Hans Imhoff (1563–1629) siegte schließlich der Erwerbssinn über den Kunstsinn. Er verkaufte Miniaturen und Wappenzeichnungen Dürers und verschenkte wertvolle Originalbriefe.

Sein Sohn Hieronymus bestritt schließlich seinen Lebensunterhalt fast nur noch aus der Liquidation des Dürerschen und Pirckheimerschen Erbes. Er bot wahllos Echtes und Falsches an. Zahlreiche Stücke der Kunstkammer gelangten damals in die Hände Herzog Maximilians I. von Bayern und des britischen Gesandten am österreichischen Hof, Lord Thomas Houward Earl of Arundel.

»Pfeffersack« und Ritter

Bis zur Mitte des 15. Jahrhunderts waren die Nürnberger Handelsherren damit zufrieden, ihr Vermögen zu mehren und in städtischen Häusern und Grundbesitz in der Umgebung Nürnbergs anzulegen. Nun aber wird ihr Bestreben, es dem Rittertum gleichzutun, das durch den burgundischen Hof eine romantische Wiederbelebung erfuhr, immer deutlicher erkennbar. Das Rittertum verschloß dem reichen Pfeffersack den Zutritt zu seinen Orden und Turniergesellschaften. Um Ritterwürde zu erhalten, ließen sich deshalb die Kaufleute bei Wallfahrten nach Spanien oder ins Heilige Land zum Ritter schlagen. Sie legten Rüstungen an und trieben ritterliches »Gesellenstechen«.

Sichtlich auf Erwerb gerichtete Berufstätigkeit, zu der zu allen Zeiten der Handel gerechnet wurde, galt jedoch dem Adel nicht als standesgemäß. Je enger die räumliche Beziehung zwischen dem Kaufmann und seiner Ware war, desto ausgesprochener war er im

23. Willibald Imhoff, Porträtmedaille von Valentin Maler, 1580. Silber. 38 mm

24. Ehrenmedaille der Stadt Nürnberg für Kaiser Karl V. 1521. Silber, vorgegossen und überprägt. 71 mm

ständischen Sinne Kaufmann. Dabei verkaufte auch der Nürnberger Handelsherr aus den »Geschlechtern« seine Waren »bei Ellen und Pfund«, trieb also auch Kleinhandel.

Die Nürnberger Patrizier, unter ihnen die Imhoff, ziehen die Konsequenzen. Seit der Mitte des 16. Jahrhunderts beginnen sie, sich vom Handel zurückzuziehen, von den Einkünften ihrer Güter zu leben, in den Gelehrtenstand, Hof- und Kriegsdienst zu treten. Sie bemühen sich gleichzeitig um die Anerkennung ihrer adligen Herkunft oder um die Nobilitierung und erreichen sichtbaren neuen Glanz durch Wappenmehrung und Wappenbesserung. Am Ende dieser Entwicklung steht jene kaiserliche Urkunde von 1697, die allen Nürnberger Patriziern den Titel »Edel« verlieh und ihnen bescheinigte, »daß sie ihrem erlangten Adelsstand gemäß leben und sich aller Handelsgeschäfte und anderer bürgerlicher Gewerbe gänzlich enthalten«.

Kurt Löcher

BILDNISSE DES 16. BIS 18. JAHRHUNDERTS

Person und Persönlichkeit

Notiz für den Leser

Die Veränderungen in der Welt, sei es in geistiger oder religiöser Hinsicht, sei es im technischen oder politischen Gewand, brachte eine neue Trägerschicht hervor, die die neuen Ideen und Wertvorstellungen – in bewußter Abwendung vom alten – weitertrugen und weiterentwickelten: Feudalherren, die sich in ihrem Territorium monarchisch einrichteten, Bürger als emporstrebender »Geldadel«, Gelehrte, die sich anschickten, über den bisherigen Fragenkanon hinauszugehen.

Und da waren die Künstler, die bereit waren, die jenseitsbezogene Bildersprache des Mittelalters aufzugeben und das Individuum in sich und in ihren Modellen zu endecken. Nicht mehr »Typen« wurden dargestellt, sondern Persönlichkeiten, deren Gesicht als Spiegel seelischer Empfindungen und einer eigenen Lebensgeschichte verstanden wird. Auch hier war Albrecht Dürer wieder der Wegbereiter für dieses neue Kunstverständnis.

Die kriegerischen Zeitläufe kamen diesem Gefühl entgegen. In einer sich umformierenden, ja teilweise zusammenbrechenden Welt suchte man zunächst den Halt in sich selbst oder in seiner unmittelbaren Umgebung. Zahlreiche Hochzeitsbildnisse sind dafür Beleg. Aber auch das Altern, das Sterben und die Beerdigung selbst werden häufiges Motiv der Darstellung. Das Bild des nur dreißigjährigen Johannes Zimmermann, dem der Tod über die Schulter schaut, ist typisch für Motiv und Stil der Zeit. Doch auch die Sphäre des alltäglichen Privatlebens, etwa im Kreise der Familie oder am Frühstückstisch, findet zunehmend Eingang in die Kunst und zeigt so, daß die Welt des 18. Jahrhunderts, in der man lebte, sicherer und weniger kriegerisch geworden war – zumindest wollte man sich diese Illusion (noch) nicht nehmen lassen. W. D.

Bei den Herrscherbildserien des Mittelalters ging es um die Legitimation des Monarchen durch die lückenlose Reihe seiner Vorgänger im Amt, bei den Grabmälern um das ideale Lebensalter, in dem der Verstorbene beim Jüngsten Gericht auferstehen sollte. Porträts im engeren Sinne waren beide nicht. Das Stifterbildnis gewann seine Funktion aus der Stiftung zum Beispiel eines Altares zu Ehren Christi, der Muttergottes oder eines Heiligen, aber es zeigte doch zunehmend alle Merkmale eines nach Stand, Alter und Individualität einzuordnenden unverwechselbaren Menschen. Nach 1400 treten Bildnisse dieser Art, aus dem Zusammenhang des Altarbildes gelöst und auf die Wieder-

Die Entdeckung der Ähnlichkeit

1. Hans Pleydenwurff, Georg Graf von Löwenstein

gabe von Kopf und Händen eingeschränkt, immer häufiger als transportable Tafeln auf. Die flämischen Handelsstädte und die Stadtrepublik Florenz taten das meiste zur Durchsetzung der jungen Bildgattung. In den deutschen Ländern, die länger am mittelalterlichen Denken festhielten, hatte sie einen eher mühsamen Weg vor sich, bis Albrecht Dürer in Nürnberg ihr eine feste Form gab.

Originelle oder sogar bedeutende Einzelwerke gingen voraus, so das um 1456 von Hans Pleydenwurff geschaffene Bildnis des achtzigjährigen Bamberger Domherrn Georg Graf von Löwenstein: ein

2. Michael Wolgemut, Der Apotheker Hans Perckmeister, 1496

zahnloser Greis mit schütterem weißem Haar und welker Haut, die Hand im Brevier (Abb. 1). Pleydenwurff malte ihn mit unbestechlichem Blick, anrührender menschlicher Anteilnahme und einem ungewöhnlichen Farbensinn. Das Löwenstein-Bildnis könnte für sich stehen, aber es bildete den Flügel eines Devotionsdiptychons, das heißt, es war durch Scharniere mit einer zweiten Tafel verbunden, die das Bild des Erlösers mit den Wundmalen (Basel, Kunstmuseum) trägt. Ihm kehrt sich der geistliche Herr in Verehrung zu. Christus in verkleinertem Maßstab und altertümlicher Idealität ist Symbol, Georg von Löwenstein greifbare Realität.

Daß es mit dem bloßen »Abschreiben« physiognomischer Einzelheiten nicht getan ist, um einen Menschen im Bildnis lebendig werden zu lassen, zeigen einige Nürnberger Arbeiten der Folgezeit. Michael Wolgemut, der 1496 den Apotheker Hans Perckmeister (Abb. 2) porträtierte, streift in der Aneinanderreihung überschärfter Einzelbeobachtungen die Karikatur, gibt aber nichtsdestoweniger ein ehrliches Bild des reichsstädtischen Bürgers. Perckmeister präsentiert sich dem Beschauer als frommer Christ mit dem Rosenkranz.

Die bürgerliche Frau erscheint im Bildnis als Braut oder Ehefrau, das heißt beinahe ausnahmslos in Verbindung mit dem Mann. Sie mehrte durch ihre Mitgift seinen Besitz, sie erhielt seinen Stamm. Im Diptychon nimmt sie gewöhnlich die linke Seite ein. Die vornehmere rechte stand dem Ehemann zu. »Links« und »rechts« sind hier heraldisch gemeint wie in der Wappendarstellung, also nicht vom Beschauer aus gesehen, sondern vom Dargestellten. Muster eines Ehe-

3. Hans Plattner, Hans und Barbara Straub, 1525

paardiptychons ist das 1525 datierte des Hans und der Barbara Straub, einer Tochter des berühmten Nürnberger Humanisten Willibald Pirckheimer (Abb. 3). Geschaffen hat es wohl der Maler Hans Plattner.

Die ernsten sympathischen Menschen, würdige Verwalter des Pirckheimerschen Erbes, sind einander zugekehrt. Barbara trägt um den Hals den Familienschmuck aus den Wappenfiguren der Pirckheimer und mütterlicherseits der Rieter: Birke und Meerweib. Auf der Rückseite des Männerporträts finden sich die Wappen des Paares in einem goldenen Kranz. Gleich Spielbrettern wurden die Diptychen zusammengeklappt und in Truhen aufbewahrt als gemalte Eheverträge und Dokumente der Familiengeschichte. Kommen Frauenbildnisse allein vor, so verraten zuweilen Inschriften wie »Anna seine Hausfrau« oder »Erhardi Uxor« (= Erhards Ehefrau), daß es zugehörige Bildnisse der Ehemänner gibt oder gab.

Individualität auch in der Verkleidung

Brautleute erkennt man an ihren schmucken Kleidern, an Kränzen im Haar und Blumen in der Hand und zumeist an ihrem jugendlichen Aussehen. Der Jüngling eines ehemals nürnbergisch genannten, heute an den Oberrhein versetzten Porträts aus dem späten 15. Jahrhundert weist einen Ring vor, der ihn als Verlobten kennzeichnet, und prüft mit dem Blick aus den Augenwinkeln unsere Aufmerksamkeit. In gleicher Weise demonstrativ wendet sich der von dem Nürnberger Jakob Elsner auf Pergament gemalte Bräutigam an den Bildbetrachter. Beinahe herausfordernd heischt er unsere Bewunderung, die ebenso seiner Jugend wie seinem langen Lockenhaar und seinem stutzerhaft festlichen Aufputz gelten darf. Die Vergißmeinnicht in seiner Hand sind Symbole der Treue. Vergleichsweise bescheiden steht neben ihnen der mitteldeutsche Hochzeiter von 1535. Das liegt zunächst einmal daran, daß das bürgerliche Kostüm damals an Farbenfreude verlor. Mehr noch sucht der Dargestellte nicht unsere Aufmerksamkeit, weil er der Braut zugewendet war, deren Bildnis leider verloren ist. Der junge Mann trägt einen Kranz von Rosen im Haar und ein Sträußchen in der Hand. Das phantastische Gebirgspanorama gibt dem Bild einen poetischen Reiz. Wir meinen, daß der in Annaberg in Sachsen tätige Anton Heusler der Porträtist war, von dem sich ein ganz ähnliches Bildnispaar in Leipzig befindet.

Gewöhnlich gehörten die im Bildnis vorgestellten Bürger den alteingesessenen Familien an, welche die Ratsherren stellten und sich über Generationen in die Stadtregierung teilten. Allgemein gilt die Schaube, der zumeist mit Pelz gefütterte Mantel, als Abzeichen des Bürgers. Hier und da geben Eigenheiten des Kostüms oder Abzei-

4. Albrecht Dürer, Der Maler Michael Wolgemut, 1516 Leihgabe der Bayerischen Staatsgemäldesammlungen

chen einen Hinweis auf die Zugehörigkeit zu einer Bruderschaft oder auf ein Amt. Der von Lucas Cranach 1503 in Wien porträtierte Gelehrte, der mit einem aufgeschlagenen Buch in der Landschaft sitzt, trägt den roten Talar des Juristen. Nach einer alten Aufschrift auf der Rückseite handelt es sich um den Rektor der Wiener Universität Johann Stephan Reuss. Wie hier der Mensch unter dem Aspekt der »Natur« gesehen wird, offenbart nicht, wie man gemeint hat, eine naive Anschauung der Welt, sondern eine im Sinne des Humanismus und der aufblühenden Naturwissenschaften höchst moderne. Das den Menschen als Ganzheit begreifende Porträt lebt von der organischen Formensprache und der reichen farbigen Erscheinung.

In gewisser Weise Berufsbildnis ist auch Dürers Porträt des Malers Michael Wolgemut, der damals zweiundachtzig Jahre zählte (Abb. 4). Autonome gemalte Künstlerbildnisse und – von Dürer selbst einmal abgesehen – Künstlerselbstbildnisse sind bis ins 16. Jahrhundert hinein selten. Zeichnungen finden sich häufiger. Auf Altären unter den Zuschauern der Passion Christi oder der Heiligenmartyrien haben sich die Maler zuweilen dargestellt und auch Künstlerkollegen mit aufgenommen. Dürer porträtierte seinen verehrten Lehrer nicht im Auftrag, sondern aus einem inneren Bedürfnis. Er zeigt ihn als Handwerker mit der Malerhaube, das heißt als immer noch Tätigen. In dem knochigen Schädel und der erschlafften Haut markieren sich die Alterszüge, aber der Blick des Meisters, wenn schon mit einer gewissen Starre, spiegelt das alte Feuer. Eindringlicher läßt sich das Widerspiel verfallender Körperkräfte und widerstehender Geisteskräfte nicht darstellen.

Den geistlichen Herren und Klosterfrauen stand christliche Demut besser an als der Wunsch nach einer Darstellung ihrer irdischen Hülle. Sie wurden auf Grabmälern verewigt, kommen als Stifter auf Altarbildern und Votivbildern vor. Die Kirchenfürsten, die gleich den weltlichen Fürsten mit den aus ihrem Amt sich ergebenden Ansprüchen die der Person verbanden, ließen sich häufiger porträtieren. Und doch ist es bezeichnend, daß Kardinal Albrecht von Brandenburg am liebsten in die Rolle eines Heiligen – des Märtyrers Erasmus bei Grünewald (München), des Kirchenvaters Hieronymus bei Cranach (Berlin) – schlüpfte. Auch in der Verkleidung konnte die Individualität unverwechselbar zum Ausdruck gebracht werden.

Der Geistliche, von dem es die meisten Bildnisse gibt, kam aus dem Augustinerorden und wurde zum Begründer der evangelischen Konfession, der Reformator Martin Luther. Der Wunsch nach seinem Bild förderte eine beinahe fabrikmäßige Bildnisproduktion, der innerhalb der protestantischen Propaganda ein wichtiger Auftrag zukam. Da alle diese Bildnisse Ausgangspunkt weiterer Wiederholungen wurden, bedurfte es eines »Urbildes« von plakativer Einfachheit, das auch in der Vervielfältigung noch den Dienst eines »vera icon«, eines wahren Abbildes, tun konnte. Lucas Cranach, der Hofmaler der Kurfürsten von Sachsen, schuf diesen Typus in wenigen schlagkräftigen Varianten, die sich je nach Bedarf mit dem Bildnis der Ehefrau Luthers, Katharina von Bora, oder dem seines Freundes und Mitstreiter Philipp Melanchthon kombinieren ließen. Das 1533 datierte Nürnberger Exemplar zeigt Luther im schwarzen Talar mit Barett, ein Bild gesammelter Kraft und doch fein in der ondulierenden Linienführung, die für den Künstler bezeichnend ist.

Die heilige Betrügerin

Auch Frauen konnten Beschränkungen, die sich aus den Standesgrenzen ergaben, kraft einer außerordentlichen Persönlichkeit über-

5. Hans Burgkmair,
Die vermeintliche
Hungerkünstlerin
Anna Laminit

6. Meister Michel, tätig in Danzig, Bildnisdiptychon, 1518

winden, sei es auch nur, daß sich die Zeitgenossen über den Wert der Betreffenden täuschten. So wurde die Hungerkünstlerin Anna Laminit, die vom Genuß der Hostie zu leben vorgab, in Augsburg wie eine Heilige verehrt, von Hans Holbein d.Ä. gezeichnet und von Hans Burgkmair gemalt (Abb. 5). Der wundergläubige Kaiser Maximilian besuchte sie und ließ ihr durch Jakob Fugger Tuch für Kleider schenken. Maximilians Schwester, die bayerische Herzogin Kunigunde, mißtraute der »Heiligen«. Sie lud die Laminit in die Münchner Residenz ein, spürte ihr nach und fand heraus, daß die Hungerkünstlerin Nahrungsmittel unter ihren Röcken verborgen hielt. Schon einmal war Anna Laminit »mit Ruten gestrichen« und aus der Stadt Augsburg vertrieben worden. Nun verhalf ihr der Patrizier Anton Welser zur Flucht, indem er sie mit Pferd, Wagen und einem Knecht versorgte. Einer der Großkaufleute war es wohl auch, der ihr Porträt in Auftrag gab.

Burgkmair konzentrierte sich ganz auf den Kopf der Frau, die kräftig gerundete Form des Schädels, den durchdringenden Blick der tiefliegenden Augen, den Zug von Geringschätzung um den herben Mund. In Freiburg in der Schweiz heiratete Anna Laminit einen Armbrustmacher, doch konnte das Paar von seinen Betrügereien nicht lassen. So wurden beide hingerichtet, der Mann gehenkt, die Frau ertränkt.

Und noch eines dieser Ausnahmebilder gibt es im Germanischen Nationalmuseum: Eine junge Frau mit entblößtem Oberkörper, über deren Schulter ein pelzgefütterter Mantel gleitet. Sie sitzt auf einem Stuhl mit kunstvoll geschnitzter Armlehne. Ein geraffter Vorhang gibt den Blick in eine bergige Landschaft frei. Der Kölner Meister Barthel Bruyn übernahm die Haltung der Frau von Leonardos berühmter »Mona Lisa«. Er kannte freilich nicht das Original, sondern eine von Joos van Cleve am französischen Hof geschaffene Variante, die bereits eine entblößte Frau, wohl eine Kurtisane, zeigt. Gerne wüßten wir, wer die kühle und ein wenig versonnene Dame des Nürnberger Bildes ist. Das Wildstiefmütterchen auf der Steinbank kommt auch als Wappenfigur der Kölner Familie Jabach vor. Es ist nicht zu beweisen, aber denkbar, daß es sich um Katharina Jabach, die »Buhlschaft« des Kölner Domherrn Johann Gebhardt von Mansfeld, handelt, der später Erzbischof und Kurfürst von Köln wurde.

Selten kennen wir die Anlässe, denen die Bildnisse ihr Entstehen verdankten – sehen wir einmal von Verlobungen und Eheschließungen ab. Das ist besonders bei einem Danziger Diptychon von 1518 zu bedauern (Abb. 6). Es trägt auf einer der Außenseiten das Brustbild des Auftraggebers mit einem bisher nicht deutbaren Wappen und einem zweiten, später hinzugefügten, das der Nürnberger Familie Praun gehört, in deren Besitz das Werk gelangte. Mit guten Gründen wird es demselben »Meister Michel« zugeschrieben, der den Hochaltar der Danziger Marienkirche malte. Der Auftraggeber, den das Brustbild vorstellt, kehrt noch einmal auf einer der Innenseiten der Tafeln wieder, die szenische Darstellungen enthalten. Auf der linken sehen wir eine gedeckte Tafel in einem Saal, den Mann im Kreis festlich gekleideter Frauen, von denen einige Schürzen tragen. Der rechte Flügel zeigt in kostbare Danziger »Kirchenpelze« und weiße Leinhauben gehüllte Frauen in einer sternrippengewölbten Halle, wohl beim Kirchgang.

Wer der Geehrte war und welches Ereignis aus seinem Leben der Maler festhielt, bleibt offen. Gemessen an süddeutscher Tracht und Sitte wirken die Szenerien urtümlich, bunt und fremdartig.

Maler und Modell – Opfer der Pest?

In einem anderen Falle kennen wir nicht den Anlaß für den Bildnisauftrag, wohl aber die Umstände, denen er seine endgültige Form verdankte. Das Porträt des Schweizer Geistlichen und Humanisten Johannes Zimmermann, der sich lateinisch Xylotectus nannte, trägt die Jahreszahl 1520 (Abb. 7). Der Harfe spielende Gelehrte wird von der Gestalt des Todes, einem Skelett mit dem Stundenglas, bedrängt. Die lateinische Inschrift über dem Türsturz lautet übersetzt: »Nicht häßliche Eigenliebe ließ die trügerische Form malen, sondern die Stunde, welche uns heitere Tage vertreibt, damit du siehst, wie wandelbar die Gunst des Lebensalters sei und in wie kurzer Zeit oder durch Krankheit die Schönheit dahinsinkt. Als ich durch göttliches Geschenk sechs Lustren (Jahrfünfte) vollendete, war ich Johannes Zimmermann, so beschaffen.«

Im Seitenlicht und mit Hilfe der Infrarotaufnahme sieht man, daß zunächst ein kassetierter Rundbogen über dem Dargestellten geplant und begonnen war. Ein einschneidendes Erlebnis muß den Auftraggeber bestimmt haben, das Totengerippe hinzufügen und die Architektur derart verändern zu lassen, daß sie den auf die Vergänglichkeit des Irdischen hinweisenden Text aufnehmen konnte. Das Porträt wird Hans Holbein d. J. zugeschrieben, dessen Stil die Bildanlage und die ursprüngliche Architektur durchaus entsprechen. Doch übernahm sein gleichfalls in Basel tätiger Bruder Ambrosius beides von ihm. Ende 1519 hören wir zuletzt von Ambrosius. Man vermutet, daß er damals, noch jung an Jahren, von Basel weggezogen oder gestorben sei. Uns erscheint es einleuchtend, daß Zimmermann sein Bildnis bei Ambrosius Holbein in Auftrag gab. Unter dem Eindruck des plötzlichen Todes des Malers ließ er es von einem anderen Künstler in der

7. Ambrosius Holbein, Johannes Xylotectus, 1520

obengenannten Weise verändern und vollenden. Einige Jahre später, 1526, wurde der Humanist selbst ein Opfer der Pest.

Selten schildert eine Inschrift so beredt die Lebenssituation des Dargestellten wie bei dem Bildnis eines neunundzwanzigjährigen Mannes, das der in Straßburg tätige Hans Baldung Grien 1526 malte: »Zur Zeit, da das Bauernvolk in Waffen gegen Geistlichkeit und den ganzen Adel wütete, schlecht belehrt durch den Glauben, war so mein Antlitz, meine Gestalt, die mir nur der nimmt, der mir alles nehmen kann.« Wir schließen daraus, daß der Mann in den Sog des Bauernaufstandes geriet, daß seiner Familie ein Leid zugefügt oder sein Besitz gebrandschatzt wurde.

Fraglos sind die Bildnisse der Dürer-Zeit auch Standesporträts, aber ihre packende Gegenwärtigkeit gewinnen sie aus der in ihnen zum Ausdruck gebrachten umfassenden Beschäftigung mit dem Menschen als einem denkenden, fühlenden, handelnden Wesen, das zwar Veränderungen unterworfen ist, wie sie Altersstufen, Entscheidungen und das Schicksal mit sich bringen, aber das doch in seinem Innersten erkennbar und unverwechselbar bleibt. Der Wunsch nach Erkenntnis gibt der deutschen Bildniskunst ihre Spannweite, ihre Überzeugungskraft, ihr überquellendes Leben. Sie vermag das Unfertige und noch im Wachstum Begriffene der Kindheit und Jugend und die ausbalancierten Kräfte des reifen Mannesalters ebenso sinnfällig darzustellen wie die Würde und die durch das Nachlassen der Körperkräfte bedingte Bitterkeit des Alters. Diese Eigenschaften rühren uns auch da an oder gerade da, wo wir nichts über das Modell wissen.

Das Bildnis eines jungen Mannes, das der Dürer-Schüler Hans von Kulmbach um 1520/1522 malte, mag als Beispiel dafür stehen: Ein kräftiger Typus, blondhaarig und blauäugig, mit einem säulenhaft starken Hals, einem verwegen aufgesetzten Barett. Aber der Ausdruck ist eher versonnen, ein seelischer Schwebezustand, der sich auch in der wie mechanischen Greifbewegung der Hand äußert. Die leuchtende, aber abgestimmte Farbigkeit, das nicht ganz gefestigte Verhältnis der Figur zur Bildfläche wirken in diesem Sinne.

Hofbilder für viele Gelegenheiten

Das Hofbildnis spielte um die Mitte des 15. Jahrhunderts in Deutschland wie in den Niederlanden eine verhältnismäßig geringe Rolle, erhielt freilich um die Jahrhundertwende durch König Maximilian, den späteren Kaiser, durch seinen Sohn Philipp und seine Schwester Margarete, Statthalterin in den Niederlanden, einen mächtigen Auftrieb. Die Bildform war zunächst bescheiden, orientierte sich an bürgerlichen Vorbildern. Kennzeichnend für den fürstlichen Stand der Modelle waren allenfalls das prächtigere Kostüm, die Schmuckstücke und Abzeichen wie die Kollane des Ordens vom Goldenen Vlies.

Auch beim Fürstenporträt kam es auf die Ähnlichkeit an, das heißt auf das Summieren der vorzüglichsten physiognomischen Eigenschaften, die den Dargestellten auf den ersten Blick erkennbar machten. Denn Bilder dieser Art wurden ja vielfach wiederholt, gingen an diejenigen Höfe, Klöster, Städte und hohen Würdenträger, denen sich der Fürst verbunden fühlte oder die er an sich binden wollte.

Deutlich wird das bei den Bildnissen Kaiser Maximilians, die der in Memmingen ansässige Bernhard Strigel mit Hilfe seiner Werkstatt schuf: der Kaiser in Harnisch und Krönungsornat vor einem neutral eingefärbten Bildfeld (Exemplar in Wien), das nach Bedarf eine Inschrift (Exemplar in Straßburg, verbrannt) oder einen Landschaftsausblick (Exemplare in Wien und München) aufnehmen konnte. In demselben Maße, wie die Territorialherren im politischen Kräftespiel der Reformation ein entschiedenes Gewicht über die Städte bekamen, drängten sie verstärkt nach Repräsentation, förderten sie die Bildniskunst.

Ein Muster des Hofporträts ohne dessen negative Eigenschaften ist Dürers Bildnis Kaiser Maximilians I. (Abb. S. 319). Der Künstler hatte sein Modell am 28. Juni 1518 während des Augsburger Reichstags »hoch obn awff der pfaltz in seinem kleinen stüble« gezeichnet. Er schuf danach einen Holzschnitt und zwei Gemälde, die sich heute in Nürnberg und Wien befinden. Die ruhmredige Inschrift, die alle Titel und Vorzüge Maximilians aufzählt, der Doppeladler, den die Kollane vom Orden des Goldenen Vlieses rahmt, und der Granatapfel, der den Reichsapfel vertritt und den imperialen Anspruch bezeichnet, sind Merkmale des Herrscherbildes, aber es bleibt nicht bei den Formalien. Dürer läßt in dem scharfgeschnittenen und festmodellierten Kopf, dessen typisch habsburgische Züge wie die Hakennase und die vorgeschobene Unterlippe nicht verschleiert werden, die geistige Bedeutung dieses alles in allem außergewöhnlichen und überragenden Kaisers lebendig werden.

Knapp zwei Generationen später führte der sogenannte Meister der Pfalz- und Markgrafen, in dem man mit guten Gründen den in Speyer ansässigen kurpfälzischen Hofmaler Hans Besser sieht, das Hofporträt bis an die Grenze marionettenhafter Unfreiheit. Der dreizehnjährige Markgraf Philibert von Baden, den der Künstler 1549 porträtierte, schaut skeptisch in die Welt, ein Gefangener der ihm vorgeschriebenen Pose. Kostüm, Schmuck, Inschrift und Bildniszüge werden mit einem gleichbleibenden dokumentarischen Interesse wiedergegeben, dem es an Lebenswärme fehlt. Das Porträt erstarrt im Maskenhaften.

Das bürgerliche Bildnis widerstand diesen »manieristischen« Tendenzen zunächst, auch wenn es Elemente der oberitalienischen Kunst aufnahm und die Dargestellten weltläufiger erscheinen. Das vom Thronen abgeleitete Sitzmotiv und die Frontalansicht geben dem Beschauer leicht das Gefühl, ihm würde Audienz erteilt. Diesen Eindruck erwecken das Hochzeitsbildnis der Regina Honold von Christoph Amberger und das des Christoph Pissinger von Jakob Seisenegger. Beide wurden 1540 in Augsburg gemalt. Das festliche und farbenfrohe Bildnis der Regina Honold (Abb. S. 367) atmet patrizische Vornehmheit, auch wenn die Honolds erst 1538 im Zuge der »Geschlechtervermehrung« in das Augsburger Patriziat aufgenommen worden waren. Das Hündchen auf dem Schoß der Frau ist ein Symbol ehelicher Treue, mit der es der ihr angetraute Anton Baumgartner offenbar nicht genau nahm. Die junge Frau verließ ihn nach drei Jahren und war nicht zu überreden, die Ehe wiederaufzunehmen.

Beim Bildnis des Christoph Pissinger würde man am ehesten an einen italienischen Edelmann denken, so vornehm und gelassen sitzt er da. Die Bestimmung des Dargestellten ist nicht ganz sicher, doch erfahren wir aus einer Eingabe des österreichischen Hofmalers Seisenegger an den Rat der Stadt Augsburg, daß er 1540 den Christoph Pissinger porträtiert habe, dieser aber vor Abnahme des Bildes gestorben sei und die Verwandten sich weigerten, das ausgemachte Honorar zu zahlen.

Als Dürer, Grünewald und Burgkmair kurz hintereinander starben, war die Blüte der altdeutschen Kunst bereits vorüber. Die Reformation hatte den Heiligenbildern ihre Glaubwürdigkeit abgesprochen, hatte die Marienverehrung, der die Kunst so großartige Leistungen wie den Isenheimer Altar verdankte, in den protestantisch gewordenen Gebieten – und das waren zunächst die meisten Reichsstädte – abgeschafft.

Das Bildnis blieb von den Veränderungen unberührt, aber das erzwungene Spezialistentum machte die Künstler, denen bisher eine ganz andere Spannweite der Bilderfindung und Erlebniskraft abverlangt wurde, einseitiger, ihre Werke frostiger. Hatte sich bis dahin das bunte ständische Leben vielfältig in den Porträts gespiegelt, so wirken sie seit der Mitte des 16. Jahrhunderts zunehmend uniform im Sinne eines schon durch die dunkle spanische Tracht eingeengten höfischen und städtischen Beamtentums.

Noch immer gibt es unter den Porträtisten respektable Meister, aber sie tragen oft ausländische Namen wie der aus den Niederlanden nach Nürnberg emigrierte Nicolaus Neufchatel. Als strenggläubiger Calvinist suchte und fand er in den Menschen, die er porträtierte, den sittlichen Ernst, der ihn selbst auszeichnete. Das gilt für die energisch charakterisierten Bildnisse des Nürnberger Patriziers Stephan Praun und seiner Ehefrau Ursula Ayrer von 1568, die zugleich Zeugnisse einer soliden malerischen Kultur sind. Schon 1561 hatte Neufchatel der Stadt Nürnberg, die ihn so gastlich aufnahm, ein Doppelbildnis des berühmten Mathematikers und Schreibmeisters Johann Neudörffer und seines gleichnamigen Sohnes zum Geschenk ge-

8. Matthias Krodel d. J., Ulrich Röhling, 1615

macht, wie die Inschrift auf dem Rahmen mitteilt. Der Gelehrte hat keinen Blick für den Bildbetrachter. Er nimmt mit einem Stechzirkel an einem Dodekaeder die Maße ab, die der Sohn in ein Buch einträgt. Der Vorgang ist im konzentrierten Ausdruck der Gesichter und in der gezielten Beschäftigung der Hände klar erfaßt und wiedergegeben. Ein gewisses Maß an Rhetorik verrät Neufchatel als einen Vertreter der Stilstufe des Manierismus, doch hält ihn seine Sachlichkeit von aller Übertreibung fern.

Hans Hoffmann, der später Hofmaler Kaiser Rudolfs II. in Prag wurde, knüpfte an die älteren Nürnberger Traditionen an, womit er zu einem frühen und zum prominentesten Vertreter der Dürer-Renaissance, das heißt einer versuchten Wiederbelebung der altdeut-

9. Matthias Krodel d. J., Christina Röhling, geb. Funk, 1615

schen Kunst, wurde. Das Altarbild war für diese Art des Historismus anfälliger als das Porträt, das den Maler durch das Zeitkostüm, die Haar- und Bartmode in seiner künstlerischen Freiheit einschränkte. Hoffmanns Bildnis eines Goldschmiedes oder Juweliers von 1580, der mit der Linken einen Schmuck vorweist, in der Rechten kennerisch eine Lupe hält, ist in der zeichnerisch-plastischen Durchformung des Kopfes und der verkürzten Hände durchaus dürernah, im psychischen Ausdruck dagegen skeptisch und distanziert.

Lorenz Strauch, ein gebürtiger Nürnberger und vielbeschäftigter Meister, entwickelte diejenigen Elemente der Nürnberger Bildniskunst weiter, die ins Barock überleiten.

Entschiedener stößt Matthias Krodel d.J., der in Schneeberg im Erzgebirge tätig war, in Neuland vor. 1615 datiert sind die Bildnisse des Ulrich Röhling und seiner Ehefrau Christina Funk (Abb. 8 und 9). Röhling stand dem kurfürstlich-sächsischen Bergamt vor, war Fundgrübner des Schneeberger Silberbergwerks und Zehentner. Die Malerei in dieser Region war lange ein Einflußbereich der Cranach-Schule gewesen, und tatsächlich erscheinen die Bildkompositionen mit den Vorhängen und Architekturteilen noch manieristisch gestückt, begleiten große, bunte Wappen das Paar, beanspruchen Ketten und Medaillen ein starkes Interesse, aber die raumverdrängenden, lastenden Körper, die zugreifenden Hände und der in der Wiedergabe der Köpfe einen krassen Realismus streifende Natursinn verraten das neue, barocke Lebensgefühl. Es ist die Zeit der frühen großen Bildnisleistungen eines Peter Paul Rubens oder Frans Hals.

Brautbild und Leichenbildnis

Wo der Zeugnischarakter höher bewertet wird als der Kunstwert, kommen barocke Sonderformen des Porträts zu ihrem Recht, die aus dem Brauchtum leben, so das Brautbild oder das Leichenbildnis.

Das um 1620 entstandene Bildnis einer Nürnberger Kronbraut interessiert besonders wegen der unproportioniert großen, über und über mit Perlen bestickten Brautkrone, zu deren Schmuckmotiven zwei Füllhörner als Symbole der Fruchtbarkeit gehören.

Die breitformatigen, lebensgroßen Darstellungen Verstorbener auf dem Paradebett sind im Zusammenhang mit Begräbnisfeierlichkeiten und Leichenpredigten zu sehen, bei denen das gemalte Bild den Toten vertrat. Die Inschriften lassen den Aufgebahrten selbst sprechen. Im Nationalmuseum befinden sich, zum Teil durch Einwirkungen des Zweiten Weltkrieges beschädigt, Leichenbilder der Nürnberger Bürger Bartholomäus Viatis (1624) und Martin Peller (1629).

Wo höhere Anforderungen an den sehenden, empfindenden, denkenden und bildenden Künstler gestellt wurden, erwiesen sich die einheimischen Kräfte oft als ungenügend und dem internationalen Wettbewerb nicht gewachsen. Einer der wenigen, die eine Ausnahme machen, war der als Sohn niederländischer Emigranten in Frankfurt am Main geborene Joachim von Sandrart, ein geschätzter Maler, bedeutender Sammler und Kunstgelehrter. 1651 malte er das Bildnis eines Herrn, der sich den Handschuh anzieht. Damals hatte der Künstler bereits mehrjährige Studien in Holland und Italien hinter sich, kannte die Arbeiten eines Rembrandt oder Rubens und wußte Beobachtungsgabe, Stoffmalerei und farbige Noblesse mit einem gewissen Maß an romanischer Grandezza zu verbinden. Als er nach mehreren kurzen Aufenthalten endgültig nach Nürnberg übersiedelte, war dort noch die Erinnerung an den 1665 gestorbenen Daniel Preisler aus Prag wach, der in den Größeren Rat aufstieg und unter anderem ein festgebautes, mit drängendem Leben erfülltes Bildnis seiner Familie hinterlassen hat, auf dem er selbst als Lautenspieler erscheint.

In den Werken des aus Böhmen stammenden, 1733 in Nürnberg ansässig gewordenen Johann Kupecky greift das lebensvolle und mit starken Hell-Dunkel-Effekten arbeitende Barock weit in das 18. Jahrhundert hinein. Die dargestellten Bürgerlichen nehmen auf eine direkte und herzhafte Art den Kontakt zum Beschauer auf, sind von sprechender Lebenswahrheit. Das gilt sowohl für das Bildnis eines Malers mit der Palette, in dem man den Dresdner Hofmaler Gabriel Müller sehen will, als auch für das eines vom Blatt spielenden Flötisten (Abb. S. 471), der eine tief in die Stirne gezogene Pelzmütze trägt. Gerade dieses Bild wächst über die Grenzen des Porträts hinaus in einen allgemeineren Bereich, wo es als eine Huldigung an die Musik verstanden wird gleich den Darstellungen des »Gehörs« in der Reihe der »fünf Sinne«.

Die Überwindung des Barock

Nachdem die Wunden des Dreißigjährigen Krieges vernarbt waren, blühte in Deutschland eine Vielzahl großer, mittlerer und kleiner Höfe auf, die miteinander wetteiferten und zugleich nach Versailles als dem unerreichbaren Vorbild höfischer Lebenshaltung blickten. Der Bedarf an fähigen Porträtisten war groß, die heimischen Kräfte reichten nicht aus. Berlin und Dresden verschrieben sich die Franzosen Antoine Pesne und Louis de Silvestre als Hofmaler, Wien und München die Schweden Martin van Meytens und Georg Desmarées.

Dabei kam es der Bildniskunst des 18. Jahrhunderts zugute, daß sie einigen Pomp und Ballast des Barock abwerfen und in ein natürlicheres Verhältnis zum Modell treten durfte, das dem leichteren und geistreich-geselligen Ton der Zeit entsprach. Das Bildnis des mit hohen Ämtern ausgezeichneten Freiherrn Christoph Ludwig von Sekkendorff-Aberdar beispielsweise, wie es Pesne 1737 malte, drängt alles Offizielle zurück (Abb. 10). Die Geste des jungen Adligen, der die Hand auf den Lehnstuhl stützt und mit der anderen auf ein Schreibzeug weist, hat gleich dem freundlich offenen Blick etwas Einladendes. Nicht der Dargestellte fordert Respekt, vielmehr verschafft die brillante Stoffmalerei Genuß.

Damals traten die adligen Damen gerne im Schäferkostüm oder mit den Attributen römischer Göttinnen auf. Anna Rosina Lisiewska malte 1735 eine samtäugige Schöne als Diana mit Köcher und Bogen. Aber das Dekolleté, der Reifrock und die zutraulichen Mopshunde machen das Ganze als liebenswürdige Maskerade durchschaubar.

10. Antoine Pesne, Freiherr Christoph Ludwig von Seckendorff-Aberdar, 1737

Je offizieller der Bildnisauftrag, um so mehr wirkten die alten Muster des *portrait d'apparat,* des französischen Staatsporträts, nach. Das gilt besonders für Meytens' Bildnisse des kaiserlichen Paares Franz I. und Maria Theresia. Franz von Lothringen baut sich gleichsam einschüchternd vor dem Beschauer auf, stützt die Rechte in die Hüfte und die Linke mit dem Zepter auf den prunkvollen Tisch, auf dem der Reichsapfel, die deutsche Kaiserkrone und die Krone von Lothringen liegen. Maria Theresia rauscht im Reifrock auf einen ähnlichen Tisch zu, auf dem die ungarische Krone, die habsburgische

11. Martin van Meytens d. J., Kaiserin Maria Theresia

12. Johann Christoph Morgenstern, Fürst Johann Friedrich von Schwarzburg-Rudolstadt beim Austernfrühstück

Kaiserkrone, die Erzherzogskrone und der böhmische Kurhut arrangiert sind (Abb. 11). Die verdämmernde Räumlichkeit und die schimmernde Oberfläche der Gewänder mildern die bedrängende Gegenwart des Herrscherpaares, doch muß man daran erinnern, daß sich Bilder dieser Art gegen die Architekur festlicher Säle und gegen die Hofroben der Herrschaften durchzusetzen hatten.

Das kritische Bewußtsein, das die Aufklärung schuf, teilte sich auch dem Hofbildnis mit, machte das Porträt des Herrschers von Gottes Gnaden unglaubwürdig und förderte eine privatere Sicht. Die bürgerliche Bildnisauffassung in ihrer Bevorzugung des Häuslichen und Familiären ebnete den Gegensatz zwischen Hof und Stadt, Adel und Bürger ein. Als Feld der Begegnung war das sogenannte »Konversationsstück« geeignet.

Pieter Horemans läßt Johanna de Lasence 1767 an einem Frühstückstisch im Garten Platz nehmen, während das Hausgesinde sich beschäftigt und durch das geöffnete Gittertor um einen Maibaum tanzende Bauern sichtbar werden.

Johann Christoph Morgenstern – wenn wir der Überlieferung Glauben schenken wollen – zeigt den Fürsten Johann Friedrich von Schwarzburg-Rudolstadt beim Austernfrühstück, während ihm der eine Glückwunschadresse vorlesende Maler und dessen Tochter zum Geburtstag gratulieren (Abb. 12). Zwar dürfen die Gratulanten nicht in Blickverbindung mit dem Beschauer treten oder gar am Tisch des Jubilars Platz nehmen, aber sie stehen in einem ungezwungenen Verhältnis zu ihm, das ihrer Devotion den Anschein der Neigung und Freiwilligkeit gibt. Das gilt zumal für den Maler im Hausrock.

Besonders eindrucksvoll ist das Bildnis einer Matrone, das Joachim Martin Falbe schon um 1755 malte (Abb. 13). Die in einem Sessel sitzende, wohl adlige Dame trägt den schwarzen Spitzenschleier der Witwe. Ihr graues Seidenkleid geht mit den weißen Spitzen des Kragens und der Manschetten und dem goldgelben Vorhang einen erlesenen Farbklang ein.

Das Arrangement ist vornehm und geschmackvoll, aber das eigentlich Anziehende ist doch der Kopf: ein freundliches Altfrauengesicht mit müde gewordenen Augen und schmalen Lippen, um die der Anflug eines Lächelns liegt. Ohne Schmeichelei, aber mit einem feinen Takt hat Falbe die Würde des gebrechlichen Alters eingefangen.

Gruppenbild mit Schornstein

Kein Zweifel über die bürgerliche Herkunft der Dargestellten besteht beim Gruppenbildnis der Familie des Bendorfer Hüttenbesitzers Johann Remy, der seine Frau, seine Kinder und Schwiegerkinder um den Kaffeetisch, zur musikalischen Unterhaltung und zum Billard versammelt, während im offenen Fenster die Grundlage ihres Wohlstandes, die Hütte, mit ihren rauchenden Schornsteinen zu sehen ist (Abb. 14). Januarius Zick malte das große und imponierende Porträt als Zeugnis bürgerlichen Standesbewußtseins im Jahr 1776. Das Motiv des Familienfestes gab ihm die Gelegenheit, Gruppen zu bilden, doch vereitelte der Wunsch nach achtzehn mehr oder weniger gleichberechtigten Porträtköpfen eine die Teilnehmer flüssig zusammenfassende Komposition.

Von den Dichtern und Gelehrten, die das geistige Klima Deutschlands im 18. Jahrhundert bestimmten, gibt es im Germanischen Nationalmuseum keine Bildnisse, wohl aber Selbstbildnisse der Maler: der junge Georg Desmarées im Hauskleid mit offenem Hemd und Samtbarett; Antoine Pesne mit der Palette in der Hand, wie er über die Schulter zu uns heraus und eigentlich doch in den Spiegel blickt, der ihm seine Züge wiedergibt; Anna Dorothea Lisiewska-Therbusch, am offenen Fenster lesend, mit dem unkleidsamen Einglas – ein Altersbild von 1782, das ehrlich, selbstkritisch und doch voller Charme und Atmosphäre ist. Diese Künstlerselbstbildnisse suchen das Persönliche im Ungeschminkten, Zufälligen und Privaten.

Unter den Namen der nördlich der Mainlinie tätigen Porträtisten der Goethe-Zeit mögen zwei für viele stehen: Anton Graff, der seit 1766 in Dresden tätig war, und Johann Friedrich August Tischbein,

13. Joachim Martin Falbe, Bildnis einer Matrone

der begabteste der weitverzweigten Malerfamilie. Graff, dem profunden Menschenkenner und Realisten, gelang es am ehesten, den Menschen aus den Konventionen zu schälen. Sein ganzfiguriges Bildnis des Freiherrn Johann Adolf von Thielmann in der Husarenuniform erfüllt die tradierte Bildform mit ungewohnter Energie. Tischbein nutzte die fließenden Kleider der Mode des späten 18. Jahrhunderts, um Frauenbilder von gewinnender Anmut und feiner Lebensart zu schaffen wie das der Gräfin Bose mit ihrer Tochter. Der Ehemann und Vater ist als Büste auf der Kommode gegenwärtig. Die Lebenszeiten beider Künstler reichen ins 19. Jahrhundert und in die Romantik hinein, die zu einem neuen, vertieften Bilde des Menschen kam.

14. Januarius Zick,
Die Familie Remy,
1776

Gerhard Bott

LUSTGARTEN DES ROKOKO

Eine Welt des Spiels am Rande des Abgrundes

Notiz für den Leser

Von den Hängenden Gärten des Nebukadnezar in Babylon (einem der Sieben Weltwunder der Antike) bis zu den großen Gartenschauen unserer Zeit dokumentiert sich die Freude des Menschen an der Natur, wie er sie formte, nicht, wie er sie vorfand. Neben dem Nützlichen (Obst-, Gemüsegärten) galt dabei gleichberechtigt und oft auch dominierend das Schöne (Blumengärten, Freizeitparks) als Beurteilungskriterium.

Die graduelle Umformung der Natur: Von der kaum merklichen Gestaltung englischer Parklandschaften bis hin zu der mathematisch-ornamentalen Konstruktion französischer Rokokogärten reicht die Skala der möglichen Eingriffe, die letztlich auch heute noch unseren Geschmack bestimmen.

Daß Geschmack dabei Zeitgeschmack einer Klasse ist, zeigen die deutschen Rokokogärten des 18. Jahrhunderts besonders deutlich. Gerade die »Duodezfürsten« – geistliche und weltliche – im süddeutschen Raum wetteiferten auf dem Gebiet der Gartenbaukunst miteinander, da ihnen doch politische und militärische Einflußnahme versagt blieb. Ausgedehnte Anlagen nach französischem Vorbild mit künstlichen Seen, gestutzten Hecken, Brunnen und Kaskaden, buntem Gitterwerk und Heerscharen von Faunen und Najaden bildeten den Hintergrund für ausgedehnte und prunkvolle Feste und Spiele. Höfische Musik und Komödien im Stile der italienischen »Commedia dell'arte« wechselten einander ab.

Natur wurde zur Theaterkulisse, die Realität bettelnder Kinder vor den Schlössern zum Thema von Idyllen (die Hofgesellschaft steckte ihre Abkömmlinge bei den beliebten Schäferspielen in Bauernlumpen), die Maske des Harlekins zum Gesicht der Zeit.

Man versuchte, im Spiel der Wirklichkeit zu entfliehen, aber in der Französischen Revolution holte die Wirklichkeit viele der Spieler ein. Die Idylle endete unter dem Fallbeil der Guillotine.

W. D.

»Sorgfältig nach der Natur kopiert«

An Kornelia, die Schwester, schrieb Johann Wolfgang Goethe im Oktober 1767, daß er an einem zweiten Schäferstück arbeite: »Aber es will noch nicht recht parieren.« Er hoffe, daß es »ein gutes Stück mit der Zeit werden kann, da es sorgfältig nach der Natur kopiert ist«.

Dies klingt merkwürdig genug, wenn man den Einakter »in Versen« liest, den er *Die Laune des Verliebten* nannte und in einem Rokokogarten spielen ließ. Amine und Egle, die als »Schäferinnen« verkleideten beiden Mädchen, winden Kränze und tragen Körbchen mit Blumen. Lamou als Schäfer spielt auf der Flöte, und Eridon stiftet die nötige Verwirrung, die zum guten Ende führt, dem Gartenfest.

Kurze Zeit nur währte diese Pracht im Rokokogarten des 18. Jahrhunderts. Spiel, Tanz und Theater, Illumination und Feuerwerk trugen damals das höfische Leben aus den Spiegelflächen der ebenerdigen Schloßräume, aus den langgezogenen, mit Gemälden an den Wänden geschmückten Gängen, den Sälen und stillen Gemächern, von deren Decken buntes gemaltes »heidnisches Gewimmel« (Eichendorff) herabblickte, in den um das Schloß sich ausbreitenden oder vor dem Schloß sich in die Tiefe staffelnden Park, unter den freien Himmel.

Rasch ging die Gartenlust einer heiteren und dabei zutiefst bedrohten Epoche vorüber. Aus England hatte sich schon am Ende des ersten Jahrzehnts des 18. Jahrhunderts eine Gegenbewegung gegen die gekünstelte, mit Zirkel und Meßlatte geplante, mit der Heckenschere und der Sichel gestutzte »Natur« gebildet und den nach dem großen französischen Vorbild der Gärten Ludwigs XIV. unter André le Nôtre eingerichteten Architekturgarten in eine neue Gartenform umgesetzt, die als »englischer Garten« am Ende der siebziger Jahre Deutschland erreichte. So war eigentlich der Rokokogarten Goethes für das galante Schäferspiel zur Entstehungszeit des Stückes schon unzeitgemäß, und es dauerte nicht lange, da war diese Gartenform nur noch eine Erinnerung.

Denn flugs fällte man auch in Deutschland Bäume, entfernte die zu Wänden und Kuben geschnittenen Hecken, verwirrte die geraden und rechtwinkelig sich kreuzenden Wege und pflanzte neue Busch- und Baumgruppen.

»Retour à la nature«

Die neuen, in der Französischen Revolution proklamierten Freiheiten kündigten sich auch in der Haltung der Menschen zur Natur an. In Jean-Jacques Rousseaus *Contract social* von 1772 klangen vorher schon die weltbewegenden Freiheitsgedanken an, wenn er ihn beginnen läßt: »L'homme est né libre« – (»Der Mensch ist frei geboren«), und dazu seine Maxime verkündet: »Retour à la nature.«

Wie ein Ansporn für diesen Gesinnungswandel von der Gebundenheit einer höfischen Kultur in die bürgerlichen Freiheiten läßt 1769 Anseaume in seiner von Grétry komponierten Oper *Le Tableau parlant* singen: »Ils sont passés, ces jours de fêtes« – (»Sie sind vorbei, diese Tage festlicher Freude«). Es gab weniger Freuden und Feste am Hofe, und die Selbstdarstellung ihrer Zeit im Rokokogarten fand ein Ende.

Kaum ein Buch hat am Ende dieser Epoche mehr den Charakter der nachfolgenden Gartenkunst bestimmt wie Christian Cay Lorenz Hirschfelds *Theorie der Gartenkunst* in fünf Bänden, 1779 in Leipzig erschienen. Der königlich dänische Justizrat war Professor an der Universität in Kiel und widmete sein bestimmendes Werk seinem Landesherrn, dem Erbprinzen Friedrich zu Dänemark und Norwegen, Herzog zu Schleswig-Holstein usw. Christian Felix Weiße führte Hirschfeld mit einem Gedicht als Kronzeugen für den von ihm propagierten Wandel in der Gartenkunst an: »Auf einen allzu gekünstelten Garten« überschreibt dieser seine etwas holprigen Verse:

»Dein Garten ist sehr schön geschmückt!
Hier Statuen und dort Kaskaden,
Die ganze Götterzunft, hier Faunen und dort Najaden
Und schöne Nymphen, die sich baden:
Und Sand, vom Ganges hergeschickt,
und Muschelwerk und goldne Vasen
Und Porzellan auf ausgeschnittenem Rasen
Und buntes Gitterwerk, und – eines such' ich nur –
Ist's möglich, daß was fehlt? Nichts weiter – die Natur.«

Prinz Rokoko im alten Garten

Ein halbes Jahrhundert später betritt Joseph Freiherr von Eichendorff den Garten seiner Jugendzeit. Er sieht sich und seine eigene Vergangenheit als »Prinz Rokoko im alten Garten«. Es ist der ungepflegte und überwucherte Garten einer längst vergangenen Zeit. Für ihn ist die verwahrloste und dabei romantisch verklärte Natur in Angst verzaubert, verfremdet. Und mit ihr sind es die Figuren, die verwitterten steinernen Statuen, die er hier antrifft:

»Da lag plötzlich, wie in einem Nest von hohem Gras und Unkraut und die Tatzen weit nach mir vorgestreckt, eine riesenhafte Sphinx neben mir ... das unverhoffte Ungeheuer gab mir ein Rätsel auf, das mich ganz verwirrte. Denn statt der erwarteten Klüfte ... erblickte ich einen, freilich arg verwilderten, altfranzösischen Garten: hohe Alleen und gradlinige Kiesgänge ... und in der Mitte eine Fontäne, die einförmig fortplätscherte ... Mir war's, als ginge ich durch irgendeine Verzauberung mitten in die gute alte Zeit, ich schüttelte mehrmal mit dem Kopf, ob mir nicht etwa unversehens ein Haarbeutel im Nacken gewachsen ...«

Der Zauber dieses Rokokogartens hat Eichendorff ergriffen. Dennoch wollte er mit dieser Zeit nichts mehr zu tun haben. Eine Sehnsucht nach der »guten alten Zeit« kam erst später wieder auf, die auch Rainer Maria Rilke in die alten Parks trieb, die er in einem Zyklus *Die Parke* hundert Jahre nach dem Romantiker besang. Auch für ihn übten besonders die Statuen in den Nischen und verwilderten Hecken, in den künstlichen Seen und den grottenhaft gebauten Architekturen eine Faszination aus. Er erkannte in ihnen die Abbilder einer Hofgesellschaft, die in mannigfacher Verkleidung – wie in Goethes *Laune des Verliebten* – sich in der geharkten, abgezirkelt überschaubaren, durch eine hohe Mauer von der Realität des Alltags getrennten »Architektur« des Rokokogartens bewegte. Es gab keinen Ausgang für sie. Außerhalb des »alten Gartens« lag die neue Zeit, die sie nicht wahrhaben wollten. Rilke fand in den Gärten:

»Götter von Alleen und Altanen,
niemals ganzgeglaubte Götter, die
altern in den gradbeschnittenen Bahnen ...
höchstens angelächelte, doch nie
angeflehte Götter. Elegante
Pseudonyme, unter denen man
sich verbarg ...«

Fürsten und Adlige, Bischöfe und Patrizier des 18. Jahrhunderts suchten sich für die Fertigung der vielen Statuen im abgeschirmten Raum des Gartens Bildhauer von Rang, so wie sie es in den weitausgreifenden Gartenanlagen des französischen »Sonnenkönigs« Ludwig XIV. gesehen hatten. Niemals vorher und auch nachher gab es so viele Aufträge für Bildhauer »unter freiem Himmel«.

Kirchenfürsten imitieren Versailles

Es mutet seltsam an, daß es neben den Landesherren die »geistlichen« Fürsten waren, die besonders in Süddeutschland an ihren Höfen und in der Nähe ihrer Residenzstädte im 18. Jahrhundert eine unübertroffene Pracht der Gartenkunst entfalteten. Gerade ihre politische – und damit verbunden auch militärische – Bedeutungslosigkeit brachte die Inhaber der Duodezfürstentümer (abgeleitet vom kleinen Buchformat, bei dem der Bogen zwölf Blätter zählte, oft verächtliche Bezeichnung des Kleinen) und die ehrgeizigen, zum Kirchenfürsten gewählten deutschen Landadligen dazu, durch künstlerisches Mäzenatentum sich ein bleibendes Denkmal zu setzen.

Wie sonst ist es zu erklären, daß sich Johann Philipp Franz von Schönborn mit den bedeutendsten Architekten seiner Zeit umgab, um sich für den Bau einer Residenz in Würzburg beraten zu lassen, und schließlich den dreiunddreißig Jahre alten Balthasar Neumann 1720 den Grundstein zum schönsten süddeutschen Schloßbau legen ließ? Zur Ausmalung von Neumanns ureigener Bauidee, dem von einem 600 Quadratmeter überwölbten doppelläufigen Treppenhaus, holte sich gar ein neuer Würzburger Bischof, Karl Philipp von Greiffenclau, den bedeutendsten europäischen Freskomaler seiner Zeit aus Venedig nach Franken: Giovanni Battista Tiepolo, »um seinen Nahmen und Kunst in Teutschland ebenmäßig zu verewigen«, wie in den Hofkammerprotokollen zu lesen ist. Eine große Summe war dem sehr beschäftigten venezianischen Maler durch einen Würzburger Kaufmann in Venedig für die Arbeit in Würzburg geboten worden: Große Kunst hatte schon immer ihren Preis. An dem übergroßen Residenzschloß entstand ein streng gebauter Hofgarten, in dem viele Gartenfiguren ihren vorbestimmten Platz fanden.

Vor den Toren der fürstbischöflichen fränkischen Residenzstadt Würzburg, mainabwärts, hatte Fürstbischof Peter Philipp von Dernbach noch im 17. Jahrhundert ein kleines Schlößchen errichten und dabei einen kleinen »Tiergarten« anlegen lassen. Freilich war dies keine repräsentative Anlage großen Stiles wie etwa die Gärten in Nymphenburg oder Herrenhausen, es war eher ein kleines Gärtlein. Fürstbischof von Greiffenclau erweiterte das Terrain zu seiner noch heute genutzten Größe um das kleine Lustschloß, das er von Balthasar Neumann umbauen ließ.

Adam Friedrich von Seinsheim wurde 1755 zum Fürstbischof von Würzburg und Herzog von Franken gewählt. Zwei Jahre später bestieg der Siebenundvierzigjährige auch noch den bischöflichen Stuhl zu Bamberg. Man hat diesen in der Blüte seiner Mannesjahre zum Herrn über zwei fränkische Bistümer gewählten Geistlichen wohl mit Recht den letzten Grandseigneur unter den süddeutschen Bischöfen genannt. Zwischen den Rebenhängen der unterfränkischen Kalkberge und dem ganz Deutschland in seiner Mitte von Ost nach West durchfließenden Main hat sich Seinsheim dann in Veitshöchheim den schönsten deutschen Rokokogarten anlegen lassen. Wie kein anderer Park aus dieser Zeit zeigt er noch heute die spezifischen Merkmale dieses Typus.

Schon vorher war am Rhein ein architektonischer Garten entstanden, der im Gegensatz zu den vorbildlichen französischen Gärten nicht mehr mit weitgreifenden Achsen konzipiert war, sondern mit seinen Einzelkompartimenten den Weg in den deutschen Rokokogarten vorgab. Lothar Franz von Schönborn, Kurfürst und Erzbischof von Mainz, hatte sich gegenüber der Mündung des Mains in den

Rhein in ungewöhnlich schöner Lage auf der Anhöhe oberhalb des Stromes nahe dem jahrhundertealten ehrwürdigen Mainzer Kaiserdom von seinem Hofarchitekten Maximilian von Welsch ein »Lustschloß«, eine Sommerresidenz, außerhalb der noch ganz mittelalterlich geprägten Residenzstadt Mainz erbauen lassen. Als Vorbild hatte er sich eine Schloßanlage Ludwigs XIV. gewählt, die genau wie sein Lustschloß Favorite heute nicht mehr existiert: Marly-le-Roi. Die Gebäude waren im Gegensatz zum blockhaft zusammenhängenden Schloß Versailles in einzelne freistehende Pavillons gestaffelt.

Vierhundert Meter lang und einhundertvierzig Meter tief zog sich ein in viele Einzelteile aneinandergereihter Garten vom Schloß Favorite bis vor die Festungsanlagen der Stadt Mainz. In den Wirren der Französischen Revolution, die Johann Wolfgang Goethe in seiner *Belagerung von Mayntz* so beredt schilderte, versanken Schloß und Garten im Chaos:

> »Bei unserem Hin- und Herwandern wußten wir den Platz, wo die Favorite gestanden, kaum zu unterscheiden. Im August vorigen Jahres erhub sich hier noch ein prächtiger Gartensaal, Terrassen, Orangerie, Springwerke machten diesen unmittelbar am Rhein liegenden Lustort höchst vergnüglich. Hier grünten die Alleen, in welchen, wie der Gärtner mir erzählte, sein gnädigster Kurfürst die höchsten Häupter mit all ihrem Gefolge an unübersehbaren Tafeln bewirtete.«

In seinem Bauherrenstolz hatte der Schöpfer der Mainzer Schloß- und Gartenanlage dafür gesorgt, daß das Bild seiner gewachsenen und gebauten Ideen, die Schloßbauten und die weitläufigen Gartenanlagen, von dem aus Augsburg 1723 herbeigeholten und mit dem Titel eines Kurfürstlichen Hofingenieurs zu diesem Zweck angestellten Augsburger Kupferstecher Salomon Kleiner in detailgetreuen Zeichnungen aufgezeichnet und 1726 in einer Kupferstichfolge *Wahrhaffte und eigentliche Abbildung der wegen ihrer schönen und zierlichen Architektur und angenehmen Situation nicht genug zu bewundernden Churfürstlichen Mayntzischen Favorita. Vierzehn verschiedene Prospekte und Grundrissen* der Nachwelt erhalten geblieben ist.

Sechs in die Tiefe gestaffelte quadratische Pavillons lenkten den Blick auf einen quergelegten Schloßbau. In zwei Stufen führten von diesem Schloß Teiche und Wasserspiele in kurzer Achse zum Rhein. Eine zweite Achse, streng von der ersten Hauptachse abgeschirmt, wiederholte Wasserstufen und Kaskaden. Der Prospekt schloß am Berg mit einer offenen Schauarchitektur ab, die von einer überlebensgroßen Skulptur, den Raub der Proserpina durch Pluto darstellend, beherrscht wurde. Auf Kleiners Zeichnung sieht man auf hohem Ge-

1. »Die Churfürstlich-Mayntzischen Favorita«. Mittelachse der Gartenanlage, gezeichnet von S. Kleiner, 1726

2. »Die Churfürstlich-Mayntzischen Favorita«. Blick in die parallel zum Rhein gerichtete Gartenachse, gezeichnet von S. Kleiner, 1726

rüst den Gärtner mit der Gartenschere die Hecke als grüne Mauer zurechtstutzen (Abb. 1). Der Weg wird wie ein Brett glattgerollt, pedantisch wird das Laub weggefegt. Paare bewegen sich auf den Rasenstufen, Kavaliere plaudern, einer sieht mit dem Fernglas zu den vorbeifahrenden Schiffen auf dem Strom.

Das dritte Gartenkompartiment wurde durch einen Weg bestimmt, der parallel zum Rhein angelegt worden war und wie eine Schlucht von hohen Heckenwänden begleitet wurde. Kein besonderer Ausblick oder Blickpunkt wies das Auge in die Ferne. Kleiner hat zwei Kutschen den Weg befahren lassen (Abb. 2). Die Gefährte haben die Hofgesellschaft abgeladen, die sich um einen geistlichen Herrn, wohl den Bauherrn, geschart hat. Hier werden die spitzen Obelisken vom Gerüst aus mit der Heckenschere zum Architekturglied geschoren. Vier Statuen markieren die Ecken des Parterres. Auf der Balustrade zur ansteigenden Stufe der Mittelachse wechseln sich Figuren, Tiergruppen und Urnen ab. Den Eingang zum Heckenweg bewachen zwei steinerne Hellebardiere.

Noch kleinteiliger und vielfältiger bot sich am Abschluß seiner Neuanlage der Veitshöchheimer Garten. Das Schlößchen liegt ganz an die Seite gerückt. Es steht in einem Parterregarten ohne Zusammenhang mit dem Wegesystem des Gartens, dessen Mittelpunkt »Der Große See« bildet, bevölkert von der sich türmenden Parnaßgruppe mit dem aufsteigenden Flügelpferd Pegasus. Die Musen mit Apoll umringen den Felsberg in der Spiegelfläche des Sees. Auch im Schloßpark zu Versailles gab es einen ähnlichen »Parnasse François« mit Apollo in der Gestalt Ludwigs XIV., den Musen und berühmten Dichtern Frankreichs.

Zwar gibt es eine unterhalb des Schloßparterres beginnende Mittelachse durch den ganzen Garten. Sie dient aber nur als rascher Verbindungsweg zu den um kleinere Zentren gebildeten, additiv aneinandergereihten Gartenräumen. Überdeckte Gänge und Lauben vermitteln zwischen den einzelnen Abteilungen. Wie in einem unüberschaubaren Schloß verwirrt man sich in diesen Wegen und Gängen wie in einem Zaubergarten in intimen, kabinetthaften Raumfluchten, deren gestalterische Abwechslung sich auf den Reichtum einer Ausstattung mit Figuren bezieht. In genau abgewogener kunstvoller Anordnung entfaltet sich das Skulpturenprogramm des Gartens zu einem Stein gewordenen Spiel der verkleideten Hofgesellschaft.

Der Bildhauer des reichen Figurenschmuckes im Veitshöchheimer Garten war hauptsächlich Ferdinand Dietz, der als erste Aufgabe 1765 den Auftrag für die Gruppe des Parnaß erhielt, die er 1766 aufstellen ließ. Bis in den Mai 1768 hinein arbeiteten er und seine Werkstatt an den weiteren Figuren.

Als Sohn eines Bildhauers war Dietz 1709 in Eisenberg in Böhmen geboren. Erstmals 1736 wurde er als Mitarbeiter am Figurenschmuck der Würzburger Residenz am Main genannt. Danach ging er an den kurfürstlichen Hof zu Trier und stand ab 1760 bis zu seinem Tode im Jahre 1777 in den Diensten des Adam Friedrich von Seinsheim.

3. Bemaltes Holzmodell für die Figur der Göttin Pallas Athena im Park von Veitshöchheim bei Würzburg von F. Dietz, gegen 1768.

4. Bemaltes Holzmodell einer Figur der italienischen Commedia dell'Arte für das Heckentheater im Park von Veitshöchheim, F. Dietz, 1766/67

Harlekin und Capitano im Heckentheater

Eine beliebte Form des Barock und Rokoko, künstlerische Ideen dem Auftraggeber vorzustellen, war das Modell. So wurden als verkleinerte Entwürfe Altar- und Deckengemälde, aber auch kleine Figuren und Figurenreihen hergestellt und vorgezeigt. Auch Dietz liebte das Herstellen solcher Bozzetti, die er aus Holz schnitzte und mit bunten Farben anmalte, um vorzuführen, wie farbenprächtig später seine Steinfiguren aussehen sollten. In einem Hofkammerprotokoll über den Ausbau des Veitshöchheimer Heckentheaters vom 16. Mai 1768 wird ausdrücklich gesagt, daß die »auf dem théâtre in Dero Lustgarten zu Veitshöchheim stehenden Statuen auf Porzellan Art« bemalt worden waren. Heute hat die Witterung alle Farben der Dietz-Figuren bis auf winzige Farbreste abgewaschen, so daß nur noch die erhaltenen Bozzetti und die bunte Farbnuancierung vieler Porzellanfiguren des Rokoko eine Vorstellung von der Farbenpracht der Gartenfiguren in den grünen Heckenwegen und an den blumenbunten Bouquets geben können.

Im Schnittpunkt von Mittel- und Hauptallee mit der Fichtenallee stehen sich in Veitshöchheim zwei überlebensgroße Steinfiguren gegenüber: rechts Herkules als bärtiger Halbgott mit dem Fell des Nemeischen Löwen als Kopfschmuck und links Pallas Athene, die reichgekleidete Friedensgöttin und Beschützerin der Künste. Auf dem hochgereckten, nach rechts gewendeten Kopf trägt sie stolz den federbuschgekrönten Helm und stützt ihre linke Hand auf das ihr von Perseus geschenkte und auf den Schild geheftete schreckliche Medusenhaupt. Neben ihr sitzt auf einer Wolke als heiliges Tier die Eule, die sie als Göttin der Weisheit ausweist.

Das farbig gefaßte Modell für diese Athene im Nationalmuseum ist heiterer und graziöser ausgefallen (Abb. 3). Unbekleidet scheint die Göttin auf den Wolken zu schweben. Ein pauswangiger Putto reicht ihr den vergoldeten Gorgonenschild. Die kleine goldfarbene Eule wirkt eher als ein Farbakzent denn als ernsthaftes Attribut. Alles, was von seinem Können das Holz hergab, hat Dietz in diesen Bozzetto gelegt: Virtuos beherrschte er die Schnitzkunst, die mit Überschneidungen und Hohlräumen arbeitet. Der köstlich ausgebildete Körper der Göttin zeigt alle Reize einer jugendlichen Frau. Eine überschwengliche Daseinslust drückt sich hier aus, von der auch Franz Erwein von Schönborn am 17. Februar 1754 schrieb, wenn er den Bildhauer »friedlich und aufgemunterten Humors« nannte.

Sein ganz besonderes bildhauerisches Temperament zeigte Ferdinand Dietz in den Figuren des Veitshöchheimer Heckentheaters, die er gegen 1768 aufstellte. Die steinernen Figuren sind verschollen, nur zwei Bozzetti von der großen Serie der Theaterfiguren haben sich er-

5. Sandsteinfigur des Monats August als Gärtnerin aus dem Park von Schloß Seehof bei Bamberg, F. Dietz, 1764.

6. Vier bemalte Holzmodelle für Monatsallegorien im fürstbischöflichen Park von Schloß Seehof bei Bamberg: Monate Januar, Juni, August, Dezember, F. Dietz 1764.

halten. Im perspektivischen Plan G des Veitshöchheimer Gartens, um 1780 von Johann Anton Oth gezeichnet, sieht man noch alle zwölf Figuren an ihrem Platz, den Endpunkten der je sechs Kulissenhecken auf beiden Seiten einer erhöhten Rasenbühne gleich neben dem Schloßparterre.

Das Freilichttheater im Garten »entstand nach der Mitte des 17. Jahrhunderts in Frankreich, wo nach spanischem Muster für die höfische Gesellschaft ... Aufführungen veranstaltet wurden« (Kutscher). »Italien ist das Ursprungsland der Heckentheater« (Meyer). In diesem klimatisch bevorzugten Lande unter dem hellen Licht des Südens inmitten einer üppigen Natur hatte es die Gartenkunst mit Terrassen und Wasserspielen zu einer auch die landschaftlichen Gegebenheiten besonders einbeziehenden Blüte gebracht. In Lucca steht das älteste erhaltene Heckentheater aus der zweiten Hälfte des 17. Jahrhunderts.

Es nimmt daher nicht wunder, wenn als Skulpturenschmuck für das Veitshöchheimer Heckentheater Ferdinand Dietz die auf den Theatern der Zeit immer wieder auftretenden komischen Figuren der italienischen »Commedia dell'arte« fertigte. Diese lustigen Spaßmacher, bissigen Phantasten, tragikomischen Kapitäne und Diener mit ihren Freundinnen gab es auch als buntbemalte Porzellanfiguren, so etwa in einer Folge aus der Würzburg benachbarten Ansbacher Manufaktur, die um 1765 modelliert wurde: Harlekin, Columbine, Scapin, Pantalone, Bajazzo und Pierrot treten als Tischschmuck auf. Schon 1622 hatte der geniale französische Zeichner Jacques Callot diese ungewöhnlichen menschlichen Typen in seiner Serie *I Balli di Sfessania*, mit den Zeichnungen dazu gerade aus Italien zurückgekehrt, in seiner Heimatstadt Nancy auf die Platte radiert. Mit ihren verdrehten Körperstellungen und in ihren ulkigen Hüten und bunten Kleidern waren die Callot-Figuren Vorbilder für alle nachfolgenden Darstellungen.

Dem »Mezzetino« benannten, farbig gefaßten kleinen Holzmodell des Komödianten hat der Bildschnitzer Ferdinand Dietz die typische exzentrische Bewegungshaltung einer agierenden Bühnenfigur gegeben (Abb. 4). Er steht auf einem im Lauf vorgestreckten Bein, das andere Bein hat er abgeknickt hochgehoben. Seinen Kopf mit der auffallend langen, spitzen Nase und dem Schlapphut hat er stark nach hinten gedreht, so, als ob er erschreckt einem drohenden Ereignis entfliehe. Das Holz hat gefügig dem Schnitzmesser nachgegeben, das alle auffallenden Einzelheiten des buntbemalten Gewandes nachzeichnete.

Wie beliebt diese Figur war, zeigt seine Ausformung in Meißener

7. Sandsteinfigur der Göttin Pallas Athena aus dem Park des Schlosses Seehof bei Bamberg, F. Dietz, 1764.

8. Sandsteinfigur des Dirigenten aus einer Gruppe von sieben Figuren eines Gartenkonzerts, F. Dietz, um 1760–63

9. Sandsteinbüste einer Sängerin aus einer Gruppe von sieben Figuren eines Gartenkonzerts auf lyraförmigem Sandsteinsockel, F. Dietz, um 1770

Porzellan von 1744. Ursprünglich war der Name Mezzetino der Theatername eines Komikers, des Angelo Constantini in Paris. Seine Lebensgeschichte, die ihn ins Gefängnis brachte, war sehr tragisch. Wegen seines ungewöhnlich schönen Gesichtes war er auf der Bühne nie maskiert – dennoch hatte er ständig Mißerfolge bei den Frauen.

Das im Nationalmuseum erhaltene Gegenstück, der Capitano Rodomondo, hat sich in aufreizender Haltung aufgestellt, seinen rechten Arm in die Hüfte gestemmt und das Kinn mit dem fast waagrechten Spitzbart vorgestreckt: Der Capitano ist im Gegensatz zu Mezzetino ganz Würde und Auftritt.

Wir wissen nicht, wann Aufführungen in Veitshöchheim auf dem Heckentheater stattfanden. Auch die dort gespielten Stücke sind nicht überliefert. Aus Bamberger Hoftagebüchern erfahren wir aber, daß das Heckentheater auf Schloß Seehof bei Bamberg im Gesellschaftsleben des Hofes eine bedeutende Rolle spielte sowie wohl auch das Veitshöchheimer Heckentheater.

Im Mai 1775 besuchte der Markgraf von Ansbach den Bamberger Fürstbischof Adam Friedrich von Seinsheim mit großem Gefolge in Seehof. Musikanten und Komödianten waren bereits vorher zur Einstudierung einer Oper im Gartentheater nach Seehof gekommen. Am Mittwoch, dem 31. Mai, wurde dann die *Operetta Giocosa, La Schiaca amorosa* im Gartentheater aufgeführt. Man war »in den in Bereitschaft gestandenen Gartenwagen« dorthin gefahren. Am Abend waren das Schloß Seehof und der Garten »mit dem besten Effekt illuminiert«. Am Freitag war nach einem Konzert im Gartentheater der ganze Park wieder beleuchtet: »Im Garten waren auf Pfosten und Bäumen 960 von Papier gefertigte Laternen aufgerichtet, am Schloß selber waren ... 1300 Laternen angebracht und endlich war das Theater in angenehmen Verzierungen mit 4000 Ampeln beleuchtet.«

Die Monatsallegorien von Seehof

Im Seehofer Garten stand eine Reihe von zwölf Monatsallegorien vor den Laubengängen. In einem lateinischen Poem mit dem Titel *Deliciae hortenses castri a Marquardo nuncupati*, auch deutsch als *Gartenlust der Marquardsburg oder des sogenannten See-Hoffes nächst Bamberg* 1764 erschienen, werden sie alle genannt. Von Januar bis Dezember hat jeder Monat eine mit bestimmten Attributen aus seiner Jahreszeit versehene Darstellung gefunden: Dies war ein beliebtes Thema für Gartenfiguren. Natürlich erscheint der Januar mit dem doppelgesichtigen Januskopf, der Juni als junger Hirte, der auf dem Dudelsack bläst, mit einem Jungschaf. Als August hat sich ein Bauernmädchen mit einem Hut herausgeputzt und ist mit dem Zusammenrechen eines Heuhaufens beschäftigt. Der grimmige Dezember zwingt die Hände des Greises in einen warmen Muff.

Eine Ausräumung von 1783 und der weitere Verkauf des größten Teiles des Figurenschmuckes des Seehofer Gartens hat der reichen Ausstattung unwiederbringbare Verluste zugefügt. Nur das Bauernmädchen als Darstellung des Monats August ist aus dem beschriebenen Monatsensemble übriggeblieben (Abb. 5). Zwar fehlt der Steinfigur der Rechen, und nur wenige Farbreste deuten darauf hin, daß sie einst farbig sich präsentierte, aber die ganze Lebhaftigkeit und Eleganz der Monatsfiguren ist in ihr bewahrt. Der etwas zu groß geratene Hut sitzt, mit einem Halsband festgehalten, keß auf dem Lockenkopf, und frech ist der Rock über das rechte Bein hochgeschürzt.

Glücklicherweise haben sich auch für die Seehofer Monatsallegorien kleine farbige Holzmodelle finden lassen, die das Nationalmuseum im Jahre 1964 erwerben konnte (Abb. 6). Sie sind nach der Gartenschilderung von 1764, die wohl gleichzeitig mit der Aufstellung der Steinfiguren erschienen ist, zu identifizieren, und die als Steinfigur erhaltene Gärtnerin bestätigt vollends diese Zuordnung. Der Hirte des Monats Juni läßt – im Gegensatz zur gedruckten Beschreibung – ein kleines Böcklein auf der Flöte blasen, so wie die tanzende Schäferin aus dem Garten in Veitshöchheim ihrem Böcklein die Flöte hält. Vielleicht war dieses Modell für den Veitshöchheimer Garten gedacht. Doch war es ja nicht sicher, ob solche Bozzetti ohne Veränderung tatsächlich in große Figuren umgesetzt wurden. Es mag daher nicht so wichtig sein, für welchen Garten diese köstliche Hirtenfigur als Modell erdacht worden ist.

Die überlebensgroße Sandsteinstatue der Pallas Athene stammt ebenfalls aus Seehof bei Bamberg (Abb. 7). Sie steht auf einem quadratischen Sockel, ein federbuschgeschmückter Helm ziert ihr Haupt. Weit ausfahrend hat sie ihre linke Hand mit dem Schild des Medusenhauptes hochgestreckt. Ein kleiner Putto begleitet sie, ihr das Händchen reichend. Er trägt ihr die Schriftrolle und ein Buch nach. Knittrig legt sich ein Überhang über ihre hohe Gestalt. Im Gegensatz zu ihrem Zwillingsbild in Veitshöchheim wirkt die Frauenfigur streng und wenig verspielt, sie überzeugt durch ihre hoheitsvolle Haltung.

Das Konzert im Freien

Die Hofgesellschaft des Rokoko ließ nicht nur Schauspieler und Musikanten zu ihrem Vergnügen im Garten auftreten. Wie Goethe sein Schäferspiel mit verkleideten vornehmen Liebhabern im Garten spielen ließ, so stellte sich die mit ihrer Zeit verschwenderisch umgehende auserlesene Gruppe oft auch im Garten und auf der Bühne selbst dar. Ein Gemälde von Johann Christian Fiedler, um 1745 entstanden (Hessisches Landesmuseum Darmstadt), schildert in genüßlicher Breite eine solche Gesellschaft, die ins Freie gezogen ist, um sich gegenseitig zu unterhalten. Musik, Spiel, Gesang, Kartenspiel und Scheibenschießen waren der Zeitvertreib. Auch der Maler gehörte zum Hofpublikum. Der Geheime Rat spielte die Violine, seine Frau vergnügte sich als Sängerin. Mit dem Flötenspieler und dem Cellisten stellte man ein Trio zusammen. Die Speisen und Getränke waren in Flaschen und Körben mitgebracht worden. Natürlich traten die Hofleute auch in selbstgeschriebenen Theaterstückchen auf.

Ferdinand Dietz und seine Werkstatt – es war unmöglich, daß der Bildhauer alle bei ihm bestellten Figuren in so rascher Zeit eigenhändig fertigen konnte – sind auch die Urheber von Musikantenfiguren auf zugehörigen lyraförmigen Sandsteinsockeln. Die Sockel waren einst mit Holzbalken untereinander doppelt verbunden, so daß anzunehmen ist, daß die ehemals neun Figuren zum »Konzert« dicht beieinander standen. Sieben dieser Musikanten wurden 1932 vom Nationalmuseum aus einem Garten in Darmstadt erworben. Ihr ursprünglicher Aufstellungsort ist noch unbekannt.

Doch die Dietz-Figuren sind kein Abbild eines wirklichen Hoforchesters. Aus Bamberg wissen wir, daß es dort zur Zeit des gartenfreundlichen Fürstbischofs Seinsheim eine durch Kräfte aus Würzburg auf fünfunddreißig Mann verstärkte Hofkapelle gab, die von Aloisio Lodovico Francassini geleitet wurde, der auch für den Hof komponierte. Er wird wohl kaum der dargestellten Dirigentenfigur das Vorbild abgegeben haben, denn diese zeigt ein so unernstes Detail, mit dem sich wohl kein Hofmusiker vor sein Publikum gewagt hätte: Die Perücke ist total verrutscht (Abb. 8). Das zusammengerollte Notenblatt in der rechten Hand, mit dem die bewegt und detailliert gestaltete Figur dezent den Takt schlägt, weist sie als Dirigenten aus, die linke Hand hält ein Notenblatt. Zwei Sängerinnen singen vom Blatt ab, aber die in den Stein geritzten Noten ergeben keine sinnvolle Notation. Zwei Damen spielen auf Instrumenten, es sind zwei verschieden gebaute Zupfinstrumente. Auch dies offenbart, daß die »Hofmusiker« wohl nicht die Abbilder einer wirklichen Kapelle sind, denn im 18. Jahrhundert gab es bei den Instrumentalisten eines Hoforchesters keine Frauen.

Noch mehr irritiert die Zusammenstellung der Instrumente der weiteren Mitspieler. Es ist einmal der Kavalier mit dem Dreispitz beim Spielen eines Parforcehorns – das nur noch in Resten erkennbar ist – und zum anderen ein schwungvoll im Takt sich wiegender Traversflötenspieler. Der Flötist trägt einen großen Hut mit einer Feder.

Parforcehorn, Flöte und Zupfinstrumente lassen sich nicht zu einem wirklichen Orchester zusammenstellen.

So ist die Figurengruppe »Das Konzert« vermutlich die Darstellung einer wohl nur für die Zeitgenossen identifizierbar gewesenen Hofgesellschaft (Abb. 9). Allein die kostbaren Stoffe der Damenkleider wie der Schnitt der Herrenkleidung deuten auf eine adlige Herkunft ihrer Träger. Besonders reich ist die Jacke des Dirigenten mit Dekor besetzt. Das Dekolleté einer Sängerin, die dazu in ihrer Hand eine Karnevalspritsche hält, ist auffallend üppig mit zarten Rüschen verziert.

Die verspielten Sphingen

Sie hatte einen Frauenkopf und den Leib eines geflügelten Löwen und hieß Sphinx. Die griechische Mythologie ließ sie vor der Stadt Theben sitzen, wo sie jedem Vorübergehenden ein Rätsel aufgab. Wer es nicht lösen konnte, wurde von ihr verschlungen. Ödipus löste die Rätselfrage und befreite damit Theben von dem Ungetüm, das sich in den Abgrund stürzte.

Diese mißgestalteten Ungeheuerlichkeiten menschlicher Phantasie

10. Sandsteinfigur einer Sphinx aus dem Park von Schloß Seehof bei Bamberg, F. Dietz, um 1764.

gerieten in großer Zahl in die Barock- und Rokokogärten. Im Park von Versailles stehen sie seit dem Ende des 17. Jahrhunderts zu zweit Wache am Wegbeginn, ein Putto reitet auf ihnen. In Veitshöchheim lagern sie an der südlichen Treppe zum Schloßparterre. Sie bewachten noch das Rätselreich der Gartenskulpturen, so wie es Eichendorff empfand, als längst die Gesellschaft, für die sie geschaffen waren, aus diesen Gärten vertrieben war. Auch im Schloßgarten von Seehof gab es solch merkwürdige Mischwesen zwischen Tier und Mensch.

Doch was hat Ferdinand Dietz aus diesen antiken Ungeheuern gemacht! Frech strecken sie ihre prallen Brüste vor, kokett spitzen sie ihre Lippen, ihre Flügel haben sie verloren. Der riesige Schutenhut aus Stroh sitzt hochgeschoben auf der gelockten und zum Zopf geflochtenen Frisur, und dazu, welch kuriose Zusammenstellung, schwere Löwentatzen, die auf Blumen- und Früchteranken liegen. Ein Rocailleornament dient ihnen als Stütze, die dem Oberkörper

11. Bemaltes Holzmodell einer liegenden Sphinx, vermutlich für den Park von Veitshöchheim bei Würzburg, F. Dietz, gegen 1768.

12. Sandsteinfigur eines Trauben fressenden Affen aus dem Park des Schlosses Thurn bei Bamberg, Werkstatt des F. Dietz, nach 1756.

13. Sandsteinskulptur mit Schwänen und Schilfstaude aus dem Park des Schlosses Thurn bei Bamberg, Werkstatt des F. Dietz, nach 1756.

Halt gibt. Grimmig vollendet sich ihr Leib mit dem Hinterteil der Löwen, die die Schwänze zwischen die Schenkel genommen haben. Sommer und Herbst sollen wohl die beiden Gegenstücke aus Seehof darstellen, so kann man aus ihren Attributen lesen (Abb. 10). Trauben und der Granatapfel charakterisieren den Herbst, Rosen und Strohhut den Sommer. Niemand, der diese beiden Sphingen betrachtet, mag ihnen ihre Mordlust zutrauen.

Das bemalte Holzmodell einer lagernden Sphinx von Ferdinand Dietz hat den Putto aus Versailles übernommen. Er spielt mit den langen Haaren des Ungeheuers, das eher versonnen in die Ferne zu sehen scheint als aggressiv den Betrachter anspringen will (Abb. 11).

Es waren nicht alleine die Fürstbischöfe und kleinen Landesfürsten, die sich den Luxus der Rokokogärten leisten konnten. Die Adligen und Hofbediensteten richteten nicht nur ihre Sitten und Gebräuche nach ihnen aus und kleideten sich nach ihrer Mode, sie versuchten auch, in den kleinen Gärten an ihren Rittergütern und Schlößchen die Gartenlust ihrer Vorbilder nachzuahmen. So entfaltete sich auch in den Freien Städten und in ihrer Umgebung auf dem Lande eine architektonisch gestaltete Gartenkultur, die die Figuren nicht entbehren konnte.

Ein Bamberger Domkapitular, Lothar Franz Philipp Wilhelm Freiherr Horneck von Weinheim, kaufte 1748 ein freiadliges Gut in der Nähe von Bamberg mit dem Schlößchen Thurn. Sofort ging er daran, die Umgebung der im barocken Sinne umgebauten alten Gebäude in einen Rokokogarten zu verwandeln. Ein Gartenhaus, erbaut von Michael Küchel, kam dazu. Das ganze vordere Parterre, nach 1756 angelegt, war mit Gartenfiguren bevölkert. Die auch in anderen Gärten beliebten Tierfiguren eröffneten den Reigen. In Versailles gaben die in Stein gehauenen Fabeln von La Fontaine, etwa die Geschichte vom Wolf und dem Kranich, das Vorbild ab. In Thurn begnügte man sich mit dem traubenfressenden Affen, der eine Halskrause und ein Barett trägt (Abb. 12). Zwei Schwäne stecken vor einer Schilfstaude ihre Hälse übereinander (Abb. 13).

Die Werkstatt des in der Nähe in Seehof tätigen Ferdinand Dietz wird auch die übrigen Gartenfiguren zwischen 1760 und 1763 in Thurn geliefert haben. War hier auch kein Platz für einen »Parnaß« oder gestufte Wasserkaskaden, so konnte doch das ganze spielerische Element der Dietz-Figuren sich entfalten. Heute haben die Thurner Figuren sich im Nationalmuseum zusammengefunden.

Armut als Thema der Idylle

Kinderfiguren aus Thurn treten ähnlich wie in Veitshöchheim in mannigfaltiger Verkleidung auf. Dort tanzen sie Menuett oder essen

14. Sandsteinfigur eines Knaben als Harlekin aus dem Park des Schlosses Thurn bei Bamberg, F. Dietz, nach 1756.

15. Sandsteinfigur eines Mädchens mit Drehleier aus dem Park des Schlosses Thurn bei Bamberg, F. Dietz, nach 1756.

Trauben und wärmen sich im Muff vor dem strengen Winter. In Thurn bildeten sie je zwei Pärchen, die in Haltung und Gestik aufeinander bezogen sind. Der kleine Junge ist in das Kostüm des beliebten Harlekins gesteckt, im Gesicht trägt er eine Larve (Abb. 14). Der vorgestreckte Hut dient als Behälter für einen Krebs. Seine Partnerin mit Hütchen und rüschenbesetztem dekolletiertem Kleid macht mit einer Drehleier Musik (Abb. 15).

Zu jener Zeit der Entstehung dieser Kinderfiguren zogen die Kinder armer Eltern aus dem Herzogtum Savoyen bettelnd und musizierend durch die Lande. Die Drehleier gehörte immer dazu, manchmal auch der zur Musik tanzende Affe, dem man gerne ein Hütchen aufsetzte. Oft wurden diese Bettelmusikanten in der Malerei festgehalten. Besonders der Darmstädter Hofmaler Johann Conrad Seekatz, von dem Goethe in *Dichtung und Wahrheit* erzählt, liebte dies Thema. So kam es auch dazu, daß Adlige ihre Kinder als »Savoyarden« verkleideten, wie sie selbst gerne als Schäfer und Schäferin auftraten. Die »Herrschaften« wollten sich damit in die »unschuldige und natürliche Art« des »gemeinen Mannes« und der Bauern versenken, die der »Natur« näher schien als die eigene gekünstelte Art und Weise zu leben. Die Hofgesellschaft merkte dabei nicht, wie sehr sie sich zum verlogenen oder unernsten Schauspieler degradierte, ohne der Wirklichkeit nahe zu sein: Es war eine sentimentale Maskerade, in die auch die Thurner Kinder gesteckt sind, die doch in ihren reizenden Gestalten nur halbherzig diese Verkleidung tragen.

Das zweite Kinderpärchen aus Thurn mimt die feine Hofgesellschaft (Abb. 16). Er, der Kavalier, hat den Dreispitz unterm Arm, den anderen Arm stützt er auf einen Krug. Die Weste steht weit offen, die Hose ist gerutscht, und auf dem nackten Oberkörper trägt er kein Hemd. Die nachlässig verrutschte Kleidung mag eine ironische Anspielung auf die strenge Kleideretikette bei Hofe sein. Die kindhafte Partnerin hat in der Schürze Früchte aufgelesen. Sie hat ein Rüschenkleid übergezogen, das sie als »Dame« kleiden soll (Abb. 17). In scherzender Gegenbewegung streckt sie dem ihr »den Hof machenden« Spielkameraden die Hand (abgebrochen) entgegen. Die Scheinwelt der höfischen Gesellschaft spiegelt sich im Gebaren der Kinder.

Ferdinand Dietz hat uns in den berühmten Rokokogärten Süddeutschlands eine Bildwelt vor Augen gestellt, die nicht nur von hervorragender Qualität und unverwechselbarer Eigenart ist, sondern die im Gegensatz zur ernsten und pathetischen Götterwelt der Barockgärten des vorangegangenen Jahrhunderts in ihrer Verspieltheit und oft überspitzten Heiterkeit eine Persiflage einer in Wirklichkeit gar nicht so »heilen« und sorglosen Welt geworden ist.

16. Sandsteinfigur eines Knaben als Kavalier aus dem Park des Schlosses Thurn bei Bamberg, F. Dietz, nach 1756.

17. Sandsteinfigur eines Mädchens mit Früchten aus dem Park des Schlosses Thurn bei Bamberg, F. Dietz, nach 1756.

Wer sich dieser Welt nähert und sich in ihren bildhaften Zauber verstricken läßt, wird bald erkennen, was diese »niemals ganz geglaubten Götter« verbergen und was in ihrer Entstehungszeit vorging, die nicht nur einem totalen geistigen Umbruch zustrebte, sondern auch eine die Lebensformen verändernde »Krise des Handwerks« erlebte. Längst hatten Geld und Geldwirtschaft die beschränkte Macht der Bischöfe und Fürsten überholt und die Zukunft für das neue Jahrhundert der Industrialisierung und den Aufstieg der Städte bestimmt. Gar nicht so heiter wie ihre Gartenfiguren endeten viele Adlige in Frankreich auf dem Schafott.

Die deutschen Romantiker betraten danach die »alten Gärten« nicht mehr. Sie wanderten wie Joseph Freiherr von Eichendorff durch die weite Landschaft und sangen dazu: »O Täler weit, o Höhen, o schöner, grüner Wald . . .«, und wenn sie im zufällig doch gefundenen »alten Garten« einer riesenhaften Sphinx begegneten, dann gab sie ihnen »verwirrende Rätsel« auf.

Heute sind diese Gartenanlagen meist wieder so gepflegt wie ehedem, und eine ganz neue Generation wird in ihnen zum Verweilen eingeladen. Die Erinnerungen sind verblaßt. Die »reine« Form mag auf viele in diesen rekonstruierten Gärten des 18. Jahrhunderts wirken.

Im Museum sind die geretteten Figuren Zeugen und Zeugnisse einer vergangenen Zeit, die denjenigen, die sie nach ihrer Vergangenheit fragen, bereitwillig alles erzählen.

Norbert Götz

ZWISCHEN KLASSIZISMUS UND REALISMUS

Zu Kunst und Geschichte in der ersten Hälfte des 19. Jahrhunderts

Notiz für den Leser

Die Zeit zwischen dem Ende des Wiener Kongresses (1815) und der Revolution von 1848 war eine Epoche der äußeren Ruhe für Mitteleuropa. Aber unter der Oberfläche wuchsen Stimmungen und Sehnsüchte, die das ganze Jahrhundert bestimmen sollten und bis in unsere Zeit weiterwirkten:

Deutschland wurde zu einer politischen Forderung. Die Jahre, in denen man sich – auch beeinflußt durch die Ideen der Französischen Revolution – als Weltbürger gefühlt und als Erbe einer gemeinsamen abendländischen Kultur verstanden hatte, waren nur ein kurzes Zwischenspiel gewesen. Man war die Teilstaaten leid. Die Vergangenheit, vor allen Dingen ein verklärtes Mittelalterbild, wurde zum Programm.

Das Bürgertum wollte sich nicht länger mit der Absicherung wirtschaftlicher Macht abfinden. Der Staat, das war man – auch – selbst, und man wollte an seiner Gestaltung (vor allen Dingen, wenn es um Steuern und Zölle ging) teilhaben.

Neben diesem allgemeinen Wollen steht nun auch verstärkt die Suche des nachaufklärerischen Individuums nach seinem persönlichen geistigen Ort. Die Kunst nimmt den Impuls der widerstreitenden Weltanschauungen auf. In immer dichterer Folge suchten gegensätzliche Stilausprägungen zwischen Idealismus und Realismus den Standort des Menschen zu bestimmen. Da war die Klassik, das Ideal eines harmonischen Kosmos, in den der Mensch eingefügt war; die Bewegung der Nazarener, die ihre Vorbilder zwar auch in der Vergangenheit, aber in der des Mittelalters suchten; Romantik und Biedermeier, beide auf ihre Art Fluchtbewegungen, die durch die Betonung des subjektiven Gefühls beziehungsweise die Schilderung privater Bürgerlichkeit wirkten. Doch das Bewußtsein der Wirklichkeit ließ sich nicht verdrängen. In den vierziger Jahren gewann eine Bewegung an Bedeutung, die der Kunst das Ziel setzte, Darstellerin der realen Welt zu sein. W. D.

»Nicht der Akademie, der Menschheit gehöre ich an.«

Stilbegriffe sind es, die gemeinhin das Erfassen kunstgeschichtlicher Phänomene erleichtern sollen. Für die erste Hälfte des 19. Jahrhunderts hat sich die folgende Reihe eingebürgert: Klassizismus, Romantik, Biedermeier und Realismus. Die so bezeichneten Stilausprägungen gelten als die großen Kategorien, in die sich für diesen Zeitraum der Entwicklungsgang der Künste fassen lassen soll. Und doch liegt erst unter ihnen die ganze vielgestaltige, gegensätzliche und über den bloßen Stilbegriff hinausweisende Wirklichkeit, die Kunst und Kunstprogramm mitsamt den Widersprüchlichkeiten der sie gestaltenden Individuen und deren Reagieren auf Zeit und Menschen ausmachen.

Schon ein Begriff wie »Nazarenertum« bezeichnet nicht nur eine Stilausprägung, die gleichermaßen Elemente des Klassizismus und der Romantik in sich vereinigt, sondern eine weltanschauliche Haltung, die, hervorgewachsen aus den Bedingtheiten der Künstler in ihrer Zeit, das sich an der Wirklichkeit reibende Ideal einer gänzlichen Neubegründung von Kunst und Leben zum Inhalt hat. Doch der Konflikt ist älter, und dies nicht nur, soweit die Auseinandersetzung mit der tradierten Form künstlerischer Prinzipien und deren Institution, der Akademie, gemeint ist.

Für den »Klassizisten« Asmus Jacob Carstens (1754–1798) war es das von ihm als Ideal erstrebte Weltbürgertum, das er gegen die Zwänge und Richtlinien des akademischen Betriebs ins Feld führte, als er 1796 dem preußischen Minister Friedrich Anton von Heinitz schrieb: »Uebrigens muß ich Eurer Excellenz sagen, daß ich nicht der Berliner Akademie, sondern der Menschheit angehöre ...«

Carstens war Johann Wolfgang Goethe (1749–1832), dessen bisweilen doktrinäres Kunsturteil weithin als verbindlich galt, nicht nur in der Betonung dieses Weltbürgertums verwandt, sondern (nach Klaus Lankheit) auch dessen Auffassung von der Antike. Das »allgemeine Menschliche« in der antiken Kunst zu sehen und für die eigene Zeit gegenwärtig zu machen wurde für Goethe zum Programm, an dem sich zunehmend die Auseinandersetzung um eine »vaterländische« Kunst und um das Verhältnis der Kunst zur Lebenswirklichkeit entzündete. Zu denen, die Goethe widersprachen, gehörte der Bildhauer Gottfried Schadow (1764–1850), nach dessen Modell die lebensgroße Büste der Prinzessin Luise von Mecklenburg-Strelitz von der Berliner Porzellanmanufaktur in Biskuitporzellan ausgeführt wurde (Abb. 1).

»Louise sei das Losungswort der Rache«

1793 war in Berlin die Verlobung der Prinzessin mit dem späteren preußischen König Friedrich Wilhelm III. gemeinsam mit der des Bruders des Kronprinzen mit der Schwester Luises gefeiert worden.

1. G. Schadow (Modell): Porträtbüste der Prinzessin Luise von Mecklenburg-Strelitz, nach 1802

2/3. B. Pistrucci: Medaille auf die Schlacht bei Waterloo, 1815

Schadow, der den Auftrag erhielt, die Prinzessinnen zu porträtieren, beschreibt in seinen Lebenserinnerungen die Wirkung, die von den beiden jungen Mädchen auf die Berliner Gesellschaft ausging: »Im Jahre 1794 hatte sich in Berlin ein Zauber verbreitet, der über alle Stände ausging ...« Der Bildhauer formte die Büsten nach den lebenden Modellen. Immer wurde gesehen, daß er die zukünftige Königin Preußens weit distanzierter als ihre Schwester darstellte, sei es, weil ihr zukünftiger »Beruf« hier in das Verhältnis des Bildhauers zu seinem Modell hineinwirkte, sei es, weil Luises Wesen verschlossener und zurückhaltender war als das ihrer Schwester Friederike.

1802 wurde es der Berliner Porzellanmanufaktur möglich, Biskuitporzellan in Lebensgröße herzustellen. Nach diesem Zeitpunkt entstand die Büste des Germanischen Nationalmuseums nach der heute nur noch in einem Gipsabguß über der originalen Hohlform erhaltenen Büste von 1794. Auch die Porzellanfassung vermittelt noch die für Schadow charakteristische eigentümliche Verbindung von überhöhendem Klassizismus und individualisierendem Realismus und

2/3. B. Pistrucci: Medaille auf die Schlacht bei Waterloo, 1815 (Rückseite)

spiegelt bei aller Distanz lebendig die mädchenhafte Erscheinung der Prinzessin, die später – als Königin Luise – als Muster weiblicher Tugenden und königlicher Haltung verklärt wurde.

Insbesondere war es die denkwürdige Begegnung mit Napoleon in Tilsit am 6. Juli 1807, die den Ruhm der Königin verbreitete. Auf die Frage des Siegers über Preußen, den sie vergeblich milder zu stimmen versuchte: »Aber wie konnten Sie Krieg mit mir anfangen«, hatte sie stolz geantwortet: »Der Ruhm Friedrichs des Großen hat uns über unsere Mittel getäuscht.« Kein Wunder, daß derartiger Patriotismus, verbunden mit dem Erscheinungsbild der Königin, in der nationalen Geschichtsschreibung und Legendenbildung besondere Würdigung fand. Aber Luise war auch im Gegensatz zur oft zögernden Haltung ihres Gatten eine entschiedene Förderin der preußischen Reformer Stein und Hardenberg. Dennoch verbanden sich ihr Name und ihr Bild vor allem mit dem Widerstand gegen Napoleon. Zur Zeit der Befreiungskriege dichtete Theodor Körner auf die bereits 1810 verstorbene Königin:

»So soll dein Bild auf unsern Fahnen schweben
Und soll uns leuchten durch die Nacht zum Sieg.
Louise sei der Schutzgeist deutscher Sache,
Louise sei das Losungswort der Rache.«

Es ist dies nur ein Beispiel des kämpferischen nationalen Überschwangs, den die napoleonische Besetzung und die Befreiung von ihr (Völkerschlacht bei Leipzig, 1813) auslösten. Weit in die erste Hälfte des 19. Jahrhunderts wirkte die von dorther bestimmte nationale Emphase als politisch ideologischer Wert nach, oft auch ohne aktuelle Grundlage.

Vor allem jedoch waren es die unbefriedigenden Ergebnisse des Wiener Kongresses (1815), die die in den Befreiungskriegen genährten Hoffnungen auf ein demokratisch verfaßtes, geeintes Deutschland zunichte machten. Bekanntlich wurde der Kongreß von der Rückkehr Napoleons aus der Verbannung und seiner endgültigen Niederlage in der Schlacht bei Waterloo unterbrochen. Im Stil des Empire zeigt eine große Medaille von Benedetto Pistrucci (1784–1855) die Reliefbildnisse der Sieger – Alexander I. von Rußland, Franz I. von Österreich, Friedrich Wilhelm III. von Preußen und Georg III. von England –, umgeben von Gestalten der antiken Mythologie (Abb. 2 und 3).

Monarchisches Verständnis, wie es die Medaille spiegelt, und die Forderung nach Volkssouveränität bildeten den großen Gegensatz der Zeit zwischen den Befreiungskriegen und der Revolution von 1848. Im Widerstand gegen Napoleon hatten die Interessen des Volkes und der Fürsten kurzfristig zusammengefunden, doch war die Neugestaltung Deutschlands auf dem Wiener Kongreß, das nun aus vierunddreißig Einzelstaaten und vier Freien Städten bestand, ganz nach den Interessen der Fürsten erfolgt, die zum Teil bestrebt waren, Verhältnisse wiederherzustellen, wie sie vor der Französischen Revolution kennzeichnend waren. Auf dem Wartburgfest 1817, das von den durch die Entwicklungen besonders enttäuschten studentischen Burschenschaften veranstaltet wurde, wurden deshalb als verhaßte Symbole der Restaurationspolitik des Fürsten Metternich neben »undeutschen« Schriften ein Zopf, ein Korporalstock und eine Gardeuniform verbrannt. Die Ermordung des russischen Staatsrates und Lustspieldichters August von Kotzebue durch den Jenaer Studenten Karl Ludwig Sand am 23. März 1819 war dann der Anlaß für ausgedehnte »Demagogen«-Verfolgungen. Die »Karlsbader Beschlüsse«, die bis ins Revolutionsjahr 1848 gelten sollten, brachten verschärfte Zensurbestimmungen und strengste Überwachung der Universitäten.

Gerade die schmerzlich vermißte nationale Einheit steigerte das seit dem Ausgang des 18. Jahrhunderts entwickelte Nationalgefühl. Das »Vaterländische«, oft verbunden mit dem »Altdeutschen«, wurde seit den Tagen der napoleonischen Besetzung zum demonstrativ herausgestellten Bekenntnis, dessen äußerer Ausdruck die altdeutsche Tracht war. Der Maler Wilhelm von Kügelgen erinnert sich dieser Tracht in seinen *Jugenderinnerungen eines alten Mannes*, als er (1818) geschwärmt hatte:

> ». . . für Rückbildung des Vaterlandes zu seiner Vorzeit, namentlich zu deren traditionellen Tugenden der Ehrlichkeit und Treue, des Glaubens, der Tapferkeit und Keuschheit . . .«: »Ein phantastisches Sammetbarett auf lang abwallendem Haar, eine kurze schwarze Schaupe mit breit darüber gelegtem Hemdkragen, und an einer eisernen Kette zwar kein Schwert, doch einen Dolch, dessen Ebenholzgriff auf silbernem Totenkopfe saß: das war mein Aufzug.«

Goethe gegen die Nazarener

Auch im Kreis der in Rom lebenden Nazarener und ihrer in Deutschland verbliebenen Anhänger wurde die altdeutsche Tracht getragen. Dem langen, in der Mitte gescheitelten Haar verdankten sie ihren Namen. »Alla nazarena« meinte spöttisch, sie trügen das Haar wie der Nazarener. Die so bezeichnete künstlerische Bewegung war aus einer oppositionellen Gruppe gegen die Lehrmethoden und -inhalte der Wiener Akademie hervorgewachsen. Zentrum dieser Opposition waren die Maler Friedrich Overbeck (1789–1869) und Franz Pforr (1788–1812). Ein Brief des Lübeckers Overbeck an seinen Vater aus dem Jahr 1808 vermittelt klar das Hauptanliegen der Nazarener und die wesentlichen Kritikpunkte an der Akademie: »Man lernt einen vortrefflichen Faltenwurf malen, eine richtige Figur zeichnen, lernt Perspektive, Architektur, kurz alles – und doch kommt kein Maler heraus. Eins fehlt in allen neueren Gemälden – was aber wohl vielleicht Nebensache sein mag – Herz, Seele und Empfindung.«

Im gleichen Jahr schlossen sich die oppositionellen Künstler im *Lukasbund* zusammen, einer Vereinigung, die ihren programmatischen Namen den mittelalterlichen Malerzünften entlehnte, deren Schutzpatron der heilige Lukas war. Die Rückbeziehung auf das Mittelalter und dessen Religiosität war ein konstituierendes Element der Suche nach einer Bildsprache von künstlerischer Wahrheit und neuem Leben im Gegensatz zu der der klassizistischen Regelhaftigkeit und inneren Erstarrung bezichtigten Akademie. Entsprechend hieß es im Diplom der Bruderschaft: »Zur beständigen Erinnerung an den Hauptgrundsatz unseres Ordens, die Wahrheit, und an das geleistete Versprechen, diesem Grundsatz ein Leben lang treu zu bleiben, für sie zu arbeiten mit allen Kräften und indessen eifrig jeder akademischen Manier entgegenzuwirken . . .«

Seit 1810 war die Gruppe in Rom, wo sie sich in mönchischer Weise im Kloster San Isidoro einrichtete. Noch auf dem Weg dorthin wurde eine »Wallfahrt« zur Villa Raffaels in Urbino unternommen. Der Italiener Raffael war neben dem Deutschen Albrecht Dürer das große künstlerische und geistige Vorbild. Besonders Raffaels frühe Werke entsprachen in ihrem Reinheitsstreben und der Klarheit der künstlerischen Mittel dem nazarenischen Ideal, das auf die Präsenz der Lokalfarbe, die feste Flächenspannung und die Reinheit der Linie als Ausdruck der inneren Haltung einer aus lauterer und frommer Empfindung gewachsenen Kunst zielte.

Das vaterländische wie das religiöse Element der Kunstlehre der Nazarener lösten die heftigste Kritik Goethes aus, der im übrigen durchaus die Leistungen einzelner Nazarener wie etwa Peter Cornelius' Faust-Illustrationen zu würdigen imstande war. Das berühmte, spöttisch gemeinte Wort von der »neu-deutsch-religios-patriotischen Kunst« ist gleichzeitig der Titel einer von Goethes Kunstberater Heinrich Meyer mit voller Billigung des Dichters verfaßten Schrift gegen die künstlerischen und weltanschaulichen Tendenzen des Nazarenismus, nach Goethes eigenen Worten zu verstehen als »Confession worauf die Weimarischen Kunstfreunde leben und sterben«.

Doch änderte die ablehnende Haltung des Weimarer Kreises wenig daran, daß das Nazarenertum für die ersten Jahrzehnte des 19. Jahr-

4. F. Olivier: Der Graf von Habsburg, 1816

hunderts eine anziehende Kraft für viele Künstler blieb. Die Unbedingtheit einer Aufbruchbewegung junger Künstler, die seine Anfänge gekennzeichnet hatten, die Radikalität der Suche nach einer neuen, schlichten und wahrhaftigen Kunstsprache, die sich am deutlichsten in der stilbildenden Kraft des früh verstorbenen Franz Pforr ausdrückt, machten das Nazarenertum zu einem bedeutenden und wirkkräftigen Faktor der Geistesgeschichte des 19. Jahrhunderts, auch wenn das rückwärtsgewandte Ideal und die religiöse Komponente dieser Kunst im Prozeß ihrer Etablierung den Keim zu einer neuerlichen Erstarrung in sich trugen.

Die Kunst muß geben, was die Natur nicht hat

Die antiakademische Stoßrichtung schuf den Nazarenern Freunde auch unter Künstlern, die nicht primär die gleichen Ziele und Mittel erstrebten. In Rom war es zunächst vor allem der Maler Joseph Anton Koch (1768–1839), der sich dem Kreis der Nazarener anschloß. Kochs eigener, auf die Zeit des »Sturm und Drang« zurückweisender Freiheitsdrang mochte wohl der innere Grund für die Sympathie sein, die der ältere den jungen Künstlern entgegenbrachte. Wie Friedrich Schiller war der aus ärmsten Verhältnissen Tirols stammende Koch als junger Mann der Hohen Karlsschule in Stuttgart entflohen. Den Nazarenern hielt er auch die Treue, als er 1812 auf der Suche nach neuen Auftraggebern zeitweise nach Wien übersiedelte.

In Wien hatte sich eine Nachfolgegruppe der Lukasbrüder um die Brüder Ferdinand (1785–1841) und Friedrich Olivier (1791–1859) zusammengefunden, mit denen Koch in Verbindung trat. Ferdinand Olivier hatte bereits die Begegnung mit dem Werk Caspar David Friedrichs (1774–1840), aber auch mit der niederländischen Malerei des ausgehenden 16. Jahrhunderts hinter sich, als er sich den Wiener Nazarenern anschloß. Beides prägt sein Werk und gibt ihm eine Sonderstellung innerhalb der nazarenischen Bewegung. Mit dem 1816 entstandenen Gemälde »Der Graf von Habsburg« (Abb. 4) realisierte Olivier ein Thema, das gerade im Kreis der Nazarener zu neuer Beachtung gefunden hatte, obwohl es schon seit der zweiten Hälfte des 16. Jahrhunderts nachweisbar ist.

Die zugrunde liegende Geschichte entstammt dem *Chronicon Helveticum* des Ägidius Tschudi, der Quelle für Friedrich Schiller, dessen 1803 entstandene Ballade *Der Graf von Habsburg* wesentlichen Anteil am Wiederaufleben des Themas hatte. Verband es doch in geradezu idealtypischer Weise das bedeutungsvolle Bild mittelalterlicher Vergangenheit mit einer romantischen Vorstellung christlicher Demut, die in erzählerischer Bildmäßigkeit genau den Intentionen frühnazarenischer Geschichtsauffassung entsprach. Dargestellt ist der Augenblick, in dem der Graf, der spätere Kaiser Rudolf von Habsburg, einem Priester sein Pferd überläßt, der einem Sterbenden die Letzte Ölung reichen will, jedoch von einem reißenden Gießbach gehindert wird, seinen Weg fortzusetzen.

Auch in den Bildmitteln schließt Olivier an die Vergangenheit an. Die Landschaft ist nicht als realistisches Abbild gemeint, sie wird selbst Träger des frommen Geschehens. Um die Figurengruppe der Legende legt sie sich als bedeutungsvolle, an altdeutsche Gemälde gemahnende Folie. Einzelne Motive, wie das Weiherhäuschen im Hintergrund, verstärken diesen Eindruck der Einfühlung in die Malerei der Dürer-Zeit und der Spätgotik. Die Figuren sind leicht puppenhaft erstarrt, auch sie weniger reale Bildwirklichkeit als Ausdruck des mittelalterlichen Geschehens, das mit andächtigem Sinn in auratischem Abstand gehalten wird. Entsprechend rückgewandt und von religiöser Bedeutung ist der lasierende Auftrag der kräftig leuchtenden Farben. Ein aktualisierendes Element erhält das Gemälde durch die kaiserlich habsburgischen Insignien, die die drei in der Baumkrone erscheinenden Engel tragen. Im Legendengeschehen sind sie der Verweis auf das spätere Kaisertum Rudolfs, vor dem Zeithintergrund der Entstehung des Gemäldes haben sie auch die Funktion, die historische Verbindung der Habsburger mit der Krone des »Heiligen Römischen Reiches Deutscher Nation« zu verdeutlichen.

Die Landschaftsdarstellungen Oliviers fanden in Wien vor allem den Beifall Joseph Anton Kochs, der sich zwiespältig über seinen Wiener Aufenthalt äußerte. Einerseits berichtet er positiv über den Kreis der Wiener Romantiker um Friedrich Schlegel, andererseits beklagt er die Wiener Kunstverhältnisse und die Zwänge des dortigen Kunstmarktes. An den Freiherrn Friedrich von Uexküll schrieb er 1814 mit der ihm eigenen Drastik: »Raten [Sie] dem Wächter [gemeint ist der in Stuttgart lebende Historienmaler Georg Friedrich Eberhard Wächter] ja nicht nach Wien, da muß man arbeiten, daß einem die Schwarten krachen möchten. Es ist durchaus kein Ort für denkende Menschen.«

Auch für die mangelnde breitere Resonanz der Kunst Oliviers, den er lobend zu den Malern zählt, ». . . die nicht in dem bekannten Wiener Sinne arbeiten, sondern in dem Geiste alter Kunst«, macht er den herrschenden Wiener Kunstgeschmack verantwortlich: »Jedoch gefallen seine Bilder den Wienern nicht, und das ist ein gutes Zeichen ihrer Vortrefflichkeit. In Wien ist es notwendig, wenn ein sogenanntes Kunstwerk oder Gemälde gefällt, daß es weich und verblasen sei. Alles was Kraft hat, liebt man hier nicht, folglich gehört hier die Schönheit des Kolorits unter die Bank.«

Zum Prinzip, seine eigenen Landschaften durch religiöse Staffagefiguren zu beleben, war Koch jedoch schon vor seiner Wiener Zeit gekommen. Er verabscheute die Vedute, das heißt die nach Abbildung der Wirklichkeit strebende Landschafts- oder Stadtdarstellung. Das war auch einer der Gründe für seine Ablehnung des prominenten Deutschrömers Jacob Philipp Hackert (1737–1807), eine Abneigung, die er auch auf dessen Biographen Goethe übertrug. Die unbezähmbare, leidenschaftliche Natur Kochs war seit den Tagen der Flucht aus der Karlsschule nicht zum Schweigen gekommen. Seine mitunter erfrischend ungehemmten Ausfälle verschonten auch den weithin verehrten Dichter nicht. Im Gegenteil schien ihn dessen Erscheinung und Stellung im deutschen Kunstleben zu besonderer Kratzbürstigkeit aufzureizen: »Ich kenne diesen Goethe persönlich, bin ihm aber allzeit aus dem Wege gegangen. Das Buch ›Winckelmann und sein Jahrhundert‹ könnte ich nicht mehr lesen, ohne mich zu erbrechen. Solche Leute sind nur in Thüringen und Nachbarschaft zu finden, wo das Kleinliche sich vornehm aufblasen und die Schmutz- und Stinkblüte ohne sittlichen Ekel Anspruch auf Poesie und Kunst machen kann.« Zur Verdeutlichung und zur Differenzierung normativer Geschichtsbilder: Dies schrieb der Maler der »Heroischen Landschaft mit Regenbogen« über den Dichter der »Iphigenie«.

Nichts von der Rauhbeinigkeit und Streitbarkeit, die den Menschen Joseph Anton Koch kennzeichnet, findet sich in seiner Kunst. Auch das Spätwerk des 1815 nach Rom zurückgekehrten Malers

5. J. A. Koch: Landschaft mit Bileam, 1832/35

»Landschaft mit Bileam« der Zeit um 1832/1835 zeigt »idealische«, wenn auch durch Wirklichkeit angeregte Landschaft (Abb. 5). Das alttestamentliche Thema bot die Gelegenheit zur Verbindung von antiker Staffage und religiösem Motiv. Im groß gedachten Landschaftsrahmen wird die volkstümliche Geschichte des Propheten Bileam und seiner redenden Eselin (4. Mose, 22, 22–35) erzählt. Im Gegensatz zu ihrem Herrn sieht die Eselin den Engel mit dem Schwert, der ihr den Weg verwehrt, und verweigert Bileam den Dienst. Doch nicht diese Erzählung, sondern die Landschaft, in die auch das im Bibeltext folgende heidnische Brandopfer gesetzt ist, ist der eigentliche Gegenstand des Bildes. Die Gestaltung der vom Maler gesteigerten Natur erweiterte sich im Spätwerk Kochs um die Dimension des Arkadischen, doch stets blieb sie frei von idyllisierenden, sentimentalen Zügen.

Dem realistischen Abbilden von Natur dagegen widersetzte sich Kochs Wahlspruch: »Die Kunst muß geben, was die Natur nicht hat.«

Gottlieb Biedermaier

Gänzlich das Gegenteil erstrebte die Wiedergabe italienischer Landschaft durch einen Maler wie Heinrich Bürkel (1802–1869). Das nahezu gleichzeitig mit Kochs »Landschaft mit Bileam« entstandene Gemälde »Osteria bei Rom« (um 1835) ist die Folge eines zweijährigen Italienaufenthalts des Malers, den er 1831 antrat (Abb. 6). Bürkel war vor allem biedermeierlicher Genremaler und gilt als früher Vertreter eines gemäßigten Realismus in der Münchner Malerei des

6. H. Bürkel: Osteria bei Rom, um 1835

19. Jahrhunderts. Geschult hatte er sich an Niederländern des 17. Jahrhunderts, vor allem an Philips Wouwermans Genremalerei. Seine italienische Landschaft hat nichts Überhöhtes; in klarer Zeichnung und genauem Detailrealismus, der wie in der verschwimmenden Landschaft des Hintergrundes atmosphärische Töne einschließt, gibt Bürkel ein farbiges Bild italienischen Lebens, das ja nicht weniger als die Begegnung mit italienischer Kunst ein Motiv der tiefgreifenden Sehnsucht deutscher Künstler nach Italien war. Spiegelt sich in Bürkels Bild die Erfüllung dieser Sehnsucht in der sonnenlichtüberstrahlten Landschaft und der Buntheit des Landlebens, so thematisiert die Richtung, der der Maler angehört, das Biedermeier, gerade in der Schilderung der heimischen Verhältnisse die festen, ängstlich umzirkelten Grenzen der Menschen in ihrer mitunter engen Lebenswelt.

Wie andere der uns geläufigen Stilbegriffe ist auch die für die Jahre zwischen 1815 und 1848 geprägte Bezeichnung »Biedermeier« eine spätere Erfindung, die aus einer vorgefaßten einseitigen Einschätzung dieses Zeitabschnittes entstanden ist und bewußt auf dessen skurrile Seite zielt. Die 1845 erschienenen *Sämmtlichen Gedichte des alten Dorfschulmeisters Samuel Friedrich Sauter* animierten bereits zehn Jahre nach ihrem Erscheinen den Arzt Adolph Kußmaul gemeinsam mit dem Amtsrichter Ludwig Eichrodt, sie in den *Fliegenden Blättern* unter dem Pseudonym Gottlieb Biedermaier wieder zu veröffentlichen. Die von ihrem Autor durchaus ernstgemeinten Verse des biederen Dorflehrers sollten die unfreiwillig komische, doch auch liebenswürdige Seite des beschränkten Lebens der Zeit vor der Revolution der Jahre 1848/1849 beleuchten. So etwa, wenn Sauter unter dem Titel »Gefühle der Getrennten« reimte:

»Herbe ist es, einsam seyn!
Wenn wir ausgehn oder kommen,
Wird kein Gatte wahrgenommen!
O, dieß rühret ungemein!
Herbe ist es, einsam seyn!«

In der Folgezeit verklärte sich, bedingt durch den zunehmenden Prozeß der Technisierung und Industrialisierung und das damit verbundene gesteigerte Lebenstempo, das Bild der vorangegangenen Epoche zur liebenswürdigen Idylle, die in keiner Weise der Lebenswirklichkeit dieser Zeit entsprach. Doch hatten die Sehnsucht nach Ruhe und Geborgenheit nach den aufwühlenden Ereignissen der napoleonischen Besatzung und der Befreiungskriege sowie die undemokratische Linie der offiziellen politischen Entwicklung zu einer Betonung des privaten und häuslichen Lebens geführt, die eines der wesentlichen Kennzeichen des Biedermeier ist.

Es war jedoch eine ständig bedrohte Idylle, in der man sich vor den Schrecken der Zeit verschanzte. Das biedermeierliche Interieur mit der Familie des Künstlers (1831) von Friedrich Wilhelm Doppelmayr (1776–1845) spiegelt diesen Ernst exemplarisch wider (Abb. 7). In der heilen Welt des wohnlich eingerichteten Raumes erhält der Abschiedssegen des Vaters für den ältesen Sohn, der das Haus verläßt, besonderes Pathos. Die Sorge, der Schutz des patriarchalisch der Familie vorstehenden Vaters könnte an den Grenzen des Heimes ein jähes Ende finden, spiegelt sich in den bekümmerten Gesichtern.

Der Jurist Friedrich Wilhelm Doppelmayr wurde im Jahr der Entstehung des Aquarells zum Bürgermeister von Nördlingen gewählt, doch hatte er – ohne Privatvermögen – durchaus Schwierigkeiten, seine Frau und seine sechs Kinder zu ernähren. Auf den Achtundsechzigjährigen wurde 1844 ein Mordanschlag unternommen, dessen Hintergründe im dunkeln liegen. Doch beleuchtet die Tat auf anschauliche Weise die Berechtigung der These von der Divergenz zwischen Geborgenheitsidylle und Lebenswirklichkeit in der Zeit des Biedermeier.

Bist, Eiche, du immer noch Deutschlands Baum?

Mitten in die großen politischen Auseinandersetzungen der Jahre vor der Revolution von 1848/1849 führt der Ehrenpokal für den streitbaren liberalen Abgeordneten des württembergischen Landtags Paul Achatius Pfizer (1801–1867), der in der Werkstatt der Stuttgarter Hofsilberschmiedefamilie Sick ausgeführt wurde (Abb. 8). Der Pokal basiert auf einem Entwurf des Architekten und Malers Karl Friedrich Schinkel (1781–1841), der in den *Vorbildern für Fabrikanten und Handwerker* veröffentlicht war. Er ist nicht nur ein Zeugnis für die Wirkung, die Schinkels Entwürfe auf das Kunstgewerbe in Deutschland ausübten, sondern darüber hinaus ein bedeutender Ausdruck der politischen Geschichte seiner Entstehungszeit. Über dem kannelierten Fuß erhebt sich ein in der Mitte geteilter Schaft, der in seiner oberen Hälfte die Gestalten von vier allegorischen Figuren trägt. »Gerechtigkeit«, »Handel und Wohlstand«, »Kunstpflege« und »Friedenssicherung«, typische Beispiele einer sich entwickelnden bürgerlichen Tugendallegorik, die im fortgeschrittenen 19. Jahrhundert zunehmend das Bild der offiziellen Kunst prägte. Hier beziehen sich die Personifikationen auf die politischen Ziele des Adressaten, auf die auch die Herkulestaten in den Medaillons des Eichenlaubkranzes anspielen, der sich um die Cuppa des Pokals zieht. Endgültige Auskunft über die Umstände seiner Stiftung gibt die Inschrift: »Dem furchtlosen Beleuchter der Bundesbeschluesse Paul Pfizer. Von dankbaren Mitbürgern. Stuttgart 1833.« Was war gemeint?

7. F. W. Doppelmayr:
Die Familie des
Künstlers, 1831

OTTO
ADOLPH
STEIN

8. K. F. Schinkel (Entwurf): Ehrenpokal für Paul Achatius Pfizer, 1833

In der Folge der französischen Julirevolution des Jahres 1830 hatte sich auch in Deutschland verstärkt freiheitliches Gedankengut geäußert, besonders deutlich auf dem »Hambacher Fest« vom 27. bis 30. Mai 1832. Dort standen die liberalen Forderungen nach nationaler Einheit und Volkssouveränität so lautstark im Vordergrund, daß der Bundestag vor allem auf das Betreiben Metternichs hin mit einer Verschärfung der Bestimmungen über die Presse- und Versammlungsfreiheit reagierte, was eine Welle politischer Repression zur Folge hatte.

Am 28. Juni 1832 erließ der Bundestag jene in der Inschrift des Pokals genannten »Bundesbeschlüsse«, sechs Artikel, die den gestiegenen Ansprüchen der Ständevertretungen in den einzelnen Staaten entgegenwirken sollten. Im württembergischen Landtag brachte daraufhin Paul Achatius Pfizer 1833 eine »Motion« gegen diese Beschlüsse ein, was nach deren Annahme durch den Landtag zu dessen Auflösung durch den König von Württemberg führte.

Schon im Vorjahr hatte der Jurist Pfizer in einer Studie *Über das staatsrechtliche Verhaeltnis Württembergs zum deutschen Bunde* auf die Bundesbeschlüsse reagiert, indem er sie als Gefahr für die konstitutionellen Rechte innerhalb der Einzelstaaten und als Versuch der Wiederherstellung des reinen monarchischen Prinzips analysierte. An seiner Einschätzung des Deutschen Bundes als »Bund der Fürsten gegen die Völker« ließ Pfizer in dieser Schrift keinen Zweifel. Sein Ziel war letztlich die freiheitliche Verfassung der gesamten Nation: »Aber in Deutschland wird der Kampf der widerstreitenden Elemente früher nicht zur Ruhe kommen, als bis die deutschen Regierungen sich dem Bedürfnis und Verlangen ihrer Völker fügen und in die Wiederherstellung der deutschen Nation und ihrer durch Willkür und Gewalt zertrümmerten Verfassung auf volksthümlicher Grundlage willigen.«

Als Anspielung auf diese Haltung ist der Eichenlaubkranz um den Ehrenpokal zu sehen. Die Eiche galt seit dem ausgehenden 18. Jahrhundert, doch insbesondere seit der Zeit der Befreiungskriege verstärkt als das Symbol der deutschen Einheit und Stärke. Als »schönes Bild von alter deutscher Treue« hatte Theodor Körner die Eiche besungen, und der mit Ludwig Uhland befreundete, in der Dichtkunst dilettierende Pfizer selbst muß für die folgenden, der Eiche gewidmeten Verse verantwortlich gemacht werden:

»Du greifst in den Äther mit mächtigem Arm;
Der Deutsche wird jetzt nur am Ofen noch warm!
Du wurzelst fester in Sturmes Wehen;
Der Deutsche kann bald nicht mehr aufrecht stehen!

Und wiederum fragt' ich im nahenden Traum;
Bist, Eiche, du immer noch Deutschlands Baum?«

In der Frage der praktischen Verwirklichung der Einigung Deutschlands hatte sich Pfizer als einer der ersten süddeutschen Politiker schon 1831 für eine Führungsstelle Preußens ausgesprochen und damit für sich eine der Grundfragen beantwortet, die die Auseinandersetzungen der Revolutionsjahre 1848/1849 bestimmten.

Das Revolutionsjahr 1848 und der Kölner Dom

1849 lehnte der preußische König Friedrich Wilhelm IV. (1795–1861) ab, als ihm die Frankfurter Nationalversammlung die Kaiserkrone anbot. Das tiefsitzende Mißtrauen gegen Volksvertretungen und sein eigener Traum von mittelalterlicher Herrschervergangenheit setzten den »Romantiker auf dem Thron« außerstande, das Angebot anzunehmen. Die Krone erschien ihm nicht mehr als ein »... Hundehalsband, mit dem man mich an die Revolution von 1848 ketten will«.

Mit dieser Ablehnung hatte der ältere Sohn der Königin Luise die Entscheidung gegen ein geeinigtes Deutschland unter der Führung Preußens getroffen, das unterdessen als einzige Lösungsmöglichkeit der nationalen Frage erschien. Eine großdeutsche Lösung war durch das starre Festhalten Österreichs unter dem Fürsten Schwarzenberg in der Frage der staatsrechtlichen Verbindung mit seinen nichtdeutschen Ländern, die von der Mehrheit der Nationalversammlung abgelehnt wurde, gescheitert. Nachdem Österreicher und Verfechter des Erbkaisertums, das Friedrich Wilhelm abgelehnt hatte, aus dem Frankfurter Parlament ausschieden, war eine wirkliche Zusammenführung der liberalen politischen Kräfte, die die Aufgaben des Frankfurter Parlaments – die Schaffung einer geeinten Nation und deren Verfassung – hätten lösen können, nicht mehr möglich. Das Frankfurter »Honoratiorenparlament« war damit gescheitert und mit ihm die Hoffnungen vieler auf eine wirkliche Lösung des nationalen Problems.

Als einziger Bildschmuck war in der Frankfurter Paulskirche über dem Stuhl des Präsidenten die große allegorische Figur der »Germania« (Abb. 9) angebracht, die Philipp Veit (1793–1877) malte, der, aus der Frühzeit der nazarenischen Bewegung kommend, unterdessen längst deren offizielle konservative Richtung vertrat. 1843 hatte der ehemalige Direktor des Städelschen Kunstinstituts in Frankfurt sein Amt zur Verfügung gestellt, als gegen seinen Willen das antiklerikale Gemälde »Johann Hus zu Konstanz« des Düsseldorfers Carl Friedrich Lessing erworben worden war. Sein nationales Bekenntnis hatte Veit vor allem in den Fresken im Städelschen Kunstinstitut abgelegt: »Die Einführung der Künste in Deutschland durch die Religion«

9. Ph. Veit:
Germania, 1848

(1834–1836), die von allegorischen Darstellungen des alten nazarenischen Themas »Italia und Germania« flankiert war. Dort hatte Veit die eichenlaubbekrönte Germania als Sitzfigur dargestellt, den versonnenen Blick auf die ihr zu Füßen liegende Krone des alten Reiches gerichtet. Im Frankfurter Parlament stand sie mit der schwarzrotgoldenen Fahne, erhobenem Schwert und Lorbeerzweig über den Häuptern der Abgeordneten. Symbolkräftig liegt ihr eine gesprengte Fessel zu Füßen.

Kurzfristig, so scheint es, konnte sich für den Maler die politische Allegorie des alten Reiches mit der Hoffnung auf eine neuerliche Einigung verbinden. Doch schwebte dieses Bild auch im ideologischen Sinn zu hoch über den realen Auseinandersetzungen über die deutsche Frage, die sich innerhalb und außerhalb der Nationalversammlung abspielten. Insbesondere, wenn man die schließlich gescheiterten Kämpfe um eine großdeutsche Lösung unter Einbeziehung Österreichs an den flankierenden Inschriften des Germaniabildes mißt, wird einem der Zwiespalt zwischen großnationalem Traum und politischer Wirklichkeit bewußt:

»O walle hin du Opferbrand
Hin über Land und Meer,
Und schling ein innig Liebesband
Um alle Völker her.«

»Des Vaterlandes Größe,
Des Vaterlandes Glück,
O schafft sie, o bringt sie
Dem Volke zurück.«

Bald hatte der enttäuschte Veit nicht mehr die große politische Allegorie als Ausdruck seiner Haltung zu den Ereignissen der Revolutionsjahre zur Verfügung, sondern nur noch das gänzlich andersgeartete Medium der Karikatur. Zu tief waren auch seine großen Themen in christlich-historisierender Tradition verankert. Bezeichnenderweise hatte er erst 1847 im Auftrag Friedrich Wilhelms IV. einen Entwurf für ein großes Gemälde im Berliner Dom geliefert, »Erwartung des Jüngsten Gerichtes durch Friedrich Wilhelm IV. und sein Haus« (Berlin-Ost, Nationalgalerie), der des Königs Vorstellung von christlichem Ständestaat und Gottesgnadentum zum Thema hatte.

Am 14. und 15. August 1848, mitten im Revolutionsjahr, wurde in Köln die Sechshundertjahrfeier der Grundsteinlegung des unvollendeten Doms begangen. Gäste waren sowohl die Abgeordneten der Frankfurter Nationalversammlung als auch der königliche Förderer des Dombaus, Friedrich Wilhelm IV. von Preußen. 1842 war der Grundstein zur Domvollendung gelegt worden, nachdem die Anregung dazu schon seit dem Ausgang des 18. Jahrhunderts bestand. Unterschiedlich gelagerte Weltanschauungen unterstützten den Plan. Selbst Goethe ließ sich bewegen, dem Unternehmen zuzustimmen. Doch im wesentlichen betrieben national gesinnte Romantiker wie

10. Ch. Mohr (?): Die Heiligen Dorothea und Cäcilia, um 1850

11. F. Amerling: Bildnis Gottfried Schadow, 1837

Sulpiz Boisserée, Ernst Moritz Arndt, Joseph Görres sowie Friedrich und Wilhelm August Schlegel die Wiederaufnahme der seit 1560 stagnierenden Bautätigkeit.

Bis zum Beginn der vierziger Jahre galt die Gotik, der »altdeutsche Styl«, nicht nur als Vollendung mittelalterlich-christlichen Architekturstrebens, sondern vor allem als Stil, der seinen Ursprung in Deutschland hatte. Als sich um die Zeit der Grundsteinlegung zur Kölner Domvollendung Zweifel an der nationalen Eigenwüchsigkeit der Gotik einstellten und schließlich die Einsicht in die »vorbildliche« Abhängigkeit des Kölner Doms von der Kathedrale in Amiens nicht mehr zu leugnen war, war diese Erkenntnis für viele, die mit der Wiederaufnahme gotischer Formen ein nationales Bekenntnis verbanden, ein nicht geringer Schock. August Reichensperger (1808–1895), Haupt der programmatischen Neugotik in Deutschland und später Mitbegründer der Zentrumspartei, hatte noch 1840 geschrieben: »Der Kölner Dom ist ein kerndeutscher Bau, ein Nationaldenkmal im vollsten Sinne des Wortes . . .« Eine Überhöhung des Kölner Doms als alles Nationale integrierendes Symbol konnte jedoch die verschiedenen Wertungen und Gewichtungen des nationalen Motivs in der politischen Realität gegeneinander aufbringen. Als Symbol der Reaktion und eines philiströs-romantischen Lippenbe-

12. F. G. Waldmüller: Kinder im Walde, 1858

kenntnisses, das den nationalen Gedanken für sich reklamierte, ohne eine liberale Verfassung der Nation anzustreben, erregte der Dombau bald den Verdacht insbesondere der Gegner des erklärten Konstitutionsfeindes Friedrich Wilhelm IV., doch auch des Klerikalismus.

Bekannt ist Heinrich Heines Spott gegen den Dombau, der den Plan anfänglich unterstützt hatte. In *Deutschland, ein Wintermärchen*, seinem bissigen Versepos gegen national beschränktes Philistertum, schrieb er 1844, indem er gerade den Zustand der baulichen Stagnation als wirkliches Sinnbild des Weges der deutschen Nation vom Mittelalter zur Reformationszeit kennzeichnet:

»Er ward nicht vollendet – und das ist gut,
Denn eben die Nichtvollendung
Macht ihn zum Denkmal von Deutschlands Kraft
Und protestantischer Sendung.

Ihr armen Schelme vom Domverein,
Ihr wollt mit schwachen Händen
Fortsetzen das unterbrochene Werk
Und die alte Zwingburg vollenden!«

Neben den politischen und weltanschaulichen Querelen innerhalb des vielfältig gebrochenen Nationalitätsbildes hatte jedoch gerade der Plan zur Fertigstellung des Kölner Doms die Auseinandersetzung mit der Kunst der mittelalterlichen Vergangenheit und um deren geistige und formale Wiederbelebung gefördert. Die neugotische Bewegung, die um die Jahrhundertmitte Gefahr lief, dogmatisch zu erstarren, hatte vor allem im Bereich der Restaurierungen mittelalterlicher Kirchen und deren Regotisierung ein breites Betätigungsfeld eröffnet. Die mittelalterliche Einheit von Kunst und Handwerk und deren Verlust in der Gegenwart, nachdem, wie Reichensperger es einmal ausdrückte, die Kunst »... in den höheren Regionen verdunstet« sei, sollten in der Gegenwart durch die schöpferische Rückbesinnung auf das Mittelalter beantwortet werden.

Selten stellt sich diese Rückwendung jedoch künstlerisch so frei und unbefangen dar wie in den beiden Tonbozzetti der heiligen Dorothea und Cäcilia der Zeit um 1850, die neuerdings (von Michael Puls) dem Kölner Dombildhauer Christian Mohr (1823–1888) zugeschrieben werden (Abb. 10). Die lebendig ungezwungene Haltung der leicht S-förmig geschwungenen Figuren und der zart modellierte Fluß der Gewandfalten markieren einen hohen Grad an historischer Einfühlung und eigenkünstlerischer Potenz, der nichts von der in diesem historisierenden Bereich häufig anzutreffenden Befangenheit vor der Größe der Vergangenheit ausstrahlt.

Die Natur ist die ewige Wahrheit, in ihren Formen ist nichts gemein

Gegen die Orientierung sowohl an klassischen antiken Normen als an den Formen mittelalterlicher Kunst regte sich bereits in den frühen Jahren des 19. Jahrhunderts eine realistische Strömung, die zwischen 1840 und 1850 einen Höhepunkt erreichte. Sie erstrebte eine unmittelbare Bildsprache, die ohne das Gerüst überhöhender Formen auszukommen suchte und auch Darstellungsweisen wie die mitunter formelhaften Verfremdungen des häuslichen Biedermeier hinter sich ließ. 1837 malte der Wiener Friedrich Amerling (1803–1887) den bereits über siebzigjährigen Gottfried Schadow (Abb. 11), dessen eigenes Werk ja ein Beispiel für das Eindringen realistischer Züge in die Kunst des frühen 19. Jahrhunderts ist. Die unmittelbare Präsenz, mit der der wachen Sinnes gealterte Schadow ins Bild gesetzt ist, die Absicht, sein Porträt ohne jede Beschönigung charakteristisch zu fassen und zugleich psychologisch zu öffnen, machen Amerlings Gemälde zu einem der wesentlichen Werke des deutschen Realismus.

Auf dem Weg über das Porträt war auch Ferdinand Georg Waldmüller (1793–1865), nachdem er seine Studien jahrelang an Museumsobjekten betrieben hatte, zur Natur geführt worden. 1819 erhielt er von dem Hauptmann J. C. von Stierle-Holzmeister den Auftrag, dessen Mutter zu malen, »... genau so, wie sie ist«. Dieser lapidare Satz bedeutete für die Entwicklung Waldmüllers jedoch auch den immer wieder aufbrechenden Konflikt mit dem Kunstbetrieb seiner Zeit. Wie am Beginn des beschriebenen Zeitraums steht so auch an dessen Ende der Kampf gegen die Akademie. Waldmüllers sich immer stärker ausprägendes realistisches Konzept provozierte die Auseinandersetzung. 1857 wird der Akademische Rat und Kustos der Wiener Akademie bei halber Besoldung strafweise pensioniert, als er nach zwei vorangegangenen Streitschriften in einer dritten deren Lehrmethoden kritisierte und seine »... tief begründete Überzeugung« äußerte, »daß die gänzliche Aufhebung der sämmtlichen Akademien der erste und nöthigste Schritt zur Schaffung eines neuen Zustandes der vaterländischen Kunst sei«.

Längst hatte der Maler zu diesem Zeitpunkt die Ablösung vom biedermeierlichen Genre vollzogen und sich mehr und mehr sozialkritischen Themen zugewandt, um schließlich in seinem Alterswerk mit dem Darstellungsproblem der harmonischen Einbindung des Menschen in die Natur noch einmal zu einem den ganzen Ernst seiner Auffassung des Künstlerberufs auslotenden Thema zu finden. 1857 schrieb er in seiner Streitschrift gegen die Akademie: »Die Aufgabe jeder Kunstleistung ist nie und nirgends anders zu lösen, als auf dem Wege der Wahrheit. Die Natur aber ist die ewige Wahrheit; in ihren Erscheinungen, in ihren Formen ist nichts gemein.«

Ein Gemälde wie das im folgenden Jahr entstandene »Kinder im Walde« (Abb. 12) kann durchaus als die bildgewordene Umsetzung dieses Programms gesehen werden. Es gehört einer Folge von mehreren »Wienerwaldlandschaften« zu, die in den letzten Schaffensjahren des in sehr bescheidenen Verhältnissen lebenden Malers entstand. Nach den offen sozialkritischen Bildern der vorangegangenen Zeit wird nun die Aussöhnung des Menschen mit der Natur zum Bildinhalt, die jedoch als glückhaftes Gegenbild zur Realität diese selbst nicht negiert, sondern um eine utopische Dimension erweitert. Das soziale Milieu bleibt das der armen Leute, aber in das naturgeborgene Spiel der Kinder, die in kräftigen Farben in einer maltechnisch ausgefeilten Lichtstudie in die Waldlandschaft gebunden sind, ist eine über das Genre hinausweisende allgemeine Aussage über Sinn und Zukunft des Menschen eingeschlossen.

Claus Pese

HISTORISMUS, JUGENDSTIL UND INDUSTRIEKULTUR

Nachahmung als Stil, Verunsicherung als Prinzip

Notiz für den Leser

Die großen Veränderungen des Jahrhunderts kamen fast unbemerkt: Fabriken lösten Handwerksbetriebe ab, Produktionsstätten wuchsen zu Industriekomplexen zusammen, Eisenbahn und Nachrichtensysteme ließen Deutschland – noch ehe die politische Einheit erreicht war – zu einem einheitlichen Wirtschaftsgebiet zusammenwachsen (Gründung des Deutschen Zollvereins am 1. Januar 1834), die Einwohnerzahl vervielfachte sich, nicht zuletzt durch die Forschungen und die Einführung neuer Techniken in dem Bereich der medizinischen Versorgung.

Dieser »schleichenden Revolution« auf fast allen Gebieten entsprach ein jäher Umbruch der sozialen Schichtung in Deutschland. Es entstand das Industrieproletariat mit seinen Massenbedürfnissen und zugleich ein wohlhabendes Bürgertum, das wirtschaftlich und politisch aus dem Schatten der alten Feudalordnung heraustrat.

Dem Ende der bürgerlichen Selbstbeschränkung entsprach der Wunsch nach äußerer Repräsentation. Großbürgerliche Villen und mittelständische Bürgerhäuser, ausgestattet mit überladenen Interieurs, entstanden. Prunkvolle Imitationen historischer Scheinwelten sollten eine nicht vorhandene Sicherheit vortäuschen. Die handwerkliche Perfektion ersetzte den Geschmack.

Junge Künstler waren es, die im Historismus die Gleichzeitigkeit des Ungleichzeitigen erkannten und an den Pranger stellten. Sie forderten eine neue Kunst, frei von Motiven und Formen längst vergangener Epochen, die nicht Mode, sondern Ausdruck der Zeit sein sollte.

Der Jugendstil entstand als Protestbewegung, aber er blieb – entgegen seiner Forderung – eine Luxuskunst für wenige.

Wirksamer wurde dagegen der Funktionalismus, der die Architektur und das Design von Gegenständen des täglichen Bedarfs bis weit in unser Jahrhundert hinein beeinflußte. Von hier aus zu den gegenwärtigen Kunstrichtungen waren es nur kleine Schritte. Und so wurde die Kunst wiederum zum unbestechlichen Spiegelbild einer Welt zunehmender Erschütterungen und Widersprüche.

W. D.

Edle Einfalt, stille Größe

Waren Kunst und Kultur der ersten Hälfte des 19. Jahrhunderts von den Begriffen Klassizismus und Empire, Romantik und Biedermeier gekennzeichnet, so standen die folgenden fünfzig Jahre unter den Zeichen von Historismus, Jugendstil und moderner Sachlichkeit. Diese für die zweite Hälfte des vorigen Jahrhunderts bemühten Bezeichnungen liefern freilich nur ein einseitiges Bild von einer Zeit, in der die großen Veränderungen angelegt waren, die bis in unser heutiges Leben nachwirken.

Wesensmerkmal der Epoche des Historismus war in der Kunst die Suche nach dem Stil, die mitunter recht krampfhaft verlief. Ihr Ausgangspunkt lag in den sozialen und technischen Umwälzungen begründet, angefangen mit der Französischen Revolution des späten 18. Jahrhunderts bis hin zur industriellen Revolution, die in Deutschland um 1830 einsetzte und die unter sich ständig verändernden Bedingungen immer noch andauert.

Der sich rasch vollziehende technologische Wandel mit all seinen Folgeerscheinungen brach vollends das Gefüge einer Ordnung, deren Struktur durch die gesellschaftlichen Veränderungen, die die Französische Revolution mit sich brachte, bereits in Auflösung begriffen war. Das Bürgertum wurde zur bestimmenden Schicht. Mit Fleiß, kaufmännischem Kalkül und technischem Geschick gelang ihm allmählich die Emanzipation von der Aristokratie. Ihren künstlerischen Niederschlag fanden diese Ablösungsprozesse in dem neuen Stilgefühl der Malerei und Dichtung der Romantik sowie in der persönlichen Gestaltung der Privatsphäre im Biedermeier. Im gesellschaftlichen Bereich blieb der Klassizismus hingegen ein »Mischstil«, der aristokratische Lebensart ebenso enthielt wie bürgerlichen Freiheitsdrang.

Gemäß einem kunst- und sozialgeschichtlichen Kontinuitätsdenken waren Romantik und Biedermeier ohne den vorherigen Klassizismus nicht denkbar. In der Malerei wich die akademische Glätte antikischer Gestalten dem Stimmungslyrismus von Naturszenen; die klassizistischen Plastiken erhielten einen sentimentalen oder verträumten Gesichtsausdruck, und die Sehnsucht nach dem Mittelalter, in dem die Welt noch in göttlicher Ordnung schien, begann, sich zunächst in der Architektur breitzumachen. Angesichts dieses Sehnens nach edler Einfalt und stiller Größe sind die zeitgleichen Bauten der Walhalla bei Regensburg (1831 bis 1842 von Leo von Klenze erbaut) im minutiös dorischen und der Ludwigskirche in München (1829 bis 1840 von Friedrich von Gärtner erbaut) im phantasiereichen mittelalterlichen Stil bei aller Verschiedenheit ihres äußeren Erscheinungsbildes gar nicht so weit voneinander entfernt.

1. Barth: Damenschreibtisch

Aber auch im privaten Bereich formte der Klassizismus die Grundlagen für die stilistische Weiterentwicklung von Kleidung, Möbel und Hausgerät. Gegenstände im Stil des Biedermeier – ursprünglich ein politischer Begriff, der die tiefsitzende politische Abstinenz des Bürgertums zwischen dem Ende der Ära Napoleons von 1815 und der gescheiterten deutschen Revolution von 1848 kritisch und nicht ohne Ironie umschreibt – sind von einer relativen Ornamentlosigkeit gekennzeichnet, die ästhetischer Ausdruck der ersten Industrialisierungsphase in Deutschland ist, in der es zunächst galt, den durch harte Arbeit erreichten Besitzstand zu sichern, bevor größere Investitionen getätigt werden konnten. Nüchternheit im Aufbau und Sachlichkeit im Detail bestimmten als Ausdruck wirtschaftlicher Bescheidenheit, gepaart mit kaufmännischem Denken, die Interieurs dieser Epoche.

Eine der Folgen des naturwissenschaftlichen Fortschritts waren neue wissenschaftstechnische Geräte, in deren äußerer Form die verborgene Vernunft erstmals in den Produkten sichtbar wurde. Diese erste Phase der sachlichen Gestaltung ist die eigentliche Inkunabel des Funktionalismus, des kurz nach 1900 einsetzenden Aufbruchs in die Moderne, deren gebrauchsbetonte Formen bis in unsere Tage wirken (Abb. 10).

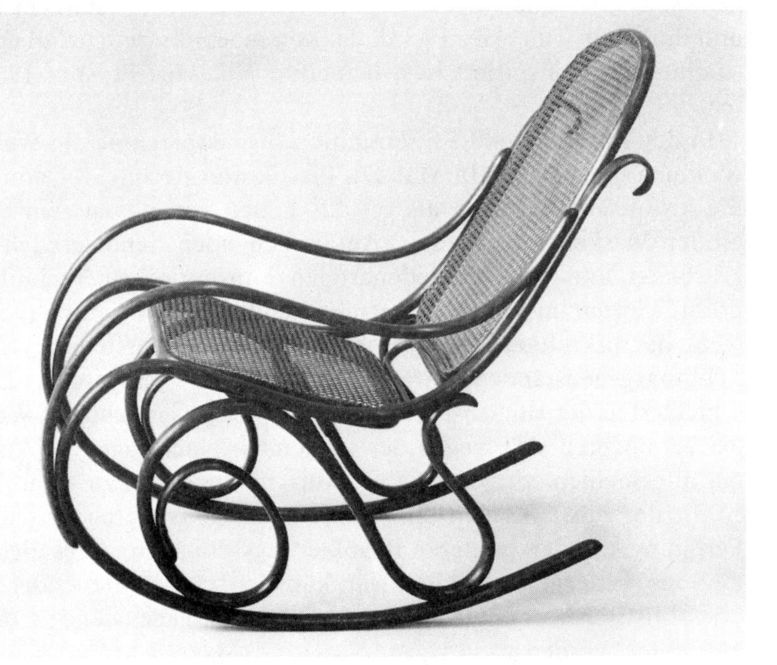

2. Thonet: Bugholzschaukelstuhl

Das Ende der bürgerlichen Selbstbeschränkung

Noch vor Ablauf der ersten Jahrhunderthälfte war die Industrialisierung Europas so weit gediehen, daß sich die Staaten dieses Kontinents zu einem internationalen Vergleich zusammenfanden. Mit der ersten Weltausstellung, die 1851 in London stattfand, war eine Institution geschaffen worden, die sich länger als ein Jahrhundert behaupten konnte.

Auf dieser Ausstellung wurden auch Gegenstände des täglichen gehobenen Bedarfs gezeigt, die uns heute vor Augen führen, wie um 1850 dank des wirtschaftlichen Erfolgs die auf Repräsentation ausgerichtete Geltungssucht des inzwischen reich gewordenen Bürgertums erwacht war. Die neue, nun repräsentationsbezogene Ästhetik fand zuerst im Bereich des unmittelbaren Lebensraums – in der Architektur und im Interieur als Kristallisationskerne bürgerlicher Außen- und Innenwelt – ihre Anwendungsmöglichkeiten (Abb. 2). Neben den bereits einige Jahrzehnte vorher errichteten Kirchen und Schlössern wurden nun auch großbürgerliche Villen und mittelständische Bürgerhäuser errichtet, deren Fassadenreichtum die Anlehnung an frühere Kunstperioden verrät. Das Ende bürgerlicher Selbstbeschränkung gab den eigentlichen Anstoß zur Entwicklung des Phänomens Historismus.

»Historismus ist die Tendenz, an die Macht der Geschichte in einem solchen Maße zu glauben, daß ursprüngliches Handeln erstickt und durch ein Tun ersetzt wird, das von einem Präzedenzfall einer bestimmten Zeit inspiriert ist«, bemerkte Nikolaus Pevsner 1965 treffend.

In der Tat hemmte die Stilimitation über Jahrzehnte die Weiterentwicklung der Künste. In Malerei, Plastik und Architektur dominierte die historische Staffage, als sei das Leben von damals ein einziger großer Maskenball gewesen. Anfänglich noch handwerklich solide gearbeitet und in verschiedenartigen künstlerischen Techniken erprobt, wurden im Zuge der fortschreitenden Technisierung mehr und mehr dampfkraftgetriebene Maschinen für die Herstellung von Einrichtungsgegenständen bürgerlicher Interieurs eingesetzt. Die geschicktesten der zunächst rein handwerklich ausgerichteten Werkstätten vermochten sich wegen der steigenden Nachfrage, die Ausdruck des allgemeinen wirtschaftlichen Aufschwungs war, zu vergrößern.

Mit der zeitsparenden und damit kostengünstigeren maschinellen Fertigung konnten breiteren Bevölkerungsschichten, als es dies in der Zeit des Biedermeier der Fall war, künstlerisch gestaltete oder zumindest stilistisch verbrämte Zier- und Gebrauchsgegenstände zum Kauf angeboten werden.

Die Lust am Unechten oder das Barometer als Baßgeige

Die Folgen dieser mitunter sehr willkürlichen Stilimitation, die einen Pluralismus der Stile nach sich zog, der nicht selten in einen regelrechten Stilwirrwarr mündete, hat Egon Friedell 1931 meisterhaft pointiert beschrieben:

»An den Interieurs irritiert zunächst eine höchst lästige Überstopfung, Überladung, Vollräumung, Übermöblierung. Das sind keine Wohnräume, sondern Leihhäuser und Antiquitätenläden. Zugleich zeigt sich eine intensive Vorliebe für alles Satinierte: Seide, Atlas und Glanzleder, Goldrahmen, Goldstuck und Goldschnitt, Schildpatt, Elfenbein und Perlmutter, und für laute beziehungslose Dekorationsstücke: vielteilige Rokokospiegel, vielfarbige venezianische Gläser, dickleibiges altdeutsches Schmuckgeschirr; auf dem Fußboden erschreckt ein Raubtierfell mit Rachen, im Vorzimmer ein lebensgroßer hölzerner Mohr. Ferner geht alles durcheinander: Im Boudoir befindet sich eine Garnitur Boullemöbel, im Salon eine Empireeinrichtung, daneben ein Speisesaal im Cinquecentostil, in dessen Nachbarschaft ein gotisches Schlafzimmer. Dabei macht sich eine Bevorzugung aller Ornamentik und Polychromie geltend: je gewundener, verschnörkelter, arabesker die Formen, je gescheckter, greller, indianerhafter die Farben sind, desto beliebter sind sie. Hiermit im Zusammenhang steht ein auffallender Mangel an Sinn für Sachlichkeit, für Zweck; alles ist nur zur Parade da. Wir sehen mit Erstaunen, daß der bestgelegene, wohnlichste und luftigste Raum des Hauses, welcher ›gute Stube‹ genannt wird, überhaupt keinen Wohnzweck hat, sondern nur zum Herzeigen für Fremde vorhanden ist; wir erblicken eine Reihe von Dingen, die trotz ihrer Kostspieligkeit keineswegs dem Komfort dienen: Portieren aus schweren staubfangenden Stoffen wie Rips, Plüsch, Samt, die die Türen verbarrikadieren, und schön geblümte Decken, die das Zumachen der Laden verhindern; bildergeschmückte Fenstertafeln, die das Licht abhalten, aber ›romantisch‹ wirken, und Handtücher, die zum Abtrocknen ungeeignet, aber mit dem Trompeter von Säckingen bestickt sind; Prunkfauteuils, die das ganze Jahr mit häßlichen pauvren Überzügen, und dünnbeinige wacklige Etageren, die mit permanent umfallenden Überflüssigkeiten bedeckt sind; Riesenprachtwerke, die man nicht lesen kann, weil einem nach fünf Minuten die Hand einschläft, und nicht einmal lesen möchte, weil sie illustriert sind; und als Krönung und Symbol des Ganzen das verlogene und triste Makartbukett, das mit viel Anmaßung und wenig Erfolg Blumenstrauß spielt.«

3. M. v. Schwind:
Graf von Habsburg

»Dies führt uns zu einem der Hauptzüge des Zeitalters: der Lust am Unechten. Jeder verwendete Stoff will mehr vorstellen, als er ist. Es ist die Ära des allgemeinen und prinzipiellen Materialschwindels. Getünchtes Blech maskiert sich als Marmor, Papiermaché als Rosenholz, Gips als schimmernder Alabaster, Glas als köstlicher Onyx. Die exotische Palme im Erker ist imprägniert oder aus Papier, das leckere Fruchtarrangement im Tafelaufsatz aus Wachs oder Seife. Die schwüle rosa Ampel über dem Bett ist ebenso Attrappe wie das trauliche Holzscheit im Kamin, denn

4. Lobmeyer:
Blumenbecher

beide werden niemals benützt; hingegen ist man gern bereit, die Illusion des lustigen Herdfeuers durch rotes Stanniol zu steigern. Auf der Servante stehen tiefe Kupferschüsseln, mit denen nie gekocht, und mächtige Zinnhumpen, aus denen nie getrunken wird; an der Wand hängen trotzige Schwerter, die nie gekreuzt, und stolze Jagdtrophäen, die nie erbeutet wurden. Dient aber ein Requisit einer bestimmten Funktion, so darf diese um keinen Preis in seiner Form zum Ausdruck kommen. Eine prächtige Gutenbergbibel entpuppt sich als Nähnecessaire, ein geschnitzter Wandschrank als Orchestrion; das Buttermesser ist ein türkischer Dolch, der Aschenbecher ein preußischer Helm, der Schirmständer eine Ritterrüstung, das Thermometer eine Pistole. Das Barometer stellt eine Baßgeige dar, der Stiefelknecht einen Hirschkäfer, der Spucknapf eine Schildkröte, der Zigarrenabschneider den Eiffelturm. Der Bierkrug ist ein aufklappbarer Mönch, der bei jedem Zug guillotiniert wird, die Stehuhr das lehrreiche Modell einer Schnellzugslokomotive, der Braten wird mittels eines gläsernen Dackels gewürzt, der Salz niest, und der Likör aus einem Miniaturfäßchen gezapft, das ein niedlicher Terrakottaesel trägt. Pappendeckelgeweihe und ausgestopfte Vögel gemahnen an ein Forsthaus, herabhängende kleine Segelschiffe an eine Matrosenschenke, Stilleben von Jockeykappen,

5. Lobmeyer: Schale mit Seekentauren

Sätteln und Reitgerten an einen Stall. Diese angeblich so realistische Zeit hat nichts mehr geflohen als ihre eigene Gegenwart.«

Historismus – Nostalgie und Fernweh

Die Entwicklung der freien Künste Malerei und Plastik verlief in dieser Zeit etwas anders als die der angewandten Künste Architektur und Kunsthandwerk. Schon wegen der Unabdingbarkeit des manuellen Schaffens waren die freien Künste weniger auf eine Expansion der Nachfrage beim kaufenden Publikum angelegt.

Aber auch dieser Bereich der bildenden Kunst erlebte im Zuge der Emanzipation des Bürgertums eine beträchtliche Ausdehnung, da das Kommunikationssystem im Verlauf des 19. Jahrhunderts mit Ausstellungen, Journalen und der Fotografie eine beständige Verbesserung erfuhr und die Zahl der kunstfördernden Großbürger im Zuge des allgemeinen Wirtschaftswachstums zunahm. Die Ablösung der geistlichen und weltlichen Aristokratie durch das Bürgertum galt auch für das Mäzenatentum.

Noch um die Mitte des 19. Jahrhunderts hatte in der deutschen

6. A. v. Hildebrandt: Maria Fiedler

7. A. v. Werner:
Kronprinz Friedrich

A. v. W 1889.

Malerei das romantische Prinzip, das sich in der Wiedergabe aufrechten, tiefen Naturempfindens ausdrückte, Gültigkeit. Der Mensch triumphierte noch nicht über die Natur, sondern mußte sich ihr noch unterordnen (Abb. 3). Um die Jahrhundertmitte nahm die Autonomie des Menschen sichtbare Gestalt an: In schier belanglosen Szenen stehen Mensch und Natur – zum Anfassen realistisch gemalt – gleichberechtigt nebeneinander. Ein möglichst detailgetreues und farblich gelungenes Abbild der Natur sind die Merkmale des Realismus, der die Malerei unabhängig von den Motiven bis hin zum Jugendstil bestimmte. Ähnliches gilt auch für die Skulpturen (Abb. 1 und 7).

Warum aber gab es keine »realistischen« Interieurs? Warum mochten die Zeitgenossen auf die prachtvolle Ausschmückung der Fassaden ihrer Häuser nicht verzichten? Die Repräsentationssucht, die alle Bereiche des Lebens derer, die es sich leisten konnten, ergriffen hatte, überdeckte zu einem Gutteil den Realismus, der offenbar nur im Geschäftsleben und in den politischen wie sozialen Auseinandersetzungen galt. Der gemeinsame Nenner aller Historismen, von der Neuromanik bis zum Neubarock, waren und sind – denn wer könnte leugnen, daß wir heute mit unseren Bauernstuben und neuaristokratischen Wohnzimmern nicht nach wie vor dem Historismus huldigen? – Nostalgie und Fernweh.

Den Bildungsbürger des sich entwickelnden Industriezeitalters zog es einerseits in ferne Länder, zurück zu Natur und Natürlichkeit, zu einem Leben, das noch geprägt war von Freiheit und Abenteuer, andererseits vermochte er nicht, die Identifikation mit der von Wissenschaft und Technik beherrschten Welt zu vollziehen. Das verlorengegangene rechte Maß wurde zum Traumziel ohne Geist und Tiefe und blieb an der Oberfläche der Gegenstände haften, mit denen sich das Bürgertum umgab, wenn auch die Oberfläche dieser Gegenstände handwerklich perfekt ausgeführt war (Abb. 4 und 5).

Dieses nach außen gewandte Bedürfnis nach Glanz und Geltung ist derart tief verwurzelt gewesen, daß die vorfunktionale Gestaltungsweise des Biedermeier in ihren Ansätzen steckenblieb. Vornehmlich im Stil der Spätrenaissance glaubte das reich gewordene Bürgertum in Deutschland seine Identifikation finden zu müssen, denn Kunst und Kultur des 16. Jahrhunderts fielen zeitlich mit dem Aufkommen einer ersten bürgerlichen Oberschicht zusammen. Die Formensprache von Barock und Rokoko schien den Neureichen zu aristokratisch, die der Romanik und der Gotik zu sakral. Natürlich gab es in der zweiten Hälfte des 19. Jahrhunderts auch wichtige künstlerische Leistungen. Aber gefragt war in erster Linie weniger die Auseinandersetzung des Künstlers mit sich und der Welt als vielmehr eine höchstmögliche Prachtentfaltung. Ein Gemälde oder eine Skulptur mußten im doppelten Sinne des Wortes etwas »darstellen«, wie jedes Kunstwerk Form und Inhalt hat, aber die große Form stand meist im Vordergrund. Gegenstände des täglichen Gebrauchs mit sachgerechter Formgestaltung wären als Zeichen innerer und wirtschaftlicher Armut ausgelegt worden. Deshalb mußte auch die Konstruktivität eines Hauses mit einer üppig ausgestatteten Fassade kaschiert werden. Man sollte sich das Lächeln verkneifen: Unsere Gesellschaft hat heute andere, gefährlichere Statussymbole.

Neben der Unterhaltungs- und Repräsentationskultur kam dank einiger Mäzene aber auch die reflektierende Kunst zur Geltung. Die Darstellung des Menschen in der Einmaligkeit seiner Existenz, fernab aller in sein Wesen hineininterpretierter Werte und Ideale, ist die große Leistung der Kunst in den letzten Jahrzehnten vor der Jahrhundertwende. In der künstlerischen Form der Werke blieb der Realismus tonangebend, in ihrem Inhalt kamen Wahrheit und Wahrhaftigkeit ebenso unerschütterlich wie erschütternd zum Ausdruck. Für die große Masse – wie konnte und könnte es anders sein – blieben die Avantgardisten zumeist Außenseiter. Die Meister der großen Form waren wegen der Einfachheit und leichten Verständlichkeit ihrer Sujets im allgemeinen beliebter als die tiefsinnigen Eigenbrötler. Im Spiegelbild der Künstler erschienen Individuum und Gesellschaft nicht so, wie sie tatsächlich waren, sondern meist so, wie sie gerne gewesen wären: elegant und gewandt, voller Schönheit, sorglos und frei (Abb. 6).

Man ließ sich die Kunst als ein das Leben verschönernder Faktor auch etwas kosten. Immerhin war der Historismus bei aller Kritik noch wirklichkeitsbezogener als die um 1800 bereits längst verloren gewesene Realität vom Menschen als antiker Heros.

Die ersten Massenprodukte für das Kleinbürgertum

Die Franzosen haben den beiden letzten Jahrzehnten des 19. Jahrhunderts den Namen »Belle Époque« gegeben. Dieser Begriff vermittelt uns das Bild einer Epoche, die scheinbar frei von Konflikten und voll von Harmonie war. In Wirklichkeit aber mußten die Menschen in jener Zeit schwere soziale Probleme durchleben, denen gegenüber unsere heutigen wirtschaftlichen und sozialen Schwierigkeiten als relativ harmlos erscheinen müssen. Die Industrialisierung brachte damals eine rasche Expansion der Städte mit sich. Vom Land drängten die Menschen in die Stadt, wo sie sich ein besseres Leben erhofften.

Dadurch entstand eine große Wohnungsnot, die, gekoppelt mit schreiender Armut und langen Arbeitstagen, die Entstehung einer Arbeiterkultur im Sinne des bürgerlichen Kulturverständnisses unmög-

8. H. Makort: Dame mit Federhut

lich machte. Die kulturellen Leistungen der Arbeiterschaft reduzierten sich zwangsläufig auf die Gestaltung der knapp bemessenen Freizeit. Arbeitervereine entstanden, in denen Bildung, körperliche Ertüchtigung und gemeinsame Interessen gefördert wurden. Zu künstlerischen Äußerungen kam es kaum. Das, was wir heute Historismus nennen, war eine bürgerliche Errungenschaft, die auch von der Aristokratie, der gesellschaftsbeherrschenden Schicht von einst, übernommen wurde und an dessen Gestaltung sich die Arbeiterschaft mangels Kapital und Bildung nicht beteiligen konnte.

Wir müssen uns immer vor Augen halten, daß das, was wir heute in den Museen bestaunen, zu seiner Zeit erlesene Luxusgegenstände waren. Fast immer wird im Museum nur die Spitze des gesellschaftlichen Eisbergs sichtbar. Dies gilt gerade für Kunst- und Kulturgüter des vorigen Jahrhunderts. Warum eigentlich? Die angewandten Künste, vor allem das Kunsthandwerk, konnten wegen der durch die maschinelle Fertigung kosten- und somit auch preisgünstiger kalkulierten Produktion gerade in den Bereich der Alltagskultur breiter Bevölkerungsschichten einbrechen. Auf diese Weise entstanden um 1850 die ersten Massenprodukte, denen wir heute künstlerischen und vor allem kulturgeschichtlichen Wert beimessen. Auch gutsituierte Facharbeiter konnten sich nach jahrelangem Sparen das beliebte Wohnzimmer im altdeutschen Stil leisten, mit dem sie auf ihre Weise den ideellen Anschluß zur Wohnkultur des Bürgertums vollzogen.

Gerade diese übernommenen ästhetischen Bedürfnisse des Kleinbürgertums – oder, um es moderner auszudrücken: des Mittelstands – führten zur Ausbildung einer Kunstindustrie, die aus dem Kunsthandwerk maschinell gefertigtes Kunstgewerbe machte und bald jeden Gegenstand der Alltagskultur herstellte. Gemälde und Skulpturen hatten demgegenüber keine Chance, da sie keine Massenartikel waren. An die Stelle des Ölbildes trat die fotografische Reproduktion, und das Bildhauerhandwerk wurde durch den Statuettennippes ersetzt.

Andererseits sind Malerei und Plastik Kunstgattungen, für deren Herstellungsprozesse Maschinen nicht eingesetzt werden können. Glas kann man pressen, Metalle kann man stanzen, und keramische Masse kann man gießen, aber ein Gemälde oder eine Skulptur kann nur unmittelbar durch den Künstler vollbracht werden, wenn von den technischen Möglichkeiten, wie sie sich der Kunst von heute bieten, einmal abgesehen wird. Dies soll aber nicht heißen, daß alles Kunsthandwerk zu Kunstgewerbe wurde, zu überwiegend maschinell gefertigter Massenproduktion. Viele kunsthandwerkliche Techniken, wie das Schleifen von Glas, das Gießen von Zinn und Formen von Ton, konnten und können in nur sehr bedingtem Maße von Maschinen und Automaten übernommen werden. Schon aus diesen geschilderten Gründen vermochte es die gewerbliche Herstellungsweise nicht, die handwerklichen Prozesse aus dem Kunsthandwerk zu verdrängen.

Die Forderungen der Avantgarde

In einer von Produktion und Produktivität bestimmten Epoche abendländischer Kultur sind künstlerische Kräfte aber nur wenig gefragt. So ist es erklärlich, daß sich die Avantgarde in erster Linie der Malerei zuwandte. Sie gestattete ihr, reine, von der Technisierung noch unverfälschte Kunst zum Ausdruck bringen zu können. Die jungen Maler waren es, die im Historismus die Gleichzeitigkeit des Ungleichzeitigen erkannten und an den Pranger stellten. Sie forderten eine neue Kunst, frei von Motiven und Formen längst vergangener Epochen, eine Kunst, die nicht Mode, sondern Ausdruck der Zeit sein sollte.

Bereits 1886 griff der in München lebende Maler Hans Eduard von Berlepsch den zwei Jahre vorher geäußerten Satz von P. F. Krell: »Es heißt, die Renaissance solle demnächst wieder aus der Mode kommen«, auf und formulierte mit beißendem Spott:

> »Ja, wenn die Renaissance allerdings nur eine Mode war, dann verdient sie auch nichts anderes. Es ist ja wahr, unsere Zeit marschiert schnell in vielen Dingen, aber dennoch gibt es Dinge, die heute zu ihrer Reise ebenso lange brauchen als es vor hunderten oder tausenden von Jahren der Fall war, und dies ist mir Beweis genug, daß unsere Renaissance eben eine ›Mode‹ aber nicht ›ein aus der Zeit herausgewachsener Stil‹ ist. Und warum? Weil sie, abgesehen von vielem Guten, was sie zuwege brachte und noch bringt, sich in vielen Punkten mit einer Zudringlichkeit aus allen Ecken und Enden breit macht, und zwar mit der puren Kopie vergangener Zeiten, daß unbedingt eine Übersättigung eintreten muß und damit auch alsbald das Bedürfnis gegeben sein wird, in andere Bahnen einzulenken, andere Formen zu adaptieren. Was nützt uns das Hervorholen aller alten Muster, das fortwährende Vorreiten von Formen, deren Erfindung dem Geiste einer anderen Zeit oder der Zeit eines anderen Geistes entsprungen ist? Die Alten sollen unsere Lehrmeister sein, ja, in der originellen Art und Weise, wie sie schufen, aber wir wollen sie nicht schlechtweg kopieren.«

Als Alternative zum akademischen Kunstbetrieb schlug von Berlepsch ein selbständiges Studium vor, das sich seine Formen nach der Natur zu bilden habe, gerade so, wie es die Japaner seit jeher täten.

Dieser vernichtenden Kritik folgte zehn Jahre später, 1896, der Schwanengesang. Damals schrieb der Münchner Kunstkritiker Peter Jessen:

> »Die Nachahmung der alten Stile ist eine sehr gute Schule für die Technik gewesen und hat unser Auge und unser Verständnis geschärft. Aber es ist auch das eingetreten, wovor die einsichtigen Theoretiker und Freunde der alten Kunst schon früh gewarnt haben: Wir haben oft über den Alten uns selbst vergessen, wir haben zu wenig geprüft und zu viel kopiert, wir haben die Speisen aufgewärmt, ohne selbst für uns zu kochen, wir haben unsere Phantasie in behagliche Träume gelullt, statt sie ins drängende Leben unserer Zeit zu stellen.«

Natürlich hatte man auch in den anderen Kunstnationen Europas diese Mängel des Historismus erkannt. In Großbritannien war um die Mitte des 19. Jahrhunderts eine Gegenbewegung zum Historismus und zur Kunstindustrie entstanden, die in der Gründung der »Präraffaelitischen Bruderschaft« 1848 und der kunsthandwerklichen Firma »Morris, Marshall, Faulkner & Co.« 1861 ihren Niederschlag fand. Beiden, den präraffaelitischen Malern ebenso wie den maschinenverachtenden Kunsthandwerkern, ging es eingedenk sozialreformerischer Ideale um mehr Wahrheit in der Kunst. Produzent und Konsument sollten sich mit der neuen Kunst identifizieren können, indem sie ihr Innerstes traf.

Wenngleich diese Bestrebungen letztlich nicht zum Ziel führten, weil die Resonanz im kunstinteressierten Publikum zu gering war, um ihnen zum allgemeinen Durchbruch zu verhelfen, griff die alternative Kunstbewegung doch auf den Kontinent über und faßte zunächst in Frankreich und Belgien Fuß. Vor allem in Frankreich hatte sich in der Malerei bereits die Abkehr vom Historismus vollzogen. Der Impressionismus mit seiner von atmosphärischer Frische durchsetzten Farbigkeit einerseits und die Kenntnis von den flächig angelegten, zartfarbenen japanischen Holzschnitten andererseits bereiteten den Boden für die Entwicklung neuer Gestaltungsmöglichkeiten (Abb. 8).

Großherzog Ernst Ludwig und das »Experiment Jugendstil«

1884 wurde in Brüssel die Kunstzeitschrift *Art Nouveau* gegründet, die der neuen Kunst im französischen Sprachgebiet den Namen gab. Als dort um 1890 die ersten Bauten entstanden und die ersten Bilder gemalt wurden, deren Formensprache frei war von historistischen Reminiszenzen, kam die neue Kunst schließlich nach Deutschland und Österreich, wo sie den Namen »Jugendstil« erhielt. Sezessionen entstanden 1892 in München und 1897 in Wien, wo junge Künstler dem Akademismus entsagten und sich von der traditionsgebundenen

9. C. Moll: Gedeckter Tisch

10. W. van de Velde: Schreibtisch

Kunst lösten. In weiteren Städten des deutschen Sprachgebiets folgten ähnliche Aktionen. 1899 rief Großherzog Ernst Ludwig von Hessen und bei Rhein die Darmstädter Künstlerkolonie ins Leben. Alle Künstler, die sich dort fanden, um das »Experiment Jugendstil« zu wagen, hatten ihre künstlerische Karriere als Maler begonnen. Nun sollten sie Kunst für das Volk schaffen, in alle Bereiche des Lebens eindringen und es künstlerisch gestalten.

Die Protagonisten des Jugendstils setzten sich zum Ziel, mit ihrer Kunst alle sozialen Schichten zu erreichen. Zumindest in dieser Hinsicht erkannten die Theoretiker des neuen Stils den Zug der Zeit, der von der Kunstindustrie des Historismus angelegt worden war. Die Formensprache war freilich eine ganz andere. Reminiszenzen an vergangene Stilepochen, wie sie im Historismus gang und gäbe gewesen sind und sich zur Ausbildung kopistischer Spielarten einer künstlerisch einheitlichen, gesamteuropäischen Geisteshaltung geformt hatten, lehnte der Jugendstil schlichtweg ab. Ein neuer Ausdruckswille griff in allen künstlerischen Bereichen um sich, in der bildenden Kunst ebenso wie in Literatur und Musik.

Bei aller Verschiedenheit und Unvergleichbarkeit der Kunstgattungen kam es zur Artikulation einer einheitlichen Stimmungsweise als kleinstem gemeinsamen Nenner, deren Merkmal ein melancholisch inspirierter Stimmungslyrismus war: ornamental-flächenhaft, auf schwungvolle Formvollendung ausgerichtet, distanziert-erotisch, Weltschmerz und Weltflucht gleichsam in ersehnter und kultivierter Einsamkeit verkörpernd; eine Flucht vor der harten Realität des Lebens also, insofern vergleichbar mit dem Historismus, aber in seinen Gefühlsäußerungen ehrlicher und anspruchsvoller als dieser.

Für alle gedacht, für wenige gemacht

Zur Demokratisierung der Kunst führten die hohen Wellen der Emotionen jedoch nicht. Dieser anspruchsvolle, intellektuelle Stil war von einer Avantgarde für alle gedacht, aber letztlich nur für wenige gemacht. Für die wenigen entwickelte sich im Bereich des Kunsthandwerks, das dank seiner Struktur und Funktion am ehesten die Kunst hätte demokratisieren können, eine streng handwerklich hergestellte Luxuskunst, deren Textilien, Möbel und Gerätschaften mitunter für nur einen Auftraggeber und daher nur einmal gefertigt wurden (Abb. 9). Für den großen Rest der Bevölkerung wurden die anspruchsvollen Gegenstände unter Zuhilfenahme von Techniken hergestellt, die eine vielfache Reproduktion erlauben. So ist es erklärlich, daß sich um die Jahrhundertwende Metallguß- und Glaswaren besonderer Beliebtheit erfreuten. Wenngleich die meisten Künstler des Jugendstils bemüht waren, eine Kunst für alle zu schaffen, und obwohl die Kunstindustrie sich rasch auf die neue Formensprache umgestellt hatte, blieb die neue Kunst in weiten Kreisen der Bevölkerung ohne die erhoffte Resonanz.

Wie ist das erklärlich? Grundsätzlich gilt, daß gesellschaftliches Repräsentationsbedürfnis und künstlerischer Intellektualismus zwei Lebensarten verkörpern, die nur bedingt miteinander vereinbar sind. Unter den Reichen und Gebildeten konnte das Bedürfnis nach Geltung meist nur unter Wahrung der Kontinuität in der Geschichte und der Tradition in der Kunst befriedigt werden. Bei dieser keineswegs vorurteilsfreien Selbstreflexion spielte die Entwicklung von Person und Beruf, Familie und Herkunft die entscheidende Rolle. Krassestes Beispiel hierfür ist der deutsche Kaiser, der einmal bemerkte, beim Anblick von Jugendstilornamenten seelenkrank zu werden. Mit dem Jugendstil konnte das deutsche Herrscherhaus nichts anfangen. Seinen Glanz und seine Glorie vermochten nur Renaissance und Barock würdig zu umrahmen. Aber nicht nur weiten Kreisen der Oberschicht, sondern auch dem breitgefächerten und staatstragenden Mittelstand blieb die Gestaltungsweise des Jugendstils mit Ausnahme einiger Episoden wie der Blumenvase mit vegetabilem Ornament oder dem Mokkaservice mit verfremdeter Form im wesentlichen fremd.

Wieso auch hätte der Kleingewerbetreibende oder der mittlere Beamte auf sein Wohnzimmer im altdeutschen Stil verzichten sollen, auf das er jahrelang gespart hatte und in dessen Anblick ihm der Anschluß an das Großbürgertum erreicht schien? Konnte man von ihm erwarten, daß er die traditionellen Formen des Historismus als unzeitgemäß erkennt und als verlogen betrachtet? Da schickte sich eine Handvoll junger Leute an – die Künstler der Avantgarde der Jahrhundertwende waren im Durchschnitt keine dreißig Jahre alt –, das für schlecht zu erachten, was jahrzehntelang als richtig galt. Auf den Protest der Jugend gegen das Althergebrachte folgte der Boykott der Älteren. Sie lehnten den Reformgedanken, der sich hinter der schwerverständlichen Formenwelt des Jugendstils verbarg, ab und pochten auf die alten Werte von Ruhe und Ordnung in der Kunst. Immerhin hatte der Jugendstilprotest die besseren Argumente auf seiner Seite, denn in der Debatte konnten selbst die hartnäckigsten Traditionalisten das Argument von der Stilverlogenheit des Historismus nicht entkräften.

Einfach ist schön

Natürlich gab es auch auf dem Gebiet des Historismus eine Weiterentwicklung. In Abwandlung der bereits geläufigen historischen Formen wandten sich die Traditionalisten wenige Jahre nach dem Aufkommen des Jugendstils der antiken Kunst zu. Nun standen klassische Formen voller Einfachheit der Struktur, Überschaubarkeit des Details und Würde im Gesamteindruck im Vordergrund, die von der Mehrheit für zeitgemäß oder doch mindestens zeitgemäßer erachtet wurden.

In der Architektur ließ man sich von der antiken Bauweise leiten. Für die Wohnkultur wurde das Biedermeier beispielhaft. Gemeinsames Wesensmerkmal dieser Vorbilder ist die glatte Geradlinigkeit und der Verzicht auf Ornamentation und Farbe. Was es an ursprünglicher Ausschmückung noch gab, wurde zwar nicht beseitigt, wohl aber mittels Stilisierung reduziert. Im Hinblick auf die Einfachheit der Formen waren die neuen Stilspielarten Pseudoklassizismus und Neobiedermeier sogar fortschrittlicher als der Jugendstil. Im Endeffekt aber kam damit ein imperialer Anspruch zum Ausdruck, dessen Wurzeln in das Traditionsdenken des Historismus hineinreichten. Pseudoklassizistische Bauten wurden noch bis in die dreißiger Jahre erstellt. Sie entstanden aber nicht nur im totalitären Deutschland und im faschistischen Italien, sondern auch in den demokratischen Staaten der Alten Welt.

In Amerika hatte man noch in den letzten Jahren des vorigen Jahr-

11. P. Behrens: Schreibtisch

12. P. Behrens:
Schreibtischstuhl

13. M. Brandt: Teekännchen

hunderts damit begonnen, die Kunst von der historistischen Belastung zu befreien, ohne den diesen Prozeß hemmenden Umweg über den Jugendstil zu gehen. Bauherren und Architekten gehorchten den ökonomischen Zwängen, die sich in dem gewaltig nach vorne strebenden Land in hohen Bodenpreisen niederschlugen, und entwickelten eine kostensparende Bauweise. Nicht nur dort, sondern auch in Europa war um 1905 das Ornament zur Geschmacksfrage geworden. 1907 provozierte der Wiener Architekt und Schriftsteller Adolf Loos die Kunstwelt, da er in einem rasch bekanntgewordenen Aufsatz das Ornament mit einem Verbrechen gleichsetzte:

> »Je tiefer die Kultur, desto stärker tritt das Ornament auf. Das Ornament ist etwas, was überwunden werden muß. Der Papua und der Verbrecher ornamentiert seine Haut. Der Indianer bedeckt sein Ruder und sein Boot über und über mit Ornamenten. Aber das Bicycle und die Dampfmaschine sind ornamentfrei. Die fortschreitende Kultur scheidet Objekt für Objekt vom Ornamentiertwerden aus«.

Im gleichen Jahr wurde in München der Deutsche Werkbund gegründet, der sich zum Ziel setzte, die Qualität der gewerblichen Arbeit zu fördern. Hatte der Kreis um den Engländer William Morris die Anwendung von Maschinenkraft bei der Herstellung von Zier- und Gebrauchsgegenständen noch kategorisch abgelehnt, haben sich die

Künstler des Jugendstils in dieser Hinsicht schon kompromißbereit gezeigt, so förderte der Deutsche Werkbund geradezu das Aufgehen des Kunsthandwerks in der Industrie. Seine Zielvorstellungen sah er in einem hohen Formniveau sowie in der Material- und Werkgerechtigkeit der Produkte (Abb. 11 bis 13).

Damit waren dem Funktionalismus, der ausschließlich am Verwendungszweck orientierten Gestaltung, Tür und Tor geöffnet. Dem Verzicht auf das Ornament bei der maschinellen Fertigung von Hausrat und Architekturteilen entsprach der Verlust der unmittelbaren An-

14. R. Belling: Dreiklang, 1919

schaulichkeit in Malerei und Plastik. Bilder und Skulpturen wurden abstrakt. Der traditionelle Bildkosmos wich dem Subjektivismus, da nun der Künstler seinen Kosmos zum Ausdruck brachte, seine Gedanken und seine Empfindungen in seiner ureigensten Sehweise (Abb. 15). Das Aufkommen der gegenstandslosen Kunst in Malerei und Plastik entsprach zeitlich der Ausbildung der funktionalen Architektur und des *Industrial Design.* Diese zeichneten sich durch sach- und funktionsgerechte Gestaltungen aus, bei denen die Eigenart der Materialien nicht mehr wie einst durch die »Ornamentlüge« kaschiert, sondern vielmehr hervorgehoben wurde, und jene drangen in die schwerverständlichen Tiefen der Seele vor, deren Chiffren sichtbare Gestalt in malerischer oder bildnerischer Form annahmen.

Vom Kunstverständnis des »Mannes auf der Straße«, von seinen Problemen und Schwierigkeiten entfernte sich die Kunst ab 1910 allmählich. Er stand ihr meist verständnislos gegenüber, wie er schon vorher den Jugendstil unverständlich fand. Nur mit den Gegenständen des täglichen Bedarfs, mit dem Haus, der Wohnung, den modernen Eßbestecken, Speiseservices und Küchengeräten, vermochte er sich mitunter noch zu identifizieren. Daß in eine erforschte und durchkalkulierte Welt eine intellektuelle und sachliche Kunst gehört, war nur den wenigsten einsichtig.

Einige bildende Künstler hielten an der unmittelbaren Anschaulichkeit der Bildthemen fest, reduzierten die Formen und steigerten den Ausdruck ins Expressive (Abb. 14 und 16). Diese »Expressionisten« beschäftigten sich fast ausnahmslos mit dem Menschen in seiner Erschütterung und Verunsicherung als Folge seiner zunehmenden geistigen Autonomie.

Das Ende der alten Kunst

In der zweiten Hälfte des 19. Jahrhunderts hat sich die Welt grundlegend verändert. Ein Prozeß war in Gang gekommen, dessen Abschluß heute noch nicht abzusehen ist. Als Ergebnis eines komplexen Vorgangs verloren die alten Werte und Normen ihre einst unangefochtene Gültigkeit: Der Materialismus zog die Existenz Gottes in Zweifel, christliche Tugenden gerieten in die Schußlinie der Kritik, und ein Nationalismus mit imperialem Gehabe entzweite die Christen der Welt. Das Ende der alten Kunst war nur eines der Resultate dieser globalen Erschütterung und wohl auch eines der harmlosesten.

Mußten die Künstler nicht diese Zerrissenheit darstellen, wenn sie ehrlich und aufrichtig sein wollten? Den Menschen in seiner nackten Existenz zu veranschaulichen – so wie er ist und nicht, wie er gerne wäre oder wie man ihn lieber hätte – und das sichtbar zu machen, was er denkt und fühlt, wurde zur Aufgabe der Künstler. So gesehen ist

15. E. Barlach:
Lesende Mönche

das darstellerische Wollen, das in den ersten Jahren unseres Jahrhunderts aufkam, noch nicht erschöpft. Dabei hat sich die Kunst demokratisiert: Aus »Stil«, dem Begriff für die relative Einheit künstlerischer Ausdrucksformen, der über Jahrtausende die Bereiche der bildenden Kunst zusammenhielt, aus dem kleinsten gemeinsamen Nenner aller Kunstäußerungen, wurde »Richtung« oder »Tendenz«.

16. E. L. Kirchner: Interieur

Uns allen ist erlaubt, davon zu akzeptieren, was uns gefällt, und abzulehnen, was uns mißfällt. Niemand darf uns ein Kunstverständnis aufzwingen oder ein anderes verbieten. Nur ignorieren sollten wir nichts.

Wir sehen heute, im letzten Viertel des 20. Jahrhunderts, daß es wieder eine realistische Kunst gibt, daß die abstrakte Kunst noch lebt, daß Künstler in der Nähe von Impressionismus und Expressionismus arbeiten. Wir können aber noch nicht überblicken, ob dies alles »Stil« ist. Es bedarf der Distanz, um diese Frage beantworten zu können, und dies wird dem neuen, dem 21. Jahrhundert vorbehalten bleiben.

Gerhard Bott

BILANZ UND AUSBLICK:

Museen als Pflegestätten historischen Bewußtseins

Seit 1966 steht er vor dem Eingang des Germanischen Nationalmuseums, der fabelhafte Vogel Phönix der Ägypter. Bernhard Heiliger, Berliner Bildhauer, hat ihn aus Bronze in Anspielung auf das aus Brand und Trümmern wiedererstandene Nationalmuseum geschaffen. Wie dieser Vogel Phönix, der sich in seinem eigenen Nest alle 500 Jahre, so berichten es die Sagen des Altertums, selbst verbrannt hat, um aus der Asche verjüngt wieder zu erscheinen, hat sich dieses Museum in seinen wiederhergestellten Altbauten und in seinen seit der Mitte der fünfziger Jahre entstandenen Neubauten zum größten deutschen Museum für Kunst- und Kulturgeschichte entwickelt.

Zur Hundertjahrfeier, 1952, sah es noch recht trostlos aus in dem Quartier der Nürnberger Lorenz-Stadt, wo sich dieses Museum seit der Mitte des 19. Jahrhunderts um das alte Kartäuserkloster herum mit immer neuen Erweiterungs- und Umbauten ausbreitete (Abb. 1). Doch der damalige Bundespräsident Theodor Heuss schaute hoffnungsvoll in die Zukunft und setzte auf die durch alle Wirrnisse der Kriegs- und Nachkriegszeit erhalten gebliebenen Museumsgüter und die in allen Jahrzehnten seines Bestehens immer wieder als zeitgemäß akzentuierten Ziele dieses Institutes, die ihren Ursprung den genialen Gedanken des Museumsgründers Hans Freiherr von Aufseß verdanken: »Der ›Sinn‹ dieses Museums war nie bloße Konservierung eines Gewesenen, sondern dessen Vergegenwärtigung als geistig-politischer Auftrag.« Ohne Werturteil sprach Heuss von den im Museum gesammelten Gütern als von etwas »Gewesenem« und bezog so das Sammeln und Bewahren, die Grundprinzipien musealer Existenz, mit seiner Feststellung vom »Sinn« dieses Museums in eine stets sich erneuernde Gegenwart. Die Frage nach dem Sinn dieses Museums gilt es zu erörtern.

Nicht das fatale Wort von Heinrich von Treitschke aus dem 1. Band seiner Deutschen Geschichte im 19. Jahrhundert »Männer machen Geschichte« beherrschte dieses Museum, sondern vielmehr die Prämisse, daß es gelte, alle Zeugen und Zeugnisse der Vergangenheit gleichberechtigt zu sammeln, um ein möglichst breites und umfassendes Bild vergangener Zeiten sich erarbeiten zu können, um aus der Anschauung aller dieser erhaltenen Güter ein Panorama menschlichen Lebens, seiner Freuden und Leiden, seiner Höhepunkte und seiner schlimmen Erniedrigungen sich vorstellen zu können. So wie der große Historiker Jakob Burckhardt meinte, läßt sich dieses Bild nur in der Anschauung des sichtbar Gestalteten vergangener Epochen gewinnen: »Wo ich nicht von der Anschauung ausgehen kann, da leiste ich nichts«, schrieb er schon als Vierundzwanzigjähriger an einen Freund.

1. Skizze zu einem Erinnerungsblatt an das Germanische Nationalmuseum, Federzeichnung von L. Braun, nach 1868

Auf einer Tagung des Deutschen Museumsbundes in Schleswig stand ein damals neues Konzept des Historischen Museums der Stadt Frankfurt zur Debatte, das glaubte, den »Stein der Weisen« gefunden zu haben – die Alchimisten hatten sich eben jenen genannten Phönix als Symbolzeichen für diesen Stoff, der alle Körper in Gold verwandeln könne, erkoren – und den Anspruch erhob, aus einem Museum einen »Lernort« zu machen, um Geschichte zeigen zu können. Die Museumsstücke waren in Frankfurt zur öfter mißbrauchten Illustration vorgefaßter Meinungen von »der« Geschichte geworden. Auf der Tagung sagte ich: »Ein Museum kann nur ausstellen, was es hat.« Ein simpler Satz, der richtigstellen wollte, daß »die« Geschichte in einem Museum nicht ausstellbar ist.

Erst kürzlich, 1980, hat ein Beobachter der Museen, Heiner Treinen, in einem Referat »Das Museum als Massenmedium« jenen eine Absage erteilt, die das Museum ausschließlich als »Lernort« verstehen wollen. Das Verhalten der Museumsbesucher spräche gegen solche Anstrengungen mancher Museen, dies sein zu wollen. Er prophezeite demjenigen Museum immer weniger Beachtung, das »im Museum nur Lernvorgänge im Sinne didaktischer und pädagogischer Vorstellungen« anzubieten hätte.

Zu guter Letzt gab es 1979 auf Schloß Gymnich ein vom Germanischen Nationalmuseum veranstaltetes Symposion mit dem Thema »Nationales Museum oder Museum der Nation. Ist Geschichte im Museum darstellbar?«, und hierbei formulierte der Vorsitzende des Verwaltungsrates des Nationalmuseums, Walter Scheel, einen Satz, der entscheidend einen auf Objektivität gerichteten Grundsatz vieler kulturhistorischer Museen ausspricht: »Je größer die Schätze, desto mehr Klarheit. Das Germanische Nationalmuseum kommt mit der Fülle seiner Schätze an die geschichtliche Wahrheit heran.« Wie Jakob Burckhardt meinte Scheel, der Museumsbesucher solle die Geschichte am Originalobjekt »optisch erfahren«. Die Objekte in einem Museum werden so als Geschichtsquellen anerkannt und gewertet, die »willkürliche« oder »unwillkürliche« (Seibt) Aussagen über die Geschichte machen.

Das Museum und der Museumsbesuch sollen einen »Unterhaltungswert« haben, und gerade dieser Unterhaltungswert schließt den Wunsch nach wiederholtem Museumsaufenthalt ein. Es kommt darauf an, daß das Museum den Besucher anregt, sich mit dem Gesehenen ohne Zwang zu befassen – ein »Neugierverhalten« ist ein wesentliches Element zu Annäherung an das Ausgestellte. Es steht fest, daß die »Atmosphäre« eines Museums ein wesentlicher Anreiz für den Museumsbesucher ist. Das Museum, das ein amerikanischer Journalist nach einem Besuch mit der Überschrift »This Museum Belongs Into The Museum« (»Dieses Museum gehört ins Museum«) charakterisierte, hat es nicht verstanden, die Neugier der Besucher zu wekken. Das »Medium Museum« bezieht also seine Wirkung nicht aus seinen didaktischen und pädagogischen Programmen, sondern aus der Aussagefähigkeit seiner wie immer gearteten Objekte.

So ist die Präsentation, die die Stücke zum Sprechen bringt, das wichtigste Ausdrucksmittel des Museums. Die Art und Weise der Präsentation muß ständig überprüft werden. In ihre Anordnungen und Zielrichtungen müssen ständig die neuesten wissenschaftlichen Ergebnisse über die Objekte einfließen. Das »Museum als Forschungsinstitut« beweist hier seine Wirksamkeit, denn ohne die Erkenntnisse aller Umstände, die zum Entstehen, zur formalen Ausbildung und zum Wirken des Museumsgutes geführt haben, kann der Auftrag des Museums, mit bestem Wissen und Gewissen die Einmaligkeit oder auch Gemeingültigkeit eines Objektes dem Betrachter in der Präsentation zu »vermitteln«, nicht erfüllt werden.

Zur Erforschung aller dieser mit der Besonderheit des Einzelobjektes verbundenen Kenntnisse gehört die Verpflichtung, das einmal gewonnene Sammelobjekt über die Zeiten zu bewahren, es in seinem Originalzustand zu erkennen, zu pflegen und vor dem Verfall zu retten. Die Restaurierungswerkstätten des Germanischen Nationalmuseums wie aller Museen haben deshalb eine wichtige grundlegende Aufgabe zu erfüllen, die in der gültigen Aufstellung der Ausstellungsstücke ihre Vollendung findet.

Hans Freiherr von Aufseß sprach von seinen Sammlungen, die der Ursprung des Germanischen Nationalmuseums sind, nie anders als von dem »vorhandenen historischen Quellenmaterial« (Abb. 2 und 3). Trotz seines Anspruchs, eine umfassende Sammlung aller Quellen zur Geschichte anlegen zu wollen, kam ihm nie der Gedanke, die »Geschichte« wie in einem traditionellen Geschichtsbuch darstellen zu wollen. Er versuchte vielmehr, alle »Denkmäler« des »Lebens und Strebens« der »Vorzeit« zu vereinen. Er wollte damit ein Bild dieses Lebens und Strebens im Sinn der genannten Anschauung zusammenstellen und setzte sich zum Ziel, »kaum eine Seite des menschlichen Lebens« außer acht zu lassen.

Das Germanische Nationalmuseum hat daher niemals in seinen Satzungen, die die Leitlinien seiner Existenz bestimmen, die Absicht kundgetan, ein »Museum der deutschen Geschichte« zu sein. Die Frage, ist Geschichte als Leitfaden im Sinne traditioneller Geschichtsbetrachtung oder als Kompendium im Museum darstellbar, kann also getrost verneint werden. Sie kann außer Kraft gesetzt werden durch die Feststellung, daß das Museum in seinen Objekten einen Teil der Quellen zur Geschichte darbietet. Vielfältige Erkenntnisse über die Geschichte können an diesen Quellen gewonnen werden. »Geschichtskenntnisse aus dem Museum« sollte es also heißen.

Freilich verlangt die Betrachtung der ausgestellten Museumsstücke einen fragenden und dabei denkenden Menschen. Hierbei ist nicht der Wissenschaftler oder der wissenschaftlich Gebildete in seiner bloßen Gelehrsamkeit als Museumsbesucher gemeint, sondern das Mu-

2. Hans von und zu Aufseß in einem Reiterharnisch im Stil der 2. Hälfte des 15. Jahrhunderts, Fotografie 1864

System

der

deutschen Geschichts- und Alterthumskunde

entworfen

zum Zwecke der Anordnung der Sammlungen

des

germanischen Museums

von

Frh. H. v. u. z. Aufsess,

Dr. der Rechte, d. Z. Vorstand des germanischen Museums.

Artistisch-literar. Anstalt des germ. Museums zu Nürnberg.

Commissionär Fr. Fleischer in Leipzig.

1853.

3. Titelblatt des von Hans von Aufseß verfaßten »Systems der deutschen Geschichts- und Alterthumskunde«

seum wendet sich mit diesem Verlangen an den »normalen« Museumsbesucher, der einer Kulturgemeinschaft angehört, in der das Lesen und Schreiben selbstverständlich geworden ist. Paul Valéry hat ebenfalls diesen normalen Museumsbesucher im Sinn, wenn er über den Eingang des Palais Chaillot in Paris schreiben ließ: »Es hängt von dem ab, der hindurchgeht, ob ich Grab bin oder Schatz, ob ich rede oder schweige, das liegt nur an Dir, Freund. Tritt ein, nicht ohne

Wunsch.« Der Schritt ins Museum setzt voraus, daß der Besucher bereit sein muß, sich allen Eindrücken, die ihm dort widerfahren, zu öffnen und sie zu verarbeiten. Wenn das Museum of Modern Art in New York ein vielgekauftes Einführungsbuch »An Invitation To See« – »Eine Einladung zum Sehen« nennt, dann weist es so den einzig möglichen Weg für den Betrachter, sich den Beständen des Museums zu nähern.

Immer wieder ist erstaunlich, wie wenig die heutigen Menschen dem Sinnesorgan des Auges zutrauen, um aus ihm Gewinn zu ziehen. Die »Massenmedien« mit den hektisch wechselnden Eindrücken haben ihn dazu gebracht, das fragende und antwortgebende Sehen zu verlernen. Jakob Grimm, der große Sprachforscher und Märchensammler, beschäftigte sich vor über hundert Jahren in einer »Rede über das Alter« mit dem Nachlassen der Sinnesorgane bei fortschreitendem Alter. Er kam zu der Meinung, daß »das Auge ein Herr, das Ohr ein Knecht« sei und sagte: »Jenes schaut um, wohin es will, dieses nimmt auf, was ihm zugeführt wird.« Und er fährt fort: »Des Hörens bedürfen wir zu vielem, des Sehens zu fast allem« und stellte fest, daß »die Verhüllung des Auges schwereres Leid sei als die Verdumpfung des Ohres« und daß »Blindheit den Menschen härter treffe als Taubheit«. Wir müssen mit Bedauern feststellen, daß der moderne Mensch so wenig Gebrauch macht von seinem wertvollsten Sinnesorgan, dem Auge. Viele haben vergessen oder verlernt, daß es ein Genuß ist, schöne Dinge zu sehen, immer wieder zu sehen. Genauso ist es erhellend und regt zum Nachdenken an, wenn man gefordert ist, Leid und Unterdrückung zu betrachten. Auch hiervon gibt es Zeugnisse im Museum. So kann das Museum eine wahrhafte »Schule des Sehens« (Justi) sein, ohne dabei den Besucher am Gängelband einer »Verschulung« führen zu müssen.

In einer Zeit, als der Historismus in Hochblüte stand, Ende 1873, als auch das Germanische Nationalmuseum über eine Angliederung an das gerade neuentstandene kleindeutsche und schöpferisch kleinmütige »Kaiserreich« nachsann, schrieb der junge Philosoph Friedrich Nietzsche, nach einem Aufenthalt bei Richard Wagner in Bayreuth sehr niedergedrückt, in Basel eine Schrift, die sich mit dem Geschichtsbewußtsein seiner Zeit auseinandersetzte. Ihm kam es merkwürdig vor, daß diese seine Zeit keine Kraft gefunden habe, aus sich heraus eine Erneuerung der Kunst und Kultur zu finden, kurz, daß sie rückwärts statt vorwärts dachte. So entstanden Streitschriften gegen Bismarck und seine konservativen hegemonialen Gedanken und die Schrift »Vom Nutzen und Nachteil der Historie für das Leben«. Diese Schrift sprach sich vehement für eine aktive schöpferische Gegenwart aus. Nietzsches Kernsatz lautete: »Nur aus der höchsten Kraft der Gegenwart dürft ihr das Vergangene deuten«, denn, so meinte er, der Historismus als oberstes Prinzip tötet letztlich das Leben selbst, er untergräbt das Selbstbewußtsein der eigenen Epoche und hindert die Entfaltung neuer Kräfte.

Nietzsche knüpfte mit diesen Gedanken und mit diesem Anspruch unmittelbar an Gedanken Goethes an, die dieser in Gesprächen gegenüber Friedrich von Müller äußerte: »Es gibt kein Vergangenes, das man zurücksehnen dürfte, es gibt nur ein ewig Neues, das sich aus den erweiterten Elementen des Vergangenen gestaltet, und die echte Sehnsucht muß stets produktiv sein, ein neues Besseres zu erschaffen.«

Der Verlust der Kenntnisse der Kontinuität jeglichen geistig bewußten Lebens kann zu einer irreparablen geistigen Verantwortungslosigkeit führen. Alle emanzipatorischen und freiheitlichen Gedanken und Lebensformen unserer gewachsenen und gerade in den letzten Jahrzehnten zurückgewonnenen humanen Grundprinzipien geraten dadurch in Gefahr. So hat die Frage nach dem Verhältnis der heute lebenden Menschen zur Vergangenheit einen Sinn – und so ist auch die Begegnung mit den Zeugen und Zeugnissen dieser Vergangenheit im Museum sinnvoll. Diese Begegnung, die im Interesse einer Vertiefung und Verbreiterung vorhandener Fragestellungen geschieht, soll dem Museumsbesucher die Möglichkeit geben, auch die Phänomene der eigenen Zeit kritisch zu betrachten. Er soll Schlüsse aus der Beurteilung der sichtbaren zeitgenössischen Gestaltungen jeglicher Art auf seinen eigenen Platz innerhalb der vorgefundenen aber auch verantwortlich mitzugestaltenden Umwelt ziehen. So kann man, überspitzt, als eine Aufgabe des Museums definieren: besser in der Gegenwart sich zurechtfinden durch besseres Sehen.

Mittlerweile haben die meisten Museen selbst mit ihrer Lebensdauer einen geschichtlichen Zeitraum durchschritten, der sich in ihren Sammlungsbeständen, in ihren Bauten – und damit auch in ihrer oft durch diese Bauten bestimmten Präsentation niederschlägt. Das Stetige in der Geschichte dieser Museen ist ihr Wandel. Der auch im Museum niemals verleugnete Zeitgeist und der Charakter der Menschen, die das Bild des Museums in der Darbietungsweise seiner Bestände prägten, verdichteten sich zu den Entwicklungsstufen der Museumsgeschichte.

Das Germanische Nationalmuseum hat gegenüber vielen anderen kulturhistorischen Museen eine lange Geschichte, so wurde es Vorbild für viele nachfolgende Institute ähnlicher Art. Dreizehn Jahrzehnte formten seine Gestalt. Sein Gründer, Hans Freiherr von Aufseß, hatte ihm die Richtung gegeben. Die Nachfolger benutzten seine weitreichenden Gedanken, ergänzten und revidierten sie. Angesichts der durch die moderne Computer- und Datentechnik leicht gewordenen Möglichkeit, Fakten abrufbar zu speichern, muten die Ideen des fränkischen Adeligen außerordentlich zeitgemäß an, alle »Daten« zur deutschen Kulturgeschichte erfassen zu wollen. Doch Aufseß kam es nicht allein auf die »Daten« an, sondern auf die Erhaltung der »Realien«. Er wollte das Übriggebliebene vergangener Zeiten zuerst retten und danach erst ordnen und erforschen.

Der Nachfolger des Museumsgründers, der Nordschleswiger Andreas Ludwig Michelsen, konnte es nicht verstehen, daß Aufseß »alle« Zeugnisse deutscher Vergangenheit in die Sammeltätigkeit des Museums einbezog. Ihm lag am Herzen, aus dem Museum ein zentrales »Archiv deutscher Geschichte« zu machen. Dies war durchaus eine mögliche Alternative, die – das hat die Geschichte des Museums bewiesen – glücklicherweise nicht zum Zuge kam.

Der zweite Nachfolger des Museumsgründers war August Essenwein, ein Baufachmann. Er war Architekt und Denkmalpfleger. Sein Streben galt dem Sichtbaren. Seine Welt war die Erstellung haptisch erlebbarer Bezüge zur Vergangenheit. Für ihn war die Abfolge der erkennbaren Baustile gleichzeitig Spiegel sozialer und politischer Verhältnisse. In den 70er Jahren des vorigen Jahrhunderts war dieser Leiter des Germanischen Nationalmuseums Historiker, Architekt und Bauherr zugleich. Es entstanden nach seinen Plänen die Museumsbauten neben dem Kartäuserkloster als Musterkarten der Entwicklung historischer Stile. Sie sollten den Museumsobjekten eine möglichst »objektive« Folie zur Erhöhung ihrer Wirkungskraft bereiten. Wir sind heute wieder bereit, den besonderen Reiz dieser nachempfundenen Gebäude anzuerkennen und bedauern, daß wiederaufbaufähige Reste dieser Bauten nach dem letzten Krieg nicht erhalten wurden.

Nur der wenig beschädigte sogenannte Rittersaal im Südwestbau des Museumskomplexes kann noch für diese Museumsbauten sprechen. Er wurde 1902 anläßlich des fünfzigjährigen Jubiläums des Museums eingeweiht. Gustav von Bezold, der die Geschicke des Museums nach August Essenwein in die Hand genommen hatte, war der Architekt dieses ganz im Sinne seines Vorgängers errichteten Neubaus.

Mit der Berufung des Kunsthistorikers Ernst Heinrich Zimmermann nach Nürnberg begann eine neue Ära, die die Idee, das Museum sei »eine Art Freilichtmuseum altdeutscher Baukunst« (Schlee) überwand. Zimmermann holte Barock und Rokoko in das Haus, überschritt die von Aufseß gesetzten Zeitgrenzen energisch und richtete sein Ziel auf eine Heraushebung der Kunstgeschichte. Damit rückte er angesichts der Fülle des Vorhandenen von der Idee der »Altertümersammlung« ab. Gleichzeitig bedeutete diese Neuorientierung eine größere Verselbständigung der Abteilungen, die ihren Sondercharakter durch Abrundung ihrer Bestände immer mehr ausbauten. Zu denken ist hier etwa an die immer bedeutender werdende Musikinstrumentensammlung, die ihr selbständiges Leben im Rang bald mit der Gemälde- oder Plastiksammlung vergleichen konnte. Doch stets wurde an dem Anspruch festgehalten, »Wesen und Wandlung deutscher Kultur« insgesamt anschaulich zu machen (1938, Kohlhaußen), und ohne Unterlaß berief man sich dabei auf Hans von Aufseß.

Ein nie in Frage stehendes Ziel, ja die grundlegende Sinngebung dieses Museums war stets die »Selbstdarstellung der Nation«. »Eigenthum des deutschen Volkes« stand über der ersten Eingangstüre vor der Westfront der Kartäuserkirche. Von dieser »deutschen Nation«, was immer sie auch sei und wie immer sie sich im Laufe der Zeit definiert hat, will dieses Museum künden und will sie einbinden in die über alle Grenzen und Nationalitäten hinweg wirkende Einheit europäischen Geistes und künstlerischen Schöpfertums. Das Museum kann sich keine Abgrenzungen auferlegen lassen, weder bei der notwendigen Registrierung der Gegenwart als einer übernationalen Lebensform noch auf sich verändernde politisch-staatliche Grenzlinien. Alle deutschsprechenden Landschaften in Mitteleuropa sind seit Anbeginn der Museumsgeschichte in Zeugnissen vertreten.

Daher hat gerade in der heutigen Zeit einer staatlich-politischen Zweiteilung und einer Suche nach der nationalen Identität das Nationalmuseum eine wichtige »politische« Aufgabe, die über staats- und tagespolitische Probleme hinausführt. Es kann sich gerade hier zeigen, daß ein Zusammengehörigkeitsgefühl aus gemeinsam durchlebter Geschichte und lebendiger gemeinsamer Sprache angesichts der erhaltenen Zeugnisse der Kunst- und Kulturgeschichte entsteht. Kenntnisse über die Kunst und Kultur und die Berührung mit der Kunst und Kultur als Ausdrucksformen menschlichen Lebens und Geistes regen an zum Nachdenken über Fragen nationaler Selbstbesinnung.

DIE AUTOREN

Gerhard Bott Geb. 1927 in Hanau am Main. Promotion 1950 an der Universität Frankfurt/Main, anschließend Volontär am Germanischen Nationalmuseum Nürnberg, 1951–1952 Stipendiat an der Bibliotheca Hertziana Rom. Ab 1952 bis 1959 am Historischen Museum Frankfurt, seit 1956 als Direktor, 1959 bis 1975 Direktor des Hessischen Landesmuseums in Darmstadt, 1975 bis 1980 Generaldirektor der Museen der Stadt Köln und Direktor des Wallraf-Richartz-Museums in Köln. Ab 1980 Generaldirektor des Germanischen Nationalmuseums in Nürnberg. Veröffentlichungen besonders über Stillebenmalerei des 17. Jahrhunderts, Tiepolo, Rokokoplastik und Jugendstil. Museumskundliche Beiträge.

Günther Bräutigam Geb. 1925 in Berlin. Ab Juli 1943 Soldat. Nach der Entlassung aus der Kriegsgefangenschaft 1946 Aufnahme des kunstgeschichtlichen Studiums an der Technischen Hochschule Stuttgart. Promotion an der Universität Erlangen 1953, dort 1954–1964 wissenschaftlicher Assistent am Kunstgeschichtlichen Seminar. Am Germanischen Nationalmuseum tätig seit 1964 zunächst als Bearbeiter der jahrgangsweise erscheinenden Bibliographie »Schrifttum zur deutschen Kunst«, seit 1976 als Referent für die Skulpturenabteilung und die Sammlung der Apothekenaltertümer. Hauptkonservator. Veröffentlichungen: Die Darstellung des Verstorbenen in der figürlichen Grabplastik Frankens und Schwabens vom Ende des 13. Jahrhunderts bis um 1430. Phil. Diss. Erlangen (1953); Gmünd – Prag – Nürnberg. Die Nürnberger Frauenkirche und der Prager Parlerstil vor 1360. In: Jahrbuch der Berliner Museen (1961); Die Nürnberger Frauenkirche. Idee und Herkunft ihrer Architektur. In: Festschrift für Peter Metz. Berlin (1965); Der Ostchor von Sankt Sebald in Nürnberg. In: Der heilige Sebald, seine Kirche und seine Stadt. Nürnberg (1979); Mitarbeit an Museums- und Ausstellungskatalogen und historischen Sammelwerken.

Bernward Deneke Geb. 1928. Nach der Promotion Tätigkeiten am Freilichtmuseum Cloppenburg i. O., dem Landesmuseum in Darmstadt und dem Historischen Museum Frankfurt/Main. Seit 1965 Referent für die Sammlungen zur Volkskunde des Germanischen Nationalmuseums. Veröffentlichungen in Zeitschriften, Ausstellungskatalogen und Sammelwerken, schwerpunktmäßig zu Fragen der Volkskunst, zu Erscheinungsformen des Historismus, zur Entwicklung des kulturhistorischen Museums, zu Wandlungen des Handwerks im 19. Jh., zur Kostümgeschichte, zur Volkssage. Buchveröffentlichungen: Bauernmöbel. Ein Handbuch für Sammler und Liebhaber (1969, [3]1979), Hochzeit (1971), Europäische Volkskunst (Erg.-Bd. zur Propyläenkunstgeschichte) (1980). Mitherausgeber von Büchern zur Museologie sowie der Zeitschrift für Volkskunde (1973–1978).

Norbert Götz Geb. 1948 in Nürnberg. Studium der Kunstgeschichte, Neueren Geschichte und Klassischen Archäologie in Erlangen. Promotion mit einer Arbeit über Historismusprobleme in Nürnberg. Seit 1980 am Germanischen Nationalmuseum tätig. Veröffentlichungen zur Kunst und Geistesgeschichte Nürnbergs im 19. Jahrhundert: Beiträge zu den Katalogen der Ausstellungen »Peter Behrens und Nürnberg« (1980) und »Die Meistersinger und Richard Wagner« (1981). »Um Neugotik und Nürnberger Stil. Studien zum Problem der künstlerischen Vergangenheitsrezeption im Nürnberg des 19. Jahrhunderts.« Nürnberger Forschungen (Band 23) Nürnberg 1981.

Rainer Kahsnitz Geb. 1936 in Schneidemühl. 1971 Promotion in Kunstgeschichte an der Universität Bonn, seitdem am Germanischen Nationalmuseum Nürnberg tätig, derzeit als Oberkonservator. Wissenschaftliche Veröffentlichungen über Buchmalerei und kirchliche Schatzkunst des 9.–12. Jahrhunderts, kunsthistorische Probleme mittelalterlicher Siegel, mittelalterliche Steinschneidekunst, Glasmalerei und Museumsgeschichte vornehmlich des 19. Jahrhunderts.

Kurt Löcher

Geb. 1932 in Duisburg. Studium der Kunstgeschichte, Archäologie und neueren Literaturgeschichte in Freiburg i. Br., München und Wien. Promotion 1960 über das Thema »Jakob Seisenegger, Hofmaler Kaiser Ferdinands I.«. Sekretär der Ausstellung »Kirchenbau der Gegenwart in Deutschland« beim Eucharistischen Weltkongreß in München 1960. Nach Tätigkeiten an verschiedenen bayerischen Museen 1963 wissenschaftlicher Mitarbeiter der Staatsgalerie Stuttgart, zuletzt als Oberkonservator. 1973 Hauptkustos am Wallraf-Richartz-Museum in Köln. 1978 Ltd. Museumsdirektor am Germanischen Nationalmuseum. Mitarbeit an den Ausstellungen: Die Zeit der Staufer, Stuttgart (1977), Berthel Thorvaldsen, ein dänischer Bildhauer in Rom, Köln (1977), Rubens in Italien, Köln (1977), Welt im Umbruch, Augsburg (1980), jeweils mit Beiträgen im Katalog. Veröffentlichungen (u. a.): Deutsche und niederländische Malerei zwischen Renaissance und Barock, Katalog I der Alten Pinakothek in München (Bearbeitung der deutschen Meister) (1961), Studien zur oberdeutschen Bildnismalerei des 16. Jahrhunderts (1967), Katalog der Staatsgalerie Stuttgart, Neue Meister (zusammen mit Peter Beye) (1968), Der Perseus-Zyklus von Edward Burne-Jones (1973), Christoph Amberger als Zeichner (1979).

John Henry van der Meer

Geb. 1920 in Den Haag, Niederlande. Nach dem Studium der Rechte Studium der Musikwissenschaft an der Reichsuniversität von Utrecht bei Albert Smijers und Eduard Reeser; Promotion cum laude über: Johann Josef Fux als Opernkomponist (Bilthoven 1971). 1946–1954 Hauptlehrer für Musiktheorie und Musikgeschichte am Konservatorium Utrecht, 1949–1955 Hauptlehrer für Musikgeschichte am königlichen Konservatorium in Den Haag und 1954–1962 Leiter der Musikabteilung des Gemeentemuseum in Den Haag. Am Germanischen Nationalmuseum seit 1963, zuletzt als Landeskonservator (Referent der Sammlung historischer Musikinstrumente). Korrespondierendes Mitglied der Königlich Niederländischen Akademie der Wissenschaften. Sonstige Veröffentlichungen: The Carel van Leeuwen Boomkamp Collection of Musical Instruments (Amsterdam 1971). Verzeichnis der europäischen Musikinstrumente im Germanischen Nationalmuseum in Nürnberg I. Hörner und Trompeten, Membranophone, Idiophone (Wilhelmshaven 1979). Verzeichnis der außereuropäischen Musikinstrumente im Germanischen Nationalmuseum Nürnberg (Typoscript Nürnberg 1979). Zahlreiche Veröffentlichungen zur Instrumentenkunde.

Wilfried Menghin

Geb. 1942 in München. 1965–1971 Studium der Vor- und Frühgeschichte, Völkerkunde, Provinzialrömischen Archäologie und Geschichte an den Universitäten in München, Gießen und Regensburg. Promotion 1971 in München. Seit 1972 Leiter der archäologischen Abteilung des Germanischen Nationalmuseums in Nürnberg. Mitarbeiter internationaler Ausstellungen: Magisches Gold. Kultgerät der späten Bronzezeit (1977), Römische Paraderüstungen, Schatzfunde aus römischen Provinzen (1978/79). Veröffentlichungen (u. a.): Aufhängevorrichtung und Trageweise zweischneidiger Langschwerter aus germanischen Gräbern des 5.–7. Jahrhunderts (1973). Il materiale gotico e longobardo del Museo Nazionale Germanico di Norimberga proveniente dall'Italia. Ricerche di Archeologia Altomedievale e Medievale 1. Florenz (1977), Neue Inschriftenschwerter aus Süddeutschland und die Chronologie karolingischer Spathen auf dem Kontinent (1980), Kelten, Römer und Germanen. Archäologie und Geschichte (1980).

Klaus Pechstein

Geb. 1934 in Dresden. Studium der Kunstgeschichte, Geschichte und Klassischen Archäologie in Berlin, München und Wien. 1962 Promotion in Berlin. 1962–63 Stipendiat am Kunsthistorischen Institut Florenz. Danach Tätigkeiten bei den Bayer. Staatsgemäldesammlungen in München, am Kunstgewerbemuseum und der Skulpturensammlung der Staatlichen Museen Preußischer Kulturbesitz Berlin und am dortigen Kunstgewerbemuseum. Seit 1971 am Germanischen Nationalmuseum Nürnberg (z. Z. als Oberkonservator). Veröffentlichungen: Beiträge zur Geschichte der Vischerhütte in Nürnberg (1962), Bronzen und Plaketten. Kataloge des Kunstgewerbemuseums Berlin, Bd. 3 (1968), Goldschmiedewerke der Renaissance. Kataloge des Kunstgewerbemuseums Berlin, Bd. 5 (1971). Zahlreiche Aufsätze über deutsche und italienische Kleinbronzen, zur deutschen

Plastik und zum Kunsthandwerk sowie über einzelne Künstler (u.a. Wenzel Jamnitzer, Peter Vischer, Pankraz Labenwolf).

Claus Pese Geb. 1947. Promovierter Kunsthistoriker, seit 1981 Mitarbeiter des Archivs für Bildende Kunst am Germanischen Nationalmuseum und Pressereferent des Museums Hauses. Veröffentlichungen: Das Nürnberger Kunsthandwerk des Jugendstils (1980), Georg Meistermann – Werke und Dokumente (1981) sowie zahlreiche Aufsätze zur deutschen Kunst- und Kulturgeschichte des 19. und 20. Jahrhunderts.

Rudolf Pörtner Geb. 1912 in Bad Oeynhausen. Studierte in Marburg, Berlin und Leipzig Geschichte, Germanistik und Soziologie und fühlte sich diesen Sparten auch während seiner 1938 in Berlin begonnenen journalistischen Tagesarbeit besonders verpflichtet. Als Berichterstatter häufig unterwegs, stellte sich ihm 1956 in den Ruinen von Pergamon die Frage nach der antiken Hinterlassenschaft in Deutschland. Frucht dieses neugeweckten Interesses waren seine vier Bücher über Städte und Stätten der deutschen Vor- und Frühgeschichte (1959: »Mit dem Fahrstuhl in die Römerzeit«, 1961: »Bevor die Römer kamen«, 1964: »Die Erben Roms«, 1967: »Das Römerreich der Deutschen«), die zusammen eine Auflage von fast zwei Millionen erreichten. 1971 folgte »Die Wikinger-Saga«, 1977 »Operation Heiliges Grab«. Der erste Band der Alten Kulturen (»Alte Kulturen ans Licht gebracht«) erschien 1975, der zweite »Alte Kulturen der Neuen Welt« 1980. In ihnen ließ Pörtner (der seit 1974 Träger des Ceram-Preises ist) erstmals Experten der verschiedenen archäologischen Sparten ihre Forschungsergebnisse einer interessierten Öffentlichkeit vorstellen.

Elisabeth Rücker Geb. 1923 in Zittau. Kunsthistorisches Studium in München und Prag, Bibliotheksausbildung für den höheren Dienst in Berlin und Köln. Nach der Promotion wissenschaftliche Mitarbeiterin an der Gemäldegalerie der ehemals Staatlichen Museen Berlin, Sachbearbeiterin für Fachbibliographie beim Deutschen Verein für Kunstwissenschaft in Berlin. Seit 1961 an der Bibliothek des Germanischen Nationalmuseums tätig, seit 1970 Bibliotheksdirektorin. Aktivitäten in verschiedenen überregionalen bibliothekarischen Gremien; seit 1967 Schriftführer der Albrecht Dürer Gesellschaft e.V. Nürnberg. Aufsätze zum Buch- und Bibliothekswesen seit dem 15. Jahrhundert und zur zeitgenössischen deutschen Druckgraphik. Veröffentlichungen u.a.: Die Schedelsche Weltchronik, das größte Buchunternehmen der Dürer-Zeit. München 1973 (Bibliothek des Germanischen Nationalmuseums zur deutschen Kunst- und Kulturgeschichte, Band 33 (1973), Maria Sibylla Merian, ihr Wirken in Deutschland und Holland (1980), gemeinsam mit William T. Stearn: Maria Sibylla Merian »Metamorphosis Insectorum Surinamensium«, Kommentarband zur Faksimile-Ausgabe (im Druck). Mitarbeit am Kommentarband der Faksimile-Ausgabe »Das goldene Buch von Echternach« und am Katalogbuch zum gleichen Thema (im Druck).

Ludwig Veit Geb. 1920 in Kramersdorf bei Passau. Studium Geschichte, Hist. Hilfswissenschaften, Bibliothekswissenschaften. Kunstgeschichte in Erlangen und München. Promotion. Archivausbildung 1947–1953 am Staatsarchiv Nürnberg, 1953–1956 an der Bayerischen Archivschule München, Zweite Staatsprüfung für den höheren Archivdienst 1956. 1956–1957 bei der Kommission für Bayerische Landesgeschichte. Am GNM seit 1958 als Leiter des Archivs und des Münzkabinetts, seit 1972 als Archivdirektor, Initiator des Archivs für Bildende Kunst. Veröffentlichungen: Nürnberg und die Feme. Der Kampf einer Reichsstadt gegen den Jurisdiktionsanspruch der Westfälischen Gerichte (Diss. Erlangen; Nürnberger Forschungen Bd. 2) (1955). Handel und Wandel mit aller Welt (Bibliothek des GNM Bd. 14) (1960). Das liebe Geld (Bibliothek des GNM Bd. 30) (1969). Historischer Atlas von Bayern, Band Hochstift Passau, München (1978). Katalog Olaf Gulbransson (1980). Weitere Veröffentlichungen zur Geschichte Nürnbergs, zur Bayerischen Landesgeschichte, zur Numismatik und zum Archivwesen.

Leonie von Wilckens

Geb. 1921 in Sypniewo, Polen. Studium der Kunstgeschichte, klassischen Archäologie, Geschichte und Germanistik von 1938 bis 1943 in Bonn, Berlin, München, Florenz. 1943 Promotion in München. 1944–1948 am Bayerischen Nationalmuseum in München. 1949–1951 in München Mitarbeit bei den ersten großen Nachkriegsausstellungen zur Kunst des 20. Jahrhunderts. Seit 1952 am Germanischen Nationalmuseum in Nürnberg, seit 1972 als Landeskonservatorin. Neben einigen Büchern (u.a. Grundriß der abendländischen Kunstgeschichte [1967, 1981], Das Puppenhaus. Vom Spiegelbild des bürgerlichen Hausstandes zum Spielzeug für Kinder [1978], Bildteppiche. Museum der Stadt Regensburg [1980]) zahlreiche wissenschaftliche Publikationen in Zeitschriften und Sammelbänden, vor allem zur textilen Kunstgeschichte und zur deutschen Buchmalerei des 14./15. Jahrhunderts (u.a. Das »historische« Kostüm im 16. Jahrhundert [1961], Ein Kaselkreuz in Rokycany [1965], Die Prophetien über die Päpste in deutschen Handschriften [1975], Unbekannte Buchmalerei und Leinenstickerei im Umkreis von Lübeck [1976], Die textilen Schätze der Lorenzkirche [1977], Hinweise zu einigen frühen Einblattholzschnitten und zur Blockbuchapokalypse [1978], Eine Stickerei des frühen 14. Jahrhunderts als Bucheinband [1981]), Seidengewebe in Zusammenhang mit der heiligen Elisabeth [1981].

Johannes Karl Wilhelm Willers

Geb. 1945 in Bamberg. Seit 1973 als wissenschaftlicher Volontär und Konservator am Germanischen Nationalmuseum, ab 1976 als Referent der Sammlungen alter Waffen, Jagdaltertümer und wissenschaftlicher Instrumente sowie Referent für Schloß Neunhof und (bis 1981) Öffentlichkeitsarbeit. Zuvor, nach Studium und Promotion 1973 in Erlangen, tätig als wissenschaftliche Hilfskraft am Archiv der Universität Erlangen-Nürnberg. Veröffentlichungen: Die Nürnberger Handfeuerwaffe bis zur Mitte des 16. Jahrhunderts. Entwicklung, Herstellung und Absatz nach archivalischen Quellen (Nürnberger Werkstücke zur Stadt- und Landesgeschichte, Bd. 11, 1973). »Der Erdglobus des Martin Behaim im Germanischen Nationalmuseum«, in: Humanismus und Naturwissenschaften, Beiträge zur Humanismusforschung, Bd. VI, S. 193–206, Boppard 1979. Veröffentlichungen zur Geschichte der Waffen und wissenschaftlichen Instrumente.

WEITERFÜHRENDE LITERATUR

Rudolf Pörtner, Salut für einen Schatzbewahrer

Aufseß, Max von: »Des Reiches erster Konservator Hans von Aufseß«, Der Gründer des Germanischen Nationalmuseums, Nürnberg 1971

Bezold, Gustav von: »Hans Freiher von und zu Aufseß«, Altertumsforscher und Gründer des Germanischen Nationalmuseums, in: Lebensläufe aus Franken, München/Leipzig 1919

Burian, Peter: »Das Germanische Nationalmuseum und die deutsche Nation«, in: Das Germanische Nationalmuseum 1852–1977

Bernward Deneke/Rainer Kahsnitz (Hrsg.): »Das Germanische Nationalmuseum Nürnberg 1852–1977«, Beiträge zu seiner Geschichte, München/Berlin 1978 (mit ausführlicher Bibliographie)

Hampe, Theodor: »Das Germanische Nationalmuseum von 1852 bis 1902« Festschrift zum 50jährigen Bestehen, Leipzig 1902

Hampe, Theodor: »Zum 50jährigen Bestehen des GNM in Nürnberg«, in: Illustrierte Zeitung, Bd. 118

Veit, Ludwig: »Katalog der Ausstellung Hans Freiher von und zu Aufseß und die Anfänge des Germanischen Nationalmuseums«, Nürnberg 1972

Wilfried Menghin, Das Gold der Bronzezeit

Brøndsted, Johannes: Danmarks Oldtid. II. Bronzealderen (1939), S. 170 f. mit Abb. 156 (dort Fundort »Lavindsgaard Mose«, Fünen).

Chapée, J.: Objets d'art découverts à Villeneuve-Saint-Vistre. Monuments Piot 19 (1912), S. 1ff. mit-Taf. 15.

Dechelette, Jaques: Manuel d'Archeologie 2 (1910), S. 362, Abb. 144.

Hager, Georg/Mayer, Josef A.: Die vorgeschichtlichen, römischen und merovingischen Altertümer. Kataloge des Bayerischen Nationalmuseums 4 (1892), S. 75, Taf. 7, 5; 23, 1.

Hardmeyer, B./Bürgi, J.: Der Goldbecher von Eschenz. Zeitschrift für Schweizerische Archäologie und Kunstgeschichte 32 (1975), S. 109ff., Abb. 1, 3, 6, 12.

Heierli, J.: Die goldene Schüssel von Zürich. Anzeiger für schweizerische Altertumskunde N. F. 9 (1907), S. 1ff., Abb. 1–2.

Jacob-Friesen, Karl Hermann: Die Goldscheibe von Moordorf bei Aurich mit ihren britischen und nordischen Parallelen. IPEK (Jahrbuch für prähistorische und ethnographische Kunst) (1931), S. 25ff. mit Taf. 1.

Kossack, Georg: Studien zum Symbolgut der Urnenfelder- und Hallstattzeit Mitteleuropas. Römisch-Germanische Forschungen 20 (1954).

Krahe, G.: Eine Grabhügelgruppe der mittleren Hallstattzeit bei Wehringen, Ldkr. Schwabmünchen, Schwaben. Germania 41 (1963), 100f. mit Taf. 13, 1–3.

Maestu, J. Barandiarán: Zwei Hallstättische Goldschalen aus Axtroki, Prov. de Guipuzcoa. Madrider Mitteilungen 14 (1973), S. 109ff., Abb. 1–2.

Menghin, Wilfried/Schauer, Peter: Magisches Gold, Kultgerät der späten Bronzezeit. Ausstellungskatalog 1977.

Menghin, Wilfried: Kelten, Römer und Germanen. Archäologie und Geschichte (1980), S. 45–87.

Mestorf, Johanna: Mitteilungen des anthropologischen Vereins in Schleswig-Holstein 4, (1891), rff. Abb. 1–3.

Müller, Sophus: Solbilledet fra Trundholm. Nordiske Fortidsminder. Bd. 1, 5 (1890–1903), S. 300ff.

Müller-Karpe, Hermann: Das vorgeschichtliche Europa. Kunst der Welt (1980), S. 118, Abb. 83.

Raschke, Georg: Ein Goldfund der Bronzezeit von Etzeldorf-Buch bei Nürnberg (Goldblechbekrönung). Germania 32 (1954), S. 1ff.; Taf. 1–5.

Reinecke, Paul: Vorgeschichtliche Goldfunde des Provinzial-Museums zu Hannover 1905–1906 (1906), S. 24, Taf. 6.

Schuchhardt, Carl: Der Goldfund vom Messingwerk bei Eberswalde (1914), S. 13f., Taf. 2–10.
Schüle, Wilhelm: Der bronzezeitliche Schatzfund von Villena, Prov. Alicante. Madrider Mitteilungen 17 (1976), 142ff. mit Taf. 19–29.
Smirke, E.: Some account of the discovery of a gold cup in a barrow in Cornwall, 1837. Archaeological Journal 24 (1867), S. 189ff.
von Uslar, Raphael: Der Goldbecher von Fritzdorf bei Bonn. Germania 33 (1955), S. 319ff.
Berichte der Schleswig-Holstein-Lauenburgischen Gesellschaft für die Sammlung und Erhaltung vaterländischer Alterthümer 18 (1860), S. 20f. mit Abb. S. 23.
Jahresbericht des historischen Vereins im Oberdonau-Kreis 1835 (1836) S. 12ff. mit Taf. 6, Abb. 62–65.

Wilfried Menghin, Adlerfibel und Goldblattkreuze

Bierbrauer, Volker: Die ostgotischen Funde von Domagnano (Rep. di San Marino). In: Germania 51, 1973, 499ff.
Bierbrauer, Volker: Die ostgotischen Grab- und Schatzfunde in Italien. Biblioteca degli »Studi medievali« 7. Spoleto 1974.
Böhme, Horst-Wolfgang: Germanische Grabfunde des 4. bis 5. Jahrhunderts zwischen unterer Elbe und Loire. Studien zur Chronologie und Bevölkerungsgeschichte. Münchner Beiträge zur Vor- und Frühgeschichte, Bd. 19. München 1974
Böhme, Horst-Wolfgang: Archäologische Zeugnisse zur Geschichte der Markomannenkriege. In: Jahrbuch des Römisch-Germanischen Zentralmuseums 22, 1975, 153–217.
Böhner, Kurt: Das Grab des Frankenkönigs Childerich von Tournai. In: Gallien in der Spätantike. Von Kaiser Constantin zu Frankenkönig Childerich. Ausstellungskatalog RGZM Mainz 1980/81, 240ff.
Chiflet, Jean Jaques: Anastasis Childerici I. Francorum Regis sive Thesaurus sepulchralis Tornaci Nerviorum effosus et Commentario illustratus Auctore Ioanne Iacobs Chifletis, Equite, Regio Archiatrorum Comite et Archiducali Medico primario. Antwerpen 1655.
Christlein, Rainer: Die Alamannen. Archäologie eines lebendigen Volkes. Stuttgart/Aalen 1978.
Doppelfeld, Otto/Pirling, Renate: Fränkische Fürsten im Rheinland. Die Gräber aus dem Kölner Dom, von Krefeld-Gellep und Morken. Schriften des Rheinischen Landesmuseums Bonn, Bd. 2. Bonn 1966.
Eggers, Hans Jürgen: Lübsow, ein germanischer Fürstensitz der älteren Kaiserzeit. In: Prähistorische Zeitschrift 34/35, 1949/50 (1953), 58ff.
France-Lanord, Albert/Fleury, M.: Das Grab der Arnegundis in St. Denis. In: Germania 40, 1962, 341ff.
Hübener, Wolfgang (Hrsg.): Die Goldblattkreuze des frühen Mittelalters. Veröffentlichungen des Alamannischen Instituts Freiburg i. Br., Nr. 137, Bühl 1975.
Kellner, Hans-Jörg: Die Römer in Bayern, München 1971.
Menghin, Wilfried: Il materiale gotico e longobardo del Museo Nazionale Germanico di Norimberga proveniente dall'Italia. Ricerche di Archeologia Altomedievale e Medievale 1. Florenz 1977.
Menghin, Wilfried: Kelten, Römer und Germanen. Archäologie und Geschichte. München 1980.
Schlabow, Karl: Textilfunde der Eisenzeit in Norddeutschland. Göttinger Schriften zur Vor- und Frühgeschichte 15. Neumünster 1976.
Schulz, Walter: Leuna, ein germanischer Bestattungsplatz der spätrömischen Kaiserzeit. Deutsche Akademie der Wissenschaften zu Berlin. Sektion für Vor- und Frühgeschichte, Bd. 1. Berlin 1953.
Werner, Joachim: Zur Entstehung der Reihengräberzivilisation. Archaeologia Geographica 1, 1950, 23–32.
Werner, Joachim: Beiträge zur Archäologie des Attila-Reiches. Abhandlungen der Bayerischen Akademie der Wissenschaften, Phil.-hist. Kl NF 38. München 1955.

Allgemein zur karolingischen Kunst:

Branfels, Wolfgang: Die Welt der Karlinger und ihre Kunst. München 1968
Fillitz, Hermann: Das Mittelalter I (Propyläen Kunstgeschichte, Bd. 5). Berlin 1969
Hubert, Jean/Porcher, Jean/Volbach, W. Fritz: Die Kunst der Karolinger (Universum der Kunst). München 1969
Lasko, Peter: Ars sacra, 800–1200 (Pelican History of Art). Harmondsworth 1972
Karl der Große. Leben und Werk (Ausstellungskatalog). Aachen 1965, dort Nr. 588 auch das Ardennenkreuz

Zum Vorstellungsbereich der crux gemnata:

Alföldi, Andreas: Hoc signo victor eris. Beiträge zur Geschichte der Bekehrung Konstantins des Großen. In: Pisciculi. Studien zur Religion und Kultur des Altertums. Franz Joseph Dölger zum 60. Geburtstag. Hrsg. von Theodor Klauser und Alfred Rücker (Antike und Christentum, Erg.-Bd. 1). Münster 1939, S. 1–18
Bauerreiss, Romuald: Arbor vitae. Der »Lebensbaum« und seine Verwendung in Liturgie, Kunst und Brauchtum des Abendlandes. München 1938
Cecchelli, Carlo: Il trionfo della Croce. La Croce e i santi segni prima e dopo Costantino. Rom 1954
Christe, Yves: La Vision de Matthieu (Matth. XXIV–XXV). Origines et développement d'une image de la Seconde Parousie (Bibliothèque des Cahiers Archéologiques, Bd. 10). Paris 1973
Dassmann, Ernst: Das Apsismosaik von Sta Pudenziana in Rom. In: Römische Quartalsschrift für christliche Altertumskunde und für Kirchengeschichte, Bd. 65 (1970), S. 67–81
Dinkler, Erich: Das Apsismosaik von S. Apollinare in Classe (Wissenschaftliche Abhandlung der Arbeitsgemeinschaft für Forschung des Landes Nordrhein-Westfalen, Bd. 20). Opladen 1964
Dinkler, Erich: Signum crucis. Aufsätze zum Neuen Testament und zur christlichen Archäologie. Tübingen 1967
Dinkler, Erich/Dinkler-von Schubert, Erika: Kreuz. In: Lexikon der christlichen Ikonographie. Hrsg. von Engelbert Kirschbaum, Bd. 2. Rom u.a. 1970, Sp. 562–590
Engemann, Josef: Auf die Parusie Christi hinweisende Darstellungen in der frühchristlichen Kunst. In: Jahrbuch für Antike und Christentum, Bd. 19 (1976), S. 139–156 u. Taf. 2–9
Ihm, Christa: Die Programme der christlichen Apsismalerei vom vierten bis zur Mitte des achten Jahrhunderts (Forschungen zur Kunstgeschichte und christlichen Archäologie, Bd. 4). Wiesbaden 1960
Storch, R. H.: The Trophy and the Cross: Pagan and Christian Symbolism in the Fourth and Fifth Centuries. In: Byzantion, Bd. 40 (1970), S. 105–118 u. Taf. 1

Zum Ardennenkreuz als Goldschmiedewerk

Elbern, Victor H.: Liturgisches Gerät in edlen Materialien zur Zeit Karls des Großen. In: Karl der Große. Lebenswerk und Nachleben, Bd. 3. Düsseldorf 1965, S. 115–167
Gaborit-Chopin, Danielle: L'orfèvrerie cloisonnée à l'époque carolingienne. In: Cahiers Archéologiques, Bd. 29 (1980/81), S. 5–26
Hampe, Theodor: Ein Vortragekreuz aus dem X. Jahrhundert. In: Mitteilungen aus dem Germanischen Nationalmuseum, Jg. 1900, S. 98–106
Montesquieu-Fezensac, Blaise de/Gaborit-Chopin, Danielle: Le trésor de Saint-Denis, Bd. 3. Paris 1977, S. 32f. u. Taf. 16 (zum Kreuz Karls des Kahlen in Saint-Denis)
Rosenberg, Marc: Das Stephanusreliquiar im Lichte des Utrechtpsalters. In: Jahrbuch der preußischen Kunstsammlungen, Bd. 43 (1922), S. 169–184
Usener, Karl Hermann: Zur Datierung der Stephansburse. In: Miscellanea Pro Arte. Hermann Schnitzler zur Vollendung des 60. Lebensjahres am 13. Januar 1965. Düsseldorf 1965, S. 37–47

Rainer Kahsnitz, Das Goldene Evangelienbuch von Echternach

Zur ottonischen Kunst allgemein:

Boeckler, Albert: Abendländische Miniaturen bis zum Ausgang der romanischen Zeit. Berlin und Leipzig 1930
Dodwell, C. R.: Painting in Europe, 800 to 1200 (Pelican History of Art). Harmondsworth 1971
Fillitz, Hermann: Das Mittelalter I (Propyläen Kunstgeschichte, Bd. 5), darin die Beiträge von Florentine Mütherich zur Buchmalerei. Berlin 1969
Grabar, André/Nordenfalk, Carl: Das frühe Mittelalter (Die großen Jahrhunderte der Malerei. Hrsg. von Albert Skira). Genf 1957
Grodecki, Louis/Mütherich, Florentine/Taralon, Jean/Wormald, Francis: Die Zeit der Ottonen und Salier (Universum der Kunst). München 1973
Jantzen, Hans: Ottonische Kunst. München 1947, Hamburg 1959
Lasko, Peter: Ars sacra, 800–1200 (Pelican History of Art). Harmondsworth 1972

Zur Echternacher Buchmalerei:

Boeckler, Albert: Das Goldene Evangelienbuch Heinrichs III. Berlin 1933
Nordenfalk, Carl: Codex Caesareus Upsaliensis (Faksimileausgabe und Kommentarband). Stockholm 1971
Plotzek, Joachim M.: Das Perikopenbuch Heinrichs III. in Bremen und seine Stellung innerhalb der Echternacher Buchmalerei. Phil. Diss. Köln 1970

Zum Goldenen Evangelienbuch im Germanischen Nationalmuseum:

Kahsnitz, Rainer: Das Goldene Evangelienbuch von Echternach. Codex aureus epternacencis Hs folio 156142 aus dem Germanischen Nationalmuseum Nürnberg. Kommentarband zur Faksimileausgabe. Frankfurt/Main und Stuttgart 1981 (im Druck)
Metz, Peter: Das Goldene Evangelienbuch von Echternach im Germanischen National-Museum zu Nürnberg. München 1956
Verheyen, Egon: Das Goldene Evangelienbuch von Echternach (Bibliothek des Germanischen Nationalmuseums Nürnberg, Bd. 22). München 1963

Zum Buchdeckel:

Elbern, Victor H.: Zum Verständnis und zur Datierung der Aachener Elfenbeinsitula. In: Das Erste Jahrtausend. Kultur und Kunst im werdenden Abendland an Rhein und Ruhr. Hrsg. von Victor H. Elbern u.a., Textband 2. Düsseldorf 1964, S. 1068–1079
Steenbock, Frauke: Der kirchliche Prachteinband im frühen Mittelalter. Berlin 1965, Nr. 42 mit Abb.
Vöge, Wilhelm: Ein deutscher Schnitzer des 10. Jahrhunderts. In: Jahrbuch der kgl. preußischen Kunstsammlungen, Bd. 20 (1899), S. 117–125 (auch abgedruckt in: Wilhelm Vöge: Bildhauer des Mittelalters. Gesammelte Studien. Hrsg. von Erwin Panofsky. Berlin 1958, S. 1–10)
Westermann-Angerhausen, Hiltrud: Die Goldschmiedearbeiten der Trierer Egbertwerkstatt (Trierer Zeitschrift für Geschichte und Kunst des Trierer Landes und seiner Nachbargebiete, Jg. 36, Beiheft). Trier 1973

Rainer Kahsnitz, Die Armilla Kaiser Friedrich Barbarossas

Zur Goldschmiedekunst des 12. Jahrhunderts, vor allem im Rhein-Maas-Gebiet:

Collon-Gevaert, Suzanne/Lejeune, Jean/Stiennon, Jacques: Romanische Kunst an der Maas im 11., 12. und 13. Jahrhundert. Brüssel 1962
Fillitz, Hermann: Das Mittelalter I (Propyläen Kunstgeschichte, Bd. 5). Berlin 1969
Gauthier, Marie-Madeleine: Émaux du moyen-âge occidental. Fribourg 1972
Lasko, Peter: Ars sacra, 800–1200 (Pelican History of Art). Harmondsworth 1972

Swarzenski, Hanns: Monuments of Romanesque Art. The Art of Church Treasures in North-Western Europe. 2. London 1967
Rhein und Maas. Kunst und Kultur, 800–1400, Bd. 1: Ausstellungskatalog, Bd. 2: Beiträge. Köln 1972 und 1973
Die Zeit der Staufer. Geschichte – Kunst – Kultur. Katalog der Ausstellung. Stuttgart 1977, Bd. 1–5. Stuttgart 1977 und 1979

Zur armilla:

Kahsnitz, Rainer: Armillae aus dem Umkreis Friedrich Barbarossas. In: Anzeiger des Germanischen Nationalmuseums, Jg. 1979, S. 7–46
Schramm, Percy Ernst: Herrschaftszeichen und Staatssymbolik. Beiträge zu ihrer Geschichte vom dritten bis zum sechzehnten Jahrhundert (Schriften der Monumenta Germaniae Historica, Bd. 13/II). Stuttgart 1955, S. 538–553
Schramm, Percy Ernst/Mütherich, Florentine: Denkmale der deutschen Könige und Kaiser. München 1962, Nr. 159
Wörn, Dietrich: Armillae aus dem Umkreis Friedrich Barbarossas – Naplečniki Andrej Bogoljubskijs. In: Jahrbücher für Geschichte Osteuropas, Bd. 28 (1980), S. 391–397

Günther Bräutigam, Bildwerke des Spätmittelalters

Freeden, Max H. von: Tilman Riemenschneider. Leben und Werk. 4., vermehrte Aufl. München/Berlin 1972
Herkommer, Hubert: Heilsgeschichtliches Programm und Tugendlehre. Ein Beitrag zur Kultur- und Geistesgeschichte der Stadt Nürnberg am Beispiel des Schönen Brunnens und des Tugendbrunnens. In: Mitteilungen des Vereins für Geschichte der Stadt Nürnberg, Bd. 63 (1976), S. 192 bis 211
Josephi, Walter: Die Werke plastischer Kunst. Nürnberg 1910 (Kataloge des Germanischen Nationalmuseums)
Lutze, Eberhard: Veit Stoß. 4. München/Berlin 1968
Schädler, Alfred: Das Werk des »Meisters von Ottobeuren«. In: Ottobeuren 764–1964. Augsburg 1964. S. 136–152
Scheffler, Gisela: Hans Klocker. Beobachtungen zum Schnitzalter der Pacherzeit in Südtirol. Innsbruck 1967
Schwemmer, Wilhelm: Adam Kraft. Nürnberg 1958
Stafski, Heinz: Die Bildwerke in Stein, Holz, Ton und Elfenbein bis um 1450. Nürnberg 1965 (Kataloge des Germanischen Nationalmuseums. Die mittelalterlichen Bildwerke. Bd. 1)

Kurt Löcher, Marienbilder

Lexikon der christlichen Ikonographie, III, Rom/Freiburg/Basel/Wien 1971, Artikel: Maria, Marienbild.
Bussmann, Georg: Manierismus im Spätwerk Hans Baldung Griens, Heidelberg 1966 (Heidelberger kunstgeschichtliche Abhandlungen, NF 9).
Falk, Tilmann: Hans Burgkmair Studien zu Leben und Werk des Augsburger Malers, München 1968 (Bruckmanns Beiträge zur Kunstwissenschaft).
Künstle, Karl: Ikonographie der christlichen Kunst, I, Freiburg i. Br. 1928.
Lieb, Norbert/Stange, Alfred: Hans Holbein der Ältere, München/Berlin 1960.
Pickering, Frederick Pickering: Zur Ikonographie der Kindheit von Johannes dem Täufer, in: Anzeiger des Germanischen Nationalmuseums 1981, Nürnberg 1981, S. 21–27.
Schiller, Gertrud: Ikonographie der christlichen Kunst, Band 4, 2, Gütersloh 1980.
Stange, Alfred: Deutsche Malerei der Gotik, 11 Bände, Berlin/München 1934–1961. Dazu: Kritisches Verzeichnis der deutschen Tafelbilder vor Dürer, seit 1970 herausgegeben von Norbert Lieb, bisher erschienen Band I bis III, München 1967–1978.
Steingräber, Erich: Ein neu entdecktes Werk vom Meister des Bartholomäus-Altares, in: Wallraf-Richartz-Jahrbuch, XXVI, 1969, S. 223–228.
Katalog des Germanischen Nationalmuseums zu Nürnberg, Die Gemälde des 13. bis 16. Jahrhunderts, bearbeitet von Eberhard Lutze und Eberhard Wiegand, Nürnberg 1937.

Katalog der Bayerischen Staatsgemäldesammlungen, Alte Pinakothek/München, Altdeutsche Gemälde, Köln und Nordwestdeutschland, bearbeitet von Gisela Goldberg und Gisela Scheffler, München 1972, S. 390–395.
Katalog der Ausstellung Hans Baldung Grien, Karlsruhe 1959.

Leonie von Wilckens, Die Wohnung des Bürgers im späten Mittelalter

Bernheimer, Richard: Wild Men in the Middle Ages. A Study in Art, Sentiment and Demonology. Cambridge (Mass.) 1952
Kreisel, Heinrich: Die Kunst des deutschen Möbels 1. Von den Anfängen bis zum Hochbarock. München 1968
Kurth, Betty: Die deutschen Bildteppiche des Mittelalters. 3 Bände. Wien 1926
Wilckens, Leonie von: Das Puppenhaus. Vom Spiegelbild des bürgerlichen Hausstandes zum Spielzeug für Kinder. Aufnahmen von Helga Schmidt-Glassner. München 1978
Die Wilden Leute des Mittelalters. Ausstellungskatalog: Museum für Kunst und Gewerbe. Hamburg 1963

Rudolf Pörtner, Der »Erdapfel«, der wie ein Augapfel gehütet wird

Ghillany, Friedrich Wilhelm: »Geschichte des Seefahrers Martin Behaim«, Nürnberg 1853
Ghillany, Friedrich Wilhelm: »Der Erdglobus des Martin Behaim vom Jahre 1492«, Nürnberg 1842
Günther, Siegmund: »Martin Behaim«, Bamberg 1890
Kohlhaußen, Heinrich: »Der Erdapfel Martin Behaims vom Jahre 1492«, in: Atlantis, Leipzig 1938
Muris, Oswald: »Der Erdapfel des Martin Behaim«, in: Ibero-Amerikanisches Archiv, 1943
Muris/Saarmann: »Der Globus im Wandel der Zeiten«, Berlin/Stuttgart 1961
Ravenstein, E. G.: »Martin Behaim, His Life and His Globe«, London 1908
Willers, Johannes: Der Erdglobus des Martin Behaim im Germanischen Nationalmuseum, in: Humanismus und Naturwissenschaften, Boppard 1980

Kurt Löcher, Dürers Kaiserbilder

Anzelewsky, Fedja: Albrecht Dürer, Das malerische Werk, Berlin 1971, Nr. 123–124.
Braunsfels, Wolfgang (Herausgeber): Karl der Große, Lebenswerk und Nachleben, Düsseldorf 1967.
Bühler, Albert: Die Flüchtung der Nürnberger Reichskleinodien 1796 und ihre Reklamierungen nach deutschen Quellen, in: Mitteilungen des Vereins für Geschichte der Stadt Nürnberg, 46, Nürnberg 1955, S. 481–510.
Eye, August von: Leben und Wirken Albrecht Dürers, Nördlingen 1860, S. 341–342.
Friedländer, Max J.: Albrecht Dürer, Leipzig 1921, S. 168.
Heller, Joseph: Das Leben und die Werke Albrecht Dürers, Bamberg 1827, II, S. 208.
Kéry, Bertalan: Kaiser Sigismund, Ikonographie, Wien/München 1972.
Kircher, Albrecht: Deutsche Kaiser in Nürnberg, Nürnberg 1955 (Freie Schriftenfolge der Gesellschaft für Familienforschung in Franken).
Kuhrmann, Dieter: Über das Verhältnis von Vorzeichnung und ausgeführtem Werk bei Albrecht Dürer, Phil. Diss. Berlin 1964, S. 67–87.
Musper, Heinrich Theodor: Dürers Kaiserbildnisse, Köln 1969.
Panofsky, Erwin: The Life and Art of Albrecht Dürer, Princeton (N. J.) 1955, S. 132–133.
Rupprich, Hans (Herausgeber): Dürer, Schriftlicher Nachlaß, I, Berlin 1956, S. 207, 243, 247, 257.
Schnelbögl, Julia: Die Reichskleinodien in Nürnberg 1424–1523, in: Mitteilungen des Vereins für Geschichte der Stadt Nürnberg, 51, Nürnberg 1962, S. 78–159.
Stange, Alfred: Zwei neu entdeckte Kaiserbilder Albrecht Dürers, in: Zeitschrift für Kunstgeschichte 20, 1957, S. 1–21.
Strieder, Peter: Albrecht Dürers »Vier Apostel« im Nürnberger Rathaus, in: Festschrift Klaus Lankheit, Köln 1973, S. 155–156.
Strieder, Peter: Noch einmal zu Albrecht Dürers Kaiserbildern, in: Anzeiger des Germanischen Nationalmuseums 1979, Nürnberg 1979. S. 111–115.
Thausing, Moriz: Dürer, Geschichte seines Lebens und seiner Kunst, Leipzig 1884, S. 111–114.

Tietze, Hans/Tietze-Conrat, Erika: Kritisches Verzeichnis der Werke Albrecht Dürers, II, Basel/Leipzig 1937, Nr. 504.
Winkler, Friedrich: Die Zeichnungen Albrecht Dürers, II, Berlin 1937, S. 151–154.
Winkler, Friedrich: Albrecht Dürer, Leben und Werk, Berlin 1957, S. 211–212.
Winzinger, Franz: Umstrittene Werke Albrecht Dürers: Die Kaiserbilder, in: Zeitschrift des deutschen Vereins für Kunstwissenschaft, XXXI, 1977, S. 17–50.
Wölfflin, Heinrich: Die Kunst Albrecht Dürers, 2. München 1908, S. 259.
Katalog der Ausstellung Albrecht Dürer 1471–1971, Nürnberg 1971, S. 134, 135, 138, 139.

Elisabeth Rücker, Deutsche Buchillustration vom Spätmittelalter bis zum Jugendstil

Lexikon des gesamten Buchwesens. 3 Bände. Leipzig 1935–1937.
Gesamtkatalog der Wiegendrucke (Abkürzungen: GW). Bd. 1. Leipzig 1925. Weitere Bände in den folgenden Jahren. Titel sind durchnumeriert.
Buchkunst in Deutschland 1750 bis 1850. Hrsg. von Ernst L. Hauswedell und Christian Voigt. 2 Bände, Hamburg 1977.
Bland, David: A History of Bookillustration. The Illustrated Manuscript and the Printed Book. London 1958.
Bogeng, Gustav Adolf Erich: Geschichte der Buchdruckerkunst. Zweiter Teil. Die Entwicklung der Buchdruckerkunst vom Jahre 1500 bis zur Gegenwart (1941). Bearbeitet von Hermann Barge. Hellerau 1930. Reprint: Hildesheim 1973.
Eyssen, Jürgen: Buchkunst in Deutschland vom Jugendstil zum Malerbuch. Buchgestalter, Handpressen, Verleger, Illustratoren. Hannover 1980.
Geck, Elisabeth: Die Reise ins Heilige Land. Ein Reisebericht aus dem Jahre 1483. Faksimile-Ausgabe mit einem Nachwort. Wiesbaden 1961.
Geldner, Ferdinand: Die deutschen Inkunabeldrucker. Ein Handbuch der deutschen Buchdrucker des 15. Jahrhunderts nach Druckorten. 2 Bände. Stuttgart 1968–1970.
Koepplin, Dieter/Falk, Tilman: Lukas Cranach. Ausstellungskatalog. 2 Bde. Basel 1974–1976.
Lanckoronska, Maria/Oehler, Richard: Die Buchillustration des 18. Jahrhunderts in Deutschland, Österreich und der Schweiz. 3 Bände. Leipzig 1932–1934.
Riemer, Elke: E. T. A. Hoffmann und seine Illustratoren. Hildesheim 1976.
Rücker, Elisabeth: Die Schedelsche Weltchronik. Das größte Buchunternehmen der Dürer-Zeit. München 1973.
Rümann, Arthur: Die illustrierten deutschen Bücher des 19. Jahrhunderts. Stuttgart 1926.
Rümann, Arthur: Das illustrierte deutsche Buch des 18. Jahrhunderts. Stuttgart 1927.
Rümann, Arthur: Das illustrierte Buch des XIX. Jahrhunderts in England, Frankreich, Deutschland 1790–1860. Leipzig 1930.
Schauer, Georg Kurt: Die deutsche Buchkunst im 19. und 20. Jahrhundert. In: Internationale Buchkunst im 19. und 20. Jahrhundert. Herausgegeben von Georg Kurt Schauer. Ravensburg 1969.
Schmid, Heinrich Alfred: Hans Holbein der Jüngere, sein Aufstieg zur Meisterschaft und sein englischer Stil. 2 Bände. Basel 1948.
Schramm, Albert: Der Bilderschmuck der Frühdrucke. Bd. 1. Leipzig 1922. Abb. 1–6 (Ackermann aus Böhmen).
Sladeczek, Leonhard: Die Illustrationen der Schedelschen Weltchronik und der junge Dürer. Baden-Baden 1965.
Volz, Hans: Hundert Jahre Wittenberger Bibeldruck 1522–1626. Göttingen 1954.
Weinreich, Renate: Leselust und Augenweide: Illustrierte Bücher des 18. Jahrhunderts in Frankreich und Deutschland. Ausstellungskatalog. Berlin 1978.
Albrecht Dürer, 1471–1971. Katalog der Ausstellung des Germanischen Nationalmuseums Nürnberg. 21. Mai bis 1. August 1971.
Die Malerfamilie Holbein in Basel. Ausstellungskatalog. Basel 1960.
The Artist & the Book, 1860–1960 in Western Europe and the United States. Introduction by Philip Hofer, Catalogue by Eleanor M. Garvey. 2nd Edition. Ausstellungskatalog. Boston 1961.

Boucher, François: Histoire du costume en occident de l'antiquité à nos jours. Paris 1965
Flamand-Christensen, Sigrid: Die männliche Kleidung in der Süddeutschen Renaissance. Berlin 1934
Hackenbroch, Yvonne: Renaissance Jewellery. London/München 1979
Poley, Stefanie (Herausgeberin): Unter der Maske des Narren. Ausstellungskatalog. Duisburg 1981. Stuttgart 1981
Steingräber, Erich: Alter Schmuck. Die Kunst des europäischen Schmucks. München 1956
Stolleis, Karen: Die Gewänder aus der Lauinger Fürstengruft. Forschungshefte 3. Herausgegeben vom Bayerischen Nationalmuseum. München/Berlin 1977
Thornton, Peter: Baroque and Rococo Silks. London 1965
Waffen- und Kostümkunde (dritte Folge der »Zeitschrift für historische Waffenkunde«), 1–23, 1959–81

Leonie von Wilckens, Das Kleid des Menschen und sein Schmuck

Hayward, John Forrest: Virtuoso Goldsmiths and the Triumph of Mannerism 1540–1620. London 1976
Kämpfer, Fritz: Becher, Humpen, Pokale. Zürich 1977
Kohlhaussen, Heinrich: Nürnberger Goldschmiedekunst des Mittelalters und der Dürerzeit 1240–1540. Berlin 1967
Lessing, Julius: Wunderliches Trinkgerät. In: Westermanns Illustrierte Deutsche Monatshefte, Nr. 375–376. 1887 u. 1888
Pechstein, Klaus: Goldschmiedewerke der Renaissance. Berlin 1971
Pechstein, Klaus: The ›Welcome‹ Cup. In: The Connoisseur 199, 1978. S. 180ff.
Schiedlausky, Günter: Essen und Trinken. Tafelsitten bis zum Ausgang des Mittelalters. München 1956
Schiedlausky, Günter: Eine Jubiläumsgabe für den Breslauer Theologen Johann Friedrich Burg. In: Schlesien, 12. Jg. 1967. S. 143ff.
Schmidt, Robert: Das Glas. 2. Berlin 1922
Scholz, Renate: Humpen und Krüge. Trinkgefäße 16.–20. Jahrhundert. München 1978

Klaus Pechstein, Von Trinkgeräten und Trinksitten

Bachmann, Werner: Die Anfänge des Streichinstrumentenspiels, 2. Leipzig 1966
Baines, Anthony: Woodwind Instruments and Their History, 3. London 1967
Bate, Philip: The Oboe, London 1956
Bowles, Edmund A.: La hiérarchie des instruments de musique dans l'Europe féodale. In: Revue de musicologie 42 (1958)
Boyden, David D.: The History of Violin Playing from its Origins to 1761 and its Relationship to the Violin and Violin Music, London 1965
Carse, Adam: The Orchestra in the XVIIIth Century, Cambridge 1940
Crane, Frederick: Extant Medieval Musical Instruments: A Provisional Catalogue by Types, Iowa City (Iowa) 1972
Dolmetsch, Nathalie: The Viola da Gamba. Its Origin and History, its Technique and Musical Resources, 2. New York 1968
Droysen, Dagmar: Die Saiteninstrumente des frühen und hohen Mittelalters (Halsinstrumente), Diss. Hamburg 1959
Harding, Rosamond E. M.: The Piano-Forte. Its History Traced to the Great Exhibition of 1851, 2. Cambridge 1978
Hubbard, Frank: Three Centuries of Harpsichord Making, Cambridge (Mass.) 1965
Kettlewell, David: The Dulcimer, Diss. Loughborough 1976
Meer, John Henry van der: Wegweiser durch die Sammlung historischer Musikinstrumente, 3. Nürnberg 1982
Munrow, David: Instruments in the Middle Ages and Renaissance, London 1976
Overton, Friend Robert: Der Zink. Geschichte, Bauweise und Spieltechnik eines historischen Musikinstruments, Mainz a.a.O. 1981

John Henry van der Meer, Historische Musikinstrumente

Pohlmann, Ernst: Laute – Theorbe – Chitarrone. Die Instrumente, ihre Musik und Literatur von 1500 bis zur Gegenwart, Bremen 1968

Russell, Raymond: The Hartpsichord and Clavichord. An Introductory Study, 2. Oxford 1973

Sachs, Curt: Handbuch der Musikinstrumentenkunde, 2. Leipzig 1966

Sachs, Curt: The History of Musical Instruments, New York 1940

Bernward Deneke, Vom Leben und Wohnen im alten Bauernhaus

Eine ausführliche Literaturzusammenstellung zu den einzelnen Sachgebieten in den volkskundlichen Sammlungen des Germanischen Nationalmuseums Nürnberg ist enthalten in:

Bernward Deneke: Volkskunst. Führer durch die volkskundlichen Sammlungen. Germanisches Nationalmuseum Nürnberg. München 1979, S. 153–157.

Für die Themen des vorausgehenden Beitrags bieten weitere Informationen:

Bedal, Konrad: Historische Hausforschung. Eine Einführung in Arbeitsweise, Begriffe und Literatur. Münster 1978 (Beiträge zur Volkskultur in Nordwestdeutschland, H. 8).

Beitl, Richard, Mitarbeit *Beitl, Klaus:* Wörterbuch der deutschen Volkskunde. Stuttgart 1974.

Bomann, Wilhelm: Bäuerliches Hauswesen und Tagewerk im alten Niedersachsen. Weimar 1927.

Brunner, Otto: Das »ganze Haus« und die alteuropäische »Ökonomik«. In: Ders.: Neue Wege der Sozialgeschichte. Vorträge und Aufsätze. Göttingen 1956, S. 33–61.

Deneke, Bernward: Bauernmöbel. Ein Handbuch für Sammler und Liebhaber. 3. München 1979.

Dünninger, Josef: Hauswesen und Tagewerk. In: Deutsche Philologie im Aufriß, Bd. 3. 2. Berlin 1962, Sp. 2781–2884.

Fuger, Walter (Kat.-Bearb.): Volkstümliche Möbel aus Altbayern. Ausst.-Kat. München/Berlin 1975.

Fuger, Walter: Volkstümliche Möbel in Altbayern. Eine ikonographisch-volkskundliche Untersuchung. München 1977.

Gebhard, Torsten: Kachelöfen. Mittelpunkt häuslichen Lebens. Entwicklung, Form, Technik. München 1980.

Hähnel, Joachim: Stube. Wort- und sachgeschichtliche Beiträge zur historischen Hausforschung. Münster 1975 (Schriften der Volkskundlichen Kommission des Landschaftsverbandes Westfalen-Lippe, Bd. 21).

Heinemeyer, Elfriede/Ottenjann, Helmut: Alte Bauernmöbel aus dem nordwestlichen Niedersachsen. Leer 1974 (Nordwestniedersächsische Regionalforschungen, Bd. 1).

Kaiser, Hermann: Herdfeuer und Herdgerät im Rauchhaus. Wohnen damals. Cloppenburg 1980 (Materialien zur Volkskultur. Nordwestliches Niedersachsen, H. 2).

Kramer, Karl-S.: Zum Verhältnis zwischen Mensch und Ding. Probleme der volkskundlichen Terminologie. In: Schweizerisches Archiv für Volkskunde 58, 1962, S. 91–101.

Kriss-Rettenbeck, Lenz: Bilder und Zeichen religiösen Volksglaubens. München 1963.

Mitterauer, Michael/Sieder, Reinhard: Vom Patriarchat zur Partnerschaft. Zum Strukturwandel der Familie. München 1977.

Ottenjann, Helmut: Möbeltischlerei im nordwestlichen Niedersachsen. Städtische Einflüsse und ländliches Eigenverhalten. In: Museum und Kulturgeschichte. Festschrift für Wilhelm Hansen. Hrsg. von Martha Bringemeier, Paul Pieper, Bruno Schier, Günter Wiegelmann. Münster 1978, S. 197–216.

Peesch, Reinhard: Volkskunst. Umwelt im Spiegel populärer Bildnerei des 19. Jahrhunderts. Berlin 1978.

Schlee, Ernst: Sitzordnung beim bäuerlichen Mittagsmahl. In: Kieler Blätter zur Volkskunde 8, 1976, S. 5–19.

Schlee, Ernst: Die Herdstelle im niederdeutschen Hallenhaus. In: Zeitschrift für Volkskunde 51, 1954, S. 77–87.

Schlee, Ernst: Die Volkskunst in Deutschland. Ausstrahlung, Vorlagen, Quellen. München 1978.

Wechssler-Kümmel, Sigrid: Schöne Lampen, Leuchter und Laternen. Heidelberg/München 1962.
Weiss, Richard: Häuser und Landschaften der Schweiz. Erlenbach–Zürich/Stuttgart 1959.
Wiegelmann, Günter: Die Sachkultur Mitteleuropas. In: Günter Wiegelmann, Matthias Zender, Gerhard Heilfurth: Volkskunde. Eine Einführung. Berlin 1977 (Grundlagen der Germanistik, 12), S. 97–131.

Ludwig Veit, Die Imhoff. Handelsherren und Mäzene des ausgehenden Mittelalters und der beginnenden Neuzeit

Bernhardt, Max/Kroha, Tyll: Medaillen und Plaketten, 3. Braunschweig 1966.
Dettling, Käthe: Der Metallhandel Nürnbergs im 16. Jahrhundert, in: Mitt. d. Vereins f. Gesch. d. St. Nürnberg 27/1928.
Ehrenberg, Richard: Das Zeitalter der Fugger, 2 Bde., Jena 1896.
Elsas, M. J.: Umriß einer Geschichte der Preise und Löhne in Deutschland vom ausgehenden Mittelalter bis zum Beginn des 19. Jahrhunderts, 2 Bde. in 3 Teilen, Leiden 1936, 1940, 1949.
Grotemeyer, Paul: »Da ich het di gestalt«. Deutsche Bildnismedaillen des 16. Jahrhunderts, Bibl. d. Germ. Nationalmuseums zur deutschen Kunst- und Kulturgeschichte, Bd. 7, München 1957.
Habich, Georg: Die deutschen Schaumünzen des 16. Jahrhunderts, 2 Bde., München 1929–34.
Imhof, Christof Andreas: Sammlung eines Nürnbergischen Münz-Cabinetts, 2 Teile, Nürnberg 1780, 1782.
Luschin von Ebengreuth, Arnold: Allgemeine Münzkunde und Geldgeschichte des Mittelalters und der neueren Zeit, München 1926.
Müller, Johannes: Die Handelspolitik Nürnbergs im Spätmittelalter, in: Jahrbücher f. Nationalök. u. Statistik, III. Folge, Bd. 38/1909.
Müller, Johannes: Der Umfang und die Hauptrouten des Nürnberger Handelsgebietes im Mittelalter, in: Vjschr. f. Sozial- u. Wirtschaftsgesch. 6/1908.
Müller, Karl Otto: Welthandelsbräuche (1480 bis 1540), Stuttgart/Berlin 1934.
Nordmann, Claus: Nürnberger Großhändler im spätmittelalterlichen Lübeck. o. J.
Pfeiffer, Gerhard (Hrsg.): Nürnberg – Geschichte einer europäischen Stadt. o. J.
Reicke, Emil: Geschichte der Reichsstadt Nürnberg, Nürnberg 1896.
Schrötter, Friedrich von: Wörterbuch der Münzkunde, Berlin/Leipzig 1930.
Schulte, Aloys: Geschichte der großen Ravensburger Handelsgesellschaft, 3 Bde., Stuttgart/Berlin 1923.
Simonsfeld, Henry: Der »Fondaco dei Tedeschi« in Venedig und die deutsch-venezianischen Handelsbeziehungen, 2 Bde., Stuttgart 1887.
Suhle, Arthur: Deutsche Münz- und Geldgeschichte von den Anfängen bis zum 15. Jahrhundert, 2. Berlin 1964.
Karl Veer, Hess: Oberdeutscher Handel nach Lyon am Anfang des 16. Jahrhunderts, in: Hist. Jb. d. Görres-Ges. 55/1937.
Veit, Ludwig: Handel und Wandel mit aller Welt. Aus Nürnbergs großer Zeit. Bibl. d. Germ. Nationalmuseums, Bd. 14, München 1960.
Veit, Ludwig: Das liebe Geld. Zwei Jahrtausende Geld- und Münzgeschichte. Bibl. d. Germ. Nationalmuseums zur deutschen Kunst- und Kulturgeschichte, Bd. 30, München 1969.
Wescher, Paul: Großkaufleute der Renaissance in Biographien und Bildnissen, Frankfurt 1941.
Münze und Medaille in Franken. Katalog d. Ausst. d. Germ. Nationalmuseums Nürnberg, 1963, bearb. v. H. Eichhorn/K. Lengenfelder/L. Veit

Kurt Löcher, Bildnisse des 16. bis 18. Jahrhunderts

Anzelewsky, Fedja: Albrecht Dürer, Das malerische Werk, Berlin 1971.
Berckenhagen, Ekhart: Anton Graff, Berlin 1967.
Buchner, Ernst: Das deutsche Bildnis der Spätgotik und der frühen Dürerzeit, Berlin 1953.
Hernmarck, Carl: Georg Desmarées: Studien über die Rokoko-Malerei in Schweden und Deutschland, Uppsala 1933.

Hinz, Berthold: Studien zur Geschichte des Ehepaarbildnisses, in: Marburger Jahrbuch für Kunstwissenschaft, 19, 1974, S. 139–218.
Keller, Harald: Die Entstehung des Bildnisses am Ende des Hochmittelalters, in: Römisches Jahrbuch für Kunstgeschichte, 3, 1939.
Löcher, Kurt: Jakob Seisenegger, Hofmaler Kaiser Ferdinands I., München/Berlin 1962.
Löcher, Kurt: Studien zur oberdeutschen Bildnismalerei des 16. Jahrhunderts, in: Jahrbuch der Staatlichen Kunstsammlungen in Baden-Württemberg, IV, 1967, S. 31–84.
Lutze, Eberhard: Die Röhling-Bildnisse von Matthias Krodel d. J., in: Anzeiger des Germanischen Nationalmuseums 1934/35, Nürnberg 1935, S. 90–104.
Peltzer, Rudolf Arthur: Nicolas Neufchatel und seine Nürnberger Bildnisse, in: Münchner Jahrbuch der bildenden Kunst, NF III, 1926, S. 187–231.
Poensgen, Georg: (Einleitung) Antoine Pesne, mit Beiträgen von Ekhart Berckenhagen, Pierre du Colombier, Margarethe Kühn, Berlin 1958.
Safarik, Eduard: Joannes Kupezky, Prag 1928.
Strieder, Peter: Zur Nürnberger Bildniskunst des 16. Jahrhunderts, in: Münchner Jahrbuch der bildenden Kunst, 3. Folge, VII, 1956, S. 120–137.
Strieder, Peter: Ein Danziger Bildnisdiptychon von 1518, in: Zeitschrift für Kunstwissenschaft 13, 1959, S. 15–26.
Westhoff-Krummacher, Hildegard: Barthel Bruyn der Ältere als Bildnismaler, München/Berlin 1965.
Katalog des Germanischen Nationalmuseums zu Nürnberg, Die Gemälde des 13. bis 16. Jahrhunderts, bearbeitet von Eberhard Lutze und Eberhard Wiegand, Nürnberg 1937.
Katalog der Gemälde des 17. und 18. Jahrhunderts im Germanischen Nationalmuseum zu Nürnberg, bearbeitet von Eberhard Lutze, Nürnberg 1934.
Katalog der Ausstellung: Lucas Cranach der Ältere, Basel 1974.
Katalog der Ausstellung: Die Malerfamilie Holbein in Basel, Basel 1960.

Klaus Pechstein, Zeugnisse alten Handwerkslebens und alter Handwerkskunst

Abel, Wilhelm (Hrsg.): Handwerksgeschichte in neuer Sicht. Göttinger Beiträge zur Wirtschafts- und Sozialgeschichte. Bd. 1. Göttingen 1978
Gröben, Karl: Alte deutsche Zunftherrlichkeit. München 1936
Mummenhoff, Ernst: Der Handwerker in der Deutschen Vergangenheit. 2. Köln 1924
Stürmer, Michael: Herbst des Alten Handwerks. München 1979
Treue, Wilhelm/Goldmann, Karlheinz u. a. Hrsg.: Das Hausbuch der Mendelschen Zwölfbrüderstiftung zu Nürnberg. Deutsche Handwerkerbilder des 15. und 16. Jahrhunderts. 2 Bände. München 1965
Internationales Handwerksgeschichtliches Symposium. Veszprém 20.–24. 11. 1978. Ungarische Akademie der Wissenschaften. Budapest 1979
Hans Sachs und die Meistersinger in ihrer Zeit. Ausstellungskatalog des Germanischen Nationalmuseums im Neuen Rathaus in Bayreuth. Nürnberg 1981

Johannes Willers, Handfeuerwaffen – eine »brenzlige« Zufallsentdeckung macht Geschichte

Blair, Claude: Pistols of the World, London 1968
Eckardt, Werner/Morawietz, Otto: Die Handwaffen des Brandenburgisch-preußisch-deutschen Heeres 1640–1945, Hamburg 1957
Hoff, Arne: Feuerwaffen, 2 Bde., Braunschweig 1969
Lugs, Jaroslav: Handfeuerwaffen – Systematischer Überblick über die Handfeuerwaffen und ihre Geschichte, 2 Bde., 2. Berlin (Ost) 1968
Lugs, Jaroslav: Das Buch vom Schießen, Prag 1968
Müller, Heinrich: Gewehre – Pistolen – Revolver. Jagd- und Kriegswaffen des 14. bis 19. Jahrhunderts, Stuttgart 1979
Nickel, Helmut: Ullstein Waffenbuch, Berlin/Frankfurt/Wien 1974
Reid, William: Buch der Waffen, Düsseldorf/Wien 1976

Gerhard Bott, Lustgarten des Rokoko

Biebinger, Wilhelm: Der Schloßgarten von Seehof, seine Topographie und Figurierung, in: Hist. Ver. Bamberg, 96. Ber., Jb. f. 1957/58 (1959), S. 171ff.
Bott, Gerhard: Ein Plan des Schloßgartens von Seehof bei Bamberg, in: Anzeiger des Germanischen Nationalmuseums, 1966, S. 134ff.
Bott, Gerhard: Wiedergefundene Figuren von Ferdinand Tietz aus dem Schloßgarten von Seehof bei Bamberg, in: Kunst in Hessen und am Mittelrhein 1/2, 1961/62, S. 98ff.
Brinckmann, A. E.: Barock-Bozzetti, Deutsche Bildhauer, Frankfurt/Main 1924
Cay, Christian/Hirschfeld, Lorenz: Theorie der Gartenkunst, Nachdruck der 1. Ausg. v. 1779/80, Hildesheim 1973
Hennebo, Dieter: Geschichte der deutschen Gartenkunst, Bd. 2, Der architektonische Garten, Hamburg 1965
Herzog, Erich: Verlorene Figuren von Ferdinand Dietz aus dem Park von Schloß Seehof, in: Mainfränk. Jb. f. Gesch. und Kunst, 11, 1959, S. 234ff.
Mader, Felix: Die Kunstdenkmäler von Unterfranken und Aschaffenburg, Heft III, Veitshöchheim, Schloß und Hofgarten, München 1911, S. 177ff.
Meyer, Rudolf: Hecken- und Gartentheater in Deutschland im 17. und 18. Jahrhundert, Emsdetten 1934
Rehm, Walter: Prinz Rokoko im alten Garten, Eine Eichendorff-Studie, in: Jb. des Freien Deutschen Hochstifts, S. 97ff.
Röthel, Hans Konrad: Ferdinand Tietz: Der Figurenschmuck des Parks in Veitshöchheim, Stuttgart 1958
Schaffer, Xaver: Leidenschaftliches Rokoko, Die Plastik des Ferdinand Tietz in berühmten Gärten und Residenzen, Augsburg 1958
Spörri, Reinhart: Die Commedia dell'Arte und ihre Figuren, Zürich 1963
Stössel, Eva-Luise von: Ferdinand Tietz: Ein Rokokobildhauer, Bamberg 1920
Tomforde, Annemarie: Die fränkische Gartenskulptur und ihre Ikonographie im 18. Jhd., Frankfurt/Main 1942, Diss.

Norbert Götz, Zwischen Klassizismus und Realismus

Böhmer, Günter: Die Welt des Biedermeier. München 1968
Buchsbaum, Maria: Ferdinand Georg Waldmüller. Salzburg 1976
Germann, Georg: Neugotik. Geschichte ihrer Architekturtheorie. Stuttgart 1974
Gramberg, Werner: Johann Gottfried Schadow. Die Gruppe der Prinzessinnen. Stuttgart 1961
Grote, Ludwig: Die Brüder Olivier und die deutsche Romantik. Berlin 1938
Jaffé, Ernst: Joseph Anton Koch: Sein Leben und sein Schaffen. Innsbruck 1905
Jensen, Jens Christian: I Nazareni – das Wort, der Stil. In: Klassizismus und Romantik in Deutschland. Gemälde und Zeichnungen der Sammlung Georg Schäfer, Schweinfurt. Ausstellung im Germanischen Nationalmuseum. Nürnberg 1966, S. 46–52
Keller, Horst: Deutsche Maler des 19. Jahrhunderts. München 1979
Lankheit, Klaus: Revolution und Restauration. Baden-Baden 1965
Ludwig, Horst: Münchner Malerei im 19. Jahrhundert. München 1978
Lutterotti, Otto von: Joseph Anton Koch 1768–1839. Innsbruck 1944
Mackowsky, Hans: Die Bildwerke Gottfried Schadows. Berlin 1951
Pfizer, Paul Achatius: Über das staatsrechtliche Verhältnis Württembergs zum Deutschen Bunde. Straßburg 1832
Pfizer, Paul Achatius: Gedichte. In: Deutsche Literaturdenkmale des 18. und 19. Jahrhunderts. No. 144. Berlin 1911, S. 287–330
Schümann, Carl Wolfgang: »In Erwartung des Jüngsten Gerichts«. Zur Ausstattung eines von F. A. Stüler geplanten Berliner Doms. In: Kunst in Hessen und am Mittelrhein. 11/1971, S. 85–105
Wollstein, Günter: Das »Großdeutschland« der Paulskirche. Nationale Ziele in der bürgerlichen Revolution 1848/49. Düsseldorf 1977
Wulz, Gustav: Die Gebrüder Eberhard Wilhelm und Friedrich Wilhelm Doppelmayr. Historischer Verein für Nördlingen und das Ries. Das 24. Jahrbuch. Nördlingen 1969, S. 7–33

Ausstellungskataloge:

Der Kölner Dom im Jahrhundert seiner Vollendung. Band 1, Katalog, Band 2, Essays zur Ausstellung der Historischen Museen in der Josef-Haubrich-Kunsthalle Köln. Köln 1980
Die Nazarener. Städtische Galerie im Städelschen Kunstinstitut. Frankfurt am Main 1977
Ferdinand Georg Waldmüller. Gemälde aus der Sammlung Georg Schäfer Schweinfurt. Schweinfurt 1978

Claus Pese, Historismus, Jugendstil und Industriekultur

Berlepsch, Hans Eduard von: Kunstgewerbliches aus München, in: Kunstgewerbeblatt Band 2, Leipzig 1886, S. 6ff.
Friedell, Egon: Kulturgeschichte der Neuzeit, München o.J.
Glaser, Hermann/Ruppert, Wolfgang/Neudecker, Norbert (Herausgeber): Industriekultur in Nürnberg. Eine deutsche Stadt im Maschinenzeitalter, München 1980
Glück, Franz (Herausgeber): Adolf Loos. Sämtliche Schriften in zwei Bänden, Band 1, Wien/München 1962
Haack, Friedrich: Die Kunst des 19. Jahrhunderts, 5. Esslingen 1918
Hamann, Richard/Hermand, Jost: Gründerzeit, 2. München 1974
Hamann, Richard/Hermand, Jost: Stilkunst um 1900, 2. München 1973
Jessen, Peter: Wohin treiben wir? in: Zeitschrift des Bayerischen Kunst-Gewerbevereins in München, Band 45, München 1896, S. 1ff.
Koch, Alexander (Herausgeber): Die Ausstellung der Darmstädter Künstlerkolonie, Darmstadt 1979 (Nachdruck des Originals von 1901)
Landes, David S.: Der entfesselte Prometheus. Technologischer Wandel und industrielle Entwicklung in Westeuropa von 1750 bis zur Gegenwart, Köln 1973
Mundt, Barbara: Theorien zum Kunstgewerbe des Historismus in Deutschland, in: Koopmann, Helmut/Schmoll gen. Eisenwerth, J. Adolf (Herausgeber): Beiträge zur Theorie der Künste im 19. Jahrhundert, Band 1, Frankfurt am Main 1971
Pazaurek, Gustav E.: Guter und schlechter Geschmack im Kunstgewerbe, Stuttgart/Berlin 1912
Pevsner, Nikolaus: Die Wiederkehr des Historismus, in: Grote, Ludwig (Herausgeber): Historismus und bildende Kunst, München 1965
Pevsner, Nikolaus: Der Beginn der modernen Architektur und des Design, Köln 1971
Selle, Gert: Die Geschichte des Design in Deutschland von 1870 bis heute. Entwicklung der industriellen Produktkultur, Köln 1978

Ausstellungskataloge:

München 1971: Die verborgene Vernunft. Funktionale Gestaltung im 19. Jahrhundert, München 1971
München 1973: Weltausstellungen im 19. Jahrhundert, München 1973
München 1975: Zwischen Kunst und Industrie. Der Deutsche Werkbund, München 1975
Berlin 1979: Peter Behrens und die AEG 1907–1914, Mailand 1978
Nürnberg 1980: Peter Behrens und Nürnberg. Geschmackswandel in Deutschland – Historismus, Jugendstil und die Anfänge der Industrieform, München 1980

NAMEN- UND SACHREGISTER